L'INVENTION DES AILES

Du MÊME AUTEUR

Le Secret des abeilles, Lattès, 2004.
Le Vol des aigrettes, Lattès, 2007.

www.editions-jclattes.fr

Sue Monk Kidd

L'INVENTION DES AILES

Roman

Traduit de l'anglais (États-Unis)
par Laurence Kiefé

JC Lattès

Titre de l'édition originale :

THE INVENTION OF WINGS

Publiée par Viking, un département de Penguin Group (USA)

Maquette de couverture : Bleu T
Photo : Asylum Quilt, couverture de coton vers 1850. New York,
collection of America Hurrah Antiques. (Détails)

ISBN : 978-2-7096-4657-4
Première édition janvier 2015.

Pour Sandy Kidd,
avec tout mon amour

I.

Novembre 1803 – Février 1805

Hetty Handful Grimké

Fut un temps où, en Afrique, les gens avaient des ailes. Mauma m'a raconté ça un soir quand j'avais dix ans. Elle a dit : « Handful, ta granny-mauma l'a vu de ses propres yeux. Elle dit qu'ils volaient dans les nuages au-dessus des arbres. Elle dit qu'ils volaient comme des merles. En venant ici, on a perdu cette magie-là. »

Ma mauma était futée. Elle savait ni lire ni écrire, pas comme moi. Tout ce qu'elle connaissait, elle l'avait appris à force de vivre une vie où la miséricorde n'était pas souvent au rendez-vous. Elle a regardé mon visage, partagé entre la peine et le doute, et elle a dit : « Tu me crois pas ? Et d'où tu penses qu'elles viennent, alors, tes omoplates, ma petite fille ? »

Ces os qui faisaient saillie sous la peau de mon dos. Elle les a tapotés en disant : « C'est tout ce qui reste de tes ailes. Y a plus rien que ces os tout plats maintenant mais un jour tu vas les récupérer. »

J'étais futée comme mauma. Même à dix ans, je savais que cette histoire de gens ailés, c'était du baratin. On n'était pas du tout des gens exceptionnels qui avaient perdu leur magie. On était des esclaves et on n'allait nulle part. C'est plus tard que j'ai compris ce dont elle parlait. On pouvait voler, c'était vrai, mais y avait vraiment rien de magique là-dedans.

Le jour où la vie a mal tourné sans que le monde y puisse rien changer, j'étais dans la cour occupée à faire bouillir les draps des esclaves et à entretenir le feu sous la lessiveuse; j'avais les yeux qui me brûlaient à cause des paillettes de soude qui volaient dans le vent. Le matin était froid – le soleil ressemblait à un petit bouton blanc cousu serré contre le ciel. Pendant l'été, nous portions des robes en coton tissé main par-dessus nos culottes mais, quand l'hiver de Charleston s'amenait comme une fille paresseuse en novembre ou en janvier, on enfilait nos sacs – ces manteaux épais faits de fil grossier. Rien qu'un vieux sac avec des manches. Le mien était une vieillerie qui me tombait jusqu'aux chevilles. Je n'aurais pas su dire combien de corps jamais lavés l'avaient porté avant moi, mais ils y avaient tous gentiment laissé leur odeur.

Déjà ce matin Missus[1] m'avait donné un bon coup de canne sur les fesses parce que je m'étais endormie pendant ses dévotions. Tous les jours, nous les esclaves, tous sauf cette vieille folle de Rosetta, on s'entassait dans la salle à manger avant le petit déjeuner et on luttait contre le sommeil pendant que Missus nous apprenait de courts versets de la Bible comme « Jésus pleura » et priait à haute voix sur le sujet préféré de Dieu, *l'obéissance*. Si on piquait du nez, on se retrouvait frappé au beau milieu de « Dieu a dit ci » et « Dieu a dit ça ».

En ce qui concernait ce satané bazar, je me gênais vraiment pas devant Aunt-Sister. Je disais : « Que cette tasse passe loin de moi », en débitant un des versets de Missus. Je disais : « Jésus a pleuré pasqu'il était coincé ici avec Missus, comme nous. »

Aunt-Sister était la cuisinière – elle n'avait pas quitté Missus depuis que Missus était petite fille – et avec Tomfry, le majordome, elle dirigeait tout. Elle était la seule à pouvoir dire à Missus ce qu'elle devait faire sans risquer de se faire frapper. Mauma disait tiens ta langue mais moi,

---

1. Déformation de « Mistress », ainsi que les esclaves appelaient l'épouse de leur maître. (*Toutes les notes sont de la traductrice.*)

j'obéissais jamais. Aunt-Sister me dégommait trois fois par jour.

J'étais une gamine pénible, une vraie *handful*. Pourtant, ce n'est pas de là que vient mon nom. Handful, c'était mon nom de couffin. Le maître et Missus, ils nous donnaient à tous des noms comme il faut mais la mauma, elle regardait son bébé couché dans son couffin et un nom lui venait à l'esprit, quelque chose qui avait à voir avec la tête du bébé, le jour de la semaine, le temps qu'il faisait ou simplement l'allure du monde ce jour-là. Mauma, son nom de couffin c'était Summer, mais son vrai nom c'était Charlotte. Elle avait un frère dont le nom de couffin était Hardtime. Les gens croient que ça, je l'invente mais c'est la vérité vraie.

Si on a un nom de couffin, au moins, on a quelque chose qui vient de sa mauma. Master Grimké m'avait appelée Hetty mais mauma m'a regardée le jour où je suis venue au monde, même que j'étais née trop tôt, et elle m'a appelée Handful.

Ce jour où j'étais en train d'aider Aunt-Sister dans la cour, mauma était dans la maison à travailler sur une robe en satin de coton doré pour Missus, avec un faux-cul dans le dos, ce qu'on appelle une robe Watteau. Elle était la meilleure couturière de Charleston et, à force de manier l'aiguille, elle avait les doigts tout raides. On voyait jamais plus beaux atours que ceux que ma mauma créait en un tournemain et elle n'utilisait aucun modèle. Elle détestait les catalogues de patrons. Elle sélectionnait elle-même les soies et les velours au marché et c'était elle qui réalisait tout ce que possédaient les Grimké – les rideaux aux fenêtres, les jupons matelassés, les robes à paniers, les culottes de peau et ces tenues de cavalier chics pour la Race Week, la Grande Semaine des Courses.

Je vais vous dire une chose : les Blancs, ils vivaient que pour la Race Week. Ils enchaînaient pique-nique, promenade et autres sorties récréatives. La réception de Mrs. King avait toujours lieu le mardi. Le dîner du Jockey Club le mercredi. La grande affaire, c'était le samedi avec le bal de St. Cecilia quand les dames se pavanaient dans leurs plus belles robes. Aunt-Sister disait que Charleston était atteinte de la folie des grandeurs. Jusqu'à mes huit ans au moins, j'ai cru que la folie des grandeurs, c'était une maladie dégoûtante.

Missus était petite avec la taille épaisse et, sous les yeux, comme des petites boules de pâte. Elle refusait de laisser les autres dames embaucher mauma. Elles la suppliaient pourtant, et mauma la suppliait aussi, parce qu'elle aurait pu garder une partie de ces gages pour elle, mais Missus disait : « Je ne peux pas te laisser faire pour eux quelque chose de mieux que ce que tu ferais pour nous. » Le soir, mauma déchirait des bandes de tissu pour ses quilts[1], pendant que d'une main je tenais la chandelle et de l'autre j'empilais les bandes, toujours par couleurs, au cordeau. Elle aimait les couleurs vives, elle mariait des teintes que personne n'aurait songé à marier – violet et orange, rose et rouge. La forme qu'elle préférait, c'était le triangle. Toujours noir. Mauma mettait des triangles noirs sur à peu près tous les quilts qu'elle fabriquait.

On avait une boîte en bois dans laquelle on rangeait nos chutes de tissu, une pochette pour le fil et les aiguilles et un dé en vrai cuivre. Mauma disait qu'un jour le dé serait à moi. Quand elle s'en servait pas, je le mettais au bout de mon doigt comme un bijou. On matelassait nos quilts avec du coton brut et des déchets de laine. Le meilleur molleton, c'était les plumes, c'est toujours vrai, et mauma et moi, quand on en voyait une par terre, on se penchait toujours pour la ramasser. Certains jours, mauma arrivait avec la poche pleine de plumes d'oie qu'elle avait récupérées dans les matelas troués de la maison. Si on était à bout de ressources pour rembourrer un quilt, on arrachait la mousse du chêne qui se trouvait dans la cour et on la cousait entre la doublure et le quilt lui-même, aoûtats compris.

---

1. Courtepointes rembourrées très en usage en Amérique du Nord, utilisant la technique du patchwork et de la broderie.

Passer du temps à travailler sur nos quilts, mauma et moi, on adorait vraiment ça.

Ça m'était égal ce que Aunt-Sister m'obligeait à faire dans la cour. Moi, je regardais toujours à l'étage la fenêtre où mauma était en train de coudre. Nous avions un signal. Si je retournais le seau à l'envers près de la cuisine, ça voulait dire que la voie était libre. Mauma ouvrait la fenêtre et lançait un bonbon au caramel qu'elle volait dans la chambre de Missus. Parfois il y avait aussi des chutes de tissu – des très jolis calicots, des écossais, des mousselines, du lin d'importation. Une fois, ce dé en vrai cuivre. Ce qu'elle préférait prendre, c'était du fil rouge écarlate. Elle le fourrait dans sa poche et sortait directement de la maison avec.

Ce jour-là, la cour était très animée, alors je n'espérais pas voir un caramel tomber du ciel. Mariah, l'esclave blanchisseuse, s'était brûlé la main avec le charbon du fer et elle était bonne à rien. La lessive bloquée, ça mettait Aunt-Sister hors d'elle. Tomfry avait réquisitionné les hommes pour égorger un cochon qui cavalait en hurlant de toute la force de ses poumons. Ils étaient tous sortis, depuis le vieux Snow, le cocher, jusqu'à Prince, le ramasseur de crottin. Tomfry tenait à ce que la mise à mort intervienne rapidement car Missus détestait qu'il y ait du bruit dans la cour.

Le bruit faisait partie de sa liste de péchés d'esclaves, que nous connaissions par cœur. Numéro un : voler. Numéro deux : désobéir. Numéro trois : fainéanter. Numéro quatre : faire du bruit. Un esclave était censé ressembler au Saint-Esprit – on ne le voit pas, on ne l'entend pas, mais il rôde en permanence dans les parages, toujours prêt.

Missus a crié à Tomfry de se montrer plus discret, une dame se devait d'ignorer la provenance de son bacon. En entendant ça, j'ai aussitôt dit à Aunt-Sister que Missus ne savait ni par quel bout il entrait ni par quel bout il ressortait, son bacon. Aunt-Sister m'a donné une gifle qui m'a dévissé la tête.

Armée de la longue perche qui nous servait à battre le linge, j'ai repêché les draps plongés dans la lessiveuse et, pour les faire égoutter, je les ai balancés sur le fil où Aunt-Sister faisait sécher ses herbes aromatiques. Il était interdit de les étendre dans l'écurie parce que les yeux des chevaux étaient trop précieux pour être abîmés par la soude. Les yeux des esclaves, c'était une autre affaire. Maniant mon bâton, je me suis mise à battre les draps pour leur faire rendre gorge. On appelait ça traquer la saleté.

Après en avoir terminé avec la lessive, je me suis retrouvée avec rien à faire et en situation de profiter du péché numéro trois. J'ai suivi un sentier que j'avais tracé à force de l'emprunter dix, douze fois par jour. Après avoir longé l'arrière de la maison, j'ai dépassé la cuisine et la buanderie pour aller jusqu'à l'arbre avec ses branches étales. Certaines étaient plus grosses que mon corps et elles se tordaient comme des rubans dans une boîte. Les mauvais esprits se déplacent toujours en ligne droite et notre arbre, il était tout en courbes. Nous les esclaves, on se rassemblait dessous quand la chaleur était écrasante.

Mauma me disait toujours : « N'arrache pas la mousse grise parce qu'elle protège du soleil et des regards indiscrets de tout le monde. »

Je suis passée devant l'écurie et la remise à voitures. Suivre ce sentier, c'était parcourir la carte entière du monde familier. Je n'avais encore jamais vu le globe pivotant qui montrait le reste, à l'intérieur de la maison. Je traînais, impatiente que la journée touche à sa fin pour que mauma et moi on puisse aller dans notre chambre. Elle se trouvait au-dessus de la remise et il n'y avait pas de fenêtre. L'odeur de crottin qui montait de l'écurie et de l'étable était tellement dense qu'on avait l'impression que notre paillasse en était remplie au lieu de paille. Les chambres des autres esclaves se trouvaient au-dessus de la cuisine.

Le vent s'est levé et j'ai écouté les voiles des bateaux claquer dans le port, de l'autre côté de la route, un endroit dont je sentais l'odeur mais que je n'avais jamais vu. Les voiles claquaient comme claque un fouet et nous tous on prêtait l'oreille pour savoir si c'était un esclave qu'on punissait dans une cour voisine ou un bateau sur le point de partir. La réponse, on pouvait la donner en fonction des cris.

Le soleil avait disparu, laissant les nuages tout froncés, comme s'ils avaient perdu leur bouton. J'ai ramassé la perche près de la lessiveuse et, sans raison valable, je l'ai enfoncée dans une des courges du potager. J'ai lancé la courge par-dessus le mur où elle a très bruyamment explosé.

L'atmosphère s'est figée. Missus a dit, et sa voix venait de la porte de derrière : « Aunt-Sister, amène-moi Hetty immédiatement. »

Je suis entrée dans la maison pensant qu'elle était folle de rage à cause de sa courge. J'ai ordonné à mon derrière de tenir le choc.

Sarah Grimké

Au matin de mon onzième anniversaire, maman me fit enfin quitter la nursery. Depuis un an, j'attendais impatiemment d'échapper aux poupées de porcelaine, aux toupies et aux minuscules services à thé éparpillés sur le sol, aux petits lits alignés, à toute cette surabondance et à la pagaille de cet endroit, mais maintenant que le jour était venu j'hésitais à passer le seuil de ma nouvelle chambre. Elle était lambrissée de bois sombre et il en émanait l'odeur de mon frère – ça sentait le cuir et la fumée. Le baldaquin en chêne et la frange de lit en velours rouge étaient si imposants qu'ils paraissaient plus proches du plafond que du plancher. Je ne bougeais plus tant j'étais effrayée à l'idée de vivre seule dans un espace aussi gigantesque, aussi démesuré.

Prenant mon souffle, je franchis la porte d'un coup. C'était ma méthode, inélégante, pour naviguer dans les difficultés de mon statut de fille. Tout le monde me considérait comme quelqu'un de courageux mais, en réalité, j'étais bien plus peureuse que d'aucuns le croyaient. J'avais un tempérament de tortue. Que quelque peur, quelque crainte, quelque obstacle surgît sur mon chemin, je ne songeais plus qu'à m'arrêter pile et me cacher. *Si tu dois te tromper, fais-le en toute audace.* C'était la petite formule que je m'étais forgée. Depuis déjà un certain temps, elle m'aidait à franchir le seuil des portes.

Ce matin-là, un vent froid et vif soufflait de l'Atlantique et les nuages étaient gonflés comme des manches à air. Pendant un moment, je ne bougeai plus, écoutant claquer les feuilles en forme de sabre des palmiers nains qui entouraient la maison. Sur la terrasse couverte, les rives de toit sifflaient. La balancelle grinçait sur ses chaînes. En bas, dans l'office, Mère ordonnait aux esclaves de sortir les soupières chinoises et les tasses Wedgwood ; c'était les préparatifs pour ma fête d'anniversaire. Sa servante, Cindie, avait passé des heures à humidifier la perruque de Mère pour fixer dessus papillotes et bigoudis et cette odeur aigre de chaud s'était infiltrée jusqu'en haut de l'escalier.

Tandis que j'observais Binah, la mauma de la nursery, en train de caser mes vêtements dans la vieille armoire si lourde, je me souvins comment elle secouait le berceau de Charles avec un tisonnier et comment on entendait ses bracelets de cawries tinter le long de ses bras tandis qu'elle nous terrifiait avec des histoires de Booga Hag – une vieille femme à califourchon sur un balai qui aspire le souffle des vilains enfants. Binah me manquerait. Et la douce Anna, qui dormait avec le pouce dans la bouche. Ben et Henry, qui sautaient comme des banshees jusqu'à ce que leurs matelas crachent des geysers de plumes d'oie, et la petite Eliza, qui avait pris l'habitude de se glisser dans mon lit pour échapper au règne de la terreur nocturne de Booga.

Bien sûr, j'aurais dû quitter cette chambre d'enfants depuis bien longtemps mais j'avais été contrainte d'attendre le départ de John pour l'université. Notre maison à trois étages était une des plus vastes de Charleston mais elle manquait de chambres à coucher, considérant à quel point... eh bien... maman était féconde. Nous étions dix : John, Thomas, Mary, Frederick et moi, suivis par les occupants de la nursery – Anna, Eliza, Ben, Henry et le petit Charles. J'étais celle du milieu, celle que Mère qualifiait de *différente* et Père d'*exceptionnelle*, celle qui avait les cheveux carotte et des taches de rousseur, par constellations entières. Un jour, mes frères avaient dessiné Orion, la Grande Ourse et Ursa Major sur mon front et mes joues, reliant les taches de rousseur avec du charbon. Cela ne m'avait pas dérangée – des heures durant, j'avais été leur ciel.

Tout le monde disait que j'étais la préférée de Père. J'ignore si j'étais sa préférée ou si je suscitais sa pitié mais, à coup sûr, lui était mon préféré. Il était magistrat à la plus haute cour de Caroline du Sud et au sommet de la classe des planteurs, le groupe social que Charleston considérait comme son élite. Il s'était battu aux côtés du général Washington et avait été fait prisonnier par les Anglais. Il était trop modeste pour parler de ces événements – pour cela, il avait Mère.

Elle s'appelait Mary et là s'arrête toute ressemblance avec la mère de notre Seigneur. Elle descendait des premières familles de Charleston, ce petit groupe d'aristocrates envoyé par le roi Charles pour bâtir la ville. Elle glissait cela dans les conversations avec tant d'obstination que, désormais, nous ne prenions même plus la peine de lever les yeux au ciel. Outre le fait de diriger la maison, une armée d'enfants et quatorze esclaves, elle accomplissait avec constance ses devoirs sociaux et religieux, de quoi mettre à genoux les reines et les saints d'Europe. Lorsque j'étais d'humeur compatissante, je disais que ma mère était bonnement épuisée. Cependant, je la soupçonnais d'être tout simplement méchante.

Lorsque Binah eut fini d'arranger mes peignes et mes rubans sur le plateau somptueux de ma nouvelle coiffeuse Hepplewhite, elle se tourna vers moi ; je devais avoir l'air perdue, debout là, parce qu'elle fit claquer sa langue contre son palais et dit : « Pauvre Miss Sarah. »

Je déteste tellement qu'on accole l'adjectif *pauvre* à mon nom. Binah répète ce « Pauvre Miss Sarah » comme une incantation depuis que j'ai quatre ans.

Voilà mon plus ancien souvenir : former des mots avec les billes de mon frère. C'est l'été et je suis sous le chêne qui se dresse au fond de la cour. Thomas, dix ans, que j'aime le plus au monde, m'a appris neuf mots : *Sarah, fille, garçon, partir, arrêter, sauter, courir, monter, descendre*. Il les a écrits sur du papier-parchemin et il m'a donné une pochette de quarante-huit billes de verre avec lesquelles je peux les épeler, assez pour former deux mots en même temps. Je dispose les billes par terre, je recopie les mots tracés à l'encre par Thomas. *Sarah Partir. Garçon Courir. Fille Sauter*. Je travaille aussi vite que je peux. Binah ne va plus tarder à venir me chercher.

Cependant, c'est Mère qui descend jusque dans la cour. Binah et les autres domestiques sont tassés derrière elle, ils avancent à pas prudents, synchronisés comme s'ils ne formaient qu'une seule créature, un mille-pattes traversant une zone dangereuse. Je sens l'ombre qui rôde dans l'air au-dessus d'eux, une peur dévorante, et je me renfonce dans la pénombre vert-noir de l'arbre.

Les esclaves regardent fixement le dos de Mère, qui est droit, sans concession. Elle se retourne pour les sermonner. «Vous traînez. Dépêchez-vous, qu'on en finisse.»

Pendant qu'elle parle, une vieille esclave, Rosetta, est tirée hors de l'étable, tirée par un homme, un des esclaves qui travaillent dans la cour. Elle se débat, elle lui lacère le visage. Mère l'observe, impassible.

Il attache les mains de Rosetta à la colonne d'angle sur la véranda de la cuisine. Elle jette un œil par-dessus son épaule en suppliant. *Missus, s'il vous plaît. Missus. Missus. S'il vous plaît*. Elle continue à supplier alors même que l'homme la cingle de son fouet.

Elle a une robe en coton, jaune pâle. Pétrifiée, je vois le sang se répandre sur le dos de sa robe, des fleurs rouges qui s'ouvrent comme des pétales. Je ne parviens pas à concilier la barbarie des coups avec la douceur de sa mélopée ou la beauté des roses qui s'enroulent autour de la treille de sa colonne vertébrale. Quelqu'un compte les coups de fouet – est-ce Mère? *Six, sept*.

La flagellation continue mais Rosetta cesse de gémir et s'affale contre la rambarde de la véranda. *Neuf, dix*.

Mes yeux se détournent. Ils suivent une araignée noire qui s'enfonce loin sous l'arbre – les racines tortueuses et les mousses boisées, les périls infinis – et dans ma tête je répète les mots que j'ai fabriqués tout à l'heure. *Courir. Fille Sauter. Sarah Partir.*

Treize. Quatorze… Je jaillis de l'ombre, je passe devant l'homme qui maintenant replie son fouet, tâche terminée, devant Rosetta pendue par les mains, toute tassée sur elle-même. Quand je grimpe l'escalier qui mène à la maison, Mère m'appelle et Binah tend le bras pour m'attraper au passage, mais je leur échappe, je fonce dans le grand couloir, je sors de l'autre côté et je me rue aveuglément vers les quais.

Le reste, je ne m'en souviens pas clairement, sauf que je me retrouve en train d'errer sur la passerelle d'un bateau à voiles, je sanglote et je trébuche sur un rouleau de cordage. Un homme gentil avec une barbe et une casquette sombre me demande ce que je veux. Je l'implore, *Sarah Partir.*

Binah me court après, mais je ne prends pas conscience de sa présence jusqu'à ce qu'elle me prenne dans ses bras en roucoulant «Pauvre Miss Sarah, pauvre Miss Sarah». Comme un décret, une proclamation, une prophétie.

Quand j'arrive à la maison, je suis un désastre de morve, de larmes, de poussière et de crasse du port. Mère me serre contre elle, puis elle recule et me secoue comme un prunier avant de m'étreindre à nouveau. «Tu dois promettre de ne plus jamais t'enfuir. *Promets-moi.*»

Je voudrais bien. J'essaie. Les mots sont au bout de ma langue – des mots bien ronds qui brillent comme les billes sous l'arbre.

— Sarah! exige-t-elle.

Rien ne vient. Plus un son.

Je restai muette une semaine durant. Les mots semblaient coincés dans le creux entre mes clavicules. Je les libérai par paliers, à force de les implorer, de les brutaliser et de les flatter. Je réussis à retrouver la parole, mais accompagnée d'un bégaiement instable, bizarre. Je n'avais jamais été du genre à m'exprimer avec aisance, même les premiers mots que j'avais prononcés reflétaient une certaine brutalité mais désormais il y avait entre mes phrases des interruptions longues et laides, d'interminables secondes où les mots, en se recroquevillant contre mes lèvres, poussaient mes interlocuteurs à détourner les yeux. Plus le temps passait, plus ces abominables pauses n'obéissaient qu'à leurs mystérieux caprices. Elles pouvaient me tourmenter des semaines durant puis se calmer pendant des mois, pour réapparaître aussi brusquement qu'elles avaient disparu.

Le jour où je quittai la nursery pour démarrer une vie de grande dans l'ancienne chambre de John, si guindée, je ne pensais plus à cet acte de cruauté qui s'était déroulé dans la cour quand j'avais quatre ans ni aux filaments ténus qui m'avaient reliée à ma voix depuis lors. Ces soucis étaient bien loin de mon esprit. Mon défaut d'élocution ne s'était plus manifesté depuis un bon moment – quatre mois et six jours. Je m'étais presque imaginée guérie.

Donc, lorsque Mère surgit tout à trac dans la chambre – moi, au paroxysme de mes efforts d'adaptation à mon environnement et Binah, disposant mes affaires ici et là – pour me demander si mes nouveaux quartiers étaient à mon goût, je fus sidérée de me retrouver incapable de lui répondre. La porte avait claqué au fond de ma gorge et il y régnait un silence complet. Mère me regarda en soupirant.

Lorsqu'elle sortit, je m'obligeai à conserver les yeux secs et tournai le dos à Binah. Je n'aurais pas pu supporter d'entendre encore une fois « Pauvre Miss Sarah ».

Handful

Aunt-Sister m'a emmenée dans l'office où Binah et Cindie s'activaient autour de plateaux en argent qu'elles garnissaient de pains d'épice et de pommes couvertes de noix pilées. Elles portaient leur beau tablier, long et amidonné. Du salon venait comme un bruit d'abeilles qui bourdonnent.

Missus est apparue en disant à Aunt-Sister de m'enlever ma veste sale et de me laver la figure avant d'ajouter : « Hetty, Sarah a onze ans aujourd'hui et nous donnons une fête pour son anniversaire. »

Elle a pris un ruban lavande sur le buffet et elle me l'a noué autour du cou, pendant que Aunt-Sister frottait la saleté de mes joues avec son torchon. Missus m'a noué un autre ruban autour de la taille. Quand je me suis un peu débattue, elle m'a rabrouée sèchement : « Cesse de t'agiter, Hetty ! Reste tranquille ! »

Missus avait trop serré le ruban autour de ma gorge. J'avais l'impression de ne plus pouvoir avaler. J'ai voulu croiser le regard d'Aunt-Sister mais elle gardait les yeux collés sur les plateaux chargés de nourriture. J'avais envie de lui dire, *Enlève-moi ça, aide-moi, j'ai besoin d'aller faire pipi.* J'étais jamais en panne de réplique mais cette fois ma voix s'était enfuie au fond de ma gorge comme une souris de cuisine.

Je dansais d'un pied sur l'autre. Je pensais à ce que mauma m'avait dit : « Tiens-toi bien à la période de Noël parce que c'est à ce moment-là qu'ils vendent les enfants en trop ou qu'ils les envoient travailler aux champs. » À ma connaissance, master Grimké n'avait jamais vendu d'esclave mais j'en connaissais plein qu'il avait envoyés dans sa plantation, dans l'arrière-pays. C'était de là que mauma était venue, avec moi dans son ventre et en abandonnant mon papa.

Alors, j'ai cessé de remuer. Toute ma petite personne s'est tapie dans le trou où il y avait déjà ma voix. J'ai essayé de faire ce que Dieu voulait, d'après eux. Obéis, tais-toi, ne bouge pas.

Missus m'a examinée, pour voir à quoi je ressemblais avec les rubans violets. Elle m'a prise par le bras pour m'emmener dans le salon où les dames étaient assises avec leurs robes bien étalées, leurs tasses à thé en porcelaine et leurs serviettes en dentelle. Une des dames jouait d'un tout petit piano qu'on appelle un clavecin mais elle s'est arrêtée quand Missus a frappé dans ses mains.

Tous les regards se sont fixés sur moi. Missus a dit : « Voilà notre petite Hetty. Sarah, ma chérie, c'est ton cadeau, ta servante rien que pour toi. »

J'avais les mains coincées entre les jambes et Missus les a dégagées d'une bourrade. Elle m'a fait faire un tour complet. Les dames ont commencé à parler comme des perroquets – joyeux anniversaire, joyeux anniversaire – en picorant l'air avec leurs têtes bien soignées. La sœur aînée de Miss Sarah, Miss Mary, boudait dans son coin parce qu'elle n'était pas au centre de l'attention. Missus mise à part, elle était la pire de la pièce. On avait tous vu comment elle traitait sa propre servante, Lucy, en tapant dessus à tout bout de champ. On disait tous que si Miss Mary laissait tomber son mouchoir du deuxième étage, elle exigerait de Lucy qu'elle le lui rapporte en sautant par la fenêtre. Au moins, j'avais échappé à celle-là.

Miss Sarah s'est levée. Elle portait une robe bleu foncé, elle avait les cheveux vaguement orange, raides comme de la barbe de maïs et des taches de rousseur de la même couleur sur tout le visage. Elle a pris son souffle et elle a commencé à remuer les lèvres. À cette époque, Miss Sarah s'arrachait les mots de la gorge comme si elle remontait l'eau du fond d'un puits.

Quand le seau est parvenu en haut, on a eu du mal à saisir ce qu'elle disait. « ... Je suis désolée, Mère... je ne peux pas accepter. »

Missus lui a demandé de répéter. Cette fois, Miss Sarah a braillé comme un vendeur de crevettes.

Missus avait des yeux bleu glacier comme ceux de Miss Sarah mais ils ont foncé jusqu'à l'indigo. Ses ongles se sont enfoncés dans ma chair, laissant sur mon bras la trace de ce qui ressemblait à un vol d'oiseaux. Elle a dit : « Assieds-toi, ma petite Sarah.

— ... Je n'ai pas besoin de servante... Je me débrouille très bien sans.

— En voilà assez ! » a dit Missus.

Comment peut-on passer à côté d'un pareil avertissement, ça, je sais pas. Miss Sarah l'a raté d'un bon kilomètre.

« Ne pourrais-tu la garder pour Anna ?

— *Ça suffit !* »

Miss Sarah s'est laissée tomber sur sa chaise comme si quelqu'un l'avait poussée.

L'eau s'est mise à ruisseler le long de ma jambe. Je me suis débattue autant que j'ai pu pour m'arracher aux griffes de Missus, mais ça a fini par faire une flaque sur le tapis.

Missus a poussé un cri et le silence s'est installé. On aurait entendu des braises sauter dans la cheminée.

Je m'attendais à prendre une gifle, ou pire. J'ai pensé à Rosetta, comment elle se mettait à avoir une crise de tremblote quand ça l'arrangeait. La bave coulait de sa bouche et ses yeux roulaient dans leurs orbites. Elle ressemblait à un scarabée coincé sur le dos qui aurait essayé de se retourner mais ça lui permettait d'échapper à la punition et ça m'a traversé l'esprit de tomber par terre et de m'offrir la plus belle crise possible.

Mais je suis restée plantée là avec ma robe humide plaquée sur mes cuisses et la honte qui m'empourprait les joues.

Aunt-Sister est venue me récupérer. Quand on est passées devant l'escalier dans le grand hall, j'ai vu mauma sur le palier, qui se tenait la poitrine à deux mains.

Cette nuit-là, on entendait la lamentation des tourterelles, perchées dans l'arbre. Je m'accrochais à mauma sur notre sommier de corde, les yeux fixés sur le cadre à quilt, la façon dont il était accroché au-dessus de nous, aux poutres du plafond, bien remonté sur ses poulies. Elle a dit que le cadre à quilt, c'était notre ange gardien. Elle a dit : « Tout va bien se passer. » Mais la honte ne me lâchait pas. Elle avait un goût amer comme un fruit vert sur ma langue.

Les cloches ont sonné dans Charleston pour le couvre-feu des esclaves et mauma a dit que la Garde allait bientôt sortir en tapant sur ses tambours, elle l'a dit comme ça : « La vermine va pas tarder à grouiller dans le blé. »

Puis elle s'est mise à frotter les os plats de mes épaules. Et c'est là qu'elle m'a raconté l'histoire venue d'Afrique que sa mauma lui avait racontée. Comment les gens savaient voler. Comment ils volaient au-dessus des arbres et des nuages. Ils volaient comme des merles.

Le lendemain matin, mauma m'a donné un quilt adapté à ma taille et elle m'a expliqué que je ne pouvais plus dormir avec elle. À partir d'aujourd'hui, je devrais dormir par terre dans le couloir devant la chambre de Miss Sarah. Mauma a dit : « Lève-toi de ton quilt que si Miss Sarah t'appelle. Va pas te promener n'importe où. N'allume pas de bougie. Fais pas de bruit. Quand Miss Sarah te sonne, tu te dépêches. »

Mauma m'a dit : « À partir de maintenant, ça va pas être facile, Handful. »

Sarah

Je me retrouvai consignée dans ma chambre avec l'ordre d'écrire une lettre d'excuses à chaque invitée. Mère m'installa au bureau avec du papier, un encrier et une lettre qu'elle avait rédigée elle-même et que je devais recopier.

« ... Vous n'avez pas puni Hetty, n'est-ce pas ? demandai-je.

— Me crois-tu donc inhumaine, Sarah ? La petite a eu un accident. Qu'aurais-je pu faire ? répliqua-t-elle en haussant les épaules, exaspérée. Si on ne parvient pas à nettoyer le tapis, il faudra le jeter. »

Alors qu'elle s'apprêtait à sortir, je m'efforçai de m'arracher les mots de la bouche.... « Mère, je vous en prie, permettez-moi... permettez-moi de vous rendre Hetty. »

De vous rendre Hetty. Comme si elle m'appartenait, finalement. Comme si le fait de posséder quelqu'un était aussi naturel que de respirer. Malgré toutes mes réticences face à l'esclavage, je respirais le même air nauséabond.

« Ta tutelle est légale et officielle. Hetty t'appartient, Sarah, on ne peut rien faire contre.

— ... Mais... »

J'entendis le bruissement de ses jupons quand elle traversa le tapis pour me rejoindre. C'était une femme qui savait se faire obéir contre vents et marées mais, là, elle se montrait gentille. Glissant un doigt sous mon menton, elle leva mon visage vers elle en souriant. « Pourquoi faut-il que tu te battes ainsi? J'ignore d'où tu tiens ces idées absurdes. Telles sont nos règles de vie, ma chère enfant, accepte-les avec sérénité.» Elle m'embrassa le sommet du crâne. «Je viendrai récupérer les dix-huit lettres demain matin», ajouta-t-elle.

La pièce s'emplit d'une lumière orangée qui éclaira les lambris de cyprès avant de se fondre dans l'ombre et le crépuscule. Dans ma tête, je voyais clairement Hetty – son expression perplexe, mortifiée, ses nattes hérissées dans tous les sens, les disgracieux rubans lavande. Elle était extrêmement frêle, elle n'avait qu'un an de moins que moi mais la silhouette d'un enfant de six ans. Elle n'avait que la peau sur les os. Ses coudes ressemblaient aux branches incurvées de deux épingles à nourrice. La seule chose de taille chez elle, c'était ses yeux d'une étrange teinte dorée qui flottaient au-dessus de ses joues noires comme des demi-lunes brillantes.

Demander à ce qu'on me pardonne un acte que je ne regrettais nullement d'avoir commis me semblait bien perfide. Je n'avais qu'un seul regret, c'était la faiblesse de mes protestations. J'aurais voulu rester assise là toute la nuit, refusant de plier, pendant des jours et des semaines s'il l'avait fallu, mais finalement je cédai et écrivis ces satanées lettres. Je savais que j'étais une drôle de fille avec mes idées rebelles, mon intelligence avide et mon allure bizarre; sans compter que, la moitié du temps, je postillonnais comme un cheval rongeant son frein, autant de qualités qui, pour le sexe féminin, n'étaient guère prisées. J'étais en bonne voie pour devenir la paria de la famille et je redoutais l'ostracisme. Je le redoutais plus que tout.

Encore et encore, j'écrivis:

Chère Madame,
Je vous remercie de l'honneur que vous me fîtes et de la bienveillance que vous manifestâtes en assistant à la réception donnée pour mon onzième anniversaire. Je regrette que, alors que je reçus de mes parents une

excellente éducation, mon comportement en cette occa-
sion fût d'une grossièreté inacceptable. J'implore humble-
ment votre pardon pour cette attitude inconvenante et ce
manque de respect.
     Votre amie bien contrite,

                                   Sarah Grimké

J'escaladai ce matelas d'une hauteur grotesque et je
m'étais à peine installée qu'un oiseau devant ma fenêtre se
mit à faire des trilles. D'abord, une averse de sifflements
suivie d'un chant doux, mélancolique. Je me sentais seule
au monde avec mes idées absurdes.

Me laissant glisser de mon perchoir, je courus à la fenêtre
où, frissonnante dans ma chemise de lainage blanc, je
contemplai East Bay Street, au-delà des toitures sombres,
dans la direction du port. Avec la saison des ouragans derrière nous, il y avait près d'une centaine de huniers amar-
rés là, sur l'eau scintillante. Écrasant ma joue contre la
vitre froide, je découvris que j'avais partiellement vue sur
les quartiers des esclaves, au-dessus de la remise à voitures, où je savais que Hetty était en train de passer sa dernière nuit avec sa mère. Demain, elle devrait remplir les
devoirs de sa charge et dormir devant ma porte.

Ce fut à ce moment-là que j'eus une brusque illumi-
nation. J'allumai une chandelle avec les braises du feu,
j'ouvris la porte et avançai dans le couloir obscur et non
chauffé. Trois formes sombres étaient étendues par terre
près des portes des chambres. À vrai dire, je ne savais
rien du monde à l'extérieur de la nursery et il me fallut
un moment pour comprendre que ces formes étaient des
esclaves, qui dormaient tout près au cas où un Grimké
agiterait sa sonnette.

Mère souhaitait remplacer ce système archaïque
par un autre, récemment mis en place chez son amie,
Mrs. Russell. Là, on appuyait sur des boutons qui sonnaient
dans les quartiers des esclaves, chacun avec son propre
carillon. Mère appréciait l'innovation mais Père estimait
que c'était du gaspillage. Même si nous étions anglicans,

il avait une tendance à l'austérité toute huguenote. Ces sonnettes ostentatoires devraient attendre sa mort pour faire leur apparition dans la maison Grimké.

Pieds nus, je descendis le vaste escalier d'acajou jusqu'au premier étage où dormaient deux autres esclaves sans compter Cindie, bien réveillée et assise contre le mur devant la chambre de mes parents. Elle m'observa avec circonspection mais ne me posa aucune question.

J'avançai sur le tapis persan qui couvrait presque toute la longueur du grand couloir, tournai la poignée de la bibliothèque de Père et entrai. Un rayon de lune qui passait par la fenêtre tombait sur un portrait de George Washington au cadre très orné. Depuis presque un an, Père détournait la tête chaque fois que je passais sous le nez de Mr. Washington pour piller la bibliothèque. John, Thomas et Frederick étaient libres de piocher dans son vaste trésor – des ouvrages de droit, de géographie, de philosophie, de théologie, d'histoire, de botanique, de poésie et les humanités grecques –, tandis qu'il était officiellement interdit à Mary et moi d'en lire une ligne. Apparemment, Mary ne s'intéressait guère aux livres mais moi… j'en rêvais dans mon sommeil. Je ne parvenais pas à mettre en mots l'amour que je leur portais, même quand j'en parlais à Thomas. Il me désignait certains volumes et me faisait réciter les déclinaisons latines. Il était le seul à savoir à quel point je désirais désespérément m'instruire, au-delà de ce que j'apprenais livrée aux mains de Mme Ruffin, ma préceptrice et mon fléau français.

C'était une femme de petite taille, dotée d'un tempérament colérique; elle portait un bonnet de veuve avec des rubans qui flottaient sur ses joues et, quand il faisait froid, une cape en fourrure genre écureuil et de minuscules chaussures doublées de fourrure. Elle était connue pour envoyer les filles au coin pour la plus minime des infractions et les gronder jusqu'à les faire s'évanouir. Je la méprisais, elle et son «éducation adaptée à la douceur de l'esprit féminin» qui consistait en travaux d'aiguille, apprentissage des bonnes manières, dessin, lecture minimale, écriture, piano, Bible, français et juste assez d'arithmétique pour additionner deux et deux. Il ne me semblait pas exclu de mourir à force de tracer des fleurs minuscules sur les pages de mon cahier de dessin. Une fois, j'écrivis dans la marge : « Si je dois mourir à cause de cet exercice infâme, je souhaite que ces fleurs ornent mon cercueil. » Cela n'amusa pas Mme Ruffin. Elle m'obligea à rester debout, au coin, et tempêta contre mon insolence tandis que je m'efforçais de ne pas m'évanouir.

De plus en plus souvent, durant ces cours, j'étais prise d'envies impératives, de douleurs inconnues et torrentielles qui venaient me submerger le cœur. Je voulais savoir des choses, je voulais devenir quelqu'un. Oh, être un fils ! J'adorais Père parce qu'il me traitait presque comme un fils en me permettant d'entrer et sortir librement de sa bibliothèque.

Cette nuit-là, le charbon dans la cheminée de la bibliothèque était froid et l'odeur de cigare stagnait encore dans l'air. Sans effort, je repérai le manuel de Père, *Justice de paix et droit public de Caroline du Sud*, qu'il avait lui-même rédigé. Je l'avais suffisamment feuilleté pour savoir que quelque part dans cet ouvrage il y avait un exemple de document légal d'affranchissement.

Dès que je l'eus trouvé, je pris du papier et une plume sur le bureau de Père et je le recopiai.

Je soussignée par la présente certifie en ce jour, le 26 novembre 1803, dans la ville de Charleston, dans l'État de Caroline du Sud, libérer de l'esclavage Hetty Grimké et lui décerner ce certificat d'affranchissement.

Sarah Moore Grimké

Que pouvait faire Père si ce n'était rendre la liberté de Hetty aussi légale et officielle que l'était son asservissement ? Je suivais des règles juridiques qu'il avait lui-même édictées ! Je posai mon œuvre sur la boîte de trictrac, sur son bureau.

Dans le couloir, j'entendis tinter la sonnette de Mère qui appelait Cindie et je montai les marches si vite que la flamme de ma chandelle s'éteignit.

Ma chambre était encore plus froide et le petit oiseau ne chantait plus. Je me glissai sous l'entassement de quilts et de couvertures mais j'étais trop agitée pour dormir. J'imaginais les actions de grâce que Charlotte et Hetty allaient déverser sur moi. J'imaginais la fierté de Père en découvrant le document et le déplaisir de Mère. *Légale et officielle, eh bien voyons!* Finalement, submergée de fatigue et de satisfaction, je m'endormis.

Lorsque je m'éveillai, la teinte bleutée des carreaux de Delft qui entouraient le foyer brillait dans la lumière. Je me redressai dans ce silence. Mon euphorie de la nuit avait disparu, je me sentais calme et l'esprit clair. Je n'aurais pu expliquer alors ni comment le chêne vit déjà dans le gland ni comment je pris brusquement conscience que, de façon tout aussi énigmatique, quelque chose vivait en moi – la femme que je deviendrais –, mais apparemment je savais d'emblée qui elle serait.

C'était là depuis toujours tandis que j'écumais les livres de Père et que je bâtissais mon argumentation au cours de nos débats à la table du dîner. La semaine dernière encore, Père avait orchestré une discussion entre Thomas et moi sur le sujet des animaux exotiques fossilisés. Thomas soutenait que, si ces animaux inconnus avaient totalement disparu, cela signifiait que Dieu était un piètre organisateur, que l'idéal de la perfection divine était menacé, et donc, que ces animaux devaient encore vivre quelque part sur terre, dans des endroits reculés. J'affirmais, moi, que même Dieu avait le droit de changer d'avis. « Pourquoi la perfection divine devrait-elle reposer sur le fait d'avoir une nature inaltérable ? demandai-je. La souplesse n'est-elle pas plus parfaite que l'immobilisme ? »

Père avait frappé sur la table du plat de la main. « Si Sarah était un garçon, elle serait le plus grand juriste de Caroline du Sud ! »

Sur le moment, ses mots m'avaient impressionnée mais ce ne fut que ce matin-là, en me réveillant dans ma nouvelle chambre, que j'en compris vraiment la portée. Mon destin m'apparut soudain dans toute son évidence. Je deviendrais juriste.

Évidemment, je savais que les femmes ne devenaient pas avocats. Pour une femme, rien n'était possible sauf la sphère domestique et ces fleurs minuscules tracées sur les pages de mon cahier de dessin. Pour une femme, aspirer à devenir avocat – eh bien, il était possible que cela provoquât la fin du monde. Mais un gland devient bien un chêne, non?

Les troubles de ma voix ne seraient pas un obstacle, mais une contrainte. Une contrainte qui me rendrait forte et j'allais avoir besoin de force.

J'avais pris le pli d'accomplir des petits rituels intimes. La première fois que j'avais choisi un livre dans la bibliothèque de Père, j'avais noté la date et le titre – 25 février 1803, *La Dame du Lac* – sur une bande de papier que j'avais calée dans une barrette en écaille de tortue que je portais en toute discrétion. Maintenant, avec l'aube qui dessinait sur le lit un réseau de taches lumineuses, je tenais à célébrer ce qui serait sans doute le grand accomplissement de ma vie.

J'allai prendre dans l'armoire la robe bleue que Charlotte m'avait faite pour cette catastrophique fête d'anniversaire. Au creux de l'encolure, elle avait cousu un gros bouton d'argent sur lequel était gravée une fleur de lys. À l'aide du coupe-papier en bec de faucon que John avait laissé, je le décousis. Je le serrai dans ma main et priai. *Je t'en prie, mon Dieu, que cette graine que tu as plantée en moi porte des fruits.*

Lorsque je rouvris les yeux, tout était identique. La chambre était toujours éclairée par la lumière du matin, la robe gisait comme un morceau de ciel bleu sur le sol, je tenais toujours le bouton d'argent mais j'avais le sentiment que Dieu m'avait entendue.

Ce somptueux bouton représentait tout ce qui s'était passé cette nuit-là – le dégoût à l'idée de posséder Hetty, le soulagement en signant son affranchissement mais surtout le bonheur d'identifier cette graine innée en moi, celle que mon père avait déjà repérée. *Une juriste.*

Je glissai le bouton dans une petite boîte en pierre de lave italienne que j'avais reçue un jour pour Noël, puis je la cachai au fond du tiroir de ma commode.

Dans le couloir, on entendait des voix, mêlées au cling-clang des plateaux et des brocs. Les bruits des esclaves dans leur esclavage. Le monde qui s'éveillait.

Je m'habillai en hâte, en me demandant si Hetty se trouvait déjà devant ma porte. Je l'ouvris, le cœur battant, mais Hetty n'était pas là. Le document d'affranchissement que j'avais écrit était par terre. Déchiré en deux.

Handful

Ma vie avec Miss Sarah a démarré carrément du pied gauche.

Quand je suis arrivée dans sa chambre ce premier matin, la porte était ouverte et Miss Sarah était assise dans le froid, à fixer le mur. J'ai passé la tête par l'entrebâillement et j'ai dit : « Miss Sarah, vous voulez que j'entre ? »

Elle avait des petites mains épaisses avec des doigts courts ; elle les a déployés devant sa bouche comme on déploie un éventail. Ses yeux pâles étaient bien plus expressifs que sa bouche. Ils disaient : *Je ne veux pas de toi ici.* Sa bouche disait : « ... Oui, entre... Je suis contente que ce soit toi ma servante. » Puis elle s'est avachie sur son siège et elle a continué ce qu'elle était en train de faire. Rien.

Une esclave de dix ans qui n'a jamais rien fait d'autre que d'accomplir des tâches pour Aunt-Sister n'a pas souvent eu l'occasion d'entrer dans la maison. Et jamais de monter dans les étages supérieurs. Non mais quelle chambre ! Elle avait un lit grand comme une voiture à cheval, une coiffeuse avec un miroir, un bureau sur lequel ranger des livres et encore des livres et beaucoup de sièges capitonnés. Dans la cheminée, il y avait un pare-feu brodé de fleurs roses qui, je le savais, sortaient de l'aiguille de mauma. Sur le manteau de la cheminée, deux vases blancs, pure porcelaine.

J'ai tout examiné puis je suis restée plantée, à me demander quoi faire. J'ai dit : « Il fait vraiment froid. »

Miss Sarah n'a pas répondu, alors j'ai dit plus fort : « IL FAIT VRAIMENT FROID. »

Ce qui l'a arrachée à sa contemplation du mur. « ... Tu pourrais faire du feu, je pense. »

J'avais déjà vu comment il fallait s'y prendre mais voir, c'est pas faire. Comme j'ignorais qu'il fallait vérifier le conduit de cheminée, il y a eu soudain toute cette fumée qui s'est mise à grouiller comme un vol de chauves-souris.

Miss Sarah a commencé à ouvrir les fenêtres en grand. Ça devait donner l'impression que la maison brûlait parce que dans la cour, Tomfry s'est mis à crier : « Au feu, au feu ! »

Alors tout le monde s'en est mêlé.

Dans le cabinet de toilette, j'ai attrapé la cuvette pleine et j'ai balancé l'eau sur le feu, ce qui n'a servi à rien sauf à doubler la quantité de fumée. Miss Sarah l'a chassée par les fenêtres ouvertes et, au milieu de tous ces nuages noirs, on aurait dit un fantôme. Dans la chambre, il y avait une porte dérobée qui donnait sur la terrasse couverte et j'ai voulu prévenir Tomfry qu'il n'y avait pas le feu mais, avant que j'en aie eu le temps, j'ai entendu Missus galoper dans toute la maison en hurlant qu'on devait tous sortir mais surtout pas les mains vides.

Quand la fumée s'est réduite à quelques toiles d'araignée flottantes, j'ai suivi Miss Sarah dans la cour. Old Snow et Sabe avaient bridé les chevaux et rangé les voitures tout au fond au cas où toute la cour aurait sombré avec la maison. Tomfry avait ordonné à Prince et Eli de trimballer des seaux de la citerne. Quelques voisins avaient déjà débarqué avec d'autres seaux. Les gens avaient plus peur du feu que du diable. On laissait en permanence un esclave dans le clocher de l'église St. Michael pour surveiller si des toits prenaient feu ; j'étais inquiète à l'idée que, s'il avait vu toute cette fumée, il sonne la cloche et que la brigade entière débarque.

J'ai couru vers mauma qui avait rejoint les autres. Les choses considérées comme dignes d'être sauvées étaient empilées à leurs pieds. Des bols en porcelaine, des boîtes à thé, des albums, des vêtements, des portraits, des bibles, des broches et des perles. Il y avait même un buste en marbre. Missus tenait sa canne à pommeau d'or dans une main et un étui à cigares en argent dans l'autre.

Miss Sarah s'efforçait de se faire entendre dans tout ce raffut pour avertir Tomfry et les hommes qu'il n'y avait aucun feu à noyer mais le temps qu'elle s'arrache les mots de la bouche, eux étaient déjà repartis tirer de l'eau.

Quand enfin ce qui s'était passé est devenu clair, Missus s'est mise très en colère. « Hetty, espèce d'idiote incompétente ! »

Personne ne bougeait, même pas les voisins. Mauma s'est avancée et elle m'a cachée derrière elle mais Missus m'a attrapée pour me refaire passer devant. Elle a abattu la canne à pommeau d'or sur l'arrière de mon crâne, le pire coup que j'aie jamais reçu. Ça m'a mise à genoux.

Mauma a poussé un hurlement. Et Miss Sarah aussi. Mais Missus, elle a levé le bras comme si elle voulait me frapper à nouveau. Je ne peux pas décrire précisément ce qui s'est passé ensuite. La cour, les gens dedans, les murs qui nous cernaient, tout a disparu. La terre s'est dérobée sous mes pieds et le ciel s'est gonflé en tourbillonnant, comme une tente emportée par le vent. J'étais dans un espace qui n'appartenait qu'à moi, un endroit inaccessible au temps. Une voix répétait inlassablement dans ma tête : *Lève-toi. Lève-toi et regarde-la droit dans les yeux. Mets-la au défi de te frapper. Mets-la au défi.*

Je me suis redressée avec un petit mouvement de menton dans sa direction. Mes yeux disaient : *Frappe-moi si tu l'oses.*

Missus a laissé retomber son bras et elle a reculé. Alors la cour s'est reconstituée autour de moi et je me suis tâté le crâne du bout des doigts. J'avais une bosse de la taille d'un œuf de caille. Mauma a tendu la main pour tâter à son tour.

Le reste de cette journée abandonnée de Dieu, les esclaves, filles et femmes, ont dû déménager tous les draps,
le linge, les tapis et les rideaux des pièces de l'étage pour
les aérer dans la véranda. Toutes, excepté mauma et
Binah, m'abreuvaient de regards méprisants. Miss Sarah
est venue elle aussi parce qu'elle voulait aider et elle s'est
mise à déménager avec nous autres. Chaque fois que je
me retournais, elle était en train de m'observer comme si
elle m'avait jamais vue de sa vie.

Sarah

Trois jours durant, je pris mes repas seule dans ma chambre pour protester contre le fait d'être propriétaire de Hetty, mais je crois que personne n'y prit garde. Le quatrième jour, je ravalai ma fierté et je vins prendre le petit déjeuner dans la salle à manger. Mère et moi n'avions pas parlé du document d'affranchissement voué à l'échec. Je la soupçonnais de l'avoir déchiré en deux morceaux égaux et déposé devant ma chambre, ayant ainsi le dernier mot sans pour autant prononcer une syllabe.

À l'âge de onze ans, j'étais propriétaire d'une esclave que je ne pouvais pas libérer.

Le repas, le plus copieux de la journée, avait commencé depuis longtemps – Père, Thomas et Frederick étaient déjà partis qui à l'école qui au travail et il ne restait que Mère, Mary, Anna et Eliza.

— Tu es en retard, ma chère petite, souligna Mère, sur un ton non dénué de compassion.

Phoebe, qui aidait Aunt-Sister et paraissait légèrement plus âgée que moi, surgit à mon coude, exhalant les odeurs fraîchement sorties de la cuisine – sueur, charbon, fumée et d'âpres relents poissonneux. En règle générale, elle restait près de la table à agiter le balai à mouches mais, aujourd'hui, elle m'apporta une assiette remplie de saucisses, de gruau de maïs, de crevettes salées, de pain bis et de gelée de tapioca.

Posant d'une main tremblante une tasse de thé à côté de mon assiette, Phoebe ne vit pas ma petite cuillère et le thé se répandit sur la nappe. « Oh Missus, m'excuse », s'écria-t-elle en se tournant d'un bond vers Mère.

Mère laissa échapper un soupir comme si toutes les erreurs commises par tous les Nègres du monde pesaient personnellement sur ses épaules. « Où est Aunt-Sister ? Pourquoi, pour l'amour du Ciel, est-ce toi qui fais le service ?

— Elle me montre comment il faut faire.

— Eh bien, regarde donc ce que tu apprends. »

Tandis que Phoebe se précipitait hors de la pièce, je tentai de lui faire un sourire.

« C'est bien aimable de ta part de réapparaître, dit Mère. Tu es guérie ? »

Tous les regards se tournèrent vers moi. Les mots se regroupèrent dans ma bouche et y restèrent. À pareils moments, je faisais usage d'une technique dans laquelle j'imaginais ma langue comme un lance-pierres. Je la faisais reculer, toujours plus serrée, plus serrée… « … Je vais bien. » Les mots lancés de l'autre côté de la table dans une pluie de postillons.

Mary fit mine de s'essuyer le visage avec une serviette.

Elle finira exactement comme Mère, songeai-je. À diriger une maison engorgée d'enfants et d'esclaves, tandis que moi…

« J'imagine que tu as trouvé les restes de ton délire ? » demanda Mère.

Ah, nous y voilà. Elle avait confisqué le document, probablement sans mettre Père au courant.

« Quel délire ? » s'enquit Mary.

J'adressai à Mère un regard implorant.

« Rien dont tu n'as besoin de t'inquiéter, Mary », répliqua-t-elle en penchant la tête comme si elle souhaitait combler le fossé entre nous.

Je m'enfonçai dans mon siège et envisageai de porter l'affaire devant Père et de lui montrer le document déchiré. J'eus bien du mal à penser à autre chose pendant le reste de la journée mais, une fois la nuit tombée, je sus qu'il n'en sortirait rien de bon. Il se reposait sur Mère pour tous les problèmes domestiques et ne supportait pas la délation. Mes frères ne rapportaient jamais et moi, je ne le ferais pas davantage. En outre, j'aurais été idiote de fâcher Mère davantage.

Je luttai contre ma déception en menant de vigoureuses discussions avec moi-même à propos de l'avenir. *Tout est possible, absolument tout.*

La nuit venue, j'ouvris la boîte en pierre de lave pour contempler le bouton d'argent.

Handful

Missus a dit que j'étais la pire servante de Charleston. Elle a dit : « Tu es *abyssale*, Hetty, *abyssale*. »

J'ai demandé à Miss Sarah ce que signifie *abyssale* et elle a dit : « Pas vraiment normale. »

Ouh ouh. À voir la tête que fait Missus, il y a mauvais, il y a pire et après, c'est abyssal.

Cette première semaine, en plus de la fumée, j'ai renversé l'huile de la lampe par terre, ce qui a fait une tache grasse, j'ai cassé un de ces vases en porcelaine et j'ai brûlé une mèche des cheveux roux de Miss Sarah avec un fer à friser. Miss Sarah n'a jamais rapporté. Elle a tiré le tapis pour cacher la tache de graisse, elle a planqué la porcelaine cassée dans le cellier et elle a coupé ses cheveux roussis avec le coupe-mèche qu'on utilisait pour couper la mèche des chandelles.

Les seules fois où Miss Sarah me sonnait, c'était quand Missus se dirigeait vers nous. Binah et ses deux filles, Lucy et Phoebe, prévenaient toujours en chantant « La canne est de sortie, la canne est de sortie ». La sonnette de Miss Sarah me donnait une marge de temps supplémentaire et ça m'arrangeait bien. J'avais pris l'habitude de filer au fond du couloir dans le renfoncement d'où je pouvais voir l'eau du port voguer jusqu'à l'océan et l'océan rouler sa houle jusqu'à déborder contre le ciel. Aucun tableau n'était plus somptueux que ce paysage.

La première fois que je l'ai vu, mes pieds sautillaient sur place, j'ai levé un bras au-dessus de ma tête et j'ai dansé. C'est ce jour-là que j'ai rencontré la religion, la vraie religion. À l'époque, je ne pensais pas à parler de religion, je faisais pas la différence entre « Amen » et « se ramène », je savais seulement que quelque chose était entré en moi qui me donnait le sentiment que cette eau-là, c'était la mienne. Je l'aurais dit : cette eau-là, elle est à moi.

Je l'ai vue prendre toutes les couleurs possibles. Verte un jour, puis brune, le lendemain jaune comme le cidre. Violette, noire, bleue. Elle ne restait jamais tranquille, elle n'arrêtait jamais. Des bateaux qui naviguaient à la surface, des poissons qui nageaient en dessous.

Je lui chantais ce petit poème :

De l'aut' côté de l'eau de l'aut' côté de la mer
Que les poissons m'y transportent sans rien faire.
Si cette eau-là doit prendre tout son temps,
Emportez-moi emportez-moi ce sera moins lent.

Au bout d'un ou deux mois, je me débrouillais un peu mieux dans la maison mais même Miss Sarah ignorait que, certaines nuits, j'abandonnais mon poste près de sa porte pour contempler l'eau à longueur de temps, la façon dont la lune s'y fractionnait d'argent. Les étoiles qui brillaient grandes comme des plateaux. Je voyais tout clair jusqu'à Sullivan's Island. Mauma me manquait terriblement quand il faisait nuit. J'avais envie de retrouver notre lit. J'avais envie de retrouver le cadre à quilt qui nous gardait d'en haut. J'imaginais mauma en train de coudre toute seule. Je pensais au sac en grosse toile de jute rempli de plumes, à la pochette rouge avec nos aiguilles et nos épingles, à mon beau dé de cuivre. Des nuits comme celles-là, je me grouillais de réintégrer la chambre au-dessus de l'écurie.

Chaque fois que mauma se réveillait et me découvrait dans le lit avec elle, elle faisait une scène en disant tous les ennuis qu'il y aurait si je me faisais prendre, que déjà je poussais le bouchon un peu trop loin pour Missus.

« Et y a rien de bon qui va sortir de tous ces vagabondages que tu t'offres. Faut que tu restes tranquille sur ton quilt. Fais donc ça pour moi, tu m'entends ? »

Et je le faisais pour elle. En tout cas pendant quelques jours. Je couchais par terre dans le couloir, j'essayais de pas avoir froid malgré le courant d'air, je me tortillais pour trouver la latte de parquet la moins dure. J'arrivais à supporter toute cette misère et je me consolais avec l'eau.

Sarah

Par un matin trouble de mars, quatre mois après la catastrophe de mon onzième anniversaire, en me réveillant, je ne trouvai pas Hetty ; son grabat par terre devant ma porte était tout froissé et gardait encore l'empreinte de son petit corps. À cette heure, elle aurait dû avoir rempli ma cuvette d'eau et m'avoir raconté une ou deux anecdotes. Je fus surprise de prendre cette absence aussi à cœur. Non seulement elle me manquait comme m'aurait manqué une compagne bien-aimée, mais je m'inquiétais pour elle. Mère l'avait déjà frappée à coups de canne.

Ne trouvant nulle trace d'elle dans la maison, j'examinai la cour, debout sur la première marche de l'escalier. Une fine brume venue du port était arrivée jusqu'ici et, dans le ciel, le soleil brillait au travers, couleur d'or terne comme une montre gousset. Snow était devant la remise à voitures en train de réparer une pièce de harnais. Aunt-Sister, à califourchon sur un tabouret près du potager, écaillait du poisson. Ne désirant pas éveiller ses soupçons, je me dirigeai vers l'entrée de la cuisine où Tomfry faisait la distribution de matériels d'entretien. Du savon à Eli pour laver les marches en marbre, deux serviettes d'Osnaburg en coton grossier à Phoebe pour nettoyer le cristal, une pelle à charbon à Sabe pour remplir les seaux.

En attendant qu'il ait terminé, je laissai mon regard dériver vers le chêne, dans le fond de la cour à gauche. Ses branches étaient alourdies de bourgeons serrés et, même si l'arbre ne ressemblait guère à ce qu'il était en plein été, le souvenir de ce jour lointain me revint : assise jambes écartées par terre, la chaleur immobile, l'ombre à la peau verte, en train de disposer mes mots avec les billes, *Sarah Partir*...

Je me tournai vers l'autre côté de la cour et ce fut là que je vis la mère de Hetty, Charlotte, qui marchait à côté des réserves de bois en se penchant à intervalles réguliers pour ramasser quelque chose au sol.

En arrivant derrière elle sans me faire remarquer, je vis que c'était des petites plumes de duvet qu'elle récupérait. «...Charlotte...»

Elle sursauta et la plume entre ses doigts s'envola au gré du vent venu de la mer. Elle vint se poser en haut du grand mur de briques qui entourait la cour, s'accrochant au figuier grimpant.

«Miss Sarah! s'exclama-t-elle. Vous m'avez fichu une peur bleue!»

Elle eut un rire aigu, nerveux, sur la corde. Son regard fila vers l'écurie.

«... Je ne voulais pas te faire peur... Je me demandais seulement, sais-tu où...»

Elle m'interrompit en montrant le tas de bois. «Regardez donc là-dedans.»

Scrutant un creux entre deux morceaux de bois, je me retrouvai nez à nez avec un animal brun aux oreilles pointues, tout duveteux. À peine plus grand qu'un poussin de la poule, c'était une chouette. Je me reculai devant ses yeux jaunes qui clignaient en me fixant intensément.

Charlotte se mit à rire de nouveau, cette fois avec plus de naturel. «Elle va pas vous mordre.

— ... C'est un bébé.

— Je suis tombée dessus il y a quelques jours. Pauvre petite chose qui pleurait, par terre.

— ... Elle était... blessée?

— Non, seulement abandonnée, c'est tout. Sa mauma, c'est une effraie des clochers. L'a pris un nid de corbeau, dans l'appentis, mais elle est partie. J'ai bien peur qu'elle se soit fait choper. Et je nourris le bébé avec des petits débris. »

Je ne côtoyais Charlotte que lors des essayages de robes mais j'avais toujours remarqué qu'elle était avisée. De tous les esclaves que Père possédait, elle me paraissait la plus intelligente et peut-être la plus dangereuse, ce qui allait d'ailleurs se vérifier d'ici peu.

« … Je serai gentille avec Hetty », déclarai-je brusquement.

Ces mots – aussi nobles que lourds de remords – étaient sortis comme si un abcès de culpabilité s'était vidé.

Ses yeux s'ouvrirent brutalement avant de se plisser, comme deux petites loupes. Ils étaient couleur de miel, comme ceux de Hetty.

« … Je n'ai jamais eu l'intention d'être propriétaire d'elle… j'ai essayé de la libérer mais… on ne m'y a pas autorisée. »

Apparemment, je ne pouvais plus m'arrêter.

Charlotte glissa la main dans la poche de son tablier et le silence jaillit, de façon insupportable. Elle avait décelé ma culpabilité et elle l'utilisait, de façon rusée. « Tout va bien, me dit-elle. Parce qu'un de ces jours, je sais que vous saurez rattraper tout ça pour elle. »

La lettre R s'agrippait à ma langue avec ses petites mâchoires. « … R-r-rattraper ?

— Je veux dire, je sais que vous l'aiderez autant que vous pourrez pour qu'elle soit libre.

— … Oui, j'essaierai.

— Ce que je veux, c'est que vous en fassiez le serment. »

Je hochai la tête, comprenant à peine qu'elle m'avait adroitement entraînée à m'engager.

« Vous tiendrez parole, affirma-t-elle. Je sais que vous tiendrez parole. »

Me souvenant de la raison pour laquelle j'étais venue la voir d'abord, je dis : « … Je n'ai pas réussi à trouver…

— Handful sera devant votre porte avant même que vous le sachiez. »

En revenant vers la maison, je sentis la corde de cet étrange échange, si intime, se resserrer en nœud coulant.

Hetty surgit dans ma chambre dix minutes plus tard, avec des yeux qui lui mangeaient la figure, des yeux aussi farouches que ceux de la petite chouette. Assise à mon bureau, je venais d'ouvrir un livre que j'avais emprunté dans la bibliothèque de Père, *Les Aventures de Télémaque*. Télémaque, fils de Penelope et d'Ulysse, se préparait à partir pour Troie rechercher son père. Sans l'interroger sur l'endroit d'où elle venait, je commençai à lire à haute voix. Hetty se laissa tomber sur les degrés qui menaient au matelas, posa son menton sur ses mains jointes et écouta toute la matinée Télémaque affronter les hostilités du monde antique.

Habile Charlotte. Le mois de mars passa et je pensais de façon obsessionnelle à la promesse qu'elle m'avait arrachée. Pourquoi ne lui avais-je pas dit que la liberté de Hetty faisait partie des choses impossibles ? Que le mieux que je pouvais lui offrir, c'était de la bonté ?

Quand vint le moment de faire ma robe de Pâques, je me crispais à l'idée de la revoir, craignant qu'elle ramène la conversation sur ce que nous nous étions dit près du tas de bois. J'aurais préféré m'empaler avec une aiguille que de subir encore ce regard scrutateur.

« Je n'ai pas besoin d'une nouvelle robe cette année pour Pâques », déclarai-je à Mère.

Une semaine plus tard, je me tenais debout sur une caisse, pour les retouches, vêtue d'une robe en satin à moitié cousue. En entrant dans ma chambre, Charlotte avait expédié Hetty accomplir quelque mission imaginaire sans me laisser le temps de trouver un moyen de la neutraliser. La robe était couleur cannelle pâle, une teinte qui rappelait étonnamment la peau de Charlotte, une ressemblance que je notai tandis qu'elle se tenait devant moi avec trois épingles coincées entre les lèvres. Quand elle se mit à parler, je sentis une odeur de grains de café et je compris qu'elle était en train d'en mâcher. Ses mots glissaient entre les épingles en volutes sonores. «Vous allez tenir la promesse que vous m'avez faite?»

À ma grande honte, j'utilisai mon défaut d'élocution à mon avantage, luttant plus qu'il n'était nécessaire pour lui répondre, prétendant que les mots tombaient dans le gouffre noir de ma gorge et y disparaissaient.

Handful

Le premier samedi de beau temps, quand le printemps a donné l'impression de s'installer pour de bon, Missus est partie en voiture avec Miss Sarah, Miss Mary et Miss Anna. Aunt-Sister a dit qu'elles allaient se promener à White Point, que toutes les femmes et les filles seraient dehors avec leurs ombrelles.

Quand Snow a sorti la voiture par la porte de derrière, Miss Sarah a fait un signe d'adieu pendant que Sabe, endimanché dans une redingote verte et un gilet de livrée, s'accrochait à l'arrière, tout sourires.

Aunt-Sister nous a dit : « Mais qu'est-ce vous regardez donc ? Allez faire le ménage, que ça brille dans leurs chambres ! Il faut battre le fer pendant que les souris dansent ! »

Dans la chambre de Miss Sarah, j'ai refait le lit et j'ai récuré le miroir pour le débarrasser de la saleté qui n'était partie avec aucun détergent. J'ai balayé les cadavres de phalènes, bien gros à force de grignoter les rideaux, j'ai essuyé le pot de chambre et j'y ai jeté une pincée de soude. J'ai frotté les planchers au savon liquide pris dans la dame-jeanne.

Épuisée par toutes ces activités, j'ai fait ce que nous appelons finasser. Lambiner sans rien faire d'utile. D'abord, j'ai vérifié qu'il y avait pas d'esclave dans le couloir – y en a qui sont du genre à rapporter plus vite que leur ombre. J'ai fermé la porte et j'ai ouvert les livres de

Miss Sarah. Je me suis assise à son bureau et j'ai tourné les
pages, l'une après l'autre, en regardant ce qui ressemblait
à des petits bouts de dentelle noire posés sur le papier.
Ces signes étaient beaux mais je ne voyais pas quel autre
usage ils auraient que confusionner le monde.

J'ai ouvert le tiroir du bureau et j'ai examiné toutes
ses affaires. J'ai trouvé un ouvrage au point de croix,
pas terminé, très maladroit, on aurait dit le travail
d'une gamine de trois ans. Il y avait aussi des beaux fils
brillants enroulés sur des bobines en bois. De la cire à
cacheter. Du papier brun. Des petits dessins avec des
taches d'encre. Une longue clé en cuivre ornée d'un
pompon.

J'ai passé son armoire en revue, j'ai touché les robes
faites par mauma. J'ai fouillé dans le tiroir de la coiffeuse,
j'en ai sorti des bijoux, des rubans pour les cheveux, des
éventails en papier, des flacons et des brosses et enfin,
une petite boîte. Elle était noire et luisante, comme ma
peau quand elle est humide. Je l'ai ouverte. À l'intérieur,
il y avait un gros bouton d'argent. Je l'ai caressé puis j'ai
rabattu le couvercle aussi lentement que j'avais refermé
son armoire, ses tiroirs et ses livres – le cœur lourd. Dans
le monde, il y avait tant de choses à posséder et que je ne
possédais pas.

Je suis encore revenue au tiroir du bureau pour regarder les fils. Ce que j'ai fait ensuite, c'était mal, mais finalement ça m'était bien égal. J'ai pris la bobine de fil rouge et
je l'ai laissée tomber dans la poche de ma robe.

Le samedi avant Pâques, nous avons tous été convo-
qués dans la salle à manger. Tomfry disait que des objets
avaient disparu dans la maison. J'y suis allée en me disant,
Seigneur, viens-moi en aide.

Pour nous, il n'y avait rien de pire que la disparition
de n'importe quelle broutille. Une tasse en étain cabossée
dans l'office ou une miette de toast dans l'assiette de Missus et on nous volait dans les plumes. Mais cette fois il ne
s'agissait pas d'une broutille, et ce n'était pas non plus du

fil rouge. C'était un rouleau de soie verte flambant neuf et appartenant à Missus.

Nous étions là, tous les quatorze, alignés devant Missus qui en rajoutait. Elle disait que cette soie était une soie particulière, qu'elle venait de l'autre bout du monde, que c'était des vers en Chine qui avaient tissé ces fils. Je n'avais encore jamais entendu pareil délire de toute ma vie.

On était tous en sueur, on se tortillait, on fourrait nos mains au fond de nos poches de culottes ou sous nos tabliers. Je sentais l'odeur qui émanait de nos corps, c'était l'odeur de la peur.

Mauma n'ignorait rien de ce qui se passait à l'extérieur, de l'autre côté du mur – Missus lui donnait des laissez-passer pour aller au marché toute seule. Elle essayait de me cacher les choses les plus graves mais j'avais entendu parler de la maison des supplices dans Magazine Street. Les Blancs appelaient ça la *Work House.* Comme si les esclaves qui se trouvaient là-dedans y étaient pour coudre des vêtements, fabriquer des briques ou marteler des fers à cheval. En fait de travail, c'était une maison de correction. Avant d'avoir huit ans, j'étais déjà au courant du cachot, ce trou noir dans lequel on vous abandonnait tout seul pendant des semaines. J'étais au courant des coups de fouet. On ne pouvait pas en recevoir plus de vingt. Un Blanc pouvait acheter une séance de fouettage pour un demi-dollar et l'utiliser dès qu'il avait besoin de remettre un esclave dans le droit chemin.

Pour autant que je savais, aucun esclave Grimké n'était jamais allé à la *Work House* mais, ce matin-là, dans la salle à manger, on se demandait tous si ce jour n'était pas venu.

— L'un de vous est coupable de vol. Si ce rouleau de soie réapparaît, conformément à ce que Dieu attend de vous, alors, je saurais pardonner.

Ouh ouh.

Missus nous croyait incapables d'avoir une graine de bon sens.

Qu'est-ce qu'on aurait bien pu faire d'un rouleau de soie émeraude, tous autant qu'on était ?

Le soir qui a suivi la disparition du rouleau de tissu, j'ai pris la tangente. Je suis sortie de la maison, carrément. J'ai dû passer devant Cindie, près de la chambre de Missus – mauma et elle n'étaient pas amies et je devais me méfier d'elle mais elle ronflait comme une bienheureuse. Je me suis glissée dans le lit près de mauma, sauf que cette fois elle n'y était pas, elle était debout dans un coin, les bras croisés. Elle a dit : « Mais qu'est-ce que tu fiches ? »

Je l'avais jamais entendu parler sur ce ton.

« Lève-toi, on retourne dans la maison tout de suite. C'est la dernière fois que tu files comme ça, la dernière fois. C'est pas un jeu, Handful. On va le payer cher. »

Elle n'a pas attendu que je bouge, elle m'a attrapée comme si j'étais rien qu'un bout de molleton égaré. Elle m'a saisie sous le bras, elle m'a fait redescendre les marches de la remise aux voitures, traverser la cour. Mes pieds touchaient à peine le sol. Elle m'a traînée dans l'office, par la porte que personne fermait jamais à clé. Un doigt sur les lèvres, m'ordonnant de garder le silence, elle m'a tirée jusqu'à l'escalier et d'un signe de tête, elle a montré l'étage. *Vas-y maintenant.*

Ces marches faisaient un vrai raffut. J'en avais pas monté dix que j'ai entendu une porte s'ouvrir en bas et mauma a failli s'étrangler.

La voix du maître a résonné dans l'obscurité : « Qui est-ce ? Qui est là ? »

La lampe a percé l'obscurité. Mauma n'a pas bougé.

« Charlotte ? il a dit, avec le plus grand calme. Mais qu'est-ce que tu fais ici ? »

Derrière son dos, mauma faisait des signes, elle montrait le sol et j'ai compris qu'elle voulait que je m'accroupisse sur les marches. « Rien, master Grimké. Rien du tout, monsieur.

— Il doit bien y avoir une raison pour que tu sois dans la maison à cette heure. Tu ferais mieux de t'expliquer tout de suite si tu veux éviter les ennuis. »

Il a dit ça d'une voix presque gentille.

Mauma est restée plantée là sans rien dire. Master Grimké faisait toujours ça avec elle. *Dis quelque chose.* Si ça avait été Missus, mauma aurait pu déjà cracher trois ou quatre trucs. Dis que Handful est malade et que tu viens t'occuper d'elle. Dis que Aunt-Sister t'a envoyée ici trouver un médicament pour Snow. Dis que tu peux pas dormir parce que tu t'inquiètes pour leurs tenues de Pâques, si les essayages vont être bien demain matin. Dis que tu marches en dormant. Mais dis *quelque chose.*

Mauma a attendu trop longtemps, parce que voilà Missus qui sort de sa chambre. En jetant un coup d'œil au-dessus des marches, j'ai vu que son bonnet de nuit était de guingois.

Y a des nœuds dans ma vie que je peux pas dénouer et celui-là, c'est un des pires – la nuit où j'ai fait une bêtise et où maman s'est fait prendre.

J'aurais pu me montrer. J'aurais pu dire ce qui s'était vraiment passé, dire que c'était moi, mais tout ce que j'ai fait, c'est me tapir sans rien dire sur les marches d'escalier.

«Est-ce toi qui as volé, Charlotte? a dit Missus. Tu es revenue pour en prendre davantage? C'est comme ça que tu fais, tu te glisses ici la nuit?»

Missus a réveillé Cindie et lui a demandé d'aller chercher Aunt-Sister et d'allumer deux lampes, elles allaient fouiller la chambre de mauma.

«Ouida, ouida», a dit Cindie, guillerette comme un punch planteur.

Master Grimké a grogné comme s'il avait marché dans une crotte de chien – toutes ces vilaines histoires entre les femmes et les esclaves. Il a pris sa lampe et il est reparti se coucher.

J'ai suivi les femmes de loin, en disant des mots qu'une fille de dix ans ne devrait pas connaître, mais j'avais appris beaucoup de gros mots à l'écurie à écouter Sabe chanter pour les chevaux. *Sacré bon Dieu, sacré bon Dieu, tout ce temps. Sacré bon Dieu, sacré bon Dieu, et que des Blancs.* J'étais en train de me pousser pour raconter à Missus ce qui s'était passé. *J'ai quitté ma place à côté de la porte de Miss Sarah et je me suis faufilée dans mon ancienne chambre. Mauma m'a ramenée dans la maison.*

Quand j'ai jeté un coup d'œil dans notre chambre, j'ai vu les couvertures arrachées du lit, la cuvette renversée et notre sac de jute la tête en bas, le rembourrage à quilt éparpillé partout. Aunt-Sister actionnait la poulie pour faire descendre le cadre à quilt. Il y avait un quilt en cours dessus, avec les bords bruts, des petits fils de couleur vive qui pendaient.

Personne ne m'a vue, debout sur le seuil de la porte, sauf mauma à qui ma présence n'échappait jamais. Ses paupières se sont fermées et elle ne les a plus rouvertes.

Les roues de la poulie grinçaient et le cadre descendait au son de cette musique couinante. Posé sur le quilt inachevé, est apparu un rouleau de soie verte et brillante.

J'ai regardé le tissu et je l'ai trouvé bien joli. La lumière de la lampe faisait ressortir les moindres plis. Aunt-Sister, Missus et moi, on regardait ça comme si c'était l'objet de nos rêves.

Missus s'est mise à nous enguirlander en disant à quel point c'était difficile pour elle de punir une esclave en qui elle avait confiance, mais avait-elle le choix ?

Elle a dit à mauma : « Je repousse ta punition à lundi – demain c'est Pâques et je ne voudrais pas gâcher la fête. C'est ici et pas *ailleurs* que tu seras châtiée et tu devrais en être reconnaissante, mais je te promets que la sanction sera à la hauteur de ton forfait. »

Elle avait pas parlé de la *Work House*, elle avait dit *ailleurs*, mais nous savions ce que signifiait *ailleurs*. Au moins, mauma n'irait pas là-bas.

Quand Missus s'est enfin tournée vers moi, elle m'a pas demandé ce que je faisais là, elle m'a pas renvoyée sur le parquet devant chez Miss Sarah. « Tu peux rester avec ta mère jusqu'à ce qu'elle soit punie lundi. Je lui souhaite d'avoir de quoi se consoler d'ici là. Je ne suis pas une femme sans cœur. »

Longtemps pendant la nuit, j'ai pleuré, laissant couler
mon chagrin et ma culpabilité. Mauma me caressait les
épaules en me disant qu'elle était pas folle. Elle a dit que
moi, j'aurais jamais dû me faufiler hors de la maison mais
qu'elle était pas folle.

J'étais sur le point de m'endormir quand elle a dit :
« J'aurais dû coudre cette soie verte à l'intérieur d'un quilt
et elle l'aurait jamais trouvée. Je regrette pas de l'avoir
volée, je regrette seulement de m'être fait prendre.

— Pourquoi donc tu l'as prise ?

— Parce que. Parce que c'était possible. »

Cette réponse m'a marquée. Mauma voulait pas de ce
tissu, elle voulait seulement causer des problèmes. Impossible d'être libre, impossible de frapper Missus sur la tête
à coups de canne mais elle pouvait lui voler sa soie. En
matière de révolte, on fait avec ce qu'on a.

Sarah

À Pâques, nous les Grimké, on se rendait à l'église épiscopale St. Philip sous les rangées de myrtes qui bordaient les deux côtés de Meeting Street. J'avais réclamé une place dans le sulky à ciel ouvert avec Père, mais Thomas et Frederick s'étaient réservé ce privilège, et je me retrouvai coincée dans la voiture avec Mère et la chaleur. L'air filtrait à travers les fentes considérées comme des fenêtres, laissant pénétrer un maigre souffle capricieux. Je collai mon visage contre cette ouverture pour regarder défiler les splendeurs de Charleston : des maisons individuelles flamboyantes avec leur vaste véranda, des maisons mitoyennes débordantes de jardinières renflées, des jungles tropicales bien entretenues – laurier-rose, hibiscus, bougainvillées.

« Sarah, j'imagine que tu es prête à donner ton premier cours », dit Mère.

J'avais récemment été promue institutrice à l'École du dimanche destinée aux gens de couleur, un cours assuré par des jeunes filles, treize ans et plus, mais Mère avait poussé le révérend Hall à faire une exception pour moi et, pour une fois, sa nature autoritaire avait réussi à obtenir quelque chose qui n'était pas trop mauvais.

Je me tournai vers elle, sentant la brûlure des troènes dans mes narines. « Oui... J'ai travaillé t-t-très dur. »

Mary se moqua de moi, en roulant des yeux de façon grotesque et en articulant : «... T-t-t-t-très dur», ce qui fit ricaner Ben.

C'était un fléau, ma sœur. Ces derniers temps, je m'exprimais de façon un peu plus fluide et donc je refusai de me laisser décontenancer par elle. Je m'apprêtais à faire quelque chose d'utile pour une fois et même si je me retrouvais à bafouiller devant la classe entière, eh bien tant pis. Pour l'instant, je m'inquiétais davantage du fait de devoir partager la tâche avec Mary.

Plus la voiture approchait du marché, plus le niveau sonore augmentait; les trottoirs commençaient à déborder de Noirs et de mulâtres. Le dimanche était le seul jour de congé des esclaves et ils affluaient – la plupart se rendait dans les églises de leurs maîtres qui exigeaient leur présence au balcon –, mais même les jours de semaine les esclaves étaient omniprésents dans les rues, accomplissant les ordres de leurs maîtres, faisant leurs emplettes au marché, portant messages et invitations pour des thés et des dîners. Certains étaient loués à l'extérieur et devaient se déplacer, aller et retour, pour travailler. Évidemment, ils volaient un peu de temps pour fraterniser. On les voyait se rassembler au coin des rues, sur les quais, devant les débits de boissons. Le *Charleston Mercury* pestait contre ces «masses livrées à elles-mêmes» et réclamait une réglementation mais, comme disait Père, tant qu'un esclave était en possession d'un laissez-passer ou d'une médaille de travail, sa présence était parfaitement légitime.

Snow avait été arrêté une fois. Au lieu d'attendre près de la voiture alors que nous étions à l'église, il s'était promené en ville sans transporter personne – une petite balade pour s'amuser. On l'avait amené à la garnison, près de l'église St. Michael. Père était furieux, non pas contre Snow, mais contre la Garde civile. Il était parti en tempêtant jusqu'au tribunal de la mairie pour payer l'amende, évitant à Snow la *Work House*.

Un encombrement de voitures dans Cumberland Street nous empêcha d'approcher davantage de l'église. L'assaut des foules qui n'assistaient à la messe qu'au moment de Pâques mettait Mère hors d'elle, elle qui veillait à ce que les Grimké soient présents à leur banc tous les dimanches, aussi mornes et ordinaires fussent-ils. La voix rocailleuse de Snow nous parvint depuis le siège du cocher. « Missus, va vous falloir marcher à partir d'ici. » Sabe ouvrit la portière et nous aida à descendre, l'une après l'autre.

Notre père avait déjà pris la tête de la famille, il n'était pas grand mais il en imposait avec sa redingote grise, son chapeau haut de forme et son écharpe en sergé de soie. Il avait un visage anguleux avec un long nez et des sourcils épais qui rebiquaient à la saillie du front mais, pour moi, ce qui le rendait séduisant, c'était sa chevelure, un mélange débridé de vagues brunes et auburn. Thomas avait hérité de cette couleur brun-rouge si riche, tout comme Anna et le petit Charles, mais elle était parvenue jusqu'à moi dans la teinte fade du kaki et mes cils et mes sourcils étaient si pâles qu'on aurait dit qu'ils avaient été carrément oubliés.

La répartition des places à l'intérieur de l'église St. Philip était une véritable carte des statuts sociaux à Charleston, l'élite rivalisant pour louer les sièges sur le devant, ceux qui étaient moins riches juste derrière tandis que les franchement pauvres s'entassaient sur les bancs gratuits des deux côtés. Nos sièges réservés, que Père payait trois cents dollars par an, se trouvaient à trois rangées de l'autel.

Je pris place à côté de Père et posai son chapeau à l'envers sur mes genoux, attrapant au passage une bouffée de l'huile citronnée qu'il utilisait pour assagir ses boucles. Au-dessus de nous, dans les galeries, les esclaves commençaient à rire et à bavarder. C'était un problème constant, ce bruit. Être sur ces balcons leur donnait de l'audace, de même que se retrouver dans la rue, parce qu'ils faisaient nombre. Ces derniers temps, le désordre avait pris de telles proportions qu'il avait fallu faire intervenir des régisseurs pour refréner leurs ardeurs. Malgré tout, le vacarme ne faisait qu'augmenter. Puis, *bang*. Un cri. Les paroissiens se retournèrent, la tête levée.

Le temps que le révérend Hall monte en chaire, une véritable cacophonie éclatait sous les chevrons. Une chaussure vola par-dessus la rambarde et tomba en chute libre. Une lourde botte. Elle atterrit droit sur la tête d'une dame assise au milieu de l'assemblée et lui écrasa son chapeau.

Tandis que la dame, bouleversée, quittait l'église avec sa famille, le révérend Hall montra du doigt le balcon de gauche en décrivant lentement un cercle dans le sens des aiguilles d'une montre. Lorsque le silence fut revenu, il cita de mémoire un passage d'Éphèse. « Esclaves, obéissez à vos maîtres selon la chair, avec crainte et tremblement, dans la simplicité de votre cœur, comme au Christ. » Puis il se lança dans ce que beaucoup, y compris ma mère, considérèrent comme la plus éloquente improvisation sur l'esclavage qu'ils aient jamais entendue. « Esclaves, je vous demande d'être satisfaits de votre sort, car telle est la volonté de Dieu ! Les Écritures exigent votre obéissance. Dieu vous l'a ordonné par la bouche de Moïse. Il est approuvé par Jésus à travers ses apôtres et soutenu par l'Église. Soyez attentifs, donc, et que Dieu dans Sa miséricorde vous accorde ce jour l'humilité pour que vous retourniez vers vos maîtres comme de fidèles serviteurs. »

Il revint vers son siège derrière le chœur. Après avoir contemplé le chapeau de Père, je levai les yeux vers lui, saisie, perdue et même hébétée, tentant de comprendre ce que je devais croire, mais son visage était un masque impassible, implacable.

Après l'office, je me rendis dans une petite salle de classe miteuse derrière l'église tandis que vingt-deux enfants esclaves couraient partout en toute anarchie. À peine entrée dans la pièce sombre et étouffante, j'allais ouvrir les fenêtres mais une vague de pollen nous submergea aussitôt. Je me mis à éternuer à répétition tout en frappant sur le bureau avec le bord de mon éventail, pour tenter de mettre un peu d'ordre. Mary, assise sur l'unique chaise de la salle, un siège Windsor complètement défoncé, me regardait avec une expression exactement à mi-chemin de l'ennui et de l'amusement.

«Laisse-les jouer, me conseilla-t-elle. C'est ce que je fais.»

C'était tentant. Depuis l'homélie du révérend, je ne me sentais guère le cœur à faire cours.

Des coussins de prière, poussiéreux et hors d'usage, irrécupérables, étaient entassés dans un coin. Je déduisis qu'ils étaient là pour que les enfants s'asseyent dessus, puisqu'il n'y avait pas un seul meuble dans la salle, à l'exception de la chaise et du bureau de l'institutrice. Aucun programme d'activités, aucun livre d'images, pas d'ardoise, pas de craies ni de décoration aux murs.

J'alignai les coussins par rangée sur le sol, ce qui amena les enfants à les lancer comme des ballons. On m'avait demandé de lire le texte du jour et de commenter sa signification mais lorsque je parvins enfin à faire asseoir les enfants sur les coussins et à voir leurs visages, cette séance me parut une farce. Si tout le monde désirait tellement évangéliser les esclaves, pourquoi ne leur apprenait-on pas à lire la Bible par leurs propres moyens?

Je me mis à réciter l'alphabet en chantant, une nouvelle comptine d'apprentissage. *A B C D E F G...* Mary releva la tête, surprise, poussa un soupir et retourna dans son état apathique. *H I J K L M N O P...* Quand je chantais, il n'y avait pas la moindre hésitation dans ma voix. Les yeux des enfants étaient brillants d'attention. *Q R S... T U V... W X... Y et Z.*

Je les amenais à chanter tout l'alphabet en le découpant par morceaux. Leur prononciation n'était pas bonne. Q devenait *cou*, LM *elem*. Oh, mais ces visages! Quels sourires! Je décidai que, la prochaine fois, j'apporterai une ardoise pour écrire les lettres afin qu'ils les voient à mesure qu'ils les chantaient. Je pensai alors à Hetty. J'avais remarqué que mes livres avaient été déplacés sur mon bureau et je savais qu'elle les examinait en mon absence. Comme elle aurait aimé apprendre ces vingt-six lettres!

Après une demi-douzaine de répétitions, les enfants chantaient avec enthousiasme en criant à moitié. Mary se bouchait les oreilles mais moi, je chantais à pleins poumons, utilisant mes bras comme une baguette de chef d'orchestre pour entraîner les enfants. Je ne vis pas le révérend Hall surgir sur le seuil de la porte.

« Quelle consternante sottise se déroule donc ici ? » s'écria-t-il.

Notre chœur s'interrompit brutalement, me laissant avec l'impression vertigineuse que les lettres dansaient toujours chaotiquement dans l'air au-dessus de nos têtes. Je sentis mon visage s'empourprer, comme à l'accoutumée.

« ... Nous chantions, révérend.

— Quelle enfant Grimké êtes-vous ? »

Il m'avait baptisée quand j'étais bébé, comme tous mes frères et sœurs, mais on ne pouvait guère espérer qu'il en ait gardé le souvenir.

« C'est Sarah, répondit Mary en se levant d'un bond. Je n'ai rien à voir avec cette chanson.

— ... je suis désolée que nous ayons fait tant de bruit, dis-je.

— On ne chante pas à l'École du dimanche réservée aux gens de couleur, répliqua-t-il en fronçant les sourcils. Et à coup sûr, on ne chante pas l'alphabet. Êtes-vous bien consciente qu'il est contraire à la loi d'apprendre à lire aux esclaves ? »

Je connaissais l'existence de cette loi, de façon assez floue, comme si elle avait été rangée dans une des caves de ma tête et brusquement déterrée comme quelque igname moisi. D'accord, c'était la loi, mais elle me paraissait indigne. Tout de même, il n'allait pas affirmer que c'était également la volonté de Dieu.

Il attendit ma réponse mais, devant mon silence, il ajouta : « Auriez-vous l'intention de mettre l'Église en contradiction avec la loi ? »

Le souvenir de Hetty le jour où Mère l'avait frappée à coups de canne me revint en mémoire et je relevai le menton pour le dévisager, sans rien dire.

Handful

Ce qui s'est passé ensuite, c'est un ouragan de violence et d'amertume.

Lundi, une fois les dévotions terminées, Aunt-Sister a pris mauma à part. Elle a expliqué que Missus avait une amie qui n'aimait pas les coups de fouet et qui avait mis au point une punition où on devait se tenir sur une seule jambe. Aunt-Sister s'est donné un mal fou pour nous faire un dessin. Elle a expliqué qu'on passe une sangle de cuir autour de la cheville de l'esclave, ensuite on lui remonte le pied par-derrière et on lui accroche la sangle autour du cou. S'il laisse tomber sa cheville, la sangle vient l'étrangler direct.

On a compris ce qu'elle nous racontait. Mauma s'est assise sur les marches de la cuisine et elle a posé la tête sur les genoux.

C'est Tomfry qui est venu lui passer la sangle. Je voyais bien qu'il n'avait aucune envie d'être mêlé à ça mais il n'a rien dit. Missus a déclaré : «Une heure, Tomfry. Ça suffira.» Et puis elle est rentrée voir ça du haut de sa fenêtre.

Il a emmené mauma jusqu'au milieu de la cour, près du potager où de minuscules pousses commençaient à sortir de terre. On était tous rassemblés sous l'arbre, sauf Snow qui était parti avec la voiture. Rosetta a commencé à gémir. Eli lui a tapoté le bras pour tenter de la calmer. Lucy et Phoebe se disputaient à propos d'un morceau de jambon froid qui restait du petit déjeuner et Aunt-Sister s'est approchée pour leur donner à chacune une bonne gifle en pleine figure.

Tomfry a fait tourner mauma pour qu'elle soit face à l'arbre et dos à la maison. Elle se débattait pas. Elle restait là aussi molle que la mousse sur les branches. L'odeur de marée basse qui montait du port s'infiltrait partout, une odeur de pourri.

Tomfry a dit à mauma : « Accroche-toi à moi » et elle a posé la main sur son épaule pendant qu'il lui attachait la cheville avec ce qui ressemblait à une vieille ceinture en cuir. Il lui a tiré la jambe par-derrière si bien qu'elle s'est retrouvée en équilibre sur l'autre, puis il a passé l'autre bout de la sangle autour de son cou.

Mauma a vu que je m'accrochais à Binah, les lèvres et le menton tremblants, et elle a dit : « T'es pas obligée de regarder. Ferme les yeux. »

Mais j'y arrivais pas.

Après l'avoir ficelée, Tomfry s'est reculé pour pas qu'elle s'agrippe à lui et là, elle est tombée brutalement. Elle s'est entaillé la peau du front. Quand elle a heurté le sol, la ceinture s'est resserrée et mauma a commencé à s'étrangler. La tête rejetée en arrière, elle essayait d'inspirer. J'ai couru vers elle pour l'aider mais le *tat-tat, tat-tat* de la canne de Missus a résonné contre la vitre ; Tomfry m'a repoussée et il a remis mauma debout.

Là, j'ai fermé les yeux mais ce que je voyais dans le noir était encore pire que la réalité. J'ai entrouvert les yeux et je l'ai regardée essayer d'empêcher sa jambe de tomber et de lui couper la respiration, lutter pour conserver son équilibre. Elle quittait pas des yeux la cime du chêne. La jambe porteuse tremblait. Le sang dégoulinait de l'entaille de son front. Il restait collé à sa mâchoire comme la pluie au bord du toit.

Empêchez-la de tomber encore une fois. C'était la prière que je faisais. Missus affirmait que Dieu nous écoutait tous, même un esclave avait droit à l'oreille de Dieu. Dans ma tête, j'avais une image de Dieu, un Blanc avec une canne comme Missus ou qui faisait un détour pour éviter les esclaves comme master Grimké; lui, il se comportait comme s'il avait engendré un monde où on n'existait pas. Je ne le voyais pas prêt à lever le petit doigt pour les aider.

Mauma n'est plus retombée, cependant, et j'ai considéré que Dieu m'avait bien prêté l'oreille mais peut-être cette oreille n'était-elle pas blanche, peut-être le monde avait-il un Dieu de couleur, en plus, ou bien c'était mauma qui savait tenir debout, qui répondait à ma prière de toute la force de ses membres et de la poigne de son cœur. Elle n'a pas laissé échapper la moindre plainte, elle n'a pas produit le moindre son excepté quelques murmures tombés de ses lèvres. Après, je lui ai demandé si ces chuchotements s'adressaient à Dieu et elle a répondu : « Ils étaient pour ta granny-mauma. »

Une fois l'heure écoulée, Tomfry a détaché la ceinture de son cou et elle est tombée par terre en se roulant en boule. Tomfry et Aunt-Sister l'ont soulevée par les bras et l'ont traînée, avec ses jambes engourdies, sur l'escalier de la remise à voitures jusqu'à sa chambre. Je courais derrière, en essayant d'empêcher ses chevilles de taper sur les marches. Ils l'ont étendue sur son lit comme on laisserait tomber un sac de farine.

Quand nous nous sommes retrouvées toutes les deux seules, je me suis allongée à côté d'elle en contemplant le cadre à quilt. De temps en temps, je demandais : « Tu veux de l'eau ? Tes jambes te font mal ? »

Elle me répondait d'un signe de tête, les yeux fermés.

Dans l'après-midi, Aunt-Sister a apporté quelques galettes de riz et du bouillon de poulet. Mauma n'y a pas touché. On laissait toujours la porte ouverte pour avoir de la lumière et, toute la journée, le bruit et les odeurs de la cour ont envahi la chambre. Une journée aussi longue, j'en avais jamais vécu.

Mauma a retrouvé l'usage de ses jambes mais à l'intérieur, elle était plus la même. Après cette journée, on aurait dit qu'une partie d'elle attendait en permanence qu'on desserre la sangle. C'est sans doute à ce moment-là qu'elle a commencé à cultiver le feu glacé de la haine.

Sarah

Le matin après Pâques, il n'y avait toujours aucune trace de Hetty. Entre le petit déjeuner et mon départ pour les cours de Mme Ruffin dans Legare Street, Mère veilla à ce que je reste enfermée dans ma chambre pour recopier une lettre d'excuse destinée au révérend Hall.

> *Monsieur le révérend,*
> *Je vous présente mes excuses pour n'avoir pas su remplir ma tâche d'enseignante dans l'École du dimanche réservée aux gens de couleur de notre chère église St. Philip. J'implore votre pardon pour mon intrépide ignorance du programme et je vous demande de bien vouloir pardonner mon impertinence à votre égard et à l'égard de votre saint office.*
> *Votre paroissienne pleine de remords et de repentance,*
> *Sarah Grimké*

Je n'avais pas plus tôt apposé ma signature que Mère m'envoya devant la maison où Snow attendait avec la voiture, Mary déjà installée à l'intérieur. En règle générale, Mary et moi montions dans la voiture à l'arrière de la maison tandis que Snow, en traînant, nous mettait en retard.

« Pourquoi est-il venu nous prendre à l'avant ? » demandai-je.

Ce à quoi Mère répondit que je ferais mieux d'être davantage comme ma sœur et de ne pas poser de questions fastidieuses.

Snow se retourna pour me regarder et il dégageait une certaine appréhension.

La journée entière paraissait suspendue à un fil vibrant, très fin. Lorsque je retrouvai Thomas cet après-midi-là sur la terrasse couverte pour mes études – mes véritables études –, mon malaise avait atteint des sommets.

Deux fois par semaine, nous nous plongions dans les livres de Père, dans des points de droit, de latin, dans l'histoire du monde européen et, récemment, dans les œuvres de Voltaire. Thomas insistait pour dire que j'étais trop jeune pour lire Voltaire. «Ça te passe au-dessus de la tête!» C'était vrai mais, de façon spontanée, je m'étais jetée dans l'océan Voltaire d'où j'étais ressortie avec à peine quelques aphorismes. «Chaque homme est coupable du bien qu'il n'a pas fait.» Pareille notion rendait presque impossible d'apprécier la vie! Et celui-ci : «Si Dieu n'existait pas, il faudrait l'inventer.» J'ignorais si le révérend Hall avait inventé son Dieu ou si j'avais inventé le mien, mais pareilles idées étaient pour moi perturbantes et sources d'inquiétude.

Je vivais pour ces séances avec Thomas mais, assise sur la planche cahotante ce jour-là avec le livre de latin pour débutants sur les genoux, je ne parvenais pas à me concentrer. La journée était saturée d'une chaleur léthargique, de l'odeur des crabes qu'on pêchait dans les eaux rousses de l'Ashley.

«Vas-y, avance, dit Thomas en se penchant pour tapoter le livre avec son doigt. L'eau, le maître, le fils – au nominatif, singulier et pluriel.

— … Aqua, aquae… Dominus, domini… Filius, filii … Oh Thomas, il se passe quelque chose de grave!»

Je pensais à l'absence de Hetty, au comportement de Mère, à la mine lugubre de Snow. J'avais senti que chacun d'eux était la proie d'un violent abattement – Aunt-Sister,

Phoebe, Tomfry, Binah. Ça n'avait sûrement pas échappé à Thomas non plus.

« Sarah, tu as toujours su lire en moi, déclara-t-il. Je croyais l'avoir bien caché mais j'aurais dû m'en douter.

— ... De quoi s'agit-il ?

— Je ne veux pas être avocat. »

Il avait mal interprété mes réactions mais je ne le corrigeai pas – il ne m'avait jamais révélé un secret aussi palpitant.

« ... Pas être avocat ?

— Je n'ai jamais souhaité être avocat. C'est à l'encontre de ma nature, expliqua-t-il avec un sourire las. C'est toi qui devrais être avocat. Père a dit que tu serais le meilleur de toute la Caroline du Sud, tu t'en souviens ? »

Si je m'en souvenais ! Comme on se souvient du soleil, de la lune et des étoiles qui brillent dans le ciel. Le monde parut se précipiter vers moi, dans tout l'éclat de sa beauté. Je regardai Thomas et je sentis mon destin se confirmer. J'avais un allié. Un allié sincère, inflexible.

Passant la main dans les vagues de ses cheveux, aussi houleuses que celles de Père, Thomas se mit à arpenter la terrasse. « Je veux être prêtre, dit-il. Dans moins d'un an, je dois suivre John à Yale mais on me traite comme si j'étais incapable de réfléchir par moi-même. Père croit que je ne connais pas mon propre esprit, mais je le connais, bel et bien.

— Il n'acceptera pas de te laisser étudier la théologie ?

— J'ai imploré sa bénédiction hier soir et il me l'a refusée. J'ai dit "Cela ne compte-t-il pas pour vous que je souhaite répondre à l'appel de Dieu lui-même ?" Et sais-tu ce qu'il m'a répondu ? "Tant que Dieu ne me prévient pas, moi, de cet appel, tu étudieras le droit." »

Thomas s'écroula sur un siège et je vins m'agenouiller devant lui, pressant ma joue contre sa main. Il avait les doigts hérissés de poils et de cloques de chaleur. Je dis : « Si c'était en mon pouvoir, je ferais n'importe quoi pour t'aider. »

Quand le soleil se retrouva déjà bas derrière la maison, Hetty n'avait toujours pas réapparu. Incapable de refréner plus longtemps mes inquiétudes, je me plantai dehors, devant la fenêtre de la cuisine, où les esclaves se rassemblaient toujours après le dernier repas de la journée.

La cuisine était leur sanctuaire. Là, elles se racontaient leurs histoires, échangeaient des ragots et vivaient leur vie secrète. Régulièrement, elles se mettaient à chanter et leurs mélodies traversaient la cour et s'infiltraient jusque dans la maison. Celle que je préférais était une chanson qui devenait plus grossière au fur et à mesure des couplets.

Y a plus de pain à manger
Laisse partir mon Jésus.
J'ai les pieds qui fatiguent.
Laisse partir mon Jésus.
J'ai le dos en compote.
Laisse partir mon Jésus.
Toutes mes dents sont tombées.
Laisse partir mon Jésus.
J'ai le cul qui frotte.
Laisse partir mon Jésus.

Elles éclataient brusquement de rire, un bruit que Mère appréciait. «Nos esclaves sont heureuses», se vantait-elle. Il ne lui vint jamais à l'esprit que cette gaieté n'était pas de l'ordre du bonheur mais de la survie.

Ce soir-là, cependant, l'atmosphère dans la cuisine était glaciale. La chaleur et la fumée du four fuyaient par la fenêtre, empourprant mon visage et mon cou. J'apercevais Aunt-Sister, Binah, Cindie, Mariah, Phoebe et Lucy dans leurs robes en calicot mais je n'entendais que le cliquetis des marmites en fonte.

La voix de Binah me parvint enfin. «Tu veux dire qu'elle a rien mangé de la journée?

— Rien du tout, confirma Aunt-Sister.

— Eh ben, moi non plus je mangerais pas s'ils m'avaient ficelée comme ils lui ont fait», dit Phoebe.

Je sentis une houle glacée me soulever l'estomac. Ils l'ont ficelée ? Qui ? Pas Hetty, quand même.

« Qu'est-ce qu'elle imaginait en chapardant comme ça ? » Cette voix devait être celle de Cindie. « Qu'est-ce qu'elle a dit pour se défendre ? »

Aunt-Sister intervint de nouveau : « Elle a rien dit. Handful est avec elle dans le lit et elle parle pour elles deux.

— Pauvre Charlotte », dit Binah.

Charlotte ! Ils l'avaient ficelée ! Mais qu'est-ce que cela voulait dire ? Le souvenir des lamentations mélodieuses de Rosetta me revint en mémoire. Je les vis en train de lui lier les mains. Je vis la mèche de cuir lui ouvrir le dos et les fleurs de sang s'épanouir et mourir sur sa peau.

Je ne me souviens pas être revenue à la maison, seulement que, soudain, je me trouvais à l'office en train de fouiller frénétiquement dans le placard fermé à clé dans lequel Mère gardait ses remèdes. L'ayant souvent ouvert pour y trouver du bromure pour Père, je n'eus aucun mal à dénicher la clé et à prendre le flacon bleu de liniment gras ainsi qu'un pot de mélisse médicinale. Je préparai une tisane dans laquelle je mis deux grains de laudanum.

Je fourrais le tout dans un panier au moment où Mère entrait dans le couloir. « Puis-je te demander ce que tu es en train de fabriquer ? »

Je lui renvoyai aussitôt la question : « … Et vous, qu'avez-vous fabriqué ?

— Jeune fille, tiens ta langue ! »

Tenir ma langue ? Cette pauvre chose torturée, je l'avais tenue pratiquement pendant toute ma vie.

« … Qu'avez-vous fait ? » répétai-je, en criant presque.

Les lèvres serrées, elle se mit à tirer sur le panier que j'avais au bras.

Une fureur inconnue s'empara de moi. Je lui arrachai l'anse des mains et j'avançai vers la porte.

« Je t'interdis de mettre le pied hors de cette maison ! ordonna-t-elle. Je te l'interdis ! »

Je franchis la porte pour me retrouver dans l'obscurité tiède, plongée dans la terreur et l'excitation du défi.

Le ciel avait viré au violet. Le vent venu du port soufflait fort.

Mère me suivit en criant : «Je te l'interdis !» Ses mots claquaient dans la brise, par-dessus les branches du chêne, au-delà du mur d'enceinte.

Derrière nous, des semelles crissèrent sur la véranda de la cuisine ; je me retournai et je vis Aunt-Sister, Binah et Cindie, qui nous observaient, silhouettes noires se détachant sur les ténèbres troublées.

Le visage blême, Mère se tenait sur les marches de la véranda.

«Je vais m'occuper de Charlotte», déclarai-je.

Les mots glissèrent sans effort de mes lèvres, comme ruisselle une cascade, et je compris aussitôt que ce symptôme dont ma voix était affligée était reparti en hibernation car c'était déjà ainsi que les choses s'étaient produites dans le passé, le problème avait diminué graduellement jusqu'à ce qu'un jour, j'ouvre la bouche et qu'il n'y en ait plus trace.

Mère le remarqua, elle aussi. Elle ne répondit rien et je me dirigeai vers la remise à voitures sans un regard en arrière.

Handful

Quand la nuit est tombée, mauma s'est mise à trembler.
Elle claquait des dents et sa tête tenait plus droite. Rien à
voir avec Rosetta et ses crises, où tous ses membres tres-
sautaient. C'était comme si mauma était gelée jusqu'à la
moelle des os. Je ne savais pas quoi faire sauf lui tapoter les bras et les jambes. Au bout d'un moment, elle s'est
calmée. Sa respiration s'est alourdie et, sans que je m'en
rende compte, je me suis assoupie moi aussi.

Je me suis mise à rêver et, dans mon rêve, j'étais
endormie. Je dormais sous une tonnelle à la végétation
épaisse. Elle formait une protection parfaite. Des plantes
grimpantes s'accrochaient à mes bras. Du raisin muscat
tombait sur mon visage. La fille qui dormait, c'était moi
mais en même temps je me voyais, comme si je me trouvais au milieu des nuages qui flottaient par là, et puis j'ai
baissé les yeux et j'ai vu que la tonnelle n'était pas vraiment une tonnelle, c'était notre cadre à quilt couvert de
plantes et de feuilles. J'ai continué à dormir, à me regarder en train de dormir, et les nuages ont continué à dériver et, à nouveau, j'ai vu l'intérieur de la tonnelle. Cette
fois, c'était mauma elle-même qui se trouvait là.

Je ne sais pas ce qui m'a réveillée. La pièce était silencieuse, il n'y avait aucune lumière.

Mauma a dit : « T'es réveillée ? » C'était les premiers
mots qu'elle prononçait depuis que Tomfry l'avait ficelée.

« Je suis réveillée.

— Très bien. Je vais te raconter une histoire. Tu m'écoutes, Handful ?

— Je t'écoute. »

Mes yeux s'étaient accoutumés à l'obscurité et je voyais la porte toujours ouverte sur le couloir et mauma à côté de moi, les sourcils froncés.

« Ta granny-mauma est venue d'Afrique quand elle était petite fille. À peu près comme tu es aujourd'hui. »

Mon cœur s'est mis à battre la chamade. Ça me résonnait dans les oreilles.

« Dès qu'elle a débarqué ici, on l'a séparée de son papa et de sa mauma et cette nuit-là les étoiles sont tombées du ciel. Tu crois que les étoiles ne tombent pas, mais ta granny-mauma a juré que c'était vrai. »

Mauma a laissé passer un moment pour qu'on puisse imaginer à quoi le ciel pouvait ressembler.

« Elle a dit que tout ici, ça ressemble pour elle à du charabia. La nourriture a le goût de viande de singe. Elle possède rien du tout sauf ce vieux bout de quilt que sa mauma a fait. En Afrique, sa mauma était une reine du quilt, la meilleure qui soit. Elles étaient du peuple des Fon et elles cousaient des applications, exactement comme moi je fais. Elles découpaient des poissons, des oiseaux, des lions, des éléphants, tous les animaux qu'elles connaissaient, et elles les cousaient, mais le quilt que ta granny-mauma a emporté avec elle, y avait pas d'animaux dessus, seulement des figures à trois côtés, ce qu'on appelle des triangles. Les mêmes que je mets moi sur mes quilts. Ma mauma, elle a dit que c'était des ailes de merle. »

Le parquet a grincé dans le couloir et j'ai entendu quelqu'un respirer vite et fort, comme respirait Miss Sarah. Je me suis redressée sur un coude et je me suis démanché le cou pour voir et elle était là – son ombre cachait la fenêtre. Je me suis recouchée sur le matelas et mauma a continué à raconter son histoire avec Miss Sarah qui écoutait.

« Ta granny-mauma s'est retrouvée vendue à un bon-homme pour vingt dollars et il l'a mise à travailler dans les champs près de Georgetown. Ils mangeaient des cor-nilles bouillies le matin et si t'arrivais pas à finir en dix minutes de temps, t'avais pas droit à autre chose de toute la journée. Ta granny-mauma elle disait qu'elle mangeait toujours trop lentement.

« J'ai jamais connu mon papa. C'était un homme blanc qui s'appelait John Paul, pas le maître mais son frère. Après ma naissance, on a été vendues. Mauma disait que j'avais la peau plutôt claire que noire et tout le monde savait ce que ça voulait dire.

« On a été achetées par un homme près de Camden. Il a laissé mauma travailler dans les champs et j'y suis restée avec elle, mais le soir elle m'apprenait tout ce qu'elle savait sur les quilts. Je déchirais les jambes des vieux pantalons et des traînes des robes et je les cousais. Mauma disait qu'en Afrique ils mettaient des sortilè-ges dans les quilts. Dans le mien, j'ai mis des mèches de cheveux à moi. Quand j'ai eu douze ans, mauma a commencé à se vanter auprès de la Missus de Camden, comment je pouvais coudre n'importe quoi, et la Mis-sus m'a prise dans la maison pour que j'apprenne avec sa couturière. Je faisais des progrès mais elle, elle était pressée. »

Elle s'est interrompue et elle a bougé les jambes sur le lit. J'avais peur qu'elle ait rien de plus à raconter. Je n'avais jamais entendu cette histoire. L'écouter, c'était comme m'observer moi-même en train de dormir, les nuages qui flottent c'était mauma penchée sur moi. J'ai oublié la pré-sence de Miss Sarah.

J'ai attendu et finalement, elle s'est remise à parler.

« Mauma a mis mon frère au monde pendant que j'étais en train de coudre dans la maison. Elle a jamais dit qui était son papa. Mon frère a vécu même pas une année.

« Après sa mort, ta granny-mauma nous a trouvé un arbre des âmes. C'était qu'un chêne mais elle disait que c'était un Baybob, un baobab, comme il y a en Afrique.

Elle disait que le peuple Fon a toujours eu un arbre des
âmes et que c'était toujours un baobab. Ta granny-mauma
a entouré le tronc avec du fil qu'elle a mendié et volé. Elle
m'a emmenée là et elle a dit : "On va mettre nos âmes
dans l'arbre pour qu'elles soient bien protégées." On s'est
agenouillées sur notre quilt d'Afrique, c'était plus que des
lambeaux, et on a confié nos âmes à l'arbre. Elle a dit que
nos âmes vivent dans l'arbre avec les oiseaux et qu'elles
apprennent à voler. Elle m'a dit : "Si tu t'en vas d'ici, viens
chercher ton âme pour l'emporter avec toi." On avait pris
l'habitude de ramasser des feuilles et des brindilles tout
autour de l'arbre et de les mettre dans des pochettes qu'on
portait autour du cou. »

Elle a porté la main à sa gorge comme si elle la cherchait.

« Mauma est morte du croup un hiver. J'avais seize
ans. Je savais coudre n'importe quoi. À peu près à cette
époque, le maître s'est retrouvé couvert de dettes et il nous
a tous vendus. Je me suis retrouvée achetée par massa
Grimké pour sa propriété dans l'Union. Le soir avant le
départ, je suis allée récupérer mon âme dans l'arbre et je
l'ai emportée avec moi.

« Je veux que tu le saches, ton papa il était bon comme
du bon pain. Il s'appelait Shanney. Il travaillait dans la
plantation de massa Grimké. Un jour Missus a dit qu'il
fallait que je vienne coudre pour elle à Charleston. J'ai dit
d'accord mais prenez Shanney, c'est mon mari. Elle a dit
Shanney c'est un esclave des plantations et peut-être que
je le reverrai quand je viendrai en visite. Tu étais déjà dans
mon ventre et personne le savait. Shanney est mort d'une
blessure à la jambe avant même que tu aies un an. Il a
jamais vu à quoi tu ressembles. »

Mauma s'est arrêtée de parler. Elle était épuisée. Elle
s'est endormie en laissant l'histoire former une protection
parfaite au-dessus de moi.

Le lendemain matin, quand je me suis glissée hors du
lit pour aller aux toilettes, je me suis cognée contre un

panier posé près de la porte. À l'intérieur, il y avait un grand flacon de liniment et de la tisane médicinale.

Dans la journée je suis revenue m'occuper de Miss Sarah. Je me suis faufilée dans sa chambre alors qu'elle était en train de lire un de ses livres. Ça l'intimidait d'aborder le sujet de ce qui était arrivé à mauma, alors j'ai dit : « On a eu votre panier. »

Ses traits se sont détendus. « Dis à ta mère que je suis désolée de ce qu'on lui a fait subir et j'espère qu'elle va se remettre très vite. » Ces paroles, elle les a prononcées sans la moindre difficulté.

« Ça compte beaucoup pour nous », j'ai dit.

Elle a posé son livre et elle est venue là où j'étais près de la cheminée et elle m'a prise dans ses bras. C'était difficile de savoir à quoi s'en tenir. Les gens disent que l'amour est forcément gâché par des différences aussi grandes que les nôtres. Je n'aurais pas su dire de façon certaine si les sentiments de Miss Sarah étaient de l'amour ou de la culpabilité. Je n'aurais pas non plus su dire si les miens venaient de l'amour ou d'un besoin de protection. Elle m'aimait et elle avait pitié de moi. Et moi je l'aimais et je me servais d'elle. Il n'y avait rien de simple dans cette histoire. Ce jour-là, nos cœurs étaient aussi purs qu'ils pouvaient l'être et qu'ils le seraient jamais.

Sarah

L'été succéda au printemps et, lorsque Mme Ruffin arrêta les cours jusqu'à l'automne, je demandai à Thomas de bien vouloir développer nos leçons particulières sur la véranda.

« Je crains que nous ne soyons plutôt obligés d'y mettre un terme, dit-il. Je dois penser à mon propre travail. Père m'a ordonné d'entreprendre une étude systématique de ses livres de droit pour me préparer à Yale.

— Je pourrais t'aider ! m'écriai-je.

— Sarah, Sarah, quelle idée bizarr-rah ! »

C'était l'expression qu'il employait quand son refus était aussi prévisible que sans appel.

Il n'imaginait nullement à quel point je l'avais impliqué dans mes plans. Il y avait une série de cabinets d'avocats dans Broad Street, depuis la Bourse jusqu'à St. Michael et je nous voyais tous les deux associés dans l'un d'entre eux avec une enseigne en façade, Grimké & Grimké. Bien sûr, il y aurait beaucoup de grabuge du côté de la piétaille mais avec Thomas à mes côtés et Père derrière moi, rien ne pourrait me résister.

De moi-même, je me plongeais dans les livres de droit de Père tous les après-midis.

Le matin, dans ma chambre avec la porte fermée à clé, je faisais la lecture à voix haute pour Hetty. Lorsque l'air devenait irrespirable à force de chaleur, nous fuyions vers la terrasse et là, assises côte à côte sur la balancelle, nous chantions des chansons composées par Hetty, la plupart parlant de voyages sur l'eau par bateau ou baleine. Ses jambes se balançaient d'avant en arrière comme des petits bâtons. Parfois, nous nous installions dans le renfoncement du premier étage pour jouer à des jeux de ficelle. Hetty semblait toujours avoir une réserve de fil rouge dans la poche de sa robe et, des heures durant, nous le faisions passer entre nos doigts écartés, créant des labyrinthes compliqués et injectés de sang.

De telles occupations correspondent à ce que font les filles ensemble mais, pour chacune de nous, c'était une première et nous les pratiquions aussi discrètement que possible pour éviter que Mère n'y mît brusquement fin. Nous franchissions une frontière dangereuse, Hetty et moi.

Un matin, alors que Charleston s'enfonçait désespérément dans le brasier estival, Hetty et moi étions allongées à plat ventre sur le tapis de ma chambre et je lisais à voix haute *Don Quichotte*. La semaine précédente, Mère avait ordonné qu'on sorte des réserves les moustiquaires et qu'on les accroche au-dessus des lits en prévision de la saison des buveurs de sang mais, ne disposant pas de pareille protection, les esclaves avaient déjà commencé à se gratter fébrilement. Ils s'enduisaient de saindoux et de mélasse pour apaiser les démangeaisons et une odeur d'*eau de cologne* traînait dans la maison.

Hetty s'acharnait sur une piqûre de moustique infectée sur son avant-bras en fronçant les sourcils devant les pages du livre, comme s'il s'agissait de quelque code insoluble. Je voulais qu'elle écoute les exploits du chevalier et de Sancho Panza mais elle ne cessait de m'interrompre, posant le doigt sur un mot ou un autre et demandant : «Et celui-là, qu'est-ce qu'il dit?» et j'étais obligée d'interrompre l'histoire pour lui répondre. Elle avait agi de même peu de temps auparavant quand nous lisions *La Vie et les Aventures étranges et surprenantes de Robin-*

son Crusoé de York et je me demandais si, peut-être, les bêtises des hommes ne l'ennuyaient pas tout simplement, qu'ils soient naufragés ou chevaliers.

Tandis que je donnais à ma voix des accents et des intonations dramatiques, tentant d'entraîner Hetty à nouveau dans le récit, la pièce s'assombrit, noircie par l'approche d'un orage. Le vent se mit à souffler par la fenêtre ouverte, apportant l'odeur dense de la pluie et du laurier-rose, faisant tourbillonner les voiles de la moustiquaire. Je cessai de lire quand le tonnerre retentit et que la pluie se mit à tambouriner sur le rebord de la fenêtre.

Hetty et moi nous bondîmes de conserve pour descendre la vitre et là, descendant en piqué dans la lumière jaune, il y avait la jeune chouette que Charlotte et Hetty avaient fidèlement nourrie pendant tout le printemps. Elle avait perdu son côté oisillon mais n'avait pas renoncé à son refuge dans le tas de bois.

Je la regardai voler droit sur nous, décrire un arc au-dessus de George Street et planer au-dessus du mur de la cour, sa drôle de tête de chouette se détachant de façon étonnante. Une fois l'oiseau disparu, Hetty alla allumer la lampe mais moi, je ne bougeai pas. Ce qui me revenait en mémoire, c'était ce jour au tas de bois où Charlotte m'avait montré l'oiseau pour la première fois et je me souvenais de la promesse que j'avais faite : aider Hetty à devenir libre, promesse impossible à tenir et qui continuait à provoquer en moi une culpabilité sans limite. Mais soudain, ce fut comme si un voile se déchirait pour la première fois ; Charlotte avait bien dit que je devais aider Hetty à s'affranchir par tous les moyens possibles.

Je me retournai pour l'observer ; elle apportait la lanterne sur ma coiffeuse, avec la lumière qui lui baignait les pieds. Dès qu'elle l'eut posée, je lui demandai : « Hetty, veux-tu que je t'apprenne à lire ? »

Munies d'un abécédaire, de deux livres d'orthographe bleu-noir, d'une ardoise et d'un morceau de craie, nous commençâmes des leçons quotidiennes dans ma chambre. Non seulement je fermais la porte à clé mais, en plus, je bouchais la serrure. Nos exercices duraient toute la matinée, deux heures ou plus. Quand nous avions terminé, j'enveloppais nos fournitures dans un morceau de tissu grossier, qu'on appelait de la toile à nègre, et je cachais le paquet sous mon lit.

Je n'avais jamais appris à lire à personne mais avec Thomas, j'avais eu droit à de nombreux cours de latin et j'avais dû supporter Madame suffisamment longtemps pour être capable de concevoir un projet valable. Et, en plus, Hetty était douée. Au bout d'une semaine, elle savait réciter et écrire l'alphabet. Au bout de deux, elle déchiffrait certains mots dans les livres d'orthographe. Je n'oublierai jamais le moment où, dans sa tête, s'opéra la liaison magique ; les lettres et les sons firent brusquement sens. Après cela, elle se mit à lire avec une efficacité grandissante.

Arrivée à la page quarante de l'abécédaire, elle avait un vocabulaire de quatre-vingt-six mots. Je notais sur une feuille de papier, en les numérotant, tous ceux qu'elle apprenait. « Quand tu en seras à cent mots, je lui promis, on fera un goûter pour fêter cela. »

Elle commençait à lire les mots sur les étiquettes pharmaceutiques et les bocaux de nourriture. « Comment on écrit *Hetty* ? » voulut-elle savoir. « Comment on écrit *seau* ? » Son désir d'apprendre était dévorant.

Un jour, je l'aperçus dans la cour en train d'écrire dans le sable avec un bâton et je me précipitai dehors pour l'arrêter. Elle avait écrit S-E-A-U sans la moindre erreur au vu et au su de tout le monde.

« Qu'est-ce que tu fais ? dis-je en effaçant les lettres avec mon pied. Quelqu'un va le voir. »

Son exaspération était égale à la mienne. « Vous ne croyez pas que moi aussi j'ai un pied pour effacer les lettres, si jamais quelqu'un arrive ? »

Elle conquit son centième mot le 13 juillet.

Le goûter prévu pour fêter l'événement se fit le lendemain sur le toit à quatre pentes de la maison, dans l'espoir d'apercevoir les festivités prévues pour le jour de la prise de la Bastille. Nous avions une population française assez importante venue de Saint-Domingue, avec un théâtre français et des écoles françaises à tous les coins de rue. C'était un coiffeur français qui frisait et poudrait Mère et ses amies, les régalant du récit de Marie-Antoinette montant à l'échafaud se faire guillotiner, spectacle qu'il affirmait avoir vu. Charleston était anglais jusqu'à la pointe de ses bottines, mais la ville s'intéressait à la prise de la Bastille avec autant de passion qu'à notre propre indépendance.

Nous montâmes au grenier avec deux tasses en porcelaine et un pot de thé noir renforcé d'hysope et de miel. De là, une échelle menait à une trappe dans le toit. Thomas avait découvert cette ouverture secrète à treize ans et m'avait emmenée me promener au milieu des cheminées. Snow nous avait repérés un jour alors qu'il ramenait Mère d'une de ses missions de charité et, sans la prévenir, il était venu nous récupérer. Depuis, je ne m'étais plus jamais aventurée là-haut.

Hetty et moi, nous nous pelotonnâmes dans une des rigoles, côté méridional, adossées à la pente . Elle déclara qu'elle n'avait jamais eu l'occasion de boire dans une tasse en porcelaine et avala tout d'un seul coup tandis que je sirotais lentement en contemplant le grand carreau bleu au-dessus de nos têtes. Nous étions trop loin pour voir la foule marcher en procession dans Broad Street, mais on entendait chanter *La Marseillaise*. Tandis que les cloches de St. Philip carillonnaient, on tira treize coups de feu.

Des oiseaux avaient longuement traîné sur le toit et, ici et là, on voyait des petits tas de plumes. Hetty en bourra ses poches et quelque chose dans ce geste provoqua en moi un élan de tendresse. J'étais peut-être un peu ivre d'hysope et de miel, et de la nouveauté de se retrouver entre filles sur le toit. Quoi qu'il en fût, je commençai à confier à Hetty des secrets que j'avais toujours gardés par-devers moi.

Je lui racontai que j'avais un vrai talent pour écouter aux portes, que j'étais devant la chambre de Charlotte la nuit qui avait suivi sa punition et que j'avais entendu son histoire.

« Je sais, dit-elle. Vous n'êtes pas si douée que ça pour jouer les espionnes. »

Je lui fis toutes les confidences possibles. Ma sœur Mary n'avait que mépris pour moi. Thomas avait toujours été mon seul ami. J'avais été chassée de mon poste d'institutrice pour les petits esclaves mais elle ne devait pas s'inquiéter, ce n'était pas à cause de mon incompétence.

Plus je continuais, plus les révélations devenaient graves. « J'ai vu Rosetta se faire fouetter une fois. J'avais quatre ans. C'est à ce moment-là qu'ont commencé mes troubles de l'élocution.

— On dirait que vous n'avez plus de problèmes maintenant.

— Ça va ça vient.

— Rosetta a beaucoup souffert ?

— Je crois que oui.

— Qu'avait-elle donc fait de mal ?

— Je ne sais pas. Je n'ai pas demandé – après je ne pouvais plus parler, ça a duré des semaines. »

Le silence s'installa entre nous et nous nous allongeâmes pour contempler les nuages crénelés. Parler de Rosetta nous avait refroidies plus que je ne l'aurais souhaité, beaucoup trop pour un goûter visant à fêter un vocabulaire de cent mots.

Dans l'espoir de réchauffer l'atmosphère, je dis : « Je vais être avocat comme mon père. » Je fus surprise de m'entendre déballer cela à voix haute, le fleuron des secrets, et me sentant brusquement mise à nu, j'ajoutai : « Mais tu ne dois le dire à personne.

— Je ne connais personne à qui le dire. Sauf mauma.

— Eh bien, même à elle, il ne faut pas le dire. Promets-le-moi. »

Elle hocha la tête.

Rassurée, je pensai à la boîte en pierre de lave et à mon bouton d'argent. « Sais-tu qu'un objet peut tout à fait

représenter quelque chose qui n'a rien à voir avec son utilité première ? »

Elle me dévisagea d'un air ahuri tandis que j'essayais de
trouver le moyen de m'expliquer. « Tu connais la canne de
ma mère, par exemple – elle est censée être là pour l'aider
à marcher, mais on sait tous à quoi elle sert vraiment.

— À taper sur la tête. » Elle ajouta, après un silence :
« Sur un quilt, le triangle représente l'aile du merle.

— Oui, c'est ce que je veux dire. Eh bien, dans ma
commode, j'ai une boîte en pierre avec un bouton dedans.
Un bouton, c'est fait pour fermer un vêtement, mais celui-
là, il est beau, il sort vraiment de l'ordinaire, alors j'ai
décidé qu'il allait représenter mon désir de devenir avocat.

— Je le connais, ce bouton. Je n'y ai jamais touché, j'ai
seulement ouvert la boîte et je l'ai regardé.

— Ça ne me dérange pas si tu le prends dans ta main.

— Moi, j'ai un dé et il sert à pousser l'aiguille sans que
le bout de mon doigt soit tout abîmé, mais je pourrais très
bien m'en servir pour autre chose. »

Quand je lui demandai pour quoi d'autre, elle répondit :
« Je sais pas, sauf que moi, je veux savoir coudre comme
mauma. »

Hetty avait compris l'esprit. Elle raconta à nouveau
entièrement l'histoire que j'avais entendu sa mère raconter cette nuit-là, l'histoire de sa grand-mère qui venait
d'Afrique, l'histoire des quilts avec leurs applications de
triangles. Lorsque Hetty se mit à parler de l'arbre des
âmes, sa voix se chargea de respect.

Avant que nous ne redescendions par la trappe, Hetty
dit : « J'ai pris une bobine de fil dans votre chambre. Elle
traînait dans votre tiroir et personne ne s'en servait. Je
m'excuse, je peux la rapporter.

— Oh. D'accord, tu peux la garder mais je t'en prie,
Hetty, arrête de voler, même des bricoles. Tu pourrais
avoir des ennuis épouvantables. »

Tandis que nous descendions les barreaux de l'échelle,
elle dit : « Mon vrai nom, c'est Handful. »

Handful

Quand mauma a réapparu, elle boitait. Si elle était dans sa chambre ou dans la cuisine au moment des repas, elle n'avait aucun problème mais dès qu'elle mettait le pied dans la cour elle traînait la jambe comme on traîne une bûche morte. Aunt-Sister et les autres la regardaient se déplacer comme une estropiée et secouaient la tête. Ce genre de tricherie ne leur plaisait pas et elles n'ont pas hésité à le dire. Mauma leur a répondu : « Quand vous aurez subi cette punition sur une seule jambe, vous pourrez dire ce que vous voulez. Pour l'instant, vous avez intérêt à la fermer. »

Après ça, elles ne se sont plus approchées d'elle. Elles s'arrêtaient de parler dès qu'elle surgissait, elles recommençaient quand elle avait le dos tourné. Mauma disait qu'elles la fuyaient comme la peste.

Désormais, la haine brûlait dans ses yeux en permanence. Parfois, elle me scrutait avec son regard tellement sombre. Parfois, elle laissait y briller son intelligence. Un jour, je l'ai trouvée au pied de l'escalier en train d'expliquer à Missus qu'elle avait du mal à monter l'escalier pour faire sa couture et, forcément, elle avait aussi du mal à monter l'escalier de la remise pour aller dans sa chambre. Elle a dit : « Mais je vais bien réussir à me débrouiller, vous inquiétez pas. » Et puis alors que Missus et moi on l'observait, elle a attrapé la rampe et elle s'est

hissée jusqu'en haut, en invoquant Jésus pendant toute
la montée.

Peu de temps après, on a appris que Missus avait
demandé à Prince de débarrasser une grande pièce au
sous-sol, là où la maison était adossée au mur d'enceinte
de la cour. Il a installé le lit de maman et tout son bazar
là-dedans. Il a décroché le cadre à quilt du vieux plafond
pour le reclouer sur celui-là. Missus a déclaré qu'à partir
de maintenant maman ferait les travaux de couture dans
sa chambre et elle a demandé à Prince de descendre la
table de coupe laquée.

La pièce en sous-sol était grande comme trois chambres
d'esclave. Elle était chaulée de frais et il y avait une petite
fenêtre près du plafond mais si on regardait dehors, c'était
pas les nuages du ciel qu'on voyait mais les briques du mur.
Mauma a quand même cousu un rideau en calicot. Elle a
récupéré des images de bateaux toutes voiles dehors dans
un livre au rebut et elle les a collées au mur. Un fauteuil
à bascule en bois peint est apparu ainsi qu'une coiffeuse
défoncée qu'elle a recouverte d'une étoffe grossière, du lin
de Ticklingburg. Dessus, elle a disposé des flacons colorés
vides, un paquet de bougies, un pain de suif et un plat
métallique rempli de grains de café qu'elle prenait plaisir
à mâcher. Où elle avait dégoté tout ce bazar, je l'ignore.
Sur l'étagère murale, elle a rangé notre matériel de couture : la boîte pour les chutes de tissu, la pochette avec le
fil et les aiguilles, le sac de rembourrage pour les quilts, le
coussin à épingles, les ciseaux, une roulette à patron, du
charbon, du papier à patron, un ruban mesureur. Posés à
part, il y avait mon dé en cuivre et le fil rouge que j'avais
volé dans le tiroir de Miss Sarah.

Une fois la pièce installée comme un palais, mauma
a demandé à Aunt-Sister si elles pouvaient toutes venir
faire une prière pour sa « misérable petite chambre ». Et
un soir, elles sont toutes venues, trop contentes de voir à
quel point c'était pauvre et misérable. Mauma leur a offert
à chacune un grain de café. Elle les a laissées regarder
autant qu'elles voulaient, puis elle leur a montré comment

la porte fermait avec un loquet métallique, comment elle avait son propre pot de chambre sous le lit, et c'était à moi de le vider vu comme elle était estropiée. Elle a fait toute une histoire avec la canne en bois que Missus lui avait donnée pour se déplacer.

En quittant la fête de mauma, Aunt-Sister a craché par terre devant la porte ; Cindie, qui venait derrière elle, a fait de même.

Le plus intéressant, c'était que je pouvais aller dans cette nouvelle chambre sans avoir à sortir de la maison. Presque toutes les nuits, je descendais à pas de loup les deux étages en évitant les marches qui grinçaient. Mauma adorait ce loquet sur sa porte. Si elle était dans sa chambre, elle le tirait toujours et si elle dormait, j'étais obligée de tambouriner à m'en écorcher les doigts pour qu'elle se lève.

Mauma ne me faisait plus de reproches sur le fait que j'abandonnais mon poste. Elle entrouvrait sa porte, elle m'attirait à l'intérieur et elle refermait. Sous les couvertures, je lui demandais de me raconter l'arbre des âmes, je voulais davantage de détails, chaque feuille, chaque branche, chaque nid. Quand elle me croyait endormie, elle se levait et arpentait la pièce en fredonnant doucement. Ces nuits-là, s'échappait d'elle quelque chose de sombre et d'insouciant.

Dans la journée, elle restait assise à coudre dans sa nouvelle chambre. Miss Sarah m'autorisait à descendre tous les après-midis et à rester jusqu'à l'heure du dîner. Un peu d'air filtrait parfois par la fenêtre de mauma mais la plupart du temps c'était une vraie fonderie. Mauma disait : « Occupe-toi donc les mains. » J'apprenais le bâti, l'assemblage, les plissés, les fronces, les godets et les goussets. Tous les points qui existent. J'apprenais à faire une boutonnière et une fente. À couper un patron à partir de rien sans poudre à tracer.

Cet été-là, j'ai eu onze ans et mauma a dit que la paillasse sur laquelle je dormais en haut n'était même pas bonne pour un chien. On était censées travailler sur la prochaine livraison de vêtements destinés aux esclaves. Tous les ans, on donnait aux hommes deux chemises marron et deux blanches, deux pantalons et deux gilets. Les femmes avaient droit à trois robes, quatre tabliers et un fichu pour la tête. Mauma a dit que tout ça pouvait attendre. Elle m'a montré comment couper des triangles noirs grands chacun comme l'extrémité de mon pouce, puis on en a appliqué deux cents ou même davantage sur des carrés rouges, une couleur que maman appelait sang de bœuf. On a cousu ensuite de minuscules ronds jaunes pour les éclaboussures de soleil puis on a descendu le cadre à quilt à la manivelle et on a tout assemblé. J'ai ourlé moi-même le renfort tissé main et on a rempli le quilt avec toutes les plumes et toute la bourre dont on disposait. Je me suis coupé une touffe de cheveux, j'ai fait pareil à mauma et je les ai glissées à l'intérieur comme amulettes. Ça a pris six après-midis.

Mauma avait cessé de chaparder et provoquait des dégâts importants avec des moyens moins risqués. Elle avait oublié, soi-disant, que les manches de Missus étaient bâties à gros points et l'une d'elles s'ouvrait à l'église ou ailleurs. Mauma me faisait coudre les boutons sans nœud et ils tombaient du corsage de Missus à la première occasion. Ne pas être sourd suffisait pour entendre Missus reprocher vigoureusement à mauma sa paresse et mauma répliquait toujours : « Oh Missus, priez pour moi, je voudrais tant faire mieux. »

Je ne peux pas raconter toutes les méchancetés que mauma a faites, seulement celles que j'ai vues, et il y en a eu beaucoup. Elle cassait « par accident » n'importe quel plat en porcelaine, n'importe quel bibelot de table qui lui tombait sous la main. Elle le faisait tomber par terre et ne s'arrêtait pas pour autant. Quand elle voyait un plateau à thé que Aunt-Sister avait préparé et laissé dans l'office pour que Cindie l'emporte, elle jetait dans la théière tout ce qu'elle trouvait de sale autour d'elle. Des moutons de poussière, des peluches du tapis, la salive de sa bouche. J'ai prévenu Miss Sarah, ne vous approchez pas des plateaux à thé.

Le jour précédant la tempête, l'air était si lourd qu'il en était immobile. On avait l'impression qu'on attendait quelque chose, mais sans savoir quoi. Tomfry a déclaré que c'était un ouragan et qu'il fallait se claquemurer. Prince et Sabe ont fermé les volets, rangé les outils de la cour dans l'appentis et mis les animaux à l'abri. Dans la maison, nous avons roulé les tapis au premier étage et éloigné les objets fragiles des fenêtres. Missus nous a fait apporter des provisions à l'intérieur.

La tempête s'est déchaînée pendant la nuit quand j'étais couchée à côté de mauma. Le vent hurlait et jetait les branches contre la maison. Les palmiers s'entrechoquaient si bruyamment dans l'obscurité que nous devions crier pour nous entendre, mauma et moi. Assises dans le lit, nous regardions la pluie frapper sur la fenêtre en hauteur et couler à l'intérieur. L'eau passait aussi sous la porte. Je chantais à gorge déployée comme si ça pouvait me faire oublier ce qui se passait.

De l'aut' côté de l'eau de l'aut' côté de la mer
Que les poissons m'y transportent sans rien faire.
Si cette eau-là doit prendre tout son temps,
Emportez-moi emportez-moi ce sera moins lent.

Lorsque l'orage s'est enfin éloigné, nous avons mis le pied par terre et l'eau est venue nous attraper par les chevilles. La chambre faussement pauvre et misérable de mauma était devenue vraiment pauvre et misérable.

À marée basse le lendemain, l'inondation a reculé et tout le monde a été convoqué au sous-sol pour débarrasser la boue à la pelle. La cour était une catastrophe de branches et de palmes brisées, de seaux et de graines pour les chevaux, les toilettes n'avaient plus de porte, le vent s'en était emparé et l'avait fait tomber. Un morceau de voile de bateau était resté accroché dans les branches du grand arbre.

Une fois la chambre de mauma nettoyée, je suis allée examiner cette voile dans l'arbre. Elle ondulait dans la brise et c'était un étrange spectacle. Sous les branches, le sol n'était qu'argile détrempée. Prenant un bâton, j'ai écrit BÉBÉ BLEU BALLE BALANCER HABIT HETTY, traçant les lettres profondément dans la boue durcie, satisfaite de mon écriture. Quand Aunt-Sister m'a appelée dans la cuisine, j'ai effacé les mots de la pointe de ma chaussure.

Le reste de la journée, le soleil a brillé et tout a séché alentour.

Le lendemain matin, alors que mauma et moi on était dans la salle à manger à attendre les dévotions, Miss Mary est entrée en trombe dans le hall avec Missus trottant derrière elle. Elles se dirigeaient vers la porte de derrière.

Appuyée sur sa canne, mauma a dit : « Mais où elles se précipitent comme ça ? »

En regardant par la fenêtre, on a vu Lucy, l'esclave attachée à Miss Mary, sous l'arbre et la voile qui était toujours coincée dans les branches. On a vu Miss Mary emmener Missus de l'autre côté de la cour à l'endroit exact où Lucy était en train d'examiner le sol et brusquement une bouffée de chaleur est montée de mon ventre pour se répandre dans toute ma poitrine.

« Qu'est-ce qu'elles regardent ? » a demandé mauma en observant comment les trois se penchaient en avant pour scruter la terre.

Puis Lucy est revenue à fond de train vers la maison. Dès qu'elle a pu se faire entendre, elle a crié : « Handful ! Handful ! Missus a dit que tu devais venir immédiatement ! »

Je me suis levée, j'avais tout compris.

Mes mots, sortis tout droit de l'abécédaire, avaient cuit dans l'argile. La mince couche de boue que j'avais étalée avec ma chaussure s'était craquelée, laissant apparaître la trace profonde des lettres.

BÉBÉ BLEU BALLE BALANCER HABIT HETTY.

Sarah

Deux jours après qu'un ouragan de septembre fit déborder la marée hors de East Bay Street jusqu'à Meeting Street, Binah toqua à ma porte avant le petit déjeuner, les yeux pleins de crainte et de compassion, et je compris qu'il était arrivé une catastrophe.

« Quelqu'un est mort ? Père est-il...

— Non, personne est mort. Votre papa, il vous attend dans la bibliothèque. »

Je n'avais jamais été convoquée ainsi et je sentis mes jambes se dérober sous moi, au point que je chancelai en avançant vers ma coiffeuse Hepplewhite vérifier le ruban ivoire que j'étais en train de nouer dans mes cheveux.

« Que s'est-il passé ? » demandai-je en tirant sur le nœud et en lissant ma robe.

Je posai un instant ma main sur mon ventre noué. Je voyais le reflet de Binah dans le miroir. Elle secoua la tête. « Miss Sarah, je sais pas ce qu'il veut mais ça arrangera rien de traîner. »

Posant la main au creux de mes reins, elle me poussa hors de la chambre ; je passai devant le nouveau quilt de Handful qui gisait dans le couloir, tous ses triangles cloués au sol. Nous descendîmes l'escalier pour nous arrêter devant la porte de la bibliothèque. Se dispensant de ses « Pauvre Miss Sarah », Binah dit plutôt : « Écoutez bien

Binah maintenant. Pleurez pas et vous enfuyez pas. Et surtout, vous laissez pas décourager.»

Ses paroles, censées me calmer, ne firent qu'augmenter mon angoisse. Quand je frappai à la porte, je sentis à nouveau cette étrange dérobade au niveau des genoux. Il était assis à son bureau, les cheveux huilés et lissés en arrière et, plongé dans une pile de documents, il ne me regarda pas.

Quand il releva la tête, ses yeux étaient durs. «Tu m'as déçu, Sarah.»

J'étais trop ébahie pour pleurer ou m'enfuir, les deux choses que Binah m'avait avertie de ne pas faire. «Je ne pourrais jamais vous décevoir volontairement, Père. Je ne désire que...»

Il m'arrêta d'un geste. «Je t'ai fait venir ici pour écouter. Ne dis pas un mot.»

Mon cœur battait si férocement que mes mains vinrent entourer mes côtes pour les empêcher de se décrocher.

«On m'a fait savoir que ton esclave savait lire et écrire. Ne songe pas à le nier, puisqu'elle a tracé un certain nombre de mots dans la boue de la cour qu'elle a même pris soin de signer de son nom.»

Oh Handful, non! Je détournai les yeux de son regard impitoyable, accusateur, tentant de considérer la situation sous ses différents aspects. Handful avait été imprudente. Nous avions été découvertes. Mais mon esprit récalcitrant ne parvenait pas à envisager que Père, lui entre tous, pût interpréter le fait qu'elle savait lire comme une offense impardonnable. Il allait me punir comme il devait le faire, comme Mère l'exigeait à coup sûr. Et puis, il se radoucirait. Dans les profondeurs de sa conscience, il comprenait forcément ce que j'avais fait.

«Comment crois-tu qu'elle a acquis ces connaissances? demanda-t-il calmement. Lui sont-elles tombées dessus un beau jour, sorties de nulle part? Sont-elles innées chez elle? Est-elle intelligente au point d'apprendre seule à lire? Bien sûr, nous savons pourquoi cette fille sait lire – c'est toi qui lui as appris. Tu as désobéi à ta mère, à ton père, aux lois de ton État, même à ton pasteur, qui t'avait expressément sermonnée sur la question. »

Il se leva de son siège en cuir et s'avança vers moi, mais en gardant ses distances et, quand il reprit la parole, sa voix n'était plus aussi hostile. « Je me suis demandé comment tu peux désobéir avec tant de facilité et une telle indifférence. Je crains que la réponse soit que tu es une enfant gâtée qui ne comprend pas où est sa place dans le monde et c'est en partie ma faute. Je ne t'ai pas rendu service en montrant tant d'indulgence. Cette clémence t'a laissé penser que tu pouvais transgresser une règle aussi importante que celle-ci. »

Glacée par une terreur nouvelle et inconnue, j'osai parler mais je retrouvai ma gorge prise dans un étau, cette vieille sensation familière. Les yeux clos, je m'obligeai à exprimer ma pensée. « ... Je vous prie de m'excuser, Père... Je ne pensais pas à mal.

— Tu ne pensais pas à mal ? »

Il n'avait pas remarqué que mon bégaiement était revenu. Il se mit à arpenter la pièce étouffante tout en me faisant la morale, sous le regard serein de Mr. Washington. « Tu crois qu'apprendre à lire à un esclave n'est pas source de préjudice ? Il existe quelques tristes vérités dans notre monde et l'une d'elles, c'est que les esclaves qui savent lire représentent une menace. Ils seront alors au courant d'informations qui les pousseront à agir de façon incontrôlable pour nous. Oui, c'est injuste de les priver de cela, mais c'est le seul moyen de protéger des choses beaucoup plus importantes...

— ... Mais, Père, c'est mal ! m'exclamai-je.

— Es-tu donc assez insolente pour oser me défier encore maintenant ? Lorsque tu as laissé sur mon bureau le document où tu affranchissais ta jeune esclave, j'aurais dû te ramener dans le droit chemin à ce moment-là mais j'ai voulu te dorloter. J'ai pensé qu'en déchirant cette bêtise en deux et en te la rendant, tu comprendrais que nous, les Grimké, nous ne sabotons pas les institutions et les lois selon lesquelles nous vivons, même si nous ne les approuvons pas. »

Je me sentais très bête mais aussi très perplexe. C'était Père qui avait déchiré mon certificat d'affranchissement. *Père.*

«Ne te trompe pas à mon propos, Sarah, je protége-rai notre mode de vie. Je ne tolérerai aucune rébellion au sein de cette famille!»

Quand je défendais mes opinions anti-esclavagistes durant ces débats à la table du dîner, avec Père, radieux, qui m'incitait à poursuivre, j'avais cru qu'il appréciait cette prise de position. J'avais cru qu'il partageait ce point de vue mais, brusquement, je compris que je n'avais été que le singe savant dansant sur la musique de l'accordéon de son maître. Père s'était amusé. Ou peut-être avait-il encouragé mon discours dissident rien que parce que cela donnait aux autres l'occasion d'aiguiser leurs opinions contraires. Peut-être avait-il toléré mes prises de position parce que ces débats avaient été un pathétique exercice oral visant à aider sa fille qui souffrait d'un défaut d'élo-cution?

Père croisa les bras sur sa chemise blanche et me dévi-sagea de sous le rempart intact de ses sourcils. Il avait les yeux brun clair, exempts de toute compassion et ce fut alors que je vis pour la première fois mon père tel qu'il était vraiment – un homme qui accordait plus de valeur aux principes qu'à l'amour.

«Tu as commis un délit, déclara-t-il en reprenant ses allées et venues pour décrire lentement un grand cercle autour de moi. Je ne te punirai pas aussi durement que tu le mérites, Sarah, mais tu dois en tirer une leçon.

«À partir de maintenant, tu n'as plus le droit de péné-trer dans cette pièce. Tu ne franchiras plus jamais ce seuil, quoi qu'il arrive, de jour comme de nuit. Tout accès aux livres présents ici t'est interdit ainsi qu'à n'importe quels autres livres, où qu'ils soient, sauf ceux que Mme Ruffin te permet pour tes études.»

Plus de livres. Mon Dieu, je vous en prie. Mes jambes cédèrent et je me retrouvai à genoux.

Il continua à tourner en rond.

« Tu n'étudieras plus rien que les sujets dûment approuvés par Madame. Fini les séances de latin avec Thomas. Tu ne l'écriras plus, tu ne le parleras plus, tu n'y travailleras plus dans ta tête. Est-ce bien compris ? »

Je levai les mains, les paumes offertes, aussi haut que ma tête, me transformant en suppliante. « ... Père, je vous en supplie... S'il vous plaît, ne m'enlevez pas les livres... je ne le supporterai pas.

— Tu n'as aucun besoin de livres, Sarah.

— ... P-p-père ! »

Il revint à grands pas vers son bureau. « Cela me fait de la peine de te voir aussi malheureuse, Sarah, mais c'est un *fait accompli*. Essaie donc de ne pas le prendre aussi tragiquement. »

Par la fenêtre passaient le vacarme des voitures à cheval et des charrettes et les cris des esclaves vendeurs – la vieille femme avec son panier sur la tête qui criait : « Qu'elles sont rouges mes tomates ! » Les bruits du commerce continuaient comme si de rien n'était. En ouvrant la porte de la bibliothèque, je vis que Binah m'avait attendue. Elle me prit par la main et m'entraîna dans l'escalier jusqu'à la porte de ma chambre. « Je vais vous préparer un petit déjeuner et je vous l'apporte sur un plateau », dit-elle.

Après son départ, je me penchai pour regarder sous le lit, là où je rangeais l'ardoise, les abécédaires et le manuel de lecture. Tout avait disparu. Les livres sur mon bureau avaient disparu, eux aussi. Ma chambre avait été fouillée de fond en comble.

Ce ne fut que lorsque Binah revint avec le plateau que je pensais à lui demander : « ... Où est Handful ?

— Oh Miss Sarah, c'est bien le problème. Elle ne va pas tarder à recevoir sa propre punition. »

Je n'ai aucun souvenir d'avoir descendu l'escalier.

« C'est seulement un coup de fouet ! cria Binah en courant derrière moi. Un seul coup de fouet, Missus a dit. Et c'est tout. »

J'ouvris la porte de derrière à la volée. Des yeux je balayai la cour. Les bras maigres de Handful étaient attachés à la balustrade de la véranda de la cuisine. À dix pas derrière elle, Tomfry fixait le sol, une ceinture à la main. Charlotte se tenait dans l'ornière qui s'était creusée entre la remise à voitures et la porte, tandis que le reste des esclaves étaient regroupés sous le chêne.

Tomfry leva le bras. «Non! hurlai-je. Nooooon!» Il se tourna vers moi, hésitant, l'air intensément soulagé.

Puis j'entendis la canne de Mère taper sur la vitre, à l'étage, et Tomfry leva ses yeux las vers le bruit. Il hocha la tête et fit claquer la mèche du fouet sur le dos de Handful.

Handful

Tomfry a dit qu'il avait essayé d'y aller le moins fort possible mais le coup m'a fendu la peau. Miss Sarah m'a fait un cataplasme avec des bourgeons de baume de Gilead trempés dans le rhum de master Grimké et mauma m'a carrément tendu le flacon en me disant : «Tiens, vas-y, bois donc!» Je n'ai gardé pratiquement aucun souvenir de la douleur.

Si ma plaie a guéri vite fait, la blessure de Miss Sarah n'a fait qu'empirer. Sa voix avait recommencé à se bloquer et elle se languissait de ses livres. Elle était anéantie.

C'était Lucy qui avait couru rapporter à Miss Mary que j'avais tracé des lettres sous l'arbre et Miss Mary avait couru prévenir Missus. J'avais toujours considéré Lucy comme une idiote mais c'était seulement une faible qui voulait se mettre bien avec Miss Mary. Je lui ai jamais pardonné et je sais pas si Miss Sarah a pardonné à sa sœur, parce que, à la suite de ces dénonciations, la vie de Miss Sarah a changé. Le fait d'étudier était définitivement terminé pour elle.

Mes cours de lecture aussi étaient terminés. J'avais mes cent mots et j'ai réussi à en déchiffrer pas mal d'autres, rien qu'en me servant de ma cervelle. Régulièrement, je récitais mon alphabet à mauma et je lui lisais des mots sur les images qu'elle avait collées sur le mur.

Un jour, en descendant au sous-sol, j'ai vu mauma en train de couper une brassière de bébé dans de la mousseline avec des bandes couleur lilas. Elle a vu la tête que je faisais et elle a dit : « C'est vrai, un nouveau Grimké est en route. On l'attend pour l'hiver. Missus n'est pas très contente de la nouvelle. Je l'ai entendue le dire à massa, cette fois, c'est le dernier. »

Quand mauma a eu fini de bâtir la brassière, elle a fouillé dans le sac de jute et elle en a sorti une petite liasse de papier propre, un encrier à moitié plein et une plume ; j'ai compris qu'elle avait volé tous ces objets. J'ai dit : « Pourquoi tu continues à faire des choses pareilles ?

— J'ai besoin que tu écrives quelque chose. Écris : "Charlotte Grimké est autorisée à se déplacer." En dessous, tu mets le mois, tu laisses le jour en blanc et tu signes Mary Grimké avec des fioritures.

— D'abord, je sais pas comment on écrit "Charlotte". Je connais pas non plus le mot "autorisée".

— Alors écris : "Cette esclave peut se déplacer."

— Qu'est-ce que tu vas faire avec ça ? »

Elle a souri, en me montrant le trou qu'elle avait entre ses dents de devant. « Cette esclave va se déplacer. Mais t'inquiète pas, elle reviendra toujours.

— Qu'est-ce que tu feras quand un Blanc t'arrêtera et demandera à voir ton laissez-passer et que ça se verra que c'est une gamine de onze ans qui l'a écrit ?

— Alors tu ferais mieux d'écrire pas comme si t'avais onze ans.

— Comment as-tu l'intention de franchir le mur ? »

Elle a jeté un œil vers la fenêtre près du plafond, qui était plus petite qu'un carton à chapeau. Je ne voyais pas comment elle pourrait arriver à sortir par là, même en se tortillant, mais elle était prête à s'enduire de graisse d'oie s'il le fallait. Je lui ai écrit son laissez-passer parce qu'elle était absolument déterminée à l'avoir.

Après ça, au moins une ou deux fois par semaine, elle disparaissait. Elle partait au milieu de l'après-midi et revenait qu'après la nuit tombée. Refusait de dire où elle allait. Refusait de dire comment elle réussissait à sortir et à rentrer. Moi, j'essayais d'imaginer par quel chemin elle s'échappait. Devant sa fenêtre, il y avait pas plus de soixante centimètres entre la maison et le mur et je me disais qu'une fois qu'elle avait réussi à se faufiler dehors, elle se collait dos à la maison et pieds contre le mur et qu'elle se trémoussait jusqu'à franchir l'obstacle avant de se laisser tomber de l'autre côté.

Évidemment, elle était bien obligée de trouver un autre moyen pour revenir. Elle devait sûrement passer par la porte qu'on utilisait pour la voiture. Elle rentrait jamais avant la nuit, donc elle pouvait très bien l'escalader sans que personne la voie. Elle était toujours là avant que les tambours battent le couvre-feu. Je refusais de l'imaginer dehors en train de se cacher pour échapper à la Garde civile.

Un après-midi, alors que mauma et moi on était en train de terminer la livraison annuelle des vêtements pour les esclaves, je lui ai exposé mon raisonnement, comment elle sortait par la fenêtre en plein jour et qu'elle escaladait la barrière la nuit. Elle a dit : « Ben dis donc, t'es maligne. »

Dans un coin de ma tête, je l'ai vue avec la sangle nouée autour de sa cheville et de son cou ; mes yeux se sont remplis de larmes et je me suis mise à la supplier. « Fais plus ça. Je t'en prie. D'accord ? Tu vas finir par te faire prendre.

— Je vais te dire une bonne chose, tu peux m'aider. Si quelqu'un ici s'aperçoit que je suis absente, pose le seau près de la citerne où je pourrai le voir de la barrière. Tu vas faire ça pour moi. »

Ce qui n'a fait que m'effrayer davantage. « Et si tu vois le seau, qu'est-ce que tu vas faire... t'enfuir en courant ? M'abandonner ici ? » J'ai éclaté en sanglots.

Elle m'a frotté les épaules comme elle aimait toujours faire. « Handful, ma petite fille. Je préférerais mourir plutôt que de t'abandonner. Tu le sais très bien. Si ce seau se trouve à côté de la citerne, ça va simplement m'aider à savoir ce qui m'attend, c'est tout. »

Quand leur vie sociale a recommencé, alors que mauma et moi on n'arrivait pas à se débrouiller avec toutes ces robes et ces tenues, elle, elle sortait pour se faire embaucher ailleurs sans autorisation. Je l'ai appris un jour après le dîner, alors que nous nous trouvions au milieu de la cour. Miss Sarah avait passé la journée plongée dans une de ses crises de désespoir et moi, je pensais que mes pires sujets d'inquiétude, c'était jusqu'où elle pouvait sombrer et mauma qui filait par la fenêtre. Mais mauma, elle a sorti une médaille d'esclave de sa poche. Quand un maître faisait embaucher son esclave ailleurs, il devait acheter une médaille à la ville et je savais que master Grimké n'avait jamais rien acheté de tel. Être en possession d'une fausse médaille c'était encore plus grave que d'avoir volé la soie verte de Missus.

J'ai pris la médaille et je l'ai examinée. C'était un petit carré de cuivre avec un trou en haut pour qu'on puisse l'agrafer à son vêtement. Il y avait des mots gravés dessus. J'ai essayé de les déchiffrer et j'ai fini par comprendre ce qui était écrit. « Do-mes-ti-que. Domestique ! ai-je crié. Numéro 133. Année 1805. Où t'as eu ça ?

— Eh bien, tu crois pas que je suis restée à traîner dehors sans rien faire pendant tout ce temps – je me suis trouvé du travail.

— Mais du travail, ici, tu en as plus que tu ne peux en faire.

— Et oui, et ça me rapporte rien du tout, pas vrai ? »

Elle m'a repris la médaille pour la remettre dans sa poche.

« Un des esclaves Russell qui s'appelle Tom possède son propre atelier de maréchal-ferrant dans East Bay. Missus Russell l'autorise à travailler à son compte toute la journée et elle lui prend que les trois quarts de ce qu'il gagne. Il a fait cette médaille pour moi, il l'a copiée à partir d'une vraie. »

J'avais beau raisonner comme quelqu'un de onze ans, je savais très bien que ce maréchal-ferrant n'était pas qu'un gentil monsieur prêt à rendre service. Pourquoi donc prenait-il le risque de lui fabriquer une fausse médaille ?

« Je vais faire des bonnets, des robes et des quilts pour une dame dans Queen Street. Missus Allen. Je lui ai dit que je m'appelle Pearl, que j'appartiens à massa Dupré au coin de George Street et d'East Bay. Elle m'a dit : "Vous voulez parler du tailleur français ?" J'ai répondu : "Oui m'dame, il arrive plus à me donner assez de travail pour m'occuper tout le temps alors il veut bien que j'aille m'embaucher."

— Et si elle cherche à vérifier ton histoire ?

— C'est une vieille veuve, elle va rien vérifier du tout. Elle a seulement dit "Montre-moi ta médaille". » Mauma était fière d'elle-même et de sa médaille. « Missus Allen a dit qu'elle va me payer à la pièce et ses deux filles ont besoin de vêtements et de couvertures pour leurs enfants.

— Comment tu vas te débrouiller pour faire tout ce travail supplémentaire ?

— Je compte sur toi. Je compte sur les heures de la nuit. »

À force de travailler dans le noir, mauma a brûlé tellement de chandelles qu'elle a pris l'habitude d'en voler dans toutes les pièces où elle se trouvait. Ses yeux n'étaient plus que des fentes et la peau autour était toute fripée comme si on l'avait cousue à gros points. Elle était fatiguée et à bout de nerfs mais elle paraissait beaucoup moins abattue.

Elle rapportait l'argent à la maison et le cachait dans le sac de jute et moi je l'aidais à coudre jour et nuit, dès que j'étais pas occupée à faire couler le bain de Miss Sarah, à nettoyer sa chambre, à ranger ses vêtements et à vider son pot de chambre. Quand on avait terminé les commandes de la veuve, mauma se faufilait dehors en passant par la fenêtre pour aller livrer la marchandise et récupérer du tissu pour la fournée suivante. Ensuite, elle attendait que la nuit soit tombée et revenait en escaladant la barrière. Toutes ces habitudes dangereuses devenaient aussi normales que la longueur du jour.

Un après-midi de janvier où il faisait particulièrement doux, Missus a envoyé Cindie chercher mauma au sous-sol, une histoire de rosettes qui tenaient pas sur sa

nouvelle robe taille Empire et bien sûr mauma avait fait
le mur. Elle ne fermait pas la porte à clé quand elle sortait
parce qu'elle savait que Missus aurait demandé à Prince
de sortir cette porte de ses gonds si elle répondait pas et
comment elle aurait pu expliquer une chambre vide derrière une porte fermée ?

Quand un esclave disparaît, la nouvelle se répand
comme une traînée de poudre. Dès que j'ai appris ça, j'ai
cru que mon cœur allait se décrocher. Missus a fait tinter
sa cloche pour rassembler tout le monde dans la cour, près
de la porte de derrière. Elle a posé les mains sur son gros
ventre de femme enceinte et elle a dit : « Si vous savez où
se trouve Charlotte, vous avez l'obligation de me le dire. »

Personne n'a pipé mot. Le regard de Missus est tombé
sur moi. « Hetty ? Où est ta mère ? »

J'ai haussé les épaules en faisant mine d'être inquiète.
« Je sais pas, Missus. J'aimerais bien le savoir. »

Missus a ordonné à Tomfry de fouiller la cuisine, la
buanderie, la remise à voitures, l'écurie, la resserre, les
latrines et les chambres des esclaves. Elle a dit passe au
peigne fin tous les recoins de la cour, vérifie la glissière
par laquelle Prince envoie le foin d'en haut jusque dans
la mangeoire des chevaux. Si mauma restait introuvable,
elle a dit à Tomfry de fouiller toute la maison, la terrasse,
le jardin d'agrément, de fond en comble.

Elle a agité sa cloche, et ça voulait dire « Retournez au
travail ». Je me suis dépêchée d'aller dans la chambre de
mauma vérifier le sac de jute. Tout son argent était encore
au fond, sous la bourre. Je suis ressortie discrètement et
j'ai posé le seau près de la citerne. Le soleil était en train
de descendre et le ciel avait pris la couleur de l'abricot.

Pendant que Tomfry explorait la maison du sol au
plafond, je me suis postée à l'endroit habituel, le renfoncement à l'étage, pour attendre. À peine l'obscurité installée,
j'ai regardé en bas et voilà mauma qui a surgi. Elle s'est
dirigée directement vers la porte d'entrée et elle a frappé.

J'ai dévalé l'escalier et j'ai atteint la porte en même
temps que Tomfry.

Quand il a ouvert, mauma a dit : «Je te donne un demi-dollar si tu me laisses rentrer en toute sécurité. Tu me dois bien ça, Tomfry.»

Il a reculé, moi à son côté, et il a refermé derrière elle. J'ai entouré mauma de mes deux bras. Elle lui a dit : «Vite maintenant, qu'est-ce que tu vas faire ?

— Il y a nulle part où te caser, il a répondu. Missus m'a fait fouiller partout.

— Pas sur le toit», j'ai dit.

Tomfry a dégagé la voie et moi j'ai conduit mauma dans le grenier et je lui ai montré l'échelle et la trappe. J'ai dit : «Quand ils arriveront, tu diras qu'il faisait tellement chaud que tu es montée ici pour voir le port et puis que tu t'es allongée et que tu t'es endormie.»

Pendant ce temps-là, Tomfry est allé expliquer à Missus qu'il avait oublié de regarder sur le toit pendant ses recherches et qu'il savait de source sûre que Charlotte y était déjà montée une fois.

Missus a attendu au pied de l'escalier qui menait au grenier avec sa canne, tout essoufflée d'avoir monté les marches, grosse comme elle était. Je me cachais derrière elle. Je tremblais d'énervement.

Mauma est descendue par l'échelle, elle frissonnait et elle a raconté cette histoire farfelue que j'avais inventée. Missus a dit : «Moi qui croyais que tu n'étais pas aussi bête que les autres, Charlotte, tu viens de me prouver le contraire. S'endormir sur un toit ! Tu aurais pu rouler directement dans la rue. Le toit ! Tu devrais bien savoir qu'un endroit pareil est absolument interdit d'accès.»

Elle a levé sa canne et elle l'a abattue sur la tête de mauma, à l'arrière de son crâne. «Va donc dans ta chambre, et demain matin après les dévotions tu devras recoudre les rosettes de ma nouvelle robe. Ton manque de soin dans les travaux d'aiguille ne fait qu'empirer.

— Oui, mdame», a répondu mauma en se précipitant vers l'escalier tout en me poussant devant elle. Si Missus a remarqué que mauma avait pas de canne et qu'elle boitait pas, elle l'a pas montré.

Dès qu'on a été au sous-sol, mauma a fermé la porte et elle a poussé le loquet. J'avais le souffle coupé mais mauma, elle respirait calmement. Elle s'est frotté l'arrière du crâne. Sa mâchoire s'est durcie. Elle a dit : « Je suis pas une femme banale et toi t'es pas une fille banale et nous on fera jamais des courbettes à cette femme-là. »

Sarah

L'idée que notre fratrie allait s'agrandir ne me paraissait pas une excellente nouvelle. Enfermée dans ma chambre, je la digérai avec une triste résignation. Quand elle était enceinte, Mère était encore plus acariâtre. Qui parmi nous avait envie de cela ? Ma consternation fut totale quand, prenant un papier et un crayon, je fis quelques comptes : dans les vingt dernières années, Mère en avait passé dix à être enceinte. Pour l'amour du Ciel !

Alors que j'allais avoir douze ans, que j'étais sur le point de sortir de l'enfance et que je désirais me marier – je le souhaitais vraiment –, pareils calculs me pétrifièrent. Ils venaient si vite après que mes livres avaient été confisqués qu'il y avait de quoi perdre tout enthousiasme pour cette vie de femme qui m'attendait.

Depuis le savon que m'avait passé Père, je n'avais plus quitté les quatre murs de ma chambre, sauf pour les repas, les cours de Mme Ruffin trois matinées par semaine et l'église le dimanche. Handful me tenait compagnie, elle me posait des questions dont elle n'avait guère envie de connaître la réponse, c'était simplement pour maintenir une certaine animation. Elle m'observait faire de vagues tentatives pour broder ou écrire l'histoire d'une fille abandonnée sur une île à la manière de Robinson Crusoé. Mère m'ordonnait de m'arracher à cette humeur triste et renfermée, j'essayais de lui obéir mais mon désespoir ne faisait que croître.

Mère fit venir notre médecin, le docteur Geddings, qui, après de nombreuses investigations, décida que je souffrais d'une mélancolie aggravée. J'écoutais à la porte tandis qu'il expliquait à Mère qu'il n'avait jamais rencontré de cas pareil chez quelqu'un d'aussi jeune, que ce genre de troubles se produisaient chez des femmes après un accouchement ou au moment où les menstrues cessaient d'être régulières. Il déclara que j'étais une fille nerveuse, lunatique avec une tendance à l'hystérie, comme le prouvaient mes difficultés à parler.

Peu de temps après Noël, j'entrai dans la chambre de Thomas pour jeter un coup d'œil sur sa malle ouverte. Son départ m'était insupportable et savoir qu'il s'en allait à New Haven à la poursuite d'un rêve qui était le mien mais que je ne pourrais jamais réaliser empirait encore la situation. Dévorée de jalousie à l'idée de son avenir éblouissant, je filai dans ma chambre où je laissai mon chagrin s'exprimer à gros sanglots. Un chagrin qui jaillissait en vagues noires et dans ce flot, mon désespoir atteignit ses limites, toucha à ses extrémités, se transforma, à force de débordements, en espoir chargé d'angoisse. Je n'aurais pas su définir ce que je ressentais.

Et tout finit par passer, même la pire des mélancolies. J'ouvris le tiroir de ma coiffeuse pour en sortir la boîte en pierre de lave dans laquelle j'avais rangé mon précieux bouton. Mes yeux brillèrent en le voyant et, cette fois, je sentis que la force de mon âme rejoignait celle de ma volonté. Je ne renoncerais pas. J'allais pécher par audace. C'était ainsi que j'avais toujours procédé.

Mon péché d'audace se produisit lors de la fête donnée pour le départ de Thomas, fête qui se déroula dans le salon du premier étage, le soir de l'Épiphanie. Durant la semaine qui avait précédé, j'avais surpris Père à me sourire de l'autre côté de la table du dîner et j'avais interprété son cadeau de Noël – une gravure représentant Apollon et les Muses – comme une déclaration d'amour et la fin de sa période de blâme. Ce soir-là, il bavardait avec Thomas, Frederick et John, qui était revenu de Yale ; ils étaient tous vêtus de vestes en laine noire et de gilets rayés de différentes couleurs, celui de Père étant en lin. Assise avec Mary à la table Pembroke, je les observais et j'aurais aimé savoir de quoi ils discutaient. Anna et Eliza, qui avaient été autorisées à participer aux festivités, étaient assises sur le tapis devant l'écran de la cheminée, accrochées à leurs poupées de Noël, tandis que Ben mettait ses nouveaux soldats de bois en ordre de bataille, criant « Charge ! » toutes les trente secondes.

Mère était allongée dans son fauteuil Récamier en bois de rose tapissé de velours rouge ; on le lui avait apporté de sa chambre. J'avais assisté à cinq des grossesses de Mère et, à l'évidence, celle-ci était la plus difficile. Elle avait grossi dans des proportions démesurées. Même son pauvre visage était boursouflé. Néanmoins, elle avait réussi à organiser une fête élaborée. La pièce était illuminée par les lampes et les bougies dont les lumières se reflétaient dans les miroirs et les dorures, les tables, recouvertes de nappes en lin blanc et de chemins de table en brocart doré, étaient assorties aux couleurs de l'Épiphanie. Tomfry, Snow et Eli étaient là pour servir, vêtus de leur livrée vert foncé, apportant des plats de tourtes au crabe, de crevettes beurrées, de veau, de merlan frit et d'omelettes soufflées.

Mon appétit prodigue était de retour et je passais le temps en mangeant tout en écoutant le bourdonnement des voix graves à l'autre bout de la pièce. Ils discutaient de la réélection de Mr. Jefferson, ils se demandaient si Mr. Meriwether Lewis et Mr. William Clark avaient la moindre chance d'atteindre la côte Pacifique et, sujet le plus alléchant, ils s'interrogeaient sur ce que l'abolition de l'esclavage dans les États du Nord, plus récemment dans le New Jersey, présageait pour le Sud. L'abolition par le biais d'une loi ? Je n'avais jamais entendu parler de cela et je tendais l'oreille pour ne pas en perdre une miette. Ceux qui vivaient dans le Nord, alors, croyaient-ils Dieu opposé à l'esclavage ?

Le repas s'acheva sur le dessert préféré de Thomas, des macarons avec une glace à l'amande, après quoi Père frappa de sa cuillère son verre en cristal pour réclamer le silence. Il présenta à Thomas tous ses vœux de succès et lui offrit *Un Abrégé de l'essai de Locke sur l'Entendement humain*. Mère nous avait autorisées, Mary et moi, à boire chacune une coupe de vin, une première pour moi, et je regardais le livre que tenait Thomas avec une douce sensation entre les oreilles.

« Qui va rendre hommage à Thomas avant qu'il nous quitte ? » demanda Père, en examinant chacun de ses fils.

John l'aîné tira sur l'ourlet de son gilet mais ce fut moi, la sixième née et la deuxième fille, qui me levai d'un bond pour faire un discours. « … Thomas, mon cher frère, tu vas me manquer… Je te souhaite de faire bonne route au long de tes études… » Je m'interrompis et soudain, je me sentis pleine de courage. « Un jour, j'ai l'intention de mettre mes pas dans les tiens… Pour devenir juriste. »

Lorsque Père retrouva l'usage de la parole, il s'exprima d'un ton plein d'amusement. « Mes oreilles m'auraient-elles trompé ? As-tu bien dit que tu suivrais ton frère au barreau ? » John ricana tandis que Frederick riait franchement. Père les regarda et, en souriant, reprit : « Existe-t-il des femmes juristes ? Si c'est le cas, ma chère petite, donne-nous des détails. »

Ils laissèrent libre cours à leur hilarité et je vis que Thomas, lui aussi, riait.

Je tentai de répondre, sans vraiment comprendre à quel point ils se moquaient de moi ni que cette question s'adressait strictement à mes frères.

« … Ne serait-ce pas un bel exploit si j'étais justement *la première* ? »

Ces mots suffirent à transformer la gaieté de Père en colère. « Il n'y aura pas de *première*, Sarah, et si jamais une chose aussi grotesque devait se produire, elle ne concernerait pas ma fille. »

Mais je m'obstinai, bêtement, aveuglément. «... Père, vous seriez fier de moi. Je suis prête à tout pour cela.

— Sarah, cesse ces bêtises! Tu te couvres de honte! Tu nous couvres tous de honte. D'où te vient donc l'idée que tu pourrais étudier le droit?»

Je luttais pour ne pas m'effondrer, me raccrochant à ce qui restait encore en moi de ténacité. «... Vous... vous avez dit que je deviendrais la plus grande juriste...

— J'ai dit, si tu étais un garçon!»

Mon regard se posa sur Anna et Eliza, nos yeux se croisèrent, puis sur Mary, qui refusa de relever la tête.

Je me tournai vers Thomas. «... Je t'en prie... tu t'en souviens... c'est toi qui as dit que je devrais être celle qui serait juriste?

— Sarah, je suis désolé mais Père a raison.»

Ces paroles m'achevèrent.

Père se débarrassa de la question d'un geste de la main et ils me tournèrent tous le dos pour reprendre leur conversation. J'entendis Mère prononcer mon nom à voix basse. Elle n'était plus allongée, elle était assise toute droite, avec un air compatissant. «Tu peux retourner dans ta chambre», dit-elle.

Je m'esquivai, comme une pauvre âme abîmée. Par terre, à côté de ma porte, Handful était pelotonnée dans ses carrés rouges et ses triangles noirs. «J'ai allumé la lampe et préparé le feu. Vous voulez que je vous aide à vous déshabiller?

— ... Non, reste où tu es.»

Ma voix était alourdie de tristesse.

Elle m'observa, indécise. «Que s'est-il passé, Miss Sarah?»

Incapable de répondre, j'entrai dans ma chambre et refermai la porte. Je m'assis sur le tabouret de la coiffeuse. Je me sentais bizarre, vide, incapable de pleurer, incapable de ressentir quoi que ce fût si ce n'était un espace vide, mort au creux de mon estomac.

On frappa à ma porte, avec légèreté, quelques instants plus tard. Pensant que c'était Handful, je rassemblais les dernières miettes de mon énergie pour répondre. «... Je n'ai pas besoin de toi.»

Mère entra, oscillant sous son propre poids. «Je n'ai pris aucun plaisir à voir tes espoirs réduits à néant, déclara-t-elle. Ton père et tes frères se sont montrés cruels mais je crois que leur moquerie était en proportion de leur étonnement. Devenir avocat, Sarah? C'est une idée tellement étrange que j'ai l'impression d'avoir amèrement échoué avec toi.»

Elle posa la paume de sa main sur son ventre et ferma les yeux comme pour parer un coup de coude ou de pied. La douceur de sa voix, sa présence dans cette chambre révélaient à quel point elle était malheureuse pour moi et pourtant elle semblait suggérer que leur méchanceté était justifiée.

«Ton père croit que tu es une fille anormale avec ta passion pour les livres et tes aspirations, mais il se trompe.»

Je la regardai avec surprise. Tout dédain l'avait quittée. Il y avait chez elle un regret que je n'avais jamais perçu auparavant. «Chaque fille vient au monde avec des degrés divers d'ambition, dit-elle, même si ce n'est que l'espoir de ne pas appartenir corps et âme à son mari. J'ai été une jeune fille autrefois, que tu le croies ou non.»

On aurait dit une inconnue, une femme dépourvue de toutes les blessures et de la carapace que les années fabriquent, mais elle continua à parler et je retrouvai Mère. «La vérité, dit-elle, c'est qu'on doit chasser l'ambition hors de toutes les filles, pour leur bien. Tu es exceptionnelle dans ta détermination à lutter contre ce qui est inévitable. Tu as résisté et on en est arrivé là, tu te retrouves cassée comme on casse un cheval.»

Elle se pencha pour me prendre dans ses bras. «Sarah chérie, tu t'es battue bien plus fort que tu ne l'imaginais, mais tu dois céder aujourd'hui face à ton devoir, face à ton destin et tenter d'être la plus heureuse possible.»

Je sentis la peau de sa joue toute gonflée et j'avais envie de m'accrocher à elle et de la repousser tout à la fois. Je la regardai partir, remarquant qu'elle n'avait pas fermé la porte quand elle était entrée. Handful avait tout entendu. Une idée qui me réconfortait. Il n'y a pas un chagrin au monde qui ne désire la présence d'un témoin bienveillant.

Quand Handful apparut, me dévisageant de ses grands yeux expressifs, je pris la boîte en pierre de lave dans ma coiffeuse, j'en retirai le bouton d'argent et je le jetai dans le seau de cendres près de la cheminée, où il s'enfonça dans la suie grise et blanche.

Le lendemain, on nettoya le salon pour l'accouchement de Mère. Elle avait mis ses six derniers enfants au monde dans cette pièce, entourée de Binah, de Aunt-Sister, du docteur Geddings, d'une nourrice sèche embauchée pour la circonstance et de deux de ses cousines. Je ne pouvais guère espérer sa visite mais une semaine avant que le travail ne commence, elle m'autorisa à venir la voir.

C'était un matin glacial de février. Les nuages d'hiver s'entassaient dans le ciel et, d'un bout à l'autre de la maison, ça sifflait et ça craquait dans les cheminées. Dans le salon, la seule lumière venait du feu. Mère, qui était à une semaine de son quarantième anniversaire, était vautrée sur son fauteuil Récamier, l'air terriblement triste.

« J'espère que tu n'es pas venue me raconter tes ennuis, parce que je n'ai pas la force de m'en occuper, dit-elle entre ses lèvres gonflées.

— ... J'ai une requête à faire. »

Elle se redressa légèrement pour prendre sa tasse sur la table à thé.

« Très bien alors, de quoi s'agit-il ? Quelle est cette requête qui ne peut pas attendre ? »

J'étais venue avec un discours tout prêt, je me sentais décidée mais maintenant l'anxiété noyait ma détermination. Je fermai les yeux en me demandant comment j'allais réussir à me faire comprendre.

« ... Je crains que vous ne refusiez ma demande sans y réfléchir davantage.

— Au nom du Ciel, pourquoi ferais-je une chose pareille ?

— … Parce que ce souhait sort de l'ordinaire… Je voudrais être la marraine du nouveau bébé.

— Eh bien, tu n'as pas tort… cela sort de l'ordinaire. Et c'est également hors de question. »

Je m'étais attendue à pareille réaction. Je m'agenouillai à côté d'elle. «… Mère, si je dois vous supplier, je le ferai… J'ai perdu tout ce qui comptait pour moi. Ce que je considérais comme le but de ma vie, l'espoir de recevoir une instruction, les livres, Thomas… Même Père semble désormais perdu pour moi… Ne me refusez pas ce que je vous demande, je vous en prie.

— Mais Sarah, être la marraine du bébé ? Mais pourquoi ? Il ne s'agit pas de quelque frivolité. Le bien-être religieux de cet enfant se retrouvera entre tes mains. Tu as douze ans. Que diront les gens ?

— … Je vais faire de cet enfant le but de ma vie… Vous avez dit que je devais renoncer à toute ambition… Aimer et prendre soin d'un enfant, voilà une chose que vous pouvez sûrement m'accorder… Je vous en prie, si vous m'aimez… »

Posant ma tête sur ses genoux, je versai enfin les larmes que je n'avais pas pu verser le soir de la fête d'adieu de Thomas ni depuis.

Elle posa la main sur ma tête et quand, enfin, j'eus réussi à me calmer, je vis qu'elle avait les yeux humides. « Très bien, alors. Tu seras la marraine du bébé, mais veille à ne pas le négliger. »

Je lui embrassai la main puis je me glissai hors de la pièce avec le sentiment, étrange, que je venais de récupérer un morceau perdu de moi-même.

Handful

J'ai entouré de fil rouge le tronc du grand arbre jusqu'à ce que la bobine soit complètement vidée. Mauma me regardait faire. C'était mon idée à moi de nous faire un arbre des âmes comme celui qu'avait fabriqué sa mauma et je voyais bien que ça lui faisait plaisir. Elle resserra les bras autour de sa poitrine et son souffle fit un nuage de fumée. « T'as bientôt fini ? Il fait un froid de canard ici. »

La température descendait rarement plus bas que ça à Charleston. Du grésil sur les fenêtres, des couvertures sur les chevaux, Sabe et Prince qui coupaient du bois de chauffe de l'aube jusqu'au soir. Après avoir jeté un œil à mauma, j'ai étalé par terre mon quilt rouge et noir. Ça faisait une tache de couleur brillante sous les branches dénudées.

J'ai dit : « D'abord, faut qu'on se mette à genoux là-dessus pour donner nos âmes à l'arbre. Je veux qu'on fasse exactement comme tu as dit que granny-mauma avait fait.

— D'accord, allons-y alors. »

On est tombées à genoux et on a contemplé le tronc de l'arbre, avec nos manches de manteau qui se touchaient. La terre était dure, couverte de glands et le froid s'infiltrait à travers les carrés et les triangles. Un grand calme s'est emparé de nous et j'ai fermé les yeux. Dans ma poche, mes doigts caressaient le bouton d'argent de Miss Sarah. On aurait dit un morceau de glace. Je l'avais récupéré dans le seau à cendres après qu'elle l'avait jeté. J'étais triste qu'elle soit obligée de renoncer à ses projets mais c'était pas une raison pour balancer un bouton en parfait état.

Mauma ne parvenait pas à rester immobile. Elle avait envie de se débarrasser vite fait de l'arbre des âmes et moi, je voulais faire durer les minutes.

« Raconte encore comment vous avez fait, granny-mauma et toi.

— D'accord. Ce qu'on a fait, c'est s'agenouiller comme ça sur le quilt et elle a dit : "Maintenant on met nos âmes dans l'arbre pour qu'elles soient à l'abri des dangers, pour qu'elles vivent avec les oiseaux, qu'elles apprennent à voler." Et puis on a simplement donné nos âmes.

— Tu l'as senti quand ça s'est passé ? »

Elle a remis son fichu sur ses oreilles froides et elle a essayé de réprimer un sourire. « Laisse-moi voir si je m'en souviens. Ouais, j'ai senti mon âme s'envoler exactement par ici. » Elle a touché l'os entre ses seins. « Elle est partie sous forme de courant d'air et j'ai regardé une branche et j'ai rien vu mais je sais que mon âme est là-haut et qu'elle me regarde. »

Elle était en train de tout inventer. Ça n'avait pas d'importance parce que je ne voyais pas pourquoi ça ne pourrait pas se passer ainsi, là tout de suite.

J'ai crié : « Je donne mon âme à l'arbre. »

Mauma a crié la même chose. Puis elle a ajouté : « Après que ta granny-mauma a fait notre arbre des âmes, elle a dit : "Si tu dois quitter cet endroit, va chercher ton âme et emporte-la avec toi." Puis elle a ramassé des glands, des brindilles et des feuilles, elle a cousu des pochettes pour qu'on puisse les porter autour du cou. »

Alors mauma et moi, on a ramassé des glands, des brindilles et des débris de feuilles jaunies. Pendant tout le temps, je pensais au jour où Missus m'avait donnée en cadeau à Miss Sarah, comment mauma m'avait prévenue : « Ça va pas être facile à partir de maintenant, Handful. »

Depuis ce jour, une année s'était écoulée, je m'étais fait une amie de Miss Sarah et j'avais appris à lire et à écrire mais la route avait été impitoyable, comme mauma l'avait dit, et je savais pas ce qu'on allait devenir, nous autres. On pouvait rester ici le reste de notre vie avec le ciel fermé à double tour mais mauma avait découvert cette partie d'elle-même qui refusait les courbettes et, une fois qu'on a découvert ça, on peut sentir les ennuis vous souffler dans le cou.

II.

Février 1811 – Décembre 1812

Sarah

Assise devant le miroir de ma chambre, je contemplais mon image pendant que Handful et Nina, six ans, s'occupaient à diviser en tresses ma queue-de-cheval pour en faire un chignon bas sur la nuque. Plus tôt dans la journée, je m'étais frotté le visage avec un mélange de vinaigre, de citron et de sel, la formule de Mère pour enlever les taches d'encre. Cela avait éclairci mes taches de rousseur sans pour autant les faire disparaître et je tendis la main vers la houppette à poudre pour les achever.

On était en février, l'apogée de la saison dans la bonne société de Charleston et toute la semaine un flot de cartes de visite et d'invitations s'étaient entassées sur le guéridon à côté de la porte d'entrée. Parmi toutes ces propositions, Mère avait choisi les plus élégantes et les plus propices. Ce soir, une fête où on valserait.

J'avais fait mes débuts dans la vie sociale deux ans plus tôt, à seize ans. J'avais été lancée dans la ronde extravagante des bals, des thés, des salons de musique, des courses de chevaux et des pique-niques, ce qui, à en croire Mère, signifiait que les portes impressionnantes de Charleston s'étaient ouvertes en grand et que ma vie de femme pouvait commencer pour de bon. En d'autres termes, j'étais prête à m'atteler à la tâche de dénicher un mari. À quel point ce mari allait se révéler bien né et riche, cela dépendrait uniquement du charme de mon visage, de la délicatesse de ma physionomie, du talent de ma couturière et du charisme de ma conversation en tête à tête. En dépit de ma couturière, en fait d'entrée flamboyante, je me sentais comme un agneau promis au sacrifice.

« Mais qu'est-ce que c'est que ces bêtises ! » dit Handful à Nina qui avait emmêlé la mèche de cheveux dont elle avait la responsabilité, la transformant en ce qu'il est convenu d'appeler un champ de broussailles. Handful passa la brosse dedans, au grand dam de mon crâne, puis divisa les cheveux en trois parties égales, déclara que deux d'entre elles étaient des lapins et la troisième une bûche. Nina, qui avait commencé à bouder en voyant qu'on lui confisquait sa natte, fut toute requinquée par la perspective d'un jeu.

« Regardez bien maintenant, lui dit Handful. Ce lapin-là passe sous la bûche et cet autre passe par-dessus. Vous les faites sauter comme ça jusqu'en bas. Vous voyez, c'est la bonne manière pour réussir une tresse – dessus, dessous, dessus, dessous. »

Nina s'empara des lapins et de la bûche et réussit à réaliser une tresse tout à fait acceptable. Handful et moi, nous poussions des *oh !* et des *ah !* comme si elle avait sculpté une statue florentine.

C'était une soirée d'hiver comme tant d'autres, qui s'écoulait selon un rythme tranquillement prévisible : la pièce baignant dans la lumière des lampes, un feu flambant dans l'âtre, une obscurité précoce noircissant les vitres, tandis que mes deux compagnes s'agitaient autour de moi, devant la coiffeuse.

Ma sœur et filleule, Angelina – qu'on appelait Nina, pour faire court –, avait déjà le visage ovale et la physionomie gracieuse dont avait été gratifiée notre sœur aînée Mary. Elle avait les yeux marron, les cheveux et les cils aussi foncés que la petite boîte en pierre dans laquelle je conservais autrefois mon précieux bouton. Ma bien-aimée Nina était d'une beauté frappante. Mieux encore, elle était dotée d'une intelligence très vive et montrait tous les signes d'une intrépidité sans faille. Elle était persuadée que rien ne lui était interdit, une idée que je m'efforçais d'encourager en dépit de la catastrophe qu'avait provoquée chez moi le fait de croire à ma propre intrépidité.

Mon désir de devenir juriste s'était retrouvé enterré dans le cimetière des espoirs déçus, une institution réservée exclusivement aux femmes. Le chagrin que j'en avais conçu s'était calmé mais mes regrets étaient toujours vifs et j'en étais venue à me demander si les Parques ne seraient pas prêtes à se montrer plus clémentes à l'égard d'une fille *différente*. Depuis mon plus jeune âge, un dessin encadré représentant les Trois Parques était accroché bien en vue en haut de l'escalier ; on les voyait en train d'accomplir leurs tâches, filer, mesurer et couper le fil de la vie, tout en gardant en permanence un œil sur mes allées et venues. J'étais persuadée qu'elles nourrissaient à mon égard une animosité personnelle mais cela ne signifiait pas qu'elles traiteraient le fil de ma sœur de la même façon.

J'avais juré à Mère que Nina deviendrait le centre de mon existence et c'était bien le cas. À travers elle, j'avais une voix qui ne bégayait pas et un cœur intact. C'est vrai, ma vie, je la vivais en partie à travers elle et oui, je confondais les limites de chacune de nous deux mais personne n'aimait Nina plus que moi. Elle devint mon salut et j'aime à penser que je devins le sien.

Elle m'avait appelée Mère dès le moment où elle avait su parler. Cela était venu naturellement et je n'avais rien fait pour la décourager, mais j'avais eu le bon sens de l'empêcher de m'appeler ainsi devant notre mère. À l'époque où Nina était encore au berceau, je m'acharnais déjà à lui démontrer à quel point l'esclavage était néfaste. Je lui avais enseigné tout ce que je savais, tout ce à quoi je croyais et, si Mère avait l'impression que je la modelais à mon image, elle n'imaginait pas à quel point elle avait raison.

Après avoir terminé sa natte, Nina me grimpa sur les genoux et se lança dans ses supplications habituelles : « N'y va pas ! Reste avec moi ! »

— Oh, je suis obligée d'y aller, tu le sais bien. Binah va venir te border. » La lèvre de Nina se mit à trembler et j'ajoutai : « Si tu ne pleures pas, je te laisserai choisir la robe que je vais mettre. »

Elle passa d'un bond de mes genoux à l'armoire, où elle choisit la tenue la plus exubérante de toutes, une robe en velours bordeaux avec trois chevrons de satin sur le corsage, chacun piqué d'une épingle recouverte d'éclats de diamant. C'était une somptueuse création de Handful seule. À dix-sept ans, elle faisait des merveilles avec son aiguille, plus douée encore que sa mère. Désormais, c'était elle qui réalisait presque toute ma garde-robe.

Tandis que Handful se dressait sur la pointe des pieds pour décrocher la robe, je remarquai à quel point son corps ne s'était pas développé – elle était aussi souple et maigre qu'un garçon. Elle mesurait moins d'un mètre cinquante et ne grandirait plus. Mais, petite comme elle l'était, c'était toujours ses yeux qui retenaient l'attention. J'avais entendu une fois un ami de Thomas parler d'elle en disant « la jolie Négresse aux yeux jaunes ».

Nous n'étions plus aussi proches que lorsque nous étions enfants. Peut-être était-ce dû à ma relation absorbante avec Nina ou aux tâches supplémentaires de Handful comme apprentie couturière, ou peut-être simplement étions-nous parvenues à un âge où nos chemins se mettaient naturellement à diverger. Mais nous étions amies, j'aimais à me le répéter.

Quand elle passa devant la cheminée, la robe dans les bras, je remarquai qu'elle fronçait les sourcils en permanence, comme si, en rapetissant ses yeux immenses, elle avait le sentiment d'être moins exposée au monde. Apparemment, elle avait commencé à percevoir de façon plus aiguë les limites de son existence, elle avait atteint le moment où elle faisait ses comptes. La semaine précédente, Mère lui avait refusé l'autorisation d'aller au marché pour quelque raison mineure, anodine, et elle l'avait très mal pris. Ses sorties au marché étaient l'apogée de ses journées et, pour montrer que je compatissais, j'avais dit : «Je suis désolée, Handful. Je sais ce que tu dois ressentir.»

Je croyais savoir l'effet que cela faisait de voir sa liberté entravée mais elle avait retourné sa colère contre moi. «Alors, on est exactement pareilles, vous et moi? C'est pour ça que vous, vous avez le droit de chier dans le pot que moi, j'ai le droit de vider?»

Cette réflexion m'avait laissée bouche bée et je m'étais tournée vers la fenêtre pour cacher à quel point j'étais blessée. Après avoir laissé libre cours à sa colère, elle avait quitté précipitamment la pièce, où elle n'était plus revenue de la journée. Nous n'avions plus jamais évoqué cet épisode.

Elle m'aida à enjamber la robe et à la faire glisser par-dessus mon corset, que j'avais lacé le moins serré possible. J'étais de corpulence moyenne et j'estimais inutile de bloquer ma respiration. Après avoir boutonné ma robe, Handful épingla une mantille noire en pou-de-soie sur le sommet de mon crâne et Nina me tendit mon éventail de dentelle noire. L'ouvrant d'un seul geste, je paradai dans la pièce pour elles.

Mère entra au moment où, lancée dans une pirouette, je piétinai l'ourlet de ma robe, ce qui me déséquilibra – l'image même de la grâce. «J'espère que tu pourras te dispenser de ce genre de maladresse chez Mrs. Alston», dit-elle.

Elle se tenait droite, appuyée sur sa canne. À quarante-six ans, son dos s'arrondissait déjà comme celui d'une vieille femme voûtée. Cela faisait déjà un an qu'elle m'avertissait de toutes les épreuves du célibat, brodant sur la triste vie de vieille fille de sa tante Amelia Jane. Elle la comparait à une fleur fanée aplatie entre les pages d'un livre oublié, comme si cela risquait d'effrayer la beauté et l'élégance en moi. Je craignis que Mère ne fût sur le point de repartir sur l'existence desséchée de sa tante mais elle demanda : «Ne portais-tu pas déjà cette robe il y a deux jours?

— En effet, mais... » Je regardai ma petite sœur perchée sur le tabouret de la coiffeuse et je lui fis un sourire. « C'est Nina qui l'a choisie.

— Ce n'est guère avisé de la porter à nouveau si vite. » Mère semblait s'adresser uniquement à elle-même et je saisis l'occasion d'ignorer cette remarque.

Son regard tomba sur Angelina, sa dernière-née. Elle lui fit un geste impératif, brassant l'air de la main pendant plusieurs secondes avant de parler. « Viens ici, je vais te ramener à la nursery. »

Nina ne bougea pas. Elle se tourna vers moi, comme si je représentais l'autorité suprême capable d'annuler cet ordre. Regard qui n'échappa pas à Mère. « Angelina ! Je t'ai dit de venir. Tout de suite ! »

Si, en mon temps, j'avais été une épine dans le pied de Mère, Angelina représentait le roncier tout entier. Elle secoua la tête et les épaules aussi. Toute sa personne oscillait d'un air de défi sur le tabouret et, sachant parfaitement ce qu'elle était en train de faire, elle clama : « Je veux rester ici avec Mère ! »

Je m'arc-boutai dans l'attente de la réaction de Mère mais rien ne vint. Posant les doigts sur ses tempes, elle se mit à les masser en cercle en produisant un son mi-soupir mi-accusation. « Je suis en proie à une migraine épouvantable, dit-elle. Hetty, va chercher Cindie dans ma chambre. »

Levant les yeux au ciel, Hetty obéit et Mère partit derrière elle, le tapotement sourd de sa canne décroissant dans le couloir.

Je m'agenouillai devant Nina, sombrant dans mes jupes qui se gonflèrent de telle sorte que je devais ressembler à l'étamine de quelque monstrueuse fleur rouge. « Combien de fois te l'ai-je répété ? Tu ne dois pas m'appeler Mère quand nous ne sommes pas seules. »

Le menton de Nina se mit à trembler. « Mais c'est toi ma mère. » Je la laissai pleurer dans le velours de ma robe. « C'est toi, c'est toi, c'est toi. »

Chez Mrs. Alston, dans King Street, le salon était exagérément illuminé par un lustre en cristal qui, au plafond, brûlait de tous ses feux comme un petit enfer. En dessous, une mer de gens dansaient la scottish, leurs éclats de rire noyant les violons.

Mon carnet de bal était vide, à l'exception de Thomas qui avait inscrit son nom pour deux quadrilles. Il avait été reçu au barreau l'année précédente et il avait ouvert un cabinet avec Mr. Langdon Cheves ; malgré moi, je considérais que cet homme avait pris ma place, exactement comme moi j'avais pris celle de Mère. Thomas m'avait écrit de Yale, plein de remords d'avoir ainsi tourné en ridicule mes ambitions le soir de sa fête d'adieu, mais néanmoins il restait campé sur ses positions. Nous avions fait la paix, cependant, et par bien des côtés, il était encore un demi-dieu pour moi. Je le cherchai des yeux dans toute la salle, sachant qu'il serait forcément dans le sillage de Sally Drayton, qu'il devait épouser dans peu de temps. Durant la réception donnée pour leurs fiançailles, Père avait déclaré qu'un mariage entre un Grimké et une Drayton donnerait naissance à «une nouvelle dynastie à Charleston». Cela avait irrité Mary, engagée elle-même dans des fiançailles tout à fait convenables mais dépourvues de toute connotation royale.

Mme Ruffin m'avait suggéré d'utiliser mon éventail pour me mettre à mon avantage, dissimulant ainsi ma «forte mâchoire et mes joues rougeaudes», et je l'agitais de façon obsessionnelle, en proie à un grand embarras. Plaçant l'éventail devant la moitié inférieure de mon visage, je scrutais le monde par-dessus son bord festonné. Je connaissais un grand nombre de ces jeunes femmes pour les avoir rencontrées dans les cours de Mme Ruffin, à l'église St. Philip ou au cours de la saison précédente, mais je ne me pouvais me targuer d'amitié avec aucune d'entre elles. Elles se montraient polies envers moi mais je n'étais jamais admise à partager la chaleur de leurs secrets et de leurs commérages. Je crois que mon bégaiement les mettait mal à l'aise. Cela, et la gêne que j'avais l'air de ressentir en leur présence. Elles portaient un nouveau style de turban, de la taille d'un coussin de sofa, fait de lourds brocarts et hérissé d'épingles, de perles et de petites palettes sur lesquelles était peint le visage de notre nouveau président, Mr. Madison, et leurs pauvres têtes semblaient osciller au bout de leurs cous. Je trouvais que ça leur donnait l'air idiot mais les galants s'empressaient autour d'elles.

Soirée après soirée, je supportais dans la solitude ces grandes cérémonies, révoltée par notre statut d'*objet d'art* et méprisant cette société qui se révélait tellement creuse ; pourtant, de façon inexplicable, je mourais d'envie d'être l'une de ces jeunes femmes.

Les esclaves circulaient parmi nous avec des plateaux chargés de crèmes et de *Huguenot tortes*[1], tenant les portes, prenant les manteaux, alimentant le feu, se déplaçant sans être vus, et je pensais à quel point c'était étrange que personne ne parlât jamais d'eux, à quel point le mot *esclavage* n'était pas à employer en société où on préférait parler de cette *institution particulière*.

Faisant brusquement volte-face pour quitter la salle, je fonçai tête baissée dans un esclave qui portait une carafe en cristal remplie de *Dragoon punch*[2]. Cela provoqua une somptueuse explosion de thé, de whisky, de rhum, de cerises, de tranches d'orange, de quartiers de citron et de verre brisé. Le tapis en fut aussitôt recouvert, ainsi que la livrée de l'esclave, le devant de ma robe et le pantalon d'un grand jeune homme qui passait par là au moment de la collision.

Dans les premières secondes qui suivirent le choc, le jeune homme soutint mon regard et, pur réflexe, je levai la main vers mon menton pour le cacher derrière mon

---

1. Gâteau fait de pommes et de noix de pécan, la spécialité de Charleston.
2. Un cocktail très en vogue à Charleston : un mélange de sucre, de jus de citron, de thé, de whisky (ou de cognac) et de rhum.

éventail avant de me rendre compte que je l'avais laissé tomber dans toute cette agitation. Il me sourit tandis que la salle retrouvait son niveau sonore, exclamations et cris d'inquiétude. Son calme eut sur moi un effet apaisant et je lui rendis son sourire, en remarquant qu'il avait sur la joue un minuscule polype en pulpe d'orange.

Mrs. Alston apparut, toute bruissante dans une robe gris argent, la tête nue sauf un petit bandeau orné de pierres précieuses retenant sa frange bouclée. D'un air assuré, elle demanda si personne n'avait été blessé. Elle renvoya l'esclave pétrifié d'un geste de la main et en convoqua un autre pour nettoyer les dégâts, sans cesser de rire avec discrétion pour mettre tout le monde à l'aise.

Sans me laisser le temps de prononcer un mot d'excuse, le jeune homme déclara d'une voix forte, s'adressant à toute la salle : « J'implore votre pardon. Je crains d'être un butor et un maladroit.

— Mais ce n'était pas vous…, commençai-je.

— C'est totalement ma faute, m'interrompit-il.

— J'insiste pour que cet incident soit clos, dit Mrs. Alston. Venez, tous les deux, nous allons vous sécher. »

Elle nous escorta jusqu'à sa propre chambre et nous laissa entre les mains de sa servante, qui tamponna ma robe avec une serviette. Le jeune homme attendait et, sans réfléchir, je tendis la main pour retirer la pulpe d'orange de sa joue. C'était extrêmement hardi de ma part mais je n'y pensai que plus tard.

« Nous voilà noyés, l'un et l'autre, dit-il. Puis-je me présenter ? Je m'appelle Burke Williams.

— Sarah Grimké. »

Le seul gentleman à avoir jamais manifesté de l'intérêt pour moi était un jeune homme peu séduisant avec un front bombé et des yeux comme des raisins secs. Membre du Jockey Club, il m'avait escortée à la course de New Market, l'apogée de la Race Week l'année passée, et m'avait ensuite déposée dans la tribune des dames où j'avais regardé les chevaux toute seule. Je ne l'avais jamais revu.

Mr. Williams prit la serviette pour essuyer son pantalon puis me demanda si je ne désirais pas prendre l'air. J'acceptai, sidérée de cette proposition. Il avait les cheveux blonds, mouchetés de brun, la couleur du sable sur la plage de Sullivan's Island, des yeux plutôt verts, un menton large et des joues à peine creuses. Je me rendis alors compte que j'étais en train de le dévisager tandis que nous nous dirigions vers le balcon devant le salon ; je me conduisais comme une petite sotte, ce que, évidemment, j'étais. Il en avait tout à fait conscience. Je vis un sourire jouer sur ses lèvres et je me réprimandais intérieurement d'être aussi transparente, d'avoir perdu mon précieux éventail, de m'enfoncer dans les ténèbres solitaires du balcon avec un inconnu. Mais qu'est-ce que je fabriquais ?

Il faisait frisquet. Adossés à la balustrade, qui avait été décorée de guirlandes de pin, nous observions les silhouettes qui passaient devant les fenêtres à l'intérieur de la pièce. La musique vibrait derrière les vitres. Je me sentais très loin de tout. Un vent venu de la mer se leva et je me mis à frissonner. Mon bégaiement était en hibernation depuis près d'un an mais l'hiver dernier, il avait réapparu la veille de ma présentation dans le monde et il était resté pendant toute ma première saison, qui s'était transformée en naufrage. Pour l'heure, la crainte de le voir revenir me faisait trembler tout autant que l'air froid.

« Vous êtes gelée, constata-t-il en ôtant sa veste pour la poser sur mes épaules, avec beaucoup de galanterie. Comment se fait-il que nous n'ayons pas encore été présentés ? »

Williams. Ce nom m'était inconnu. La pyramide sociale de Charleston était impitoyablement protégée par, au sommet, l'aristocratie des planteurs – les Middleton, les Pinckney, les Heyward, les Drayton, les Smith, les Manigault, les Russell, les Alston, les Grimké et autres. En dessous venait la classe des commerçants, au sein de laquelle une petite mobilité sociale était parfois possible et il me vint à l'esprit que Mr. Williams était issu de ce niveau secondaire, après s'être introduit dans la société par quelque brèche opportune, à moins qu'il ne fût en visite dans notre ville.

«Vous êtes ici de passage? demandai-je.

— Pas du tout, la demeure de ma famille est dans Vanderhorst. Mais je lis dans vos pensées. Vous tentez de savoir la position de ma famille. Williams, Williams, mais où donc te trouves-tu, Williams?» Il se mit à rire puis reprit : «Si vous êtes comme les autres, vous vous inquiétez à l'idée que je suis un artisan ou un travailleur manuel ou pire, un *arriviste.*»

Je retins mon souffle. «Oh, je ne voulais pas… Ce genre de choses ne m'intéressent guère.

— Ce n'était qu'une boutade – je vois bien que vous n'êtes pas comme les autres. À moins, bien sûr, que cela vous irrite d'apprendre que ma famille possède la boutique d'orfèvrerie dans Queen Street. J'en hériterai un jour.

— Cela ne m'irrite nullement, dis-je avant d'ajouter : Je suis déjà allée dans votre boutique.»

Je m'abstins de dire qu'aller acheter de l'argenterie m'agaçait terriblement, comme presque tout ce que j'étais contrainte de faire pour apprendre à devenir une bonne épouse. Oh, les jours où Mère m'avait forcée à confier Nina à Binah pour venir m'installer à côté de Mary, à faire des modèles de broderie, tambour après tambour de blanc-sur-blanc, de points de croix, de fils à canevas et si ce n'était pas le travail manuel, alors la peinture, et si ce n'était pas la peinture, alors les visites, et si ce n'était pas les visites, alors les achats dans les sombres boutiques d'orfèvrerie, où ma sœur et ma mère tombaient en pâmoison devant une râpe à muscade en argent fin ou quelque objet du même acabit.

Je ne disais plus rien, ne sachant que faire de pareil sujet de conversation et je me tournai vers le jardin, observant les ombres noires qui pâlissaient. Les poiriers étaient nus, leurs branches s'étalaient comme les viscères d'une ombrelle. Les maisons à un étage, à deux étages et les villas cossues s'étendaient dans les ténèbres en dessous, alignées en rangées bien tassées qui filaient vers l'extrémité de la péninsule.

« Je vois que je vous ai offusquée, dit-il. Je voulais me montrer charmant mais au lieu de ça, j'ai été moqueur. C'est parce que ma position est pour moi un sujet délicat. Avec lequel je suis mal à l'aise. »

Je me retournai vers lui, sidérée qu'il révélât ses pensées avec tant de liberté. Je n'avais jamais rencontré de jeune homme prêt à montrer pareille vulnérabilité. « Je ne suis pas offusquée. Je suis... charmée, comme vous disiez.

— Je vous en remercie.

— Non, ce serait à moi de vous remercier. Cette maladresse dans le salon – c'était la mienne. Et vous...

— Je pourrais prétendre que je voulais faire preuve de galanterie mais, à la vérité, je cherchais à vous impressionner. Je vous avais observée. J'étais sur le point de me présenter à vous quand vous avez fait volte-face et qu'il s'est mis à pleuvoir du punch. »

Je ris, plus surprise qu'amusée. Les jeunes gens ne m'observaient pas.

« Vous avez offert un spectacle exceptionnel. Vous ne me croyez pas ? »

À mon grand regret, nous étions en train de nous égarer dans les labyrinthes du flirt. Qui n'avait jamais été mon point fort.

« Si. J-j'essaie.

— Et ces spectacles, vous en offrez souvent ? demanda-t-il.

— J'essaie.

— Un succès total. Les dames sur la piste de danse ont reculé si brutalement que j'ai craint qu'un de leurs turbans ne s'envole et vienne blesser quelqu'un.

— Ah, mais... la blessure aurait été déposée à vos pieds, pas aux miens. Après tout, vous vous êtes déclaré responsable de toute l'affaire. »

Mais d'où me venait cette repartie ?

Il s'inclina, conciliant.

« Nous devrions revenir à la réception », lui dis-je en ôtant sa veste de mes épaules.

Je souhaitais mettre fin à ces badinages avec panache mais, en outre, je m'inquiétais à l'idée qu'on nous cherche.

« Si vous insistez, mais j'aurais préféré ne pas avoir à vous partager. Vous êtes la plus charmante dame que j'ai rencontrée cette saison. »

Cette déclaration me parut superflue et, l'espace d'un instant, je ne la crus pas. Mais pourquoi n'aurait-il pas dû me trouver charmante ? Peut-être les Parques en haut de l'escalier avaient-elles changé d'avis. Peut-être avait-il, au-delà de ma physionomie ordinaire, perçu quelque chose de plus profond. Ou peut-être n'étais-je pas aussi banale que je le pensais.

— Puis-je vous rendre visite ? demanda-t-il.

— Vous voulez me rendre visite ? »

Il me prit la main et la porta à ses lèvres. Il l'embrassa, sans que ses yeux quittent les miens, pressant la chaleur et la douceur de ses lèvres sur ma peau. Ses traits étaient étrangement concentrés et je sentis la chaleur de sa bouche passer de mon bras dans ma poitrine.

Handful

Le jour où mauma a commencé à coudre son quilt à histoire, on était assises près de l'arbre des âmes, occupées à des travaux manuels. C'était toujours là qu'on accomplissait les tâches sans difficulté majeure – les ourlets, les boutons, les finitions ou les points minuscules qui nous arrachaient les yeux dans une pièce mal éclairée. Dès que le temps se mettait au beau, on étalait un quilt par terre et on s'installait avec nos aiguilles. Ça n'avait pas plu à Missus, elle avait dit que les vêtements allaient être tachés. Mauma lui avait répondu : « Eh bien, moi, j'ai besoin d'être dehors pour être efficace mais je vais essayer de m'en passer. » Juste après ça, mauma avait perdu la cadence. Plus personne n'avait rien de neuf à se mettre sur le dos alors Missus avait dit : « Très bien, cousez dehors mais veillez à ce que mes étoffes restent propres. »

C'était le début du printemps et les bourgeons s'ouvraient tandis que nous travaillions. C'était une période où je me faisais beaucoup de mouron. J'observais Miss Sarah en société, comment elle portait ses beaux atours en allant partout où elle avait envie d'aller. Ce qu'elle voulait, c'était se trouver vite fait un mari pour partir d'ici. Le monde était un tapis Wilton déroulé pour elle alors qu'apparemment les portes s'étaient refermées pour moi. Ce n'est même pas ça la vérité – les portes ne s'étaient jamais ouvertes, en fait. Je commençais à être suffisamment grande pour comprendre qu'elles ne s'ouvriraient jamais.

Missus continuait à nous traîner dans la salle à manger pour les dévotions et prêchait : « Soyez heureux de ce que vous avez, car ce que vous avez vient du Seigneur. » Moi, j'avais envie de dire : on prend ce qu'on a et on l'emporte là où le soleil ne brille pas.

L'autre problème, c'était la petite Nina. Elle était la sœur de Miss Sarah mais on aurait plutôt dit que c'était sa fille. J'aimais Nina, moi aussi, on ne pouvait pas s'en empêcher, mais elle avait confisqué le cœur de Miss Sarah. C'était bien ainsi que les choses devaient être mais ça laissait un trou dans le mien.

Ce jour-là, près de l'arbre, mauma et moi, on avait étalé tout le saint-frusquin de notre matériel de couture, aligné sur les racines – les fils, les pochettes d'aiguilles, les coussins à épingles, les ciseaux, une petite boîte de cire d'abeille qu'on utilisait pour graisser nos aiguilles. Une aiguille cirée glissait toute seule dans le tissu et j'en étais venue à détester coudre sans cette odeur-là. J'avais le dé en cuivre au bout du doigt et je terminais un napperon pour la coiffeuse dans la chambre de Missus; j'étais en train de broder des grappes de raisin aux angles. Mauma disait que j'allais la dépasser, question couture – comme elle, je n'utilisais pas de roulette à patron et mes tracés étaient toujours parfaits.

Deux ans auparavant, quand j'avais eu quinze ans, Missus avait dit : « Je te nomme notre apprentie couturière, Hetty. Tu vas apprendre tout ce que tu peux pour assumer ta part de travail. » Depuis que j'étais capable de tenir une aiguille, mauma m'avait transmis tout ce qu'elle savait mais j'imagine que, désormais, ma tâche était devenue officielle et je devais décharger mauma d'une partie de son fardeau.

Mauma avait à portée de main sa boîte en bois pleine de chutes de tissu, plus une pile de carrés de quilt rouges et bruns, tout frais coupés. Elle s'est mise à fouiller dans sa boîte et elle en a sorti un morceau d'étoffe noire. Je l'ai observée couper trois silhouettes purement au pif. Ne pas hésiter, voilà le secret. Elle a épinglé les formes sur un carré rouge et elle a commencé l'application. Elle était assise le dos arrondi, les jambes tendues devant elle, et ses mains battaient la mesure contre sa poitrine.

Lorsque nous avions fait notre arbre des âmes, j'avais cousu une pochette pour chacune de nous, coupée dans de la vieille toile à matelas. Je voyais la sienne dépasser du col de sa robe, bourrée de petites brindilles. D'une main, j'ai touché la mienne. Sous les gris-gris glanés autour de l'arbre, il y avait le bouton de Miss Sarah.

« Alors, quel genre de quilt tu fais ? j'ai demandé.

— C'est un quilt à histoire », elle a répondu et c'était la première fois que j'entendais parler d'une chose pareille.

Elle a expliqué que sa mauma en avait fabriqué un et la mauma de sa mauma avant. Toute sa parentèle en Afrique, le peuple Fon, conservait leur histoire sur un quilt.

J'abandonnais ma broderie pour examiner les silhouettes qu'elle était en train de coudre – un homme, une femme et une petite fille entre eux. Ils se tenaient par la main. « Qui sont-ils censés représenter ?

— Quand j'aurais tout terminé, je te raconterai l'histoire carré par carré. »

Elle a souri, révélant ses dents bien écartées.

Après avoir achevé les trois personnages, elle a découpé un minuscule quilt avec des triangles noirs et elle l'a cousu au pied de la petite fille. Elle a découpé des petits fers et des petites chaînes pour leurs jambes puis toute une armée d'étoiles qu'elle a fixées en couronne autour d'eux. Certaines étoiles avaient une queue de lumière, d'autres gisaient sur le sol. C'était l'histoire de la nuit où sa mauma – ma granny-mauma – avait été vendue et où les étoiles étaient tombées.

Mauma travaillait à la hâte, elle avait besoin que cette histoire soit racontée mais plus elle coupait et cousait, plus son visage devenait triste. Au bout d'un moment, ses doigts ont ralenti et elle a lâché le quilt. Elle a dit : « Ça va prendre un bon petit moment, je pense. » Puis elle s'est occupée d'un quilt à moitié terminé avec une fleur en appliqué. Il était blanc laiteux et rose vif, un modèle facile à vendre. Elle y travaillait sans entrain. Le soleil gouttait entre les feuilles, au-dessus de nos têtes, et j'observais les ombres qui passaient sur elle.

Pour le plaisir du commérage, je lui ai dit : « Miss Sarah a rencontré un garçon pendant une des réceptions et elle ne veut plus parler que de ça.

— Moi aussi, j'ai quelqu'un comme ça. »

Je l'ai regardée comme si elle avait perdu la tête. J'ai posé le tambour à broder et le napperon blanc s'est étalé dans la poussière. « Eh bien, c'est qui, et où tu l'as trouvé ?

— La prochaine fois qu'on va au marché, je t'emmène le voir. La seule chose que je vais te dire : c'est un Noir libre et c'est pas n'importe qui. »

Ça ne me plaisait pas qu'elle me cache des choses comme ça. Je lui ai répliqué : « Et tu vas l'épouser, M. Le-Noir-libre-qui-est-pas-n'importe-qui ?

— Non ! Il est déjà marié. »

Évidemment.

Mauma m'a laissée exprimer mon dépit puis elle a dit : « Il est tombé sur un paquet d'argent et il a acheté sa propre liberté. Il valait une fortune mais son maître avait une dette de jeu alors il a payé que cinq cents dollars pour lui-même. Et après ça, il lui restait encore assez d'argent pour s'acheter une maison 20 Bull Street. À trois pâtés de maisons de chez le gouverneur.

— Mais comment il a eu tout cet argent ?

— Il l'a gagné à la loterie d'East Bay Street. »

J'ai éclaté de rire. « C'est ça qu'il t'a raconté ? Eh bien, je considère que c'est l'esclave le plus veinard qu'on ait jamais vu.

— Ça s'est passé il y a dix ans, tout le monde est au courant. Il a acheté un billet et c'est son numéro qu'est sorti. C'est des choses qu'arrivent. »

Le local de la loterie se trouvait dans la rue du marché, près des quais. J'étais moi-même passée devant quand mauma m'emmenait apprendre à acheter les bonnes

marchandises. Il y avait toujours un micmac de gens qui
voulaient des billets : des capitaines de bateau, des gardes
civils, des Noirs affranchis, des esclaves, des mulâtres et
des créoles. Il y avait aussi deux-trois hommes en cravates
de soie que leurs voitures attendaient.

« Comment que ça se fait que toi, t'achètes pas de billet ?

— Et gâcher une pièce pour une chance imaginaire ? »

Au cours des cinq années qui venaient de s'écouler,
chaque miette de force qui restait à mauma après toute
cette couture qu'elle faisait pour Missus, elle l'avait consacrée à enrichir sa collection de dollars. Depuis que j'avais
onze ans, elle travaillait régulièrement à l'extérieur mais
ce n'était plus en douce et merci doux Jésus pour ça. Sa
fausse médaille et toute cette sournoiserie qu'avait duré
pendant pratiquement une année entière, ça m'avait
donné des cheveux blancs. J'avais pris l'habitude de tirer
dessus pour les lui montrer. Je lui disais : « Regarde ce que
tu me fais ! » Mais elle répondait : « Moi je suis là à économiser pour nous acheter notre liberté et toi, tu te fais du
mouron pour une histoire de cheveux. »

Quand j'ai eu treize ans, Missus a fini par céder et elle
a autorisé mauma à proposer ses services à l'extérieur.
Je sais pas pourquoi. Peut-être qu'elle en a eu marre de
toujours dire non. Peut-être qu'elle avait besoin de cet
argent – mauma pouvait mettre cent dollars par an dans
la poche de Missus –, mais ce que je sais en tout cas, c'est
que ça n'a pas fait de mal quand mauma a offert un quilt
en patchwork à Missus comme cadeau de Noël. Il y avait
un carré pour chaque enfant taillé dans des vieux tissus
qui avaient appartenu à chacun d'eux. Mauma a dit :
« Je sais que c'est pas grand-chose mais je vous ai cousu
un quilt-mémoire de votre famille et vous pourrez vous
envelopper dedans une fois qu'ils seront partis. » Missus
a caressé chaque carré. « Oui, celui-là vient de la robe
que Mary portait la première fois qu'elle est allée dans le
monde… Celui-là, c'est la couverture de baptême de Charles… Mon Dieu, voilà la première chemise d'équitation de
Thomas. »

Mauma a aussitôt poussé son avantage. Elle a demandé à Missus de l'autoriser à travailler dehors. Un mois plus tard, elle était embauchée en toute légalité chez une femme de Tradd Street. Mauma gardait vingt centimes sur chaque dollar gagné. Le reste allait à Missus, mais je savais que mauma vendait des choses sous le manteau – des bonnets à volants, des dessus de quilts, des couvre-lits en chenille, et tous les vêtements qui n'exigeaient aucun essayage.

Elle me demandait de compter l'argent régulièrement. On en était à cent quatre-vingt-dix dollars. Je détestais lui rappeler que, même si son tas d'argent montait jusqu'au plafond, ça ne voulait pas dire que Missus accepterait de nous vendre, et particulièrement à nous-mêmes.

Je refléchissais beaucoup à tout cela et j'ai fini par dire : « On est des trop bonnes couturières pour que Missus nous laisse partir.

— Eh bien, si elle refuse, alors on va très vite devenir de très mauvaises couturières.

— Et tu crois pas qu'elle pourrait nous vendre à quelqu'un d'autre par pure malveillance ? »

Mauma s'est interrompue dans son travail et on aurait dit qu'elle perdait toute ardeur combative. Elle a eu l'air fatiguée. « C'est un risque à courir ou sinon on va finir comme Snow. »

Le pauvre Snow, il était mort l'été dernier, en pleine nuit. Il était tombé dans les toilettes. Aunt-Sister lui avait bandé la mâchoire pour empêcher son âme de s'envoler et, pendant deux jours, on l'avait étendu sur une planche dans la cuisine avant de le mettre dans une boîte pour l'enterrer. Le bonhomme avait passé sa vie entière à trimballer les Grimké dans toute la ville. C'est Sabe qui l'a remplacé dans cette tâche de cocher et ils ont fait venir un nouveau de la plantation pour faire le valet. Il s'appelait Goodis et il louchait d'un œil. Il me regardait tellement avec cet œil-là que mauma a dit : « Ce garçon t'a donné son cœur.

— Je veux pas qu'il me donne son cœur.

— Tant mieux, elle a répondu. Je peux acheter que ma liberté et la tienne. Si tu te trouves un mari, faut qu'il se débrouille tout seul. »

J'ai fait un nœud avec mon fil et j'ai avancé sur mon tambour à broder, en me disant : je veux pas d'un mari et j'ai pas non plus l'intention de finir comme Snow étendu sur une planche dans la cuisine.

« Combien il faudra d'argent pour nous acheter toutes les deux ? » j'ai demandé.

Mauma a enfoncé son aiguille dans le tissu. Elle a dit : « Ça, ça va être à toi de le découvrir. »

Sarah

Je n'avais jamais été tentée de tenir un journal avant de rencontrer Burke Williams. Je pensais qu'en écrivant ce que je ressentais, je parviendrais à maîtriser mes sentiments, peut-être même à juguler ce que le révérend Hall appelait «des paroxysmes de sensualité».

D'après mon expérience, décrire les progrès d'une passion dans un petit carnet bien caché dans une boîte à chapeau au fond d'une armoire ne dompte nullement ladite passion.

> *20 février 1811*
> *J'avais imaginé l'amour romantique comme une situation de douce utopie, non comme une souffrance! Penser que, il y a quelques semaines, je considérais qu'il n'existait pire privation que de ne pas nourrir mon esprit affamé. Désormais, mon cœur vit sa propre épreuve. Mr. Williams, vous êtes mon tourment. C'est comme si j'avais attrapé une fièvre tropicale. Je ne saurais dire si je souhaite être guérie.*

Mon journal débordait de ce genre d'explosion ampoulée.

> *3 mars*
> *Mr. Williams, pourquoi ne venez-vous pas me rendre visite? Qu'il me faille attendre votre décision, voilà qui*

est injuste. Pourquoi, en tant que femme, dois-je rester à votre disposition ? Pourquoi ne puis-je vous envoyer un mot vous invitant à venir ? Qui a inventé ces règles injustes ? Les hommes, évidemment. Dieu a conçu les femmes pour être les larbins. Eh bien, cela me déplaît fortement !

9 mars
Un mois s'est écoulé et je comprends maintenant que ce qui s'est produit sur le balcon entre Mr. Williams et ma naïve personne était une mascarade. Il s'est joué de moi sans vergogne. Même sur le moment, je le savais ! C'est un goujat au cœur d'artichaut et désormais j'ai aussi peu envie de m'entretenir avec lui que de m'entretenir avec le diable.

Lorsque je n'étais pas occupée à ventiler mes sentiments, à prendre soin de la petite Nina ou à repousser les assauts de Mère pour me contraindre à accomplir mes devoirs de femme, je fourrageais dans les invitations et les cartes de visite entassées sur le guéridon près de la porte d'entrée. Pendant la sieste de Nina l'après-midi, je demandais à Handful de rouler la baignoire en cuivre dans ma chambre et de la remplir avec des seaux d'eau bouillante venus de la buanderie.

Cette baignoire en cuivre, une merveille moderne importée de France via la Virginie, défrayait la chronique à Charleston. Elle était montée sur des petites roues bruyantes et on la transportait d'une pièce à l'autre comme un cuveau portable. On s'asseyait dedans. On ne se tenait pas debout dans une bassine en s'aspergeant d'eau – non, on s'immergeait carrément ! Pour couronner le tout, sur un des côtés de la baignoire, il y avait une trappe d'évacuation qu'on ouvrait pour laisser s'écouler l'eau sale. Mère ordonnait aux esclaves de faire rouler lentement la baignoire jusqu'à la balustrade de la terrasse et de la vider de là. Le bruit de cascade ruisselant dans le jardin avertissait les voisins que les hygiéniques Grimké avaient encore pris un bain.

Lorsqu'un mot tracé d'une écriture en pattes de mouche arriva chez nous peu avant midi aux ides de Mars, je me précipitai dessus avant Mère.

15 mars
Burke Williams présente ses compliments à Sarah Grimké et sollicite le plaisir de sa compagnie demain soir. S'il peut lui être utile de quelque manière que ce soit d'ici là, il en serait honoré.
P.S. Je vous prie de bien vouloir excuser ce papier emprunté.

Je restai immobile un bon moment, puis reposai le message sur la pile en me demandant en quoi était-il gênant d'écrire sur du papier emprunté, puis mon étonnement disparut. Je fus submergée par une vague d'allégresse. Je montai quatre à quatre l'escalier et, dans ma chambre, je me mis à danser comme quelque oiseau éméché. J'avais oublié que Handful et Nina étaient là. Elles avaient étalé la vaisselle de poupées par terre, près de la fenêtre, et, quand je me retournai, je les vis me regarder, les yeux écarquillés, tenant en l'air de minuscules tasses de pseudo-thé.

«Vous avez sans doute reçu des nouvelles de ce garçon», devina Handful.

Elle était la seule à connaître son existence.

«Quel garçon?» s'enquit Nina.

Et je fus bien obligée de lui parler de Mr. Williams, à elle aussi. Au même moment, Mère devait envoyer un mot disant qu'elle acceptait, tout en chantant *Gloire à Dieu au plus haut des cieux*. Elle déborderait tellement d'alléluias qu'il ne lui viendrait pas à l'esprit de s'interroger sur ses lettres de créance.

«Tu vas te marier comme Thomas?» demanda Nina.

Le mariage de notre frère devait avoir lieu deux mois et demi plus tard et servait désormais de référence universelle.

« J'espère bien que oui », répondis-je et cette idée me parut plausible.

En définitive, je ne finirai pas comme une fleur pressée entre les pages d'un livre.

Nous attendions Mr. Williams pour huit heures mais à huit heures dix, il n'était toujours pas là. Mère avait le cou marbré de rouge tant elle se sentait insultée et Père, qui nous avait rejointes Mère et moi dans le salon, tenait sa montre à la main. Nous étions assis tous les trois comme si nous attendions le passage d'un cortège funèbre. Je craignais fort qu'il ne vienne plus ou, s'il venait, que sa visite soit écourtée. La coutume voulait que le couvre-feu des esclaves – neuf heures l'hiver et dix heures l'été – chassât des salons les messieurs en visite. Lorsque la Garde civile battait le tambour pour faire disparaître les esclaves des rues, les soupirants se levaient aussitôt.

Il frappa à la porte d'entrée quinze minutes après l'heure annoncée. Lorsque Tomfry le fit entrer dans la pièce, j'ouvris mon éventail – un extravagant bouquet de plumes de poule –, mes parents se levèrent avec une froide politesse et lui offrirent le siège Duncan Phyfe[1] qui flanquait le côté droit de la cheminée. J'avais été reléguée sur celui de gauche, ce qui signifiait que nous étions séparés par l'écran et contraints de nous dévisser le cou pour nous voir. Vraiment dommage – il était plus séduisant que dans mon souvenir. Son visage était tanné par le soleil et ses cheveux, plus longs, bouclaient derrière ses oreilles. Détectant une odeur de savon au citron vert, je sentis mes entrailles se contracter de façon involontaire – un paroxysme de sensualité dans toute sa splendeur.

Après les excuses et les banalités, Père alla droit au but. « Dites-moi, monsieur Williams, que fait donc votre père ?

— Monsieur, mon père possède la boutique d'orfèvrerie dans Queen Street. Elle fut fondée par mon

---

1. Duncan Phyfe (1768-1854) était un ébéniste américain et un des principaux fabricants de meubles au XIXᵉ siècle.

arrière-grand-père et c'est la plus grande boutique d'orfèvrerie de tout le Sud. »

Il s'exprimait avec une fierté non dissimulée mais le
silence sévère qui avait précédé son arrivée revint s'installer. Une fille Grimké épouserait un fils de planteur qui étu-
dierait le droit, la médecine, la religion ou l'architecture
afin de pouvoir s'occuper en attendant d'hériter.

« Une boutique, dites-vous ? demanda Mère en se
donnant le temps de digérer le coup.

— Absolument, madame.

— Une boutique d'orfèvrerie, John », dit-elle à mon
père.

Père hocha la tête et je devinai ce qu'il pensait : un
commerçant. Le mot s'accumulait dans l'air au-dessus de
son front comme un nuage sombre.

« Nous sommes souvent entrées dans cette boutique »,
dis-je d'un air rayonnant comme si ces sorties avaient été
les temps forts de ma vie.

Mère vint à mon secours. « En effet, confirma-t-elle.
C'est une belle boutique, John. »

Mr. Williams se laissa glisser au bord de sa chaise et
s'adressa à Père. « Monsieur, mon grand-père souhaitait
offrir à notre ville une boutique d'orfèvrerie qui parviendrait à égaler celle que votre propre grand-père, John Paul
Grimké, possédait. Je crois qu'elle se trouvait à l'angle
de Queen Street et de Meeting Street, n'est-ce pas ? Mon
grand-père considérait qu'il était le plus grand orfèvre de
notre pays, plus grand que Mr. Revere. »

Oh, l'habileté de cet homme ! Je me tortillai sur ma
chaise pour mieux le voir. Avec toutes les apparences d'un
compliment, il avait fait savoir qu'il n'était pas le seul
dans cette pièce à descendre de la classe des commerçants. Bien sûr, la différence était que John Paul Grimké
avait su transformer le succès de sa boutique en sociétés
cotonnières et en vastes terres situées dans le bas pays.
Aussi ambitieux que prudent, il s'était taillé la route dans
l'aristocratie de Charleston. Néanmoins, Mr. Williams
avait tapé dans le mille.

Père le dévisagea tranquillement et lâcha deux mots. « Je vois. »

Je crois, moi aussi, qu'il voyait. Il voyait très bien qui était Mr. Williams.

Tomfry servit du thé Hyson[1] et des gâteaux secs ; la conversation revint à un échange de banalités, un intermède vite interrompu par les tambours du couvre-feu. Mr. Williams se leva et je sentis soudain mon excitation retomber. À ma grande surprise, Mère l'implora de revenir nous voir et je vis Père lever un de ses épais sourcils.

« Puis-je le raccompagner à la porte ? demandai-je.

— Bien sûr, chérie, mais Tomfry vous escortera. »

Tomfry nous suivit hors de la pièce mais, une fois la porte franchie, Mr. Williams s'arrêta et posa la main sur mon bras. « Vous êtes délicieuse, chuchota-t-il en approchant son visage du mien. Cela allégerait un peu la tristesse de mon départ si vous vouliez me donner une boucle de vos cheveux.

— De mes cheveux ?

— En gage de votre affection. »

Je déployai les plumes de poule pour masquer mon visage tout empourpré.

Il glissa un mouchoir blanc dans ma main. « Placez la mèche dans ce mouchoir puis lancez-le par-dessus la barrière de George Street. Je serai là, à attendre. » Avec ces instructions émoustillantes, il m'adressa un sourire – et quel sourire ! – avant de se diriger vers la porte, où Tomfry se tenait, mal à l'aise.

En revenant dans le salon pour affronter les évaluations de mes parents, je fis halte sur le seuil quand je compris qu'ils étaient en train de parler de moi.

« John, nous devons être raisonnables. Il est peut-être son unique chance.

— Vous pensez qu'épouser notre fille est une si piètre perspective qu'elle ne pourra jamais attirer mieux que cela ?

---

1. Thé vert de Chine.

— Sa famille n'est pas pauvre. Ils sont raisonnablement nantis.

— Mais Mary, c'est une famille de commerçants.

— Cet homme est un soupirant et il est sans doute le meilleur qu'elle puisse trouver. »

Je courus jusqu'à ma chambre, mortifiée, mais trop préoccupée par ma mission clandestine pour être vraiment blessée. Après avoir allumé les lampes et préparé le lit, Handful s'était installée au bureau et, les sourcils froncés, elle déchiffrait le poème *Leonidas*, qui était une ode pratiquement illisible aux hommes et à leurs guerres. Comme toujours, elle portait autour du cou une pochette remplie d'écorce, de feuilles, de glands et autres débris glanés sous le chêne de la cour.

« Vite, bafouillai-je. Prends les ciseaux dans ma coiffeuse et coupe-moi une mèche de cheveux. »

Elle me jeta un regard scrutateur sans bouger un muscle. « Pourquoi vous voulez faire un truc pareil ?

— Discute pas ! »

J'étais rongée d'impatience mais, en voyant à quel point je l'avais offensée en lui parlant sur ce ton, je m'expliquai.

Elle coupa un épi long comme mon doigt et me regarda le glisser dans le mouchoir. Elle me suivit en bas de l'escalier, jusqu'au jardin d'agrément où j'aperçus, de l'autre côté de la palissade, une silhouette sombre adossée contre le mur de brique recouvert de stuc de la maison des Dupré, de l'autre côté de la rue.

« C'est lui ? » s'enquit Handful.

Je la fis taire, craignant qu'il ne l'entende, puis je lançai le gage d'amour par-dessus la clôture. Il atterrit sur la poudre de coquillages écrasés qui recouvrait la rue.

Le lendemain, Père annonça qu'on partirait immédiatement à Belmont. Eu égard aux noces imminentes de Thomas, il avait été précédemment convenu que ce printemps Père se rendrait seul dans notre plantation de l'arrière-pays et puis, brusquement, voilà que la famille tout entière se jetait dans un frénétique exode de masse. Pensait-il vraiment que personne ne comprenait que c'était directement lié à la présence de cet inadéquat fils d'orfèvre ?

Je rédigeai une lettre en toute hâte et demandai à Tomfry de la poster.

17 mars

Cher Mr. Williams,

Je suis au regret de vous apprendre que ma famille quitte Charleston ce matin. Je ne reviendrai pas avant la mi-mai. Ce départ inopiné m'empêche de vous dire adieu de vive voix, ce que je regrette beaucoup. J'espère vous accueillir de nouveau dans notre demeure de East Bay dès que je reviendrai dans le monde civilisé. Je suis certaine que vous avez trouvé votre mouchoir et ce qu'il contenait et que vous le gardez près de vous.

Avec mes plus affectueuses pensées,
Sarah Grimké

Les sept semaines de séparation avec Mr. Williams furent une cruelle agonie. Je m'occupai en créant une infirmerie pour les esclaves de la plantation qu'on installa dans un coin de la cabane à tisser. Cela avait été autrefois une infirmerie, bien des années auparavant, mais le bâtiment avait été abandonné et Peggy, l'esclave chargée du tissage, avait pris l'habitude d'entasser sa laine cardée sur le vieux lit. Nina m'aida à récurer les lieux et je rassemblai des remèdes d'apothicaire, médicaments, pommades, baumes et herbes que je mendiai ou mélangeai moi-même dans la cuisine. Les malades et mal portants ne mirent pas longtemps à débarquer, à tel point que le régisseur de la plantation se plaignit à Père de ce que mes efforts sanitaires interféraient avec la production. Je m'attendais à ce que Père ferme nos portes mais il me laissa le soin d'en décider, non sans m'avoir expliqué les innombrables façons dont les esclaves allaient abuser de mes efforts.

Ce fut Mère qui faillit mettre un terme à cette opération. Quand elle apprit que j'avais passé la nuit à l'infirmerie afin de soigner une jeune personne de quinze ans souffrant de fièvre puerpérale, elle ferma la salle pendant deux jours avant finalement de se radoucir. « Tu te conduis de façon tristement excesssive, déclara-t-elle avant d'ajouter, en approchant trop près de la vérité à mon goût : Je soupçonne que ce n'est pas tant la compassion qui te guide que le désir de distraire tes pensés de Mr. Williams. »

Mes après-midis étaient gâchés par les travaux d'aiguille, les thés ou la peinture de paysages avec Mary tandis que Nina jouait à mes pieds ; toutes ces activités se déroulaient dans un petit salon étouffant et mal éclairé dont les fenêtres étaient drapées de festons en velours qui avait la couleur du porto de Père. Mon seul moment de répit, c'était quand je pouvais m'échapper pour monter un étalon noir plein d'entrain qui s'appelait Hiram. On me l'avait offert quand j'avais quatorze ans et, puisqu'il ne rentrait pas dans la catégorie esclave, propriétaire d'esclaves ou séduisant prétendant, j'avais toute liberté pour l'aimer sans restriction. Chaque fois que je pouvais fuir le petit salon, je galopais avec Hiram à des vitesses magnifiques au sein d'un paysage qui éclatait d'une sauvagerie aussi radicale que celle qui m'animait. Les cieux, d'un bleu céruléen, étaient saturés de vents violents qui déversaient cols verts et gros canards du haut des nuages. D'un bout à l'autre des chemins, le jasmin jaune répandait son musc, douce fumée suffocante, et illuminait les clôtures. Je montais à cheval avec une sensualité pleine d'ivresse, la même que celle que je trouvais à mariner dans la baignoire en cuivre, galopant jusqu'à ce que le jour se brouille, revenant à la nuit tombée.

Mère ne m'autorisa à écrire à Mr. Williams qu'une seule fois. Écrire davantage, insista-t-elle, serait une conduite « tristement excessive ». Je ne reçus aucune réponse à ma missive. Mary, elle non plus, n'avait aucune nouvelle de son promis et soutenait que le courrier était une abomination, donc je ne m'inquiétais pas outre mesure mais, sans rien dire, jour après jour, je me demandais si Mr. W. et son sourire seraient là à mon retour. Je plaçais tous mes espoirs dans les qualités ensorcelantes de ma mèche rousse. Ce n'était pas très différent de Handful qui croyait dur comme fer à l'écorce et aux glands qu'elle portait autour du cou mais qui n'aurait jamais voulu l'avouer.

Durant mon emprisonnement à Belmont, je n'avais guère eu l'occasion de penser à Handful mais, la veille de notre départ, l'esclave de quinze ans que j'avais soignée réapparut, guérie de sa fièvre puerpérale mais affligée de furoncles dans le cou. En la voyant, je compris soudain que ce n'était pas seulement les kilomètres qui nous séparaient, Handful et moi. Ce n'était pas non plus aucune des raisons que j'avais trouvées, ni mes inquiétudes pour Nina, ni les obligations de Handful, ni la fuite du temps. C'était en fait un gouffre qui allait s'élargissant, un gouffre qui existait depuis longtemps, bien avant mon départ.

Handful

En fin d'après-midi, après le départ des Grimké pour leur plantation et quand les quelques esclaves restés à la maison s'étaient retirés dans leurs quartiers, mauma m'a envoyée dans la bibliothèque de master Grimké pour trouver combien on valait à la vente, elle et moi. Elle s'est chargée de surveiller Tomfry. Je lui ai dit, t'inquiète pas pour Tomfry, celle dont il faut se méfier, c'est Lucy, Miss-viens-donc-voir-ce-qu'il-y-a-d'écrit-sous-l'arbre.

L'hiver dernier, un homme était venu établir la liste de tous les biens que master Grimké possédait et de ce qu'ils valaient. Mauma était là au moment où il avait noté dans un cahier en cuir brun noué d'une cordelette la table à couture en bois laqué, le cadre à quilt et le moindre de ses outils de travail. Elle a dit : « Si nous, on est dans ce cahier, alors c'est marqué quel est notre prix. Et ce cahier doit bien être quelque part dans la bibliothèque. »

Cela paraissait être une idée acceptable tant que j'avais pas refermé la porte derrière moi, mais là, c'est devenu une idée complètement folle. Master Grimké a plus de livres là-dedans qu'on pourrait jamais l'imaginer et la moitié d'entre eux ont une couverture en cuir brun. J'ai ouvert des tiroirs, j'ai fouillé sur les étagères jusqu'à ce que j'en trouve un avec une cordelette. Je me suis assise au bureau et je l'ai ouvert.

Quand je m'étais fait prendre pour ce crime de lecture, Miss Sarah avait cessé de me donner des leçons, mais elle laissait souvent des livres de poèmes sortis – maintenant, elle avait plus que ça à lire – et elle disait «Ça ne prend pas longtemps de lire un poème. Ferme la porte et s'il y a un mot que tu ne parviens pas à déchiffrer, montre-le-moi du doigt et je te le chuchoterai.» Avec cette méthode, j'ai appris des légions entières de mots, *légion* étant d'ailleurs l'un d'entre eux. Certains mots ou expressions que j'apprenais ne pouvaient pas être introduits dans une conversation : *bel et bon; hélas; çà et là; de bonne soupe et non de beau langage; plus fait douceur que violence.* Mais je me cramponnais à eux quand même.

Les mots inscrits dans le cahier en cuir n'étaient pas ceux de la poésie. Cet homme-là avait une écriture en pattes de mouche. J'ai dû décortiquer chaque mot, l'un après l'autre, pour en extraire le son comme, l'automne, on décortique les crabes bleus pour en extraire la chair à se faire saigner les doigts. Les mots se détachaient par morceaux.

Ville de Charleston, à savoir... Nous soussignés... En notre âme et conscience... l'inventaire des biens propres... Mobilier et cheptel humain...

2 tables à jouer en acajou... 20,50.
Portrait et discours du général Washington... 30.
2 tapis de Bruxelles et couverture... 180.
Clavecin... 29.

Il y a eu des pas dans le couloir. Mauma a dit qu'elle chanterait si j'avais besoin de me cacher mais comme j'ai rien entendu, j'ai recommencé à suivre la liste du bout du doigt. Il y en avait trente-six pages. *Soie* par ici et *ivoire* par là. *Or* par ici et *argent* par là. Mais pas plus de Hetty que de Charlotte Grimké.

Et puis j'ai tourné la page et on était tous là, nous les esclaves, juste après l'abreuvoir à bestiaux, la brouette, l'arrache-clou et le boisseau de maïs corné.

Tomfry, 51 ans. Majordome, Valet pour messieurs... 600.
Aunt-Sister, 48 ans. Cuisinière... 450.
Charlotte, 36 ans. Couturière... 550.

J'ai relu deux fois – Charlotte, ma mauma, son âge, ce qu'elle faisait, combien elle valait – et je me suis sentie fière, fière comme une fille égarée, fière que mauma vaille tant que ça, plus que Aunt-Sister.

Binah, 41 ans. Servante nursery... 425.
Cindie, 45 ans. Servante... 400.
Sabe, 29 ans. Cocher, Homme à tout faire... 600
Eli, 50 ans. Homme à tout faire... 550.
Mariah, 34 ans. Blanchisseuse, repasseuse, amidonneuse... 400.
Lucy, 20 ans. Servante... 400.
Hetty, 16 ans. Servante, couturière... 500.

Mon souffle s'est bloqué dans ma poitrine. Cinq cents dollars ! J'ai fait courir mon doigt sur la somme, sur les dépôts d'encre séchée. Je me suis extasiée sur le fait qu'il n'était pas mentionné « apprentie », que c'était écrit carrément couturière, que je valais davantage que toutes les autres filles qu'ils possédaient, mauma exceptée. Cinq cents dollars. J'étais bonne en calcul et j'ai additionné mauma et moi. Comme esclaves à vendre, on valait mille cinquante dollars. J'avais des œillères autant qu'un cheval et je souriais comme si ça faisait de nous quelqu'un et j'ai continué à lire pour voir ce que valaient les autres.

Phoebe, 17 ans. Gâte-sauce... 400.
Prince, 26 ans. Domestique... 500.
Goodis, 21 ans. Valet de pied, ramasseur de crottin, domestique... 500.
Rosetta, 73 ans. Inutilisable... 1.

J'ai reposé le cahier et je suis partie raconter à mauma ce que j'avais trouvé. Mille cinquante dollars. Elle s'est effondrée sur la dernière marche de l'escalier en se cramponnant à la rampe. Elle a dit : «Mais comment je vais pouvoir trouver autant d'argent?»

On en aurait pour dix ans au moins à rassembler une somme pareille. «Je sais pas, j'ai répondu. Y a des choses qu'on peut pas faire... c'est tout.»

Elle s'est levée pour aller au sous-sol et elle me parlait, le dos tourné. «Me dis pas ça – *qu'on peut pas faire.* Ça c'est du sacré bon Dieu de discours de Blanc, voilà ce que c'est.»

Je me suis traînée en haut de l'escalier et je suis allée droit jusqu'au renfoncement. Mis à part notre arbre au fond de la cour, c'était mon endroit préféré, de là-haut, je pouvais voir l'eau. Avec la maison vide, j'étais seule à l'étage et je suis restée devant la fenêtre jusqu'à ce que toute la lumière ait coulé du ciel et que l'eau soit devenue noire.

De l'aut' côté de l'eau de l'aut' côté de la mer
Que les poissons m'y transportent sans rien faire.

Les chansons que j'avais l'habitude de chanter au début quand j'appartenais à Miss Sarah me venaient toujours en tête mais je ne croyais plus que l'eau pourrait bien m'emmener où que ce soit.

J'ai dit à mi-voix : «Cinq cents dollars.»

Mobilier et cheptel humain. Les mots écrits dans le cahier à couverture de cuir me sont revenus en tête. On était comme le miroir doré à la feuille et la selle de cheval. On était pas des gens à part entière. J'y croyais pas du tout, j'y avais jamais cru un seul jour de ma vie mais si on écoute trop longtemps ce que racontent les Blancs, il y a une partie de soi, une partie triste, démoralisée, qui commence à se poser des questions. D'un seul coup, toute cette fierté de savoir qu'on valait beaucoup d'argent m'a abandonnée. Pour la première fois, j'ai ressenti la honte et la douleur d'être ce que j'étais.

Au bout d'un petit moment, je suis descendue dans le sous-sol. Quand mauma a vu mes yeux rougis, elle a dit : « Y a personne qui peut écrire dans un cahier ce que toi tu vaux. »

Sarah

Notre caravane de deux voitures, deux chariots et dix-sept personnes revint à Charleston en mai, en plein cœur du printemps. Les pluies avaient laissé la ville rincée, propre, embaumant le myrte juste fleuri, le troène et le suif végétal. Les bougainvillées débordaient massivement par-dessus les barrières, le ciel était clair, barré de nuages minces et tourbillonnants, couleur crème. J'exultais à l'idée d'être de retour.

Tandis que nous franchissions lourdement la porte de derrière pour entrer dans une cour vide, Tomfry sortit en hâte de la cuisine, trottant comme un vieil homme, et cria : « Massa, vous êtes revenu de bonne heure. » Il avait une serviette coincée dans son col et l'air inquiet, comme si nous l'avions surpris dans l'acte dilatoire de se nourrir.

« Un jour d'avance seulement, dit Père en descendant de la barouche. Tu devrais prévenir les autres que nous sommes là. »

Je me faufilai devant tout le monde, abandonnant même Nina derrière moi, et filai vers la maison où je saccageai la pile des cartes de visite sur le guéridon et il était là – le papier emprunté.

3 mai
Burke Williams sollicite la compagnie de Sarah Grimké
pour une promenade à cheval (chaperonnée) sur Sulli-
van's Island, dès son retour à Charleston.
                              Votre très dévoué serviteur

Je soufflai bruyamment, avec ma nature toujours excessive, et montai l'escalier.

Je me souviens très clairement m'être arrêtée sur le
palier du premier pour examiner avec curiosité la porte
de ma chambre. Elle était la seule à être fermée alors que
toutes les autres étaient ouvertes. J'avançai de quelques
pas avec une certaine hésitation, un vague pressentiment.
Je m'immobilisai une seconde, la main sur la poignée,
l'oreille aux aguets. N'entendant rien, je tournai la poignée. C'était fermé à clé.

Je réessayai avec détermination, une troisième fois, une
quatrième et c'est alors que je distinguai une voix timide
à l'intérieur.

« C'est toi, mauma ? »

Handful ? L'idée qu'elle se trouvait dans ma chambre
avec la porte fermée à clé était si déplacée que je ne parvins pas à répondre d'emblée.

Elle cria : « J'arrive ! » Elle paraissait exaspérée, de mauvaise humeur, essoufflée. Il y eut des bruits d'éclaboussures, une clé tourna dans la serrure. Clic. Clic.

Elle se tenait sur le seuil, dégoulinante, nue à l'exception d'une serviette en lin blanc qu'elle tenait autour de
sa taille. Ses seins étaient trop petits, prunes violettes qui
dépassaient de son torse. Je ne pouvais pas m'empêcher
de regarder sa peau noire mouillée, la force compacte de
son buste. Elle avait défait ses tresses et ses cheveux formaient une folle couronne autour de sa tête, scintillante
de gouttes d'eau.

Elle recula, la bouche ouverte. Derrière elle, la somptueuse baignoire de cuivre trônait au milieu de la chambre,
pleine d'eau. De la vapeur s'élevait de la surface, rendant
l'air visqueux. L'audace de ce qu'elle avait fait me coupait

le souffle. Si Mère l'apprenait, les conséquences seraient immédiates et terribles.

Je me dépêchai d'entrer et refermai la porte, mon instinct même maintenant me dictant de la protéger. Elle ne fit aucun effort pour se couvrir. Je vis du défi dans son regard, dans la façon dont elle relevait le menton comme pour dire *oui, c'est moi, et je me baigne dans ta précieuse baignoire.*

Le silence était épouvantable. Si elle croyait que je me taisais parce que j'étais en colère, elle avait raison. J'avais envie de la secouer. Son audace paraissait dépasser ce batifolage dans la baignoire, cela ressemblait à un acte de rébellion, d'usurpation. Mais qu'est-ce qui lui avait pris ? Elle avait violé non seulement le sanctuaire de ma chambre et l'intimité de notre baignoire, elle avait aussi abusé de ma confiance.

C'était la voix de ma mère qui tempêtait à l'intérieur de moi et je ne la reconnaissais pas.

Handful se mit à parler et j'étais terrifiée par ce qu'elle allait dire, craignant que ce ne fût plein de haine et de justification, pourtant, bizarrement, je craignais tout autant de la voir s'excuser d'une voix honteuse. Je l'interrompis. « Je t'en prie. Ne dis rien. Au moins fais ça pour moi, ne dis rien. »

Je lui tournai le dos tandis qu'elle se séchait et enfilait sa robe. Lorsque je la regardai à nouveau, elle était en train de nouer un fichu sur ses cheveux. Un fichu vert pâle, de la même couleur que les minuscules taches décolorées sur le cuivre. Elle se pencha pour éponger les flaques par terre et je vis le tissu foncer à mesure qu'il absorbait l'humidité.

« Vous voulez que je vide l'eau maintenant ou qu'on attende ? demanda-t-elle.

— Faisons-le maintenant. On ne peut laisser Mère tomber là-dessus par hasard. »

Non sans difficulté, je l'aidai à faire rouler la baignoire débordante par la porte dérobée donnant sur la terrasse, le plus près possible de la balustrade, en espérant que la famille était à l'intérieur et n'entendrait pas l'eau ruisseler.

Handful arracha le bouchon et l'eau se déversa en un long bec argenté. J'avais l'impression d'en avoir le goût dans ma bouche, le piquant du minéral.

« Je sais que vous êtes fâchée, Sarah, mais je ne voyais aucun mal à me baigner dans la baignoire, tout comme vous. »

Pas *Miss* Sarah, mais Sarah. Je ne l'entendrais plus jamais mettre Miss devant mon nom.

Elle avait la tête de quelqu'un qui était en train de s'affirmer et, voyant cela, mon indignation s'écroula et ce bain rebelle prit une tout autre allure. Elle s'était immergée dans des privilèges interdits, oui, mais essentiellement parce qu'elle estimait avoir droit à ces privilèges. Ce qu'elle avait fait, ce n'était pas une révolte, c'était un baptême.

Je vis alors ce que je n'avais pas vu auparavant, que j'étais très forte pour haïr l'esclavage dans l'abstrait, quand il concernait une foule lointaine et anonyme, mais au contact concret de la chair si proche de cette fille je ne voyais plus du tout pourquoi ça me dégoûtait. Je m'étais très bien accoutumée aux détails de cette malédiction. Il existe une mutité effrayante qui réside au cœur de tout ce qui est indicible et j'avais trouvé le moyen de l'accepter.

Tandis que Handful commençait à pousser la cuve dans l'autre sens, je tentai de parler. « ... Attends... je... vais... t'aider... »

Elle se tourna vers moi et c'était clair pour nous deux. Ma langue, une fois de plus, était au bord du suicide.

Handful

Missus nous a envoyées au marché, mauma et moi, acheter un bon coton pour faire une robe à Nina. Tous ses vêtements étaient devenus trop petits, a dit Missus, rapportez quelque chose de pastel cette fois et profitez-en pour prendre une toile rustique qui servira à faire des gilets pour Tomfry et les autres.

Le marché était un alignement d'éventaires qui s'étendaient de East Bay Street jusqu'à Meeting Street et on pouvait y trouver tout ce qui existait sous le soleil. Missus disait que c'était rien qu'un vulgaire souk, c'était les mots qu'elle employait. Les vautours déambulaient autour des étals de viande comme d'authentiques clients. Il fallait toujours qu'un homme reste là pour les chasser à coups de palmes. Évidemment, ils s'envolaient sur les toits pour attendre que le bonhomme soit parti et puis ils revenaient. Les odeurs là-dedans, il y avait de quoi tomber par terre. Des queues de bœuf, des cœurs de bœuf, du porc cru, des poulets vivants, des huîtres ouvertes, des crabes bleus, du poisson, et encore du poisson. Les gâteaux à la cacahuète, avec leur odeur sucrée, n'avaient pas une chance. Généralement, je me baladais en me bouchant le nez jusqu'à ce que mauma trouve des feuilles d'eucalyptus avec lesquelles me frotter la lèvre supérieure.

Les esclaves marchands, ceux qu'on appelait les *high-lers*, cherchaient à vendre à la criée et chacun essayait de faire plus de bruit que le voisin. Les hommes braillaient « Jimmie » (c'était le nom qu'on donnait aux crabes mâles) et les femmes répondaient « Sook » (ça, c'était les femelles). « Jimmmieee… Soooook… Jimmmmieee… Soook. » Il fallait non seulement se boucher le nez mais aussi les oreilles.

On était en septembre et je n'avais toujours pas vu l'homme dont mauma m'avait parlé, ce noir veinard devenu affranchi après avoir gagné l'argent nécessaire pour acheter sa liberté. Il avait un atelier de menuisier à l'arrière de chez lui et je savais que chaque fois qu'elle se faisait embaucher à l'extérieur ou qu'elle allait au marché sans moi, elle traînait avec lui. Une ou deux fois par semaine, quand elle rentrait, elle sentait la sciure de bois et le dos de sa robe en était couvert.

Ce jour-là, quand on est arrivées devant les éventaires, j'ai commencé à dire que ce bonhomme existait pas. « Bon d'accord ! » a dit mauma. Elle s'est jetée sur le premier tissu pastel qu'elle a vu, elle a choisi un lainage d'un brun terne et on est parties du marché avec nos paniers pleins. Un pâté de maisons plus loin, on vendait des esclaves directement dans la rue, alors on a traversé pour aller vers King Street. J'ai tâté mon laissez-passer dans la poche de ma robe trois fois de suite et j'ai vérifié que mauma avait toujours sa médaille accrochée. Chaque fois qu'on était dans la rue, j'avais un mauvais pressentiment, l'impression qu'il y avait de la méchanceté dans l'air. Dans Coming Street, on a vu un garde civil, il était plus jeune que moi, arrêter un vieillard que ça a rendu tellement nerveux qu'il a laissé tomber son laissez-passer. Le garde l'a piétiné, histoire de s'amuser.

On avançait sans traîner, on dépassait les voitures. Mauma ne se servait plus de sa canne en bois, sauf dans certaines occasions. Quand elle voulait que Missus lui fiche un peu la paix, par exemple. Elle lui disait : « On dirait que mes prières ne suffisent plus à guérir ma jambe. Il faut que je me repose pendant quelques jours en continuant à prier. » Et la canne ressortait.

Le Noir libre de mauma habitait 20 Bull Street. C'était une maison individuelle avec une charpente blanche, des volets noirs dont la peinture s'écaillait et des buissons miteux autour de la véranda. Elle a secoué la poudre de coquillage qui s'était déposée sur le bas de sa robe et elle a dit : « Je me mets là, il me voit et il sort tout de suite.

— Donc, on est censées rester plantées jusqu'à ce qu'il regarde par la fenêtre.

— Tu voudrais que j'aille frapper à la porte ? Si c'est sa femme qui vient ouvrir, tu voudrais que je dise : "Prévenez votre mari que sa bonne amie l'attend" ?

— Mais pourquoi donc tu fricotes avec quelqu'un qui a déjà une femme ?

— Ils sont pas mariés pour de vrai, c'est sa compagne. Il en a deux autres encore. Toutes des mulâtres. »

Au moment où elle prononçait ce mot, il est sorti de la maison et il nous a regardées depuis la véranda. Un vrai taureau. J'avais envie de dire *eh bien lui, il a choisi la bonne rue !*[1] Un gars costaud, solide avec un torse puissant et un grand front.

Quand il s'est approché, mauma a dit : « Voilà ma fille, Handful. »

Il a hoché la tête. Je voyais bien qu'il était sévère, et fier. Il a dit : « Je m'appelle Denmark Vesey. »

Mauma l'a rejoint et m'a expliqué : « Denmark, le Danemark, c'est un pays près de la France, et un beau pays en plus. » Elle lui a souri d'une telle manière que je me suis sentie obligée de tourner la tête.

Il a glissé sa main le long de son bras et moi, j'ai préféré partir. S'ils voulaient continuer, d'accord, mais je n'avais pas besoin de rester là à regarder.

Dans l'année qui a suivi, on est venu en visite au 20 Bull Street plus de fois que je ne saurais m'en souvenir. Les deux amoureux allaient dans son atelier et moi, je m'asseyais dehors pour attendre. Quand ils en avaient terminé, il sortait bavarder. Et bavarder, il savait faire. Seigneur, ce

---

1. Bull Street : littéralement « rue du Taureau ».

que cet homme était bavard ! Denmark n'était jamais allé au Danemark, seulement dans les îles danoises. Mais à l'écouter, cependant, il était allé partout ailleurs. Il avait voyagé de par le monde avec son maître, capitaine Vesey, qui commandait un navire négrier. Il parlait français, danois, créole, gullah et anglais, un anglais correct. Je l'ai entendu parler la totalité de ces langues. Il était originaire de la Barbade et répétait souvent que, à Charleston, on n'aimait pas les esclaves de là-bas parce que c'était des coupeurs de gorge. Il disait que Charleston voulait des Noirs d'Afrique qui venaient des eaux salées parce qu'ils savaient cultiver le riz.

La chose la plus troublante qu'il m'ait racontée, c'était que son voisin – un Noir libre qui s'appelait Robert Smyth – possédait trois esclaves. Mais qu'est-ce qu'on est censé faire avec un truc pareil ? Mr. Vesey avait dû m'emmener chez cet homme pour que je voie ses esclaves avant de pouvoir y croire. Je ne savais pas si c'était ce Mr. Smyth qui se conduisait comme un Blanc ou si ça montrait simplement que les gens étaient tous ignobles.

Denmark Vesey lisait la Bible en long et en large. Dès qu'il avait cinq minutes, il racontait l'histoire de Moïse qui guidait les esclaves hors d'Égypte. Il décrivait les flots qui s'écartaient, les grenouilles qui tombaient du ciel, les nouveau-nés qui mouraient poignardés dans leur berceau. Il répétait si souvent un verset de la Bible, extrait du Livre de Josué, que je le sais toujours en entier. « Ils détruisirent complètement tout ce qui existait dans la ville, hommes et femmes, jeunes et vieux. » Le bonhomme avait la tête bien faite et il était téméraire. Il me faisait une peur bleue.

Tous les deux, on s'est pris le bec le premier jour où on s'est vus. Comme je disais, j'étais partie me promener dans la rue, pour qu'ils comprennent que je n'avais pas envie d'assister à leurs ébats. La rue était animée, tout le monde, depuis les Noirs libres jusqu'au maire et au gouverneur vivaient là, et quand une femme blanche est arrivée, venant vers moi, j'ai fait ce qu'on fait ordinairement – je me suis mise sur le côté pour la laisser passer. C'était la loi, on était censés céder le passage dans la rue, mais voilà que Denmark Vesey s'est précipité sur moi avec une colère qu'il soufflait par les narines et mauma juste derrière lui, l'air paniqué. Il m'a saisie par le bras en criant : « C'est ce genre de personne que t'as envie d'être ? Le genre qui cède le passage ? Le genre qui rampe dans la rue ? »

J'avais envie de lui répondre : *bas les pattes, tu sais rien de moi, moi je me baigne dans une baignoire en cuivre et toi t'es planté là et tu pues comme l'enfer.* L'air autour de ma tête s'est épaissi et ma gorge s'est resserrée. J'ai réussi à dire : « Lâche-moi. »

Derrière lui, mauma a dit, d'une voix un peu trop douce à mon goût : « Lâche-la. »

Il m'a lâché le bras. « Que je ne te revoie plus jamais faire ça. » Puis il a souri. Et mauma, elle a souri aussi.

Nous sommes rentrées à la maison sans échanger un mot.

Dans la maison Grimké, la porte de la bibliothèque était ouverte. La pièce était vide, alors j'y suis entrée et j'ai fait tourner le globe. Ça a fait un bruit grinçant. Comme un clou sur une ardoise. Binah dit que ce bruit-là, c'est l'ongle de pied du diable. Sur le globe, j'ai vérifié tous les pays du monde, sur toute la terre. Le Danemark n'était pas du tout à côté de la France, c'était plus haut, vers la Prusse, mais en y regardant de plus près, j'ai compris pourquoi mauma avait choisi ce gars-là. Il était allé partout et il allait encore partout et elle, elle se retrouvait enflammée par l'idée qu'elle aussi, elle irait partout.

Sarah

Nina conçut l'idée qu'on pourrait guérir mon problème d'élocution en me pétrissant la langue, un procédé explicitement réservé à la pâte. Cette petite était rien moins qu'inventive. À force d'écouter mes phrases torturées pendant tout l'été et l'automne, elle en était venue à croire que cette protubérance ronchonne dans ma bouche pouvait être modelée de telle sorte que les mots s'y coulent et lèvent aussi aisément que la levure. Elle avait six ans et demi.

Une fois Nina conquise par un problème, elle s'acharnait tant qu'elle n'avait pas improvisé une solution et agi dans ce sens, et les solutions qu'elle envisageait pouvaient être inattendues mais aussi merveilleusement créatives. Ne souhaitant pas saper cette fascinante propension qui était la sienne, je tirai la langue et je l'autorisai à l'attraper avec ce que j'espérais être une serviette propre.

Cette expérience se déroulait sur la terrasse couverte à l'étage – moi assise sur la balancelle, la tête renversée, la bouche ouverte, les yeux exorbités –, la vision d'un oisillon avide attendant son ver même si, pour n'importe quel observateur, je suis certaine qu'on avait plutôt l'impression que ce ver, il fallait l'extraire et non pas l'introduire.

Un soleil d'automne montait au-dessus du port, se répandant comme un jaune d'œuf au milieu des nuages. Du coin de l'œil – larmoyant –, je voyais cet éclat basculer nettement vers Sullivan's Island. Mr. Williams et moi, nous avions galopé le long de la côte au cours d'une promenade qui s'était révélée maussade. Craignant que mon bégaiement, qui venait de réapparaître, ne le poussât à abandonner sa cour, j'avais à peine ouvert la bouche. Néanmoins, il avait continué ses visites – depuis que j'étais rentrée de Belmont, il était venu à cinq reprises. Je m'attendais à ce que chacune fût la dernière. Entre Nina et moi, passait même la perception de l'imperfection et je crois que ma peur était devenue la sienne. Elle semblait particulièrement déterminée à me guérir.

Tenant fermement ma langue, elle se mit à tirer dessus en appuyant. En réaction, ma langue se débattit comme le tentacule d'une pieuvre.

« Ta langue se montre implacable », soupira-t-elle.

Implacable! Mais où ce petit génie avait-elle trouvé des mots pareils? Je lui apprenais à lire comme j'avais jadis fait avec Handful mais j'étais bien certaine de ne lui avoir jamais proposé le mot *implacable*.

« Et tu bloques ta respiration, ajouta-t-elle. Laisse-la venir. Essaie de te détendre. »

Très directive, voilà ce qu'elle était également. Déjà, elle possédait plus d'autorité et d'assurance que moi. « ... Je... je vais essayer », dis-je. Ce qui se passa alors n'était peut-être qu'une coïncidence fortuite. Je fermai les yeux et je respirai; je vis l'eau scintillante du port et puis l'image de l'eau du bain de Handful qui se déversait par-dessus la balustrade comme un ruban se déroule et je sentis ma langue se dénouer et s'apaiser sous les doigts de Nina.

Je ne sais pas pendant combien de temps elle s'obstina dans ses efforts. Je me laissai égarer au fil de l'eau. Elle finit par dire : « Répète après moi : *Ton thé t'a-t-il ôté ta toux?*

— *Ton thé t'a-t-il ôté ta toux?* », dis-je sans la moindre trace de bégaiement.

Cet étrange intermède sur la terrasse ne me guérit certes pas mais je ne fus jamais plus près de l'être et cela n'avait rien à voir avec les malaxages linguaux de Nina. Cela avait plutôt tout à voir avec le fait de respirer, de me reposer et de me laisser aller dans cette vision aquatique.

Désormais, ce fut ainsi que je procédais : dès que je sentais venir une période de bégaiement, je fermais les yeux, je respirais et je contemplais l'eau du bain de Handful. Je la voyais couler sans cesse et, les yeux ouverts, je parvenais ainsi à parler souvent avec aisance, parfois des heures durant.

En novembre, mon dix-neuvième anniversaire se passa sans évènement particulier, sauf Mère qui, au petit déjeuner, rappela que j'avais atteint le meilleur âge pour me marier. Il y avait des essayages hebdomadaires en préparation de la saison d'hiver et c'était uniquement lors de ces séances que j'avais un contact avec Handful. Elle restait des journées entières à coudre dans la chambre de Charlotte au sous-sol ou bien sous le chêne quand le temps était clément. Son bain interdit qui remontait à bien des mois plombait toujours nos relations, même si Handful ne paraissait nullement honteuse d'avoir été découverte. Plutôt tout le contraire ; elle était comme quelqu'un qui avait atteint sa pleine mesure. Durant les séances d'essayage, elle chantait tout en épinglant sur moi les robes à moitié faites. Debout sur une caisse, tournant lentement sur moi-même, je me demandais si elle chantait ainsi pour éviter toute conversation. Quelle qu'en fût la raison, c'était pour moi un soulagement.

Puis, un jour de janvier, je vis mon père et mes frères aînés se rassembler dans la bibliothèque en laissant la porte grande ouverte. Le premier givre de l'hiver était venu pendant la nuit et vernissait la ville ; Tomfry avait bourré les cheminées. De là où je me tenais, dans le grand couloir, j'apercevais Père en train de se frotter les mains devant les flammes, tandis que Thomas, John et Frederick faisaient des grands gestes et virevoltaient autour de lui comme des papillons de nuit dans la lumière. Frederick, qui était rentré récemment de Yale et qui suivait les traces de Thomas au barreau, s'est assené un grand coup de poing dans la paume de la main. « Mais comment osent-ils, comment osent-ils !

— On va monter un système de défense, répondit Thomas. Il ne faut pas vous inquiéter, Père, nous ne serons pas battus, je vous le promets. »

Quelqu'un avait fait du tort à Père ? Je m'approchai aussi près de la porte que je l'osai mais je ne compris pas grand-chose à la discussion. Ils parlaient d'une offense, mais sans autre précision. Ils se juraient d'organiser la défense mais contre quoi ? Dans l'entrebâillement de la porte, je les regardais s'approcher du bureau et resserrer les rangs autour d'un document. Ils soulignaient différents passages qu'ils marquaient du bout des doigts, tout en débattant à voix basse, avec détermination. De les voir ainsi réveilla ma vieille faim dévorante, celle qui me poussait à prendre ma place dans le monde, moi aussi, à jouer un rôle important. Combien d'années s'étaient écoulées depuis que j'avais jeté le bouton d'argent ?

Je m'approchai de la porte, soudain rouge de colère. J'étais désolée pour Père. On lui avait causé du tort, d'une manière ou d'une autre, ils étaient tous là, prêts à remuer ciel et terre pour qu'on lui rende justice alors que leurs femmes, leur mère, leurs sœurs n'avaient aucun droit, même pas sur leurs propres enfants. Nous ne pouvions ni voter ni témoigner devant un tribunal, ni faire un testament – bien sûr que non puisque nous ne possédions rien à laisser derrière nous ! Pourquoi tous ces hommes Grimké ne se réunissaient-ils pas pour nous défendre, nous ?

Ma colère se dissipa mais mon ignorance persista encore toute une semaine. Durant ces interminables journées, Mère resta dans sa chambre avec la migraine et même Thomas rejetait mes questions, disant que c'était à Père de dévoiler l'affaire et pas à lui. En définitive, j'appris la nouvelle lors d'un concert privé donné dans une des plantations au Nord-ouest de la ville.

Mary et moi nous étions arrivées dans la plantation alors que le crépuscule obscurcissait déjà l'après-midi et notre voiture fut accueillie par un troupeau de paons qui déambulaient de-ci de-là, à des fins uniquement décoratives. Dans le jour déclinant, ils créaient un somptueux chatoiement bleu mais je trouvais qu'ils offraient un triste spectacle, avec cette façon de se précipiter, sans aller nulle part.

Le concert avait déjà commencé lorsque je parvins à la porte du salon. Burke se leva de son siège et m'accueillit avec une chaleur inhabituelle. Il était magnifique avec son long gilet rouge cerise et son costume de soie. « Je craignais de ne pas vous voir », chuchota-t-il en me conduisant vivement vers la chaise vide à côté de la sienne. Tandis que j'ôtais la veste émeraude, si merveilleusement coupée par Handful, il posa une lettre sur mes genoux. Je levai les sourcils comme pour lui demander si je devais briser le sceau pour la lire tandis que Miss Parodi et le clavecin rivalisaient pour se faire entendre. « Plus tard », articula-t-il.

Ce n'était guère conventionnel de passer un message de cette manière et, durant tout le concert, je me fis du mauvais sang sur ce qu'il pouvait bien contenir. Lorsque Mrs. Drayton, la belle-mère de Thomas, eut joué le dernier morceau à la harpe, nous renonçâmes provisoirement à la salle à manger où la table était servie, avec une charlotte à la russe et un choix de vins français, de cognac et de madère, auxquels je n'aurais pu toucher tant j'étais anxieuse. Burke avala un cognac, puis m'entraîna vers la porte.

« ... Où allons-nous ? demandai-je, incertaine des convenances.

— Allons nous promener. »

Nous avançâmes sur la véranda sous l'imposte en palladium pour regarder le ciel. Il était violet, presque liquide. La lune se levait derrière les arbres. Cependant, j'étais incapable de penser à autre chose qu'à la lettre. Je la sortis de mon sac et rompis le sceau.

Ma chérie bien-aimée,
J'implore le privilège de devenir votre ardent et dévoué
fiancé. Mon cœur vous appartient.
J'attends votre réponse.
Burke

Je la lus une première fois puis je recommençai, légèrement égarée, comme si la lettre qu'il m'avait glissée tout à l'heure avait été remplacée par celle-ci qui ne me concernait en rien. Ma confusion semblait le réjouir. Il dit : « Vos parents désireront vous voir attendre de les avoir consultés pour donner votre réponse.

— J'accepte votre proposition », dis-je en lui souriant, débordée par un étrange mélange de jubilation et de soulagement. J'allais me marier ! Je ne finirais pas comme la tante Amelia Jane.

Il avait raison, cependant, Mère serait horrifiée que je lui aie répondu avant qu'elle n'ait donné son accord mais je ne doutais pas de la réaction de mes parents. Après avoir digéré leur désapprobation, ils sauteraient sur le miracle que représentait la proposition de Burke comme si c'était le remède à quelque redoutable maladie.

Nous longeâmes le chemin carrossable, mon bras passé sous le sien. À l'intérieur de moi, je sentais un petit frisson sauter de côte en côte. Brusquement, il m'entraîna hors du chemin, vers un bosquet de camelias. Nous disparûmes dans l'ombre qui régnait entre les énormes buissons en fleur et, sans préambule, il m'embrassa soudain à pleine bouche. Je reculai. « ... Mais... mais... vous me prenez par surprise.

— Mon amour, nous sommes fiancés désormais, pareilles libertés sont permises. »

Il m'attira à lui et m'embrassa à nouveau. Ses doigts couraient le long de mon décolleté, me caressant la peau. Sans pour autant céder complètement, j'accordai à Burke Williams de grandes privautés durant cette foucade dans le bosquet de camélias. Quand je parvins enfin à me reprendre, je m'arrachai à son étreinte et il me dit qu'il espérait que je ne lui en voudrais pas de son ardeur. Je ne lui en voulais pas. Je rajustai ma robe. Je fourrai à nouveau quelques mèches échappées sous ma coiffure en désordre. «Pareilles libertés sont permises à présent.»

Tandis que nous retournions vers la maison, je gardais les yeux fixés sur le chemin, criblé d'excréments de paon et de graviers qui brillaient à la lumière de la lune. Ce mariage, il remplirait ma vie, non? Certainement. Burke était en train de parler de la nécessité de longues fiançailles. Un an, dit-il.

Alors que nous approchions de la véranda, un cheval hennit et un homme sortit pour allumer sa pipe. C'était Mr. Drayton, le beau-père de Thomas.

«Sarah? dit-il. C'est vous?»

Ses yeux passèrent de moi à Burke et retour. Une mèche de cheveux flottait, l'air coupable, sur mon épaule. «Où étiez-vous?» J'entendis le reproche, l'inquiétude. «Vous vous sentez bien?

—... Je suis... Nous sommes fiancés.»

Mes parents n'en étaient pas encore informés et j'avais annoncé la nouvelle à Mr. Drayton, que je connaissais à peine, dans l'espoir d'excuser ce qu'il avait bien pu imaginer que nous étions de faire.

«Nous sommes allés faire un petit tour pour profiter de l'air de la nuit», dit Burke, tentant, semblait-il, de banaliser la situation.

Mr. Drayton n'était pas idiot. Il me dévisageait, moi la banale Sarah, revenant «d'un petit tour pour profiter de l'air de la nuit» avec un homme incroyablement séduisant, toute rouge et légèrement échevelée. «Eh bien, alors, félicitations. Votre bonheur sera un répit bienvenu pour votre famille étant donné les ennuis récents de votre père.»

Les ennuis de Père étaient donc connus de tout le monde?

«Quelque malheur s'est-il abattu sur le juge Grimké? s'enquit Burke.

— Sarah ne vous a rien dit?»

— ... Je suppose que j'étais trop bouleversée pour en toucher mot, dis-je. Mais je vous en prie, monsieur, parlez-en à ma place. Ce serait un service à me rendre. »

Mr. Drayton tira sur sa pipe et souffla dans la nuit un nuage de fumée épicée. « J'ai le regret de vous informer que les ennemis du juge cherchent à le chasser du tribunal. Il a été mis en accusation devant le Congrès. »

Je laissai échapper un petit cri. Je ne pouvais imaginer plus grande humiliation pour notre père.

« Pour quelles raisons ? demanda Burke, suffisamment scandalisé.

— Ils affirment qu'il est devenu partial et trop vertueux dans ses jugements. » Il hésita. « Il est accusé d'incompétence. Ah, tout cela, c'est de la politique. » Il eut un geste plein de dédain et je regardai le fourneau de sa pipe rougeoyer dans la brise.

Toute étincelle de joie que j'aurais pu espérer de la part de ma famille à l'annonce de mes fiançailles, toute punition que j'aurais pu craindre en acceptant cette proposition sans permission, tout fut dévoré par le procès de Père. Devant la nouvelle, Mère se contenta de dire : « Bravo, Sarah » comme si elle vérifiait une de mes broderies. Quant à Père, il n'eut aucune réaction.

Durant tout l'hiver, il resta cloîtré dans la bibliothèque jour et nuit avec Thomas, Frederick et Mr. Daniel Huger, un ami juriste de Père connu pour éviscérer légalement ses adversaires. Mon ouïe était presque surnaturelle, affinée par des années d'écoute impunie et je surpris des bribes de conversation pendant que j'étais assise à la table de jeux dans le grand couloir, faisant semblant de lire.

« John, vous n'avez reçu ni argent, ni faveurs. Vous n'êtes accusé de rien qui relève de la juridiction criminelle.

— Être accusé d'incompétence n'est-il pas déjà assez grave ? Ils m'accusent d'être partial ! La rue et la presse ne parlent que de ça. Je suis brisé, quoi qu'il en soit.

— Père, vous avez des amis à la chambre des lois.

— Ne t'y trompe pas, Thomas, ce que j'ai, ce sont des ennemis. Des salauds sournois venus du Nord, cherchant à se placer.

— Il leur est impossible d'obtenir une majorité aux deux tiers.

— Faites-en de la chair à pâtée, Daniel, vous m'entendez ? Donnez-les à manger aux chiens.

Lorsque le procès se déroula ce printemps-là devant la Chambre des représentants de Columbia, Mr. Huger accusa les ennemis de Père de vouloir se venger, mettant à nu leur complicité politique avec une telle force que Père fut acquitté en une seule journée ; cependant, le vote avait été dangereusement serré et il revint à Charleston disculpé mais sali.

À cinquante-neuf ans, Père devint soudain un vieillard. Il avait le visage défait et ses vêtements flottaient comme s'il s'était desséché dedans. Sa main droite se mit à trembler en permanence.

Les mois passaient et Burke venait me faire la cour une fois par semaine dans le salon, où nous avions droit à des visites sans chaperon. Ces rendez-vous étaient marqués par la même ardeur excessive que nous avions partagée dans le bosquet de camélias et je cédais, en mettant autant de barrières que je le pouvais. Je considérais que c'était un miracle divin si nous n'étions pas découverts, même si j'étais persuadée que ce n'était pas à Dieu que nous devions d'être invisibles, mais à l'inattention familiale. Père continuait à traîner les pieds tout en se ratatinant, la main enfoncée dans sa poche pour masquer son tremblement. Il vivait de plus en plus en reclus. Et moi, j'étais en train de devenir une vraie Jézabel.

Handful

Mauma arrivait pas à dormir. Elle était debout à farfouiller dans la pièce comme à l'accoutumée. Elle ignorait le sens de l'expression « discrète comme une souris ». J'étais couchée sur la paillasse sur laquelle nous avions toujours dormi, en me demandant ce qu'elle pouvait bien avoir en tête cette fois. Je ne dormais plus par terre devant la chambre de Sarah depuis belle lurette, j'avais pris cette décision toute seule et personne n'avait protesté, pas même Missus. Ces dernières années, sa méchanceté était devenue imprévisible.

Mauma a tiré sa chaise jusqu'à l'aplomb du vasistas et elle s'est tordu le cou pour voir un morceau de ciel de l'autre côté du mur. Je l'ai observée s'installer pour mieux le regarder.

Pendant la plupart de ses insomnies, elle allumait la lampe et elle cousait son quilt-histoire. Elle travaillait de façon intermittente sur ces carrés de quilt depuis plus de deux ans. « S'il y a le feu et que je suis pas là, c'est ça que tu dois prendre, elle m'avait dit. Tu sauves les carrés parce que c'est des morceaux de moi exactement comme la prunelle de mes yeux. »

Je l'embêtais tout le temps parce que je voulais voir ceux qu'elle avait finis mais elle tenait bon. Mauma, elle appréciait les bonnes surprises. Elle voulait dévoiler son quilt comme on dévoile une statue de marbre. Elle avait couché son histoire sur un quilt, comme tout bon membre du peuple Fon, et elle entendait bien la montrer en entier, d'un seul coup, pas par petits bouts.

La veille encore, elle m'avait dit : « Tu attends. Je suis presque prête à descendre le cadre pour commencer à coudre les carrés ensemble. »

Elle gardait les carrés enfermés à clé dans un coffre en bois qu'elle avait traîné de la resserre au sous-sol. Il sentait mauvais, ce coffre, une odeur de renfermé. À l'intérieur, nous avions trouvé des œufs de papillons morts, moisis, et une petite clé. Elle l'a nettoyé avec de l'huile de graine de lin puis elle a rangé les carrés dedans, enveloppés dans de la mousseline. J'ai deviné que c'était là qu'elle cachait également l'argent de notre liberté, parce que juste après ça, les billets ont disparu du sac de jute.

La dernière fois que je les avais comptés, elle avait économisé quatre cents dollars tout rond.

Allongée dans le lit, j'étais en train de compter dans ma tête – il nous fallait encore six cent cinquante dollars pour pouvoir nous racheter toutes les deux.

J'ai brisé le silence. « C'est ça que tu vas faire pendant toute la nuit – rester assise dans l'obscurité à regarder fixement un trou dans le mur ?

— Y a un truc qui faut faire. Rendors-toi. »

Rendors-toi – ça c'était vraiment inutile.

« Où caches-tu la clé du coffre ?

— Et toi, c'est comme ça que tu vas tourner ? Rester couchée là à imaginer comment tu peux lorgner mon quilt ? La clé est planquée au dos de nulle part. »

Je n'ai pas insisté et mes pensées se sont échappées vers Sarah.

Ce Mr. Williams ne me plaisait pas beaucoup. La seule chose qu'il m'avait jamais dite, c'était « Barre-toi d'ici vite fait ». J'étais en train de préparer le feu dans le salon pour que ce type ait bien chaud et voilà ce qu'il avait à dire, *Barre-toi d'ici vite fait.*

J'imaginais pas Sarah mariée avec lui pas plus que je m'imaginais mariée avec Goodis. Il me courait toujours après, parce qu'il voulait on sait quoi. Mauma disait vas-y, dis-lui qu'il peut toujours se brosser.

Hier, Sarah a demandé : « Quand je me marierai, tu viendras vivre avec moi ?

— Et quitter mauma ? »

Très vite, elle a dit : « Oh, tu n'es pas obligée... J'ai simplement pensé... Eh bien, tu me manqueras. »

Même si nous n'avons plus grand-chose à nous dire désormais, je détestais l'idée de devoir la quitter. « Je pense que vous me manquerez, vous aussi », j'ai répondu.

De l'autre côté de la pièce, mauma a demandé : « Quel âge tu crois que j'ai ? » Elle n'avait jamais su son âge très précisément, elle n'avait aucun repère. « Je crois que j'ai dû t'avoir quand j'avais à peu près ton âge aujourd'hui et toi, tu as dix-neuf ans. Ça me ferait quel âge, alors ? »

J'ai compté dans ma tête. « Tu as trente-huit ans.

— C'est pas trop vieux. »

On est restées comme ça un petit moment, mauma à fixer la fenêtre en réfléchissant à son âge et moi couchée dans le lit, bien réveillée, quand elle s'est écriée : « Regarde, Handful ! Regarde là ! »

Elle s'est levée d'un bond. « Il va y en avoir une autre ! »

J'ai sauté hors du lit.

« Les étoiles, elle a dit. Elles sont en train de tomber exactement comme pour ta granny-mauma. Viens vite. Dépêche-toi. »

On s'est jetées sur nos chaussures et nos manteaux en toile de sac, on a attrapé un vieux quilt et on est sorties, mauma fonçant dans la cour, moi deux pas derrière.

On a étalé le quilt par terre dans l'espace découvert derrière l'arbre des âmes et on s'est allongées dessus. Dès que j'ai regardé le ciel, la nuit s'est ouverte et les étoiles se sont mises à pleuvoir.

Chaque fois qu'une étoile passait en laissant une trace dans le ciel, mauma laissait échapper un petit rire.

Lorsque les étoiles ont cessé de tomber et que le ciel s'est calmé, j'ai vu qu'elle caressait à deux mains son petit ventre rond.

Et j'ai compris alors ce pour quoi elle n'était pas trop vieille.

Sarah

« Sarah, tu devrais t'asseoir. Je t'en prie. »

Voilà comment Thomas commença. Il désignait deux chaises à côté de la fenêtre qui donnait sur la terrasse couverte mais je fus la seule à m'asseoir. Il était midi et demi, et mon frère était là, mon frère, l'avocat très *au courant* du barreau de Charleston, qui interrompait ses consultations pour venir discuter avec moi dans l'intimité de ma chambre. Son visage était pâle, ce que j'interprétais comme de la peur.

Naturellement, je pensai à Père. Il était difficile ne serait-ce que de le regarder ces jours-ci sans s'inquiéter pour lui, cet homme maigre, comme creusé de l'intérieur, avec sa démarche hésitante et sa main tremblante. En dépit de tout cela, il y avait eu une amélioration ces derniers temps, suffisamment pour qu'il pût retourner à ses tâches judiciaires.

La semaine précédente, je l'avais croisé en train de se déplacer péniblement dans le couloir, appuyé sur sa canne. Cela m'avait rappelé une vieille illustration dans notre catéchisme de l'école du dimanche ; on y voyait Lazare ressortant du tombeau avec son suaire retenu aux chevilles. La main gauche de Père tremblait comme s'il faisait signe à quelqu'un. Il n'avait pas remarqué ma présence et, cette main, il s'en empara avec violence, tentant de la maîtriser. Dès qu'il m'aperçut, il dit : « Oh, Sarah. Dieu est impitoyable avec les vieillards. » Je l'accompagnai jusqu'à la porte, avançant avec une lenteur égale à la sienne, ce qui ne faisait que souligner sa faiblesse.

« Alors, dis-moi, quand vas-tu te marier ? »

C'était l'unique question qu'on me posait désormais mais, de la part de Père, cela me fit m'immobiliser. J'étais fiancée avec Burke depuis le mois de févrrier et pas une seule fois Père n'y avait fait ne serait-ce qu'allusion. Je ne lui en avais pas voulu d'avoir raté la fête donnée pour mes fiançailles, dont Thomas et Sally avaient été les charmants hôtes – il était cloué au lit à ce moment-là –, mais depuis il y avait eu tant de mois de silence.

« Je ne sais pas, répondis-je. Burke attend que son père lui cède l'affaire. Il tient à être dans une situation favorable.

— Ah oui ? »

La réplique était faite sur un ton sardonique et je me dispensai de répondre.

Il était désormais difficile de se souvenir de cette époque où Père me laissait piller ses livres et se réjouissait de mes discours. Il existait alors un lien invisible entre nous et j'essayais de retrouver à quel moment exactement il avait été rompu. Le jour où il m'avait interdit la lecture ? Lors de la fête d'adieu de Thomas, quand il avait glapi toutes ces méchancetés ? *Tu te couvres de honte ! Tu nous couvres tous de honte. D'où te vient donc l'idée que tu pourrais étudier le droit ?*

« Je te le rappelle, Sarah, le divorce n'est pas légal dans notre État, était-il en train de dire. Une fois qu'on est mariés, le contrat est indissoluble. Tu en es bien consciente ?

— Oui, Père, je le sais. »

Il hocha la tête avec ce qui ressemblait à une triste approbation.

Avant que Thomas ne révèle ses informations, ce fut l'ultime moment où mon esprit s'embrasa à propos de Père et de notre dernière rencontre, à propos de sa faiblesse.

« Tu as toujours été ma sœur préférée, déclara Thomas. Tu le sais. À la vérité, de tous mes frères et sœurs, tu es la préférée. »

Il s'interrompit, hésitant, fixant le jardin de l'autre côté de la terrasse. J'observai une goutte de sueur glisser le long de sa tempe et s'accrocher dans le réseau de rides qui se formaient déjà. Une résignation bizarre s'abattit sur moi. *Quel que soit le drame, il a déjà eu lieu.*

«... Je t'en prie, je ne suis pas aussi fragile que tu pourrais le croire. Explique-moi les choses clairement.

— Tu as raison. Je vais parler sans détour. Je crains que Burke Williams ne se soit présenté à toi sous un faux jour. Il m'est revenu aux oreilles qu'il entretenait d'autres relations féminines. »

Refusant de comprendre le sous-entendu, je répliquai : « Sûrement, ce n'est pas un crime.

— Sarah, ces relations – elles sont également ses fiancées. »

Brusquement, je sus qu'il disait la vérité. Tant de choses s'expliquaient soudain. Cette lenteur à fixer la date du mariage. Les voyages incessants qu'il faisait pour rendre visite à sa famille ou mener ses affaires. Le fait étrange que quelqu'un d'aussi charmeur et séduisant ait jeté son dévolu sur moi.

Je sentis les larmes monter. Thomas fouilla sa poche à la recherche de son mouchoir et attendit que je m'essuie les yeux.

« Comment sais-tu cela ? demandai-je, calmée, sans aucun doute protégée par l'ampleur du choc.

— Franny, la cousine de Sally à Beaufort, a écrit pour dire qu'elle avait assisté à une réception là-bas et qu'elle avait vu Burke en train de courtiser sans se cacher une jeune femme. Elle ne lui a pas parlé, évidemment, mais elle a interrogé discrètement la jeune femme, qui lui a dit que Burke s'était récemment déclaré. »

Je gardais les yeux baissés, j'essayai de digérer ce qu'il venait de dire. « Mais pourquoi ? Pourquoi ferait-il une chose pareille ? Je ne comprends pas. »

Thomas s'assit et me saisit la main. « Il fait partie de ces hommes qui s'en prennent aux jeunes dames. On entend parler de ce genre de choses maintenant. Il existe des jeunes gens prêts à multiplier les fiancées afin de ... » Il s'interrompit. « Afin d'attirer les femmes dans des liaisons charnelles. Ils racontent aux femmes que, une fois promis les liens du mariage, de telles concessions sont acceptables. » Il ne parvenait pas à me regarder en face. « J'espère qu'il n'a pas pris avantage...

— Non, dis-je. Non, il n'a pas fait ça. »

Thomas poussa un soupir de soulagement qui me gêna par son ampleur.

« Tu as dit *des* fiancées. En dehors de cette relation de Beaufort, il y en a une autre ?

— Oui. Je crois qu'elle vit à Savannah.

— Et celle-ci, comment as-tu appris son existence ? Pas par une autre cousine, j'espère. »

Il me fit un petit sourire. « Non, celle-ci, j'en ai entendu parler par Burke lui-même. Je l'ai confronté hier soir. Il a avoué ces deux jeunes dames.

— Tu l'as confronté ? Mais pourquoi ne m'as-tu pas prévenue...

— Je voulais t'épargner la honte et le chagrin. Nos deux parents étaient d'accord pour te laisser en dehors de cela. Tu n'as plus aucune raison de jamais le revoir. J'ai rompu vos fiançailles à ta place. »

Comment as-tu pu faire une chose pareille ? Il m'avait dépossédée de toute occasion de châtiment personnel. Sur le coup, j'étais plus en colère contre la protection infantilisante de Thomas que contre la cruauté de Burke. Je me levai d'un bond et lui tournai le dos, m'étouffant presque sous les pelletées de mots mordants.

« Je sais ce que tu dois ressentir, dit-il derrière moi. Mais c'est mieux ainsi. »

Il ignorait tout de ce que je ressentais. J'avais envie de me mettre en colère contre lui qui osait prononcer des mots aussi arrogants mais, lorsque je fis volte-face, je vis qu'il avait les yeux pleins de larmes et je me contraignis à lui parler d'un ton courtois. « ... Je voudrais rester seule. S'il te plaît. »

Il se leva. « Encore une chose. Il faudra que tu te retires de la vie sociale pendant quelque temps. Mère estime que trois semaines suffiront pour que les commérages s'épuisent. Ensuite, tu pourras revenir en société. »

Il me laissa près de la fenêtre, submergée de colère et d'humiliation, et rien ni personne à accabler d'injures si ce n'était moi-même. Comment avais-je pu tomber entre les pattes d'un individu aussi lascif ? Étais-je si entichée, si aveugle, manquais-je à ce point d'affection que j'avais pu imaginer qu'il m'aimait, moi ? Je voyais mon reflet dans la vitre, le visage rond et rouge, le long nez de Père, les yeux pâles, les cheveux décolorés. J'avais coupé une mèche de ces cheveux pour lui. Ça avait dû le faire bien rire.

J'allai prendre la lettre où il demandait ma main. Je ne la relus pas, je la déchirai en autant de morceaux que cela fut possible. Ils tombèrent sur le bureau, sur le tapis et dans les plis de ma jupe.

C'était l'époque de l'année où les corbeaux migrateurs traversaient le ciel, hordes torrentielles qui se déplaçaient comme un seul voile et je les entendais, dehors dans l'air indompté plein de pépiements. Je me tournai vers la fenêtre, je regardai les oiseaux remplir le ciel avant de disparaître et, quand l'air redevint immobile, je scrutai longuement l'endroit vide où ils avaient été.

Handful

Sarah était dans sa chambre avec le cœur tellement brisé que Binah disait qu'on l'entendait tinter quand elle marchait. Son frère, Thomas, n'avait même pas encore mis son chapeau pour partir que toute la maison était déjà au courant de ce qui s'était passé. Mr. Williams s'était octroyé deux autres fiancées. Et maintenant, qui donc était obligé de se barrer vite fait ?

À l'heure du thé, Missus a dit à Tomfry : « Sarah ne recevra aucune visite pendant les trois semaines qui viennent. Explique à tous les visiteurs qu'elle est souffrante. *Souffrante*, Tomfry. C'est le terme que je souhaite te voir employer.

— Oui, m'dame. »

Missus m'a vue rôder dans les parages. « Cesse de traîner, Hetty, et apporte donc un plateau dans la chambre de Sarah. »

Je l'ai préparé mais je savais qu'elle n'y toucherait pas. J'ai fait la tisane d'hysope qu'elle aimait en pensant à nous deux quand nous étions petites, comment nous en avions bu sur le toit, elle qui m'avait parlé du bouton d'argent et de son grand projet. Depuis qu'elle l'avait jeté, ce bouton, je l'avais porté dans ma pochette autour du cou presque tous les jours.

Je me suis glissée dans l'office, j'ai enlevé ma pochette et j'en ai sorti le bouton. Il était tout terni. On aurait dit un gros grain de raisin bien fripé. Je l'ai examiné pendant une minute puis j'ai pris un chiffon et je l'ai astiqué jusqu'à ce qu'il brille.

Sarah était à son bureau en train d'écrire dans un cahier. Elle avait les yeux tellement rouges à force de pleurer que je ne comprenais même pas comment elle voyait suffisamment pour écrire. J'ai posé le plateau devant elle. J'ai dit : « Regardez ce qu'il y a sur la soucoupe. »

Elle n'avait plus jamais revu le bouton depuis toutes ces années mais elle a compris immédiatement de quoi il s'agissait. « Mais comment... Handful, tu l'avais récupéré ? »

Elle n'y a pas touché. Elle s'est contentée de le regarder.

« Eh ben voilà, j'ai dit, il est là. »

Et je suis sortie.

Sarah

Le lendemain matin, en dépit de mes protestations, Mère envoya Nina passer la journée avec une des petites filles Smith, dont la famille n'habitait pas très loin de la *Work House*. Durant sa dernière visite chez eux, Nina avait entendu des cris portés par le vent et elle s'était levée d'un bond, affolée, éparpillant les osselets sur la véranda. À l'époque, ma sœur ignorait tout de la chambre des tortures de Charleston – j'avais essayé de la protéger de cela –, mais les garçons Smith n'avaient pas de tels scrupules. Ils lui expliquèrent que les cris qu'elle entendait étaient ceux d'un esclave dans la pièce réservée aux séances de fouet, qu'ils lui décrivirent avec force détails macabres. Apparemment, il y avait une grue avec des poulies au moyen desquelles on levait les mains liées des esclaves au-dessus de leur tête alors qu'ils avaient les pieds enchaînés à une planche. Les garçons lui racontèrent encore d'autres supplices qu'elle me répéta en sanglotant, des histoires d'oreilles coupées et de dents arrachées, de colliers à pointes et d'une espèce de cage à oiseau dans laquelle on enfermait la tête de l'esclave.

J'avais promis à Nina qu'elle ne serait pas obligée d'y retourner. Mais désormais, avec la carrière de Père dans une situation désespérée, Mère ne reculait plus devant la nécessité d'utiliser une enfant de sept ans pour s'introduire chez les Smith, une famille politiquement influente.

La pluie se mit à tomber peu de temps après le départ de Nina, une pluie diluvienne au pic de la marée haute, qui transforma les rues en torrents de boue. En début d'après-midi, alors que la tempête s'était éloignée en mer, je ne pus y tenir davantage. Je mis le vieux chapeau d'équitation de Mary, qui avait un voile, et je me glissai dehors par la porte de derrière, bien déterminée à récupérer ma sœur à tout prix.

Sabe n'était pas à l'écurie, il n'y avait que Goodis, ce qui était tout aussi bien car j'avais le sentiment de pouvoir lui faire davantage confiance. « Je suis que le valet de pied, j'ai pas le droit de conduire la voiture », me dit-il. Je dus insister mais je finis par le convaincre que c'était une sortie urgente et finalement nous partîmes dans le nouveau cabriolet.

Ce jour-là, un événement météorologique mettait la ville en effervescence – un orage de comète, disait-on. Même les gens raisonnables comme Père et Thomas avaient parlé d'apocalypse, mais je savais que le scandale de mon histoire avec Burke se discutait dans les salons de Charleston avec plus de passion que la fin du monde. Cependant, le cabriolet était suffisamment neuf pour passer inaperçu dans la rue et avec la capote relevée, plus le chapeau de Mary, je ne voyais pas comment on aurait pu me reconnaître. Avec un peu de chance, Mère n'apprendrait jamais que j'avais mis fin à ma réclusion.

Inquiète pour Nina, je fermai les yeux pour mieux m'imaginer en train de la prendre dans mes bras. Il y eut soudain une secousse épouvantable et la voiture s'arrêta brutalement en plein milieu de Coming Street, la roue droite profondément embourbée.

Goodis encouragea le cheval d'un coup de fouet, puis descendit tirer sur la bride et le collier. La jument, connue pour être particulièrement rancunière, secoua la tête et recula, enfonçant la voiture un peu plus. J'entendis Goodis jurer à voix basse.

Il souleva l'arrière de la voiture, ce qui la fit balancer un peu mais rien de plus. « Restez là où vous êtes, me dit-il. Je vais chercher de l'aide. »

Tandis qu'il s'éloignait d'un pas lourd, j'examinai la rue. En dépit de l'humidité ambiante, il y avait des dames dehors en train de se promener, des hommes rassemblés en conclaves, des colporteurs nègres portant des bacs à crevettes et des paniers de petits pâtés français à la noix de coco. Je touchai avec nervosité le voile qui dissimulait mon visage et ce fut à ce moment que j'aperçus Charlotte ; elle se dirigeait vers Bull Street.

Elle avançait comme une funambule, progressant sur une étroite bande d'herbe qui courait le long d'un mur de briques. Elle avait noué son bandana rouge bas sur le front et portait un panier gonflé d'étoffes, sans se rendre compte ni de ma présence ni de celle d'une femme à la peau blanche, élégamment vêtue, qui venait vers elle sur cette même bande d'herbe. L'une des deux allait être obligée de faire demi-tour et de repartir jusqu'à l'endroit où commençait le mur de briques, ou sinon céder le passage en descendant sur la chaussée boueuse. Pareils face-à-face se présentaient si souvent dans les rues qu'un décret municipal avait été promulgué, exigeant la déférence des esclaves. Si l'esclave en question n'avait pas été Charlotte – mais Binah, Aunt-Sister, Cindie ou même Handful –, je ne me serais pas fait autant de souci.

Les deux femmes s'arrêtèrent à quelques mètres l'une de l'autre. La blanche leva son parapluie pour taper sur le bras de Charlotte. *Descends de là tout de suite. Du balai !*

Charlotte resta absolument immobile. On aurait dit qu'elle s'était enracinée sur place. Le parapluie revint lui donner un petit coup : *allez ouste !*

Elles échangèrent quelques mots que je n'entendis pas, le ton monta, ramures déchiquetées au-dessus de leurs têtes. Je regardai autour de moi, cherchant frénétiquement Goodis.

Un homme vêtu de l'uniforme de la Garde civile arrêta son cheval au milieu de la rue. « Pousse-toi de là, négresse ! » cria-t-il. Il mit pied à terre et tendit les rênes à un jeune esclave qui traînait là, tirant un cheval de trait.

Sans laisser au garde le temps d'intervenir, Charlotte lança son panier. Il s'éleva dans l'air en formant un arc, déversant ce que je compris être des bonnets avant de s'écraser sur le bras de la femme, ce qui lui fit perdre l'équilibre. La boue dans la rue avait la consistance du pudding, gluante et brun pâle comme du tapioca, et lorsque la femme y tomba, assise sur son séant, cela créa des vagues de chaque côté.

Je bondis hors de la voiture et je courus vers elles sans songer à ce que j'allais faire. Le garde avait saisi Charlotte par les bras, aidé par un autre qu'il avait enrôlé. Ils l'entraînèrent tandis qu'elle se débattait, toutes griffes dehors sans cesser de cracher.

Je les suivis jusqu'à Beaufain où les hommes réquisitionnèrent un chariot ; ils l'obligèrent à monter dedans, la jetant à plat ventre. Le garde s'assit sur elle. Le conducteur fit claquer les rênes, les chevaux s'ébrouèrent et je ne pus que rester là, toute maculée de la boue de la chaussée.

Je repoussai les voiles de mon chapeau et je criai son nom : « *Charlotte !* »

Elle me vit. Sans laisser échapper le moindre son, elle soutint mon regard tandis que le chariot s'éloignait.

Handful

Mauma a disparu deux jours après que nous avons vu les étoiles tomber.

Nous étions dans la cour près de la barrière du fond. Elle avait son foulard rouge sur la tête et elle portait sa belle robe, celle qui était teinte en indigo. Son tablier était repassé et amidonné. Elle avait passé de l'huile sur ses lèvres et emprunté les bracelets à cawries de Binah pour orner ses poignets. Dans la lumière du soleil, sa peau brillait comme de l'or et ses yeux scintillaient comme les cailloux d'une rivière. C'est ainsi que je la vois désormais dans mes rêves, avec l'allure qu'elle avait ce jour-là. Presque heureuse.

Elle a épinglé sa médaille d'esclave, avec une certaine hâte. Elle avait obtenu la permission de livrer les bonnets qu'elle venait d'achever mais je savais que, sans attendre d'avoir vidé son panier, elle serait allée rendre visite à cet homme, Mr. Vesey.

J'ai dit : « Fais attention que ta médaille soit bien accrochée. »

Mauma détestait que je l'embête. « Elle est bien accrochée, Handful. Elle va pas disparaître.

— Et ta pochette ? »

Je ne la voyais pas gonfler l'encolure de sa robe comme d'habitude. Nos deux pochettes, je les remplissais régulièrement de débris tombés de notre arbre et je tenais à ce qu'elle porte la sienne, avec moi qui me donnais tant de mal et elle qui avait besoin de toute la protection qu'elle pouvait trouver. Elle a été la pêcher dans la profondeur de ses seins. Ses doigts étaient encore tachés de noir par la poudre de charbon qu'elle utilisait pour tracer le dessin de ses bonnets.

J'avais envie de lui poser bien d'autres questions. *Pourquoi tu as mis ta belle robe avec toute cette boue qu'il y a dehors ? Quand as-tu l'intention de me parler du bébé ? Et maintenant, il va falloir racheter notre liberté à tous les trois ?* Mais j'ai mis tout ça de côté pour plus tard.

J'ai traîné là pendant que Tomfry déverrouillait la porte pour la laisser sortir. Une fois dans la ruelle, elle s'est retournée pour me regarder et puis elle est partie.

Après le départ de mauma ce jour-là, j'ai tout fait comme d'habitude. J'ai coupé les manches et les cols des chemises de travail prévues pour les esclaves, je me suis occupée des napperons à éclaboussures de Missus, ces carrés de tissu qu'on fixe derrière les cuvettes parce que Dieu interdit qu'on balance une goutte d'eau sur le mur. Chacun de ces napperons doit être brodé de bas en haut.

Au milieu de l'après-midi, je suis allée aux cabinets. Le soleil était revenu et le ciel était aussi bleu que les bleuets. Aunt-Sister s'activait dans la cuisine pour préparer des pommes cuites dans la crème, ce qu'on appelle un pudding nid d'oiseau et l'air embaumait. Je m'apprêtais à rentrer dans la maison, appréciant ce parfum après être passée aux toilettes, quand la voiture a surgi brutalement dans la cour avec Sarah et Nina à l'intérieur. Elles avaient toutes les deux l'air absolument terrifié. Et voyez donc qui conduisait. Goodis. La voiture à peine arrêtée, elles ont mis pied à terre. Elles sont passées devant moi sans dire un mot et elles ont filé vers la maison. La petite cape de voyage grise que j'avais cousue pour Nina flottait derrière elle comme une aile de colombe.

Goodis m'a jeté un long regard de pitié avant d'emmener le cheval dans l'écurie.

Quand les ombres ont commencé à s'allonger, je me suis assise sur les marches de la véranda, devant la cuisine, et j'ai surveillé la barrière, attendant mauma. De l'autre côté de la cour, devant l'écurie, Goodis montait la garde avec moi tout en sculptant un morceau de bois. Il savait quelque chose que moi, j'ignorais.

L'odeur des pommes cuites flottait encore dans l'air quand Aunt-Sister et Phoebe ont tout nettoyé et éteint les lampes. L'obscurité est venue, et pas de lune.

Sarah m'a trouvée toute recroquevillée sur les marches. Elle s'est assise à côté de moi.

« … Handful. Je tenais à te prévenir moi-même.

— Il s'agit de mauma, c'est ça ?

— Elle s'est disputée avec une Blanche… Cette dame tenait à ce qu'elle lui cède le passage. Elle a poussé ta mère avec son parapluie et… tu connais ta mère, elle n'a pas voulu la laisser passer. Elle… elle a frappé la dame. »

Sarah a soupiré et, dans l'obscurité, elle m'a pris la main. « La Garde civile était là. Ils l'ont emmenée. »

Pendant tout ce temps, moi, j'avais attendu qu'elle m'annonce que mauma était morte. J'ai senti l'espoir revenir. « Où elle est ? »

Sarah a détourné les yeux. « … C'est ce que j'ai essayé d'apprendre… Nous ne savons pas où elle est… Ils l'avaient emmenée à la garnison mais quand Thomas y est allé pour payer l'amende, on lui a dit que Charlotte avait réussi à se libérer… Apparemment, elle s'est enfuie… Ils ont dit que la Garde s'était lancée à sa poursuite mais ils l'ont perdue dans les ruelles. Ils sont dehors en train de la chercher, en ce moment même. »

Je n'entendais plus rien d'autre que le bruit des respirations – Sarah, Goodis de l'autre côté de la cour, les chevaux dans l'écurie, les animaux dans les buissons, les Blancs dans leurs lits de plumes, les esclaves sur leurs paillasses épaisses comme des gaufrettes. Tout respirait, tout sauf moi.

Sarah m'a accompagnée au sous-sol. Elle a dit : « Est-ce que tu voudrais un peu de thé chaud ? Je peux mettre du cognac dedans. »

J'ai secoué la tête. Elle avait envie de me serrer contre elle pour me consoler, je le voyais bien, mais elle se retenait. Au lieu de ça, elle a posé doucement la main sur mon bras et elle a dit : « Elle va revenir. »

Je me suis répété ces mots-là pendant toute la nuit.

Je ne savais pas du tout comment aborder le monde sans elle.

Sarah

La disparition de Charlotte représenta une diversion aussi sévère qu'épouvantable, car plus d'une fois durant les semaines douloureuses qui suivirent la trahison de Burke, je ne savais plus lequel de ces événements était tragique et l'autre simplement fâcheux.

Quelqu'un – Mère, Père, peut-être Thomas – fit passer une annonce dans le *Charleston Mercury*.

DISPARITION D'UNE ESCLAVE

Mulâtresse. Dents de devant très écartées. Boiterie intermittente. Répond au nom de Charlotte. Vêtue d'un foulard rouge et d'une robe bleu foncé. Excellente couturière valant cher. Appartient au juge John Grimké. Grosse récompense à qui la ramènera.

Cet appel ne provoqua aucune réaction.

Tous les jours, je regardais par la fenêtre de ma chambre Handful effectuer le même circuit dans la cour. Parfois, elle marchait pendant toute la matinée. Elle ne variait jamais son itinéraire, elle commençait derrière la maison, elle se dirigeait vers la cuisine, elle arrivait devant la buanderie, elle coupait vers le chêne, dont elle touchait le tronc, puis elle revenait vers la maison en passant par l'écurie et la remise des voitures. Dès qu'elle parvenait aux marches de la véranda, elle recommençait le même tour. Cette déambulation en cercle, si précise, représentait une telle ritualisation de la douleur que personne ne s'en mêlait. Même Mère la laissait creuser cette ornière d'angoisse dans la cour.

Si je pleurais, ce n'était pas tant la perte de Burke et la fin de nos projets de mariage. Je n'avais pas le sentiment d'avoir le cœur brisé. N'était-ce pas étrange ? Des larmes, j'en versais des litres, mais essentiellement parce que j'avais honte de ce qui s'était produit.

Je ne cherchai plus jamais à rompre mon isolement. Au contraire, je m'y réfugiai.

Presque quotidiennement, je recevais des messages pleins d'inquiétude écrits en style fleuri. La terre entière priait pour moi. On espérait que ma réputation n'allait pas trop en souffrir. Étais-je au courant que Burke avait quitté la ville et s'était installé chez son oncle à Columbia ? N'était-ce pas vraiment dommage que sa mère soit tombée malade, une crise d'apoplexie ? Et ma propre mère, comment supportait-elle cette situation ? On regrettait que je ne fusse pas là pour le thé mais mon absence était vivement conseillée. Je ne devais pas désespérer, à coup sûr un jeune homme allait se présenter qui ne serait pas rebuté par le déshonneur que j'avais vécu.

Un mois après la disparition de Charlotte, un vent glacé fit tomber presque toutes les feuilles du chêne. Handful continuait obsessionnellement à parcourir son circuit tous les matins mais désormais, elle se contentait d'un tour rapide. La semaine précédente, Mère avait mis un point d'arrêt à ces déambulations incessantes en la renvoyant accomplir ses tâches. La saison avec son quota de robes attendait – désormais, tous les travaux de couture allaient retomber sur Handful. Charlotte était partie. Plus personne ne croyait à son retour.

J'avais réussi à transformer mes trois semaines de réclusion en quatre mais, cette fois, le délai de grâce avait expiré. À moi aussi, Mère avait ordonné de reprendre mes obligations : trouver un mari. Elle m'avait expliqué qu'un canot à rames traversant l'Atlantique pouvait toujours être sauvé par un navire qui passait, mais uniquement si le canot dansait vaillamment sur les flots – cela étant la malheureuse métaphore de mes perspectives conjugales. Ma sœur Mary me prodigua des encouragements similaires. «Relève le menton, Sarah. Comporte-toi comme s'il n'était rien arrivé. Montre-toi joyeuse et agis avec assurance. Tu trouveras un mari, si Dieu le veut.»

Si Dieu le veut. Comme cela me frappe bizarrement, aujourd'hui.

Le soir où ma solitude devait prendre fin, je me jetai dans la vie sociale en assistant à une conférence prononcée par le révérend Henry Kollack, un prédicateur célèbre de la Second Presbyterian Church. Ce n'était pas du tout l'idée que Mère se faisait de ma remise à flot. L'Église épiscopale pouvait passer pour de la vie sociale, mais certainement pas les presbytériens avec leur revivalisme et leurs cris de repentir – mais elle ne fit aucune objection. Au moins, je me décidais à ramer, n'est-ce pas?

Assise sur un banc à côté de la pieuse amie qui m'avait invitée, au début, je n'écoutais pas grand-chose. Les mots – *péché, dégradation morale, récompense* – voletaient autour de ma conscience mais, à un certain moment, je m'absorbais de façon morbide dans ce discours.

Les yeux du révérend me trouvèrent – je ne pourrais le formuler autrement. Et il continua à parler sans détourner le regard. «N'êtes-vous pas écœurée par l'être frivole que vous êtes devenue? N'avez-vous pas honte de votre propre folie, n'êtes-vous pas lassée des salles de bal et de leurs jouets dorés? N'êtes-vous pas décidée à renoncer aux vanités et aux gaietés de cette vie pour le salut de votre âme?»

Je me sentais absolument interpellée, de la façon la plus directe et la plus magique. Comment pouvait-il connaître ce qu'il y avait tout au fond de moi? Comment savait-il ce que, pour le moment, j'étais la seule à pouvoir voir?

«Dieu vous appelle, cria-t-il. Dieu, votre bien-aimé, vous supplie de répondre.»

Ces mots m'enchantèrent. Ils semblaient briser quelque vaste subterfuge. J'étais assise sur ce banc, secouée mais silencieuse, tandis que le révérend Kollack me regardait maintenant d'un œil indifférent, et peut-être cela avait-il été le cas tout le temps, mais peu importait. Il avait été le porte-parole de Dieu. Il m'avait délivré de l'abîme où l'unique choix se résume à tout lâcher ou rester paralysé.

Tandis que le révérend prononçait une longue prière pleine de fermeté pour nos âmes, je pris une résolution. me Je fis le vœu de ne plus retourner dans la société. Je ne me marierai pas. Je ne me marierai jamais. Qu'ils disent tout ce qu'ils veulent, je me consacrerai à Dieu.

Deux semaines plus tard, le jour de mon vingtième anniversaire, j'entrai dans le salon où la famille s'était réunie pour me présenter ses vœux, accompagnée de Nina qui ne me lâchait pas la main. Voyant que j'avais choisi de porter une de mes robes les plus austères et aucun bijou, Mary me sourit tristement comme si j'avais revêtu une tenue de bonne sœur. J'en conclus que Mère avait confié ma conversion religieuse à mes sœurs et peut-être aussi à mon père et à mes frères.

Aunt-Sister avait préparé mon dessert préféré, un *election cake*[1] aux raisins et au sucre. Ces gâteaux étaient pétris sur une planche avec de la levure ; on les laissait monter à leur gré et celui-ci l'avait fait en toute majesté. Nina sautilla autour avec impatience jusqu'à ce que Mère demandât à Aunt-Sister de le trancher.

Père était assis avec mes frères et ils étaient plongés dans leur conversation. Je m'approchai discrètement d'eux et je compris que Thomas avait provoqué leur colère en vantant les mérites d'un projet connu sous le nom de colonisation. De ce que je pouvais comprendre, ce mot

---

1. Gâteau traditionnel américain, servi depuis le XIXe siècle, à base de fruits secs, qu'on distribuait aux fermiers qui abandonnaient leurs champs pendant quelques jours pour venir voter en ville.

n'avait pas grand-chose à voir avec l'occupation anglaise du siècle dernier et tout à voir avec les esclaves.

« ... Mais quelle est l'idée ? » demandai-je.

Ils se tournèrent vers moi comme si une mouche s'était glissée entre les lamelles des volets et bourdonnait absurdement autour d'eux.

« C'est une idée nouvelle et avancée, répondit Thomas. En dépit de ce que vous pensez tous, elle va bientôt se répandre pour prendre une ampleur nationale. Notez bien ce que je vous dis.

— Mais de quoi s'agit-il ? insistai-je.

— Il est question de libérer les esclaves et de les renvoyer en Afrique. »

Rien ne m'avait préparée à un projet aussi radical. « Mais... c'est grotesque ! »

Ma réaction les prit par surprise. Même Henry et Charles, maintenant treize et douze ans, me contemplèrent bouche bée. « Le Ciel nous protège, dit John, Sarah y est opposée ! »

Il supposait que j'avais dépassé le temps des rébellions pour devenir comme eux tous – une partisane de l'esclavage. Je ne pouvais guère lui en faire le reproche. À combien de temps remontait la dernière fois où l'un d'eux m'avait entendue m'exprimer contre cette institution ? Je m'étais égarée dans les ravissements de l'idylle, affligée de la pire malédiction féminine du monde, le besoin d'obéir à ce qu'on attendait de moi.

John se mit à rire. Un feu flambait dans la cheminée et le visage de Père était luisant de sueur. Il l'essuya et se joignit à la bonne humeur générale.

« Oui, je suis contre la colonisation », commençai-je.

Pas le moindre bafouillement au fond de ma gorge. Je m'obligeai à continuer.

« Je suis contre, repris-je, mais pas pour la raison que vous croyez. Nous devrions libérer les esclaves mais ils devraient rester ici. Comme nos égaux. »

Il y eut un drôle d'intermède pendant lequel personne ne parla. Certains membres du clergé et des femmes pieuses

tenaient de plus en plus souvent des discours qui prô-
naient de traiter les esclaves avec une compassion toute
chrétienne et, de temps à autre, quelque belle âme envisageait même de les libérer. Mais l'égalité, c'était insensé !

Légalement, un esclave n'était que les trois cinquièmes
d'un individu. Il me vint à l'esprit que ce que je venais juste
de proposer paraissait primordial par rapport à l'égalité
du végétal et de l'animal, de l'animal et de l'humain, de la
femme et de l'homme, de l'homme et de l'ange. J'étais en
train de renverser l'ordre de la création. Le plus étrange,
c'est que c'était la première fois que des idées d'égalité me
venaient en tête et je ne pouvais les attribuer qu'à Dieu,
avec qui j'avais discuté ces derniers temps et qui se révélait plus insurrectionnel que respectueux de la loi.

« Grand Dieu, aurais-tu appris cela chez les presbytériens ? demanda Père. Affirment-ils vraiment que les
esclaves devraient vivre avec nous sur un pied d'égalité ? »

La question était sarcastique, destinée à mes frères,
mais j'y répondis quand même.

« Non, Père, c'est moi qui l'affirme. »

Tout en parlant, je fus submergée par un flot d'images,
toutes concernant Handful. Handful toute petite, avec son
nœud lavande autour du cou. Handful remplissant la maison de fumée. Handful apprenant à lire. Buvant du thé sur
le toit. Je la vis en train de se faire fouetter. Entourant le
chêne de fil volé. Se baignant dans la baignoire de cuivre.
Créant de vrais chefs-d'œuvre. Faisant son deuil à force de
tourner en rond. Je vis tout tel que c'était.

Handful

Mauma était partie aussi sûr que je suis assise ici et je pouvais rien faire sauf arpenter la cour pour essayer de canaliser mon chagrin. La triste vérité, c'est qu'on peut marcher à s'en coller des ampoules aux pieds, marcher jusqu'à l'avènement du royaume de Dieu et jamais on réussira à surmonter sa peine. Décembre est arrivé, j'ai arrêté tout ça. J'ai interrompu mon circuit près du tas de bois, là où on avait pris l'habitude de nourrir la petite chouette y a bien longtemps de ça et j'ai dit à voix haute : « Bon Dieu, comment t'as pu te sauver toute seule ? Comment t'as pu me laisser avec rien d'autre que t'aimer et te détester et ça, ça va me tuer, et tu le sais parfaitement. »

Puis j'ai fait demi-tour, je suis rentrée dans la pièce du sous-sol et je me suis remise à coudre.

Croyez-moi, elle était dans chaque point que je faisais. Elle était dans le vent, dans la pluie et dans les couinements du fauteuil à bascule. Elle se perchait sur le mur avec les oiseaux et elle me regardait. Quand l'obscurité tombait, elle tombait avec.

Un jour, avant que commence la période de Noël, mon regard s'est posé sur le coffre en bois par terre, derrière le sac de jute de mauma.

J'ai dit : « Alors, où est-ce que tu as bien pu mettre la clé ? »

J'en étais arrivée à lui parler tout le temps. Je l'entendais pas me répondre, donc j'avais pas encore perdu la boule. J'ai retourné la pièce de fond en comble et la clé n'était nulle part. Elle l'avait peut-être dans sa poche au moment de sa disparition. On avait une hache dans l'appentis mais l'idée de couper le coffre en deux me faisait horreur. J'ai dit : « Si j'étais toi, où est-ce que j'aurais planqué la clé enfermant les seuls et uniques trésors que je possède ? »

J'ai réfléchi un petit moment. Et puis, j'ai levé les yeux vers le plafond. Vers le cadre à quilt. Les roues de la poulie étaient huilées de frais. Elles n'ont pas grincé du tout quand j'ai fait descendre le cadre. Forcément. La clé se trouvait dans une rainure le long d'une des planches.

À l'intérieur du coffre, il y avait un gros paquet enveloppé de toile mousseline. Je l'ai déplié et j'ai senti l'odeur de mauma, une odeur salée. J'ai dû m'interrompre une minute pour pleurer. J'ai serré ses carrés de quilt contre moi, en pensant à ce qu'elle avait dit, qu'ils étaient la prunelle de ses yeux.

Il y avait dix carrés de bonne taille. Je les ai étalés sur le cadre. Les couleurs qu'elle utilisait dépassaient Dieu et l'arc-en-ciel. Des rouges, des violets, des oranges, des roses, des jaunes, des noirs et des marrons. Ils me heurtaient les oreilles encore plus que les yeux. Ils faisaient autant de bruit que si elle était en train de rire et de pleurer dans le même souffle. C'était le plus bel ouvrage jamais sorti des mains de mauma.

Sur le premier carré, on voyait sa mauma petite, elle tenait la main de sa mauma et de son papa, les étoiles tombaient autour d'eux – c'est la nuit où ma granny-mauma a été vendue, la nuit où l'histoire a commencé.

Le reste était un vrai fouillis, certains carrés étaient compréhensibles, d'autres pas du tout. Il y avait une femme en train de biner un champ – j'ai deviné qu'il s'agissait encore de ma granny-mauma –, elle portait un foulard rouge sur la tête, et un bébé, ma mauma, était couché au milieu des plantations. Des esclaves volaient dans les airs au-dessus de leurs têtes, avant de disparaître derrière le soleil.

Le suivant représentait une petite fille assise sur un trépied en train de coudre des applications sur un quilt, rouge avec des triangles noirs, certains de ces triangles tombant par terre. J'ai dit : « Je suppose que c'est toi, mais ça pourrait être moi. »

Sur le quatrième, il y avait un arbre des âmes avec du fil rouge autour du tronc et ses branches étaient remplies de vautours. Mauma avait cousu une femme et un petit bébé garçon par terre – on savait que c'était un garçon à cause de ses parties intimes. J'ai pensé que c'était ma granny-mauma quand elle est morte avec son bébé qui n'a pas survécu. Les deux étaient morts et tout sanguinolents. Après celui-là, j'ai dû aller respirer l'air frais. On sort de sa mauma, on dort dans le même lit qu'elle pendant presque vingt ans et on sait toujours pas ce qui se tapit dans ses coins sombres.

Je suis revenue à l'intérieur et j'ai examiné le carré suivant : un homme dans un champ. Il portait un chapeau brun et le ciel était plein d'yeux installés dans les nuages, des gros yeux jaunes avec de la pluie rouge qui leur dégoulinait des paupières. Cet homme c'est mon papa, Shanney, je me suis dit.

Celui d'après, c'était mauma et une toute petite fille allongée sur le cadre à quilt. Je savais que ce bébé, c'était moi, et nos corps étaient découpés en morceaux, des pièces de couleur vive qu'il fallait recomposer. Rien que de les regarder, j'ai senti monter la nausée et le vertige.

Sur un autre carré, il y avait mauma en train de coudre une robe d'un violet brutal couverte de lunes et d'étoiles, sauf qu'elle travaillait dans un trou de souris avec les parois toutes resserrées autour d'elle.

Passer d'image en image, ça donnait l'impression de tourner les pages d'un livre qu'elle avait laissé derrière elle, un livre contenant ses dernières paroles. À un moment de ma lecture, j'ai cessé de ressentir quoi que ce soit, comme lorsqu'on s'appuie de travers sur son bras et quand on le réveille, c'est coups d'épingle et compagnie. J'ai commencé à regarder ces appliqués que mauma avait mis deux ans à coudre comme s'ils n'avaient rien à voir avec moi, parce que sinon, c'était insupportable. Je les ai fait défiler comme autant de carrés par où faire entrer la lumière.

Voilà mauma une jambe remontée par-derrière avec une sangle, debout dans la cour en train de subir la punition de l'auto-étranglement. Et voilà un arbre des âmes pareil à l'autre, mais celui-là, c'est le nôtre sans vautours sur les branches, seulement des feuilles vertes et une fille en dessous avec un livre et un fouet prêt à la cingler.

Le dernier carré, c'était un homme, un vrai taureau avec un tablier de charpentier – Mr. Denmark Vesey – et, à côté, elle avait cousu quatre chiffres aussi gros que lui : 1884. Je n'avais pas la moindre idée de ce que cela signifiait.

Je me suis mise directement à coudre. Que Missus et ses robes aillent au diable. Pendant toute la journée et jusque tard dans la nuit, j'ai cousu les carrés de mauma ensemble avec ces points minuscules qu'on distingue à peine. J'ai cousu la doublure et j'ai rempli le quilt du meilleur rembourrage possible et de tout ce qu'on possédait en matière de plumes. Ensuite, j'ai pris des ciseaux et je me suis coupé les cheveux à ras, en ne laissant qu'un duvet sur mon crâne. J'ai réparti ces touffes dans tout le rembourrage.

Et c'est à ce moment-là que je me suis souvenue de l'argent. Huit ans, à économiser. Je suis allée voir dans le coffre mais il était vide comme l'air. Quatre cents dollars, disparus exactement comme mauma. Et côté cachette, je savais plus où regarder. J'étais incapable de faire une pause.

Le lendemain, après avoir dormi un peu, j'ai fini le quilt en faufilant ensemble ses différentes couches. Puis je me suis enveloppée dans cet ouvrage achevé comme dans un manteau de gloire. Je suis sortie dans la cour où Aunt-Sister était occupée à couper de la canne à sucre et elle a dit : « Ma petite, qu'est-ce t'as sur le dos ? Et qu'est-ce t'as fait à ta tête ? »

J'ai pas répondu. Je suis allée jusqu'à l'arbre escortée par mon souffle qui faisait des nuages et j'ai enroulé un nouveau fil autour du tronc.

C'est alors que le ciel s'est rempli de bruit. Il y a eu un grand envol de corbeaux et la fumée des cheminées est montée à leur rencontre.

« On y est, j'ai dit. On y est. »

III.

Octobre 1818 – Novembre 1820

Handful

Certains jours, quand je marchais dans East Bay, si j'apercevais une femme à la peau couleur cannelle tourner le coin d'une rue, avec un foulard rouge sur la tête, je me disais : Ah te revoilà toi. J'avais vingt-cinq ans et je continuais toujours à lui parler.

Tous les ans au mois d'octobre, le jour de la disparition de mauma, nous les esclaves, on s'asseyait dans la cuisine et on égrenait nos souvenirs d'elle. Je détestais voir ce jour approcher.

La sixième année, Binah m'a tapoté la jambe en disant : « Ta mauma est partie, mais nous on est encore là, le ciel nous est pas encore tombé sur la tête. »

Non, mais chaque année, on perdait un étai supplémentaire.

Ce soir-là, on a déterré des histoires sur mauma qui ont débordé bien après le dîner. Quand elle a volé le rouleau d'étoffe verte. Quand elle embobinait Missus avec sa fausse boiterie. Quand elle a récupéré la pièce du sous-sol à force de râler. Quand elle a réussi à se faire embaucher à l'extérieur. Tous ces sacrés bazars qu'elle a pu faire. Tomfry a raconté la fois où Missus lui avait fait fouiller toute la maison et mauma n'était nulle part, et après comment on l'avait fait monter sur le toit en inventant cette histoire qu'elle s'était endormie là-haut. Toujours les mêmes vieilles aventures. Toujours de quoi rire en se tapant sur les cuisses.

Maintenant qu'elle n'était plus là, ils l'aimaient bien plus.

«En tout cas, t'as ses yeux», a déclaré Goodis en me couvant du regard, comme il faisait toujours.

J'avais bien ses yeux mais tout le reste de ma personne me venait de mon papa. Mauma disait que c'était un homme de très petite taille et plus noir que l'envers de la lune.

Par égard pour moi, ils ont laissé de côté ses malheurs et ses souffrances. Pas un mot sur ce qui avait pu lui arriver. Tous, Goodis compris, étaient persuadés qu'elle s'était enfuie et qu'elle vivait quelque part la grande vie des affranchis. J'aurais eu moins de mal à croire que, depuis tout ce temps-là, elle dormait sur le toit.

Dehors, c'était la fin du jour. Tomfry a dit qu'il était temps d'allumer les lampes dans la maison mais personne n'a bougé et moi ça m'aurait plu qu'ils connaissent la véritable femme qu'était mauma, pas seulement la rusée mais celle qui avait été fondue dans le fer, celle qui passait ses nuits à marcher, celle qui invoquait ma granny-mauma. Des aspirations, Mauma en avait eu plus en un jour qu'eux en un an. Elle avait trimé d'arrache-pied, elle avait fricoté avec le danger, parce qu'elle cherchait toujours le meilleur. J'avais envie qu'ils connaissent cette femme. Cette femme-là, jamais elle m'aurait quittée.

J'ai dit : «Elle s'est pas enfuie. Vous croyez ce que vous voulez, mais elle s'est pas enfuie.»

Ils sont restés là à me regarder. On voyait carrément les petites roues qui tournaient dans leurs têtes : *Pauvre petite, elle s'égare, pauvre petite, elle s'égare.*

Tomfry est intervenu : «Handful, réfléchis un peu. Si elle ne s'est pas enfuie, alors, elle doit être morte. Qu'est-ce que tu préfères qu'on croie, nous autres ?»

Personne ne m'avait encore jamais dit les choses aussi crûment. Sur le quilt de mauma, on voyait des esclaves voler dans le ciel et des esclaves morts sur la terre, mais dans ma façon de penser, mauma était perdue quelque part entre les deux. Entre les fugitifs et les morts-pour-de-bon.

Entre les deux ? L'air était aussi raide que de l'amidon.

«Ni l'un ni l'autre», j'ai dit, puis je me suis levée et je suis partie.

Dans ma chambre, je me suis allongée sur le lit, sur le quilt-histoire, et j'ai contemplé le cadre à quilt toujours cloué au plafond. Je ne le descendais plus jamais mais je dormais sous les histoires de mauma toutes les nuits sauf l'été et quand il faisait chaud à l'automne et je les connaissais en long, en large et en travers. Avec son aiguille, mauma avait raconté d'où elle venait, qui elle était, ce qu'elle aimait, les épreuves qu'elle avait traversées et quels étaient ses espoirs. Elle avait trouvé le moyen pour tout dire.

Au bout d'un moment, j'ai entendu des pas au-dessus de ma tête – Tomfry, Cindie, Binah étaient dans la maison en train d'allumer les lampes. Je n'avais plus besoin de me soucier de la lampe de Sarah. Désormais, mes tâches se limitaient à la couture. Depuis déjà un certain temps, Sarah m'avait rendue à Missus, officiellement, avec un papier. Elle disait qu'elle ne voulait pas faire partie de ceux qui possédaient un être humain. Elle était venue exprès dans ma chambre pour me l'annoncer, tellement à cran qu'elle ne parvenait pas à s'exprimer clairement. «... Je t'aurais libérée si j'avais pu... mais il existe une loi... Elle n'autorise plus les maîtres à libérer facilement les esclaves... Sinon, j'aurais... tu le sais ça... non ?»

Après ça, c'était aussi clair que les taches de rousseur sur son visage – pour échapper à Missus, il fallait que je tombe raide morte, que je sois vendue ou que je découvre l'endroit où mauma était planquée. Certains jours, je rêvais de l'argent que mauma avait économisé – il n'avait jamais réapparu. Si je mettais la main sur cette fortune, je pouvais essayer d'acheter ma liberté à Missus comme on avait prévu. Au moins, ça me laisserait une chance – une chance diluée comme de la pisse d'âne mais de quoi m'aider à tenir le coup.

Six années s'étaient écoulées. Je me suis laissée rouler sur le lit, le visage tourné vers la fenêtre, et j'ai dit : «Mauma, qu'est-ce qui t'est arrivé ?»

Au début de l'année nouvelle, j'étais au marché en train d'acheter ce dont Aunt-Sister avait besoin quand j'ai entendu l'esclave chargé de nettoyer l'étal du boucher parler de l'Église africaine. Cet esclave s'appelait Jesse et c'était un brave homme. Il récupérait les vessies de porc inutilisées, il les remplissait d'eau et ça faisait des ballons pour les enfants. Généralement, je ne lui prêtais pas beaucoup d'attention – il avait la langue bien pendue et il concluait toutes ses phrases par « Dieu soit loué » – mais ce jour-là, je sais pas pourquoi, je me suis approchée pour écouter ce qu'il racontait.

Aunt-Sister m'avait demandé de revenir rapidement parce que ça sentait le grésil mais je suis restée plantée dans cette odeur de viande crue à l'écouter parler de l'Église. J'ai appris que le vrai nom c'était Église épiscopale méthodiste africaine et c'était que pour les gens de couleur, esclaves et affranchis mélangés, qui se retrouvaient dans l'entrepôt vide d'une entreprise de corbillards près de l'endroit où on enterrait les Noirs. D'après lui, c'était plein à craquer tous les soirs.

Un esclave à côté de moi, vêtu d'une livrée totalement usée, a dit : « Depuis quand la ville est assez bête pour laisser les esclaves avoir leur propre Église ? »

Tout le monde s'est mis à rire, comme si cette plaisanterie visait Charleston.

Jesse a dit : « Eh bien, si c'est pas la vérité, Dieu soit loué. Il y a un homme dans cette Église qui parle toujours de Moïse guidant les esclaves hors d'Égypte, Dieu soit loué. Il dit, Charleston c'est l'Égypte qui recommence encore, Dieu soit loué. »

J'ai senti la peau de mon crâne me picoter. J'ai dit : « Comment s'appelle cet homme ?

— Denmark Vesey. »

Pendant des années, j'avais refusé de penser à Mr. Vesey, à comment mauma l'avait cousu sur le dernier carré de son quilt à histoire. Ça me plaisait pas de le savoir dessus, cette période-là me plaisait pas. Ça m'avait jamais traversé l'esprit qu'il savait peut-être ce qui lui était arrivé, et pourquoi il l'aurait su, mais tout d'un coup, une cloche s'est mise à sonner dans ma tête pour me dire que je risquais rien à essayer. Peut-être qu'après je pourrais laisser mauma reposer en paix.

C'est là que j'ai décidé de m'intéresser à la religion.

À la première occasion, j'ai raconté à Sarah que maintenant je me faisais du souci pour mon salut et que Dieu m'avait appelée à l'Église africaine. Je me suis même un peu tamponné les yeux.

J'étais vraiment le portrait craché de mauma.

Le lendemain, Missus m'a convoquée dans sa chambre. Elle était assise près de la fenêtre avec sa bible ouverte. «J'ai appris que tu souhaitais rejoindre la nouvelle église qui a été fondée dans notre ville pour les gens de ta race. Sarah m'informe que tu désires assister aux réunions du soir. Je veux bien t'autoriser à t'y rendre deux soirs par semaine et le dimanche, tant que cela ne perturbe pas ton travail ni ne cause aucun problème de quelque nature que ce soit. Sarah va te préparer ton laissez-passer. »

Elle m'a examinée à travers ses petites lunettes. «Veille à ne pas gâcher la faveur que je t'accorde.

— Oui m'dame. » Et pour faire bonne mesure, j'ai ajouté : «Dieu soit loué. »

Sarah

J'ignorais tout à fait pourquoi Nina et moi avions été convoquées au grand salon – ce n'était jamais une bonne nouvelle. En entrant, nous vîmes le très corpulent révérend Gadsden assis sur le sofa de soie jaune et Mère, tassée de l'autre côté, agrippée à sa canne comme si elle pouvait l'enfoncer dans le sol. Je jetai un coup d'œil à Nina qui, à quatorze ans, était plus grande que moi, et je remarquai l'éclat de ses yeux sous les épais cils noirs. Elle releva le menton d'un air de défi et, l'espace d'un instant, je conçus une certaine pitié pour le révérend.

« Fermez la porte derrière vous », ordonna Mère.

Un peu plus loin dans le couloir, Père était dans son bureau, trop malade désormais pour travailler. Le docteur Geddings lui avait prescrit le repos et, depuis des semaines, les esclaves se déplaçaient en silence, se contentant de chuchoter, attentifs à ne pas heurter un plateau tant ils craignaient de se faire écharper. Lorsqu'un médecin prescrit le repos comme seul remède, de pair avec un sirop fait de racine de radis noir, il est évident qu'il baisse les bras.

Nina et moi nous nous assîmes sur le sofa jumeau, en face d'eux. En tant que marraine de Nina, c'était moi qu'on allait accuser de cet échec. Comme à l'accoutumée.

Le dimanche précédent, ma sœur avait refusé la confirmation dans l'église St. Philip et ce n'était pas tant le fait lui-même que la manière dont elle s'y était prise. Elle s'était donnée en spectacle. Lorsque les autres jeunes gens avaient quitté leurs sièges sur l'estrade et s'étaient approchés du balustre du chœur pour que l'évêque puisse poser les mains sur leurs douces têtes, Nina était restée ostensiblement à sa place. Toute la famille était présente, à l'exception de Père, et je l'avais observée, avec un mélange confus de gêne et de fierté, rester assise les bras croisés, ses cheveux noirs et brillants répandus sur ses épaules tandis qu'un petit rond rouge enflammait chacune de ses joues.

L'évêque vint jusqu'à elle pour lui parler mais elle secoua la tête. À côté de moi, Mère se tenait raide comme un morceau de fer forgé et je sentais l'atmosphère, dans l'église, se coaguler autour de nos têtes. Il y eut encore quelques cajoleries de la part de l'évêque, encore de l'obstination de la part de Nina, puis il renonça et l'office continua.

J'ignorais tout de ce qu'elle avait prévu, mais peut-être aurais-je dû m'en douter – il s'agissait de Nina, après tout. Bardée d'opinions enflammées, elle était toujours prête à la rébellion. L'hiver dernier, elle avait scandalisé sa classe en ôtant ses chaussures parce que le jeune esclave qui nettoyait les ardoises était pieds nus. J'avais perdu le compte des lettres d'excuse que Mère lui avait ordonné d'écrire. Plutôt que de se soumettre, elle restait assise devant la feuille blanche pendant des jours entiers jusqu'à ce que Mère cédât. Le jour de son onzième anniversaire, Nina, elle, avait refusé son cadeau humain avec une telle véhémence que Mère avait fini par renoncer, à bout de forces.

Même si j'avais tenté d'empêcher l'exhibition de Nina à l'église ce jour-là, elle aurait fait remarquer que, moi aussi, j'avais rejeté les anglicans. C'était la vérité, mais je ne l'avais fait que pour me rapprocher des presbytériens, alors que Nina, à la première occasion, aurait également rejeté les presbytériens. Elle les détestait à cause de ce qu'elle appelait « l'amertume de leur fiel ».

S'il y avait un sujet de dissension entre ma sœur et moi, c'était bien la religion.

Au cours des années qui venaient de s'écouler, ma vie entière avait oscillé entre ascétisme et laisser-aller. Dans le sillage de l'histoire Burke Williams, j'avais banni toute vie sociale, certes, mais j'avais été une récidiviste chronique, succombant chaque saison à quelque fête ou bal, qui me laissait chaque fois vide et nauséeuse, ce qui me renvoyait aussitôt vers Dieu. Nina m'avait souvent trouvée à genoux, en train de pleurer et prier en implorant le pardon, enfoncée dans une de mes insupportables crises d'autodénigrement. « Pourquoi faut-il que tu te conduises ainsi ? » criait-elle.

Pourquoi, en effet.

Mr. Williams avait été viré du giron de Charleston comme une serviette sale. Il avait épousé sa cousine et il travaillait dans la mercerie de son oncle à Columbia. Si cette histoire était classée depuis belle lurette, je n'avais jamais réussi à accepter l'idée de vivre dans cette maison jusqu'à la fin de mes jours. Il y avait certes la présence de Nina, mais cela n'allait plus durer très longtemps. Belle et rayonnante comme elle l'était, elle allait être courtisée par une dizaine d'hommes et m'abandonner ici, avec Mère. C'était cette réalité omniprésente et au centre de tout le reste, qui m'avait poussée à récidiver. Mais il ne serait plus possible de recommencer – vingt-six ans à la prochaine saison, je serai trop âgée. C'était bel et bien terminé, et je me sentais perdue, malheureuse, pleine d'amertume, et il n'y avait strictement rien à faire pour y remédier.

Dans le salon, le révérend Gadsden paraissait aussi réticent que mal à l'aise. Il ne cessait de serrer et desserrer les lèvres. Nina se tenait toute droite à côté de moi, comme pour dire : *D'accord, que la punition commence*, mais, cachée par nos jupes, sa main chercha la mienne.

« Je suis ici aujourd'hui parce que votre mère m'a demandé de vous faire entendre raison. Hier, vous nous avez tous perturbés. C'est un acte grave de rejeter l'Église, ses sacrements et le salut... »

Il continua ses radotages, tandis que la main de Nina transpirait dans la mienne.

Elle connaissait mes angoisses intimes et je connaissais les siennes. Il y avait en elle un endroit où tout était en miettes. Les cris qu'elle avait entendus venant de la *Work House* continuaient à la hanter et, certaines nuits, elle se réveillait en hurlant. Elle affichait une façade d'airain mais en dessous je savais qu'elle était blessée et fragile. Après les reproches cinglants de Mère, elle disparaîtrait dans sa chambre pendant des heures et elle en sortirait les yeux rougis par les larmes.

Mon attention ne cessait de se détourner du discours bienveillant mais fastidieux du révérend. « Je dois vous faire remarquer, déclara-t-il, que vous mettez votre âme en péril. »

Nina intervint pour la première fois. « Pardonnez-moi, révérend, mais la menace de l'enfer ne saura me faire peur. »

Mère ferma les yeux sous la brutalité du coup. « Oh, Angelina, pour l'amour de Dieu. »

Nina avait prononcé le mot « enfer » Même moi, j'étais un peu choquée. Le pasteur se tut, résigné. Il était vaincu.

Évidemment, Mère ne l'était pas. « Ton père est gravement malade. Tu sais bien sûr qu'il désire te voir confirmée dans le sein de l'Église. Il pourrait bien s'agir de son dernier souhait. Serais-tu prête à refuser de l'écouter ? »

Nina me serra la main, s'efforçant de ne pas faiblir.

« ... Doit-elle refuser d'écouter sa conscience ou son père ? » dis-je.

Mère recula comme si je l'avais giflée. « As-tu l'intention d'encourager ta sœur à désobéir ?

— Je l'encourage à se montrer honnête face à ses propres scrupules.

— *Ses* scrupules ? » Le peau du cou de Mère se marbra de taches rouge betterave. Elle se tourna vers le révérend. « Comme vous le voyez, Angelina est totalement sous la coupe de Sarah. Ce que pense Sarah, Angelina le pense aussi. Là où Sarah a des scrupules, Angelina en a aussi. C'est ma faute – je lui ai choisi Sarah comme marraine et jusqu'à présent elle n'a fait que détourner cette enfant du droit chemin.

— Mère ! s'exclama Nina. Je pense par moi-même. »

Le regard calme et implacable de Mère passa du révérend à Nina et elle posa la question qui devait toujours rester pendante entre nous : « Simplement pour que tout soit clair pour moi, lorsque tu as dit "Mère" à l'instant, t'adressais-tu à moi ou à Sarah ? »

Le pasteur se tortilla sur le canapé et chercha à attraper son chapeau, mais Mère continua : « Comme je vous le disais, révérend, je ne sais plus à quel saint me vouer pour réparer les dégâts. Tant que ces deux-là vivront sous le même toit, il n'y a guère d'espoir pour Angelina. »

Tandis qu'elle raccompagnait le révérend jusqu'à la porte, une pluie diluvienne se mit à tomber. Je sentis Nina s'affaisser légèrement contre moi, je la remis sur pied et nous nous glissâmes derrière eux dans l'escalier.

Dans ma chambre, je rabattis le drap et Nina s'allongea sur le lit. Son visage nu paraissait étrange contre l'oreiller de lin. La pluie, qu'elle contemplait d'un œil brillant, assombrissait la fenêtre ; je sentais son dos se gonfler et s'abaisser sous ma main.

« Crois-tu que Mère va m'envoyer loin d'ici ? demanda-t-elle.

— Je ne le permettrai pas », répondis-je, même si je n'avais pas la moindre idée de la façon dont je pouvais empêcher pareille chose s'il prenait à Mère la fantaisie de bannir ma sœur.

On pouvait aisément se débarrasser d'une fille rebelle en l'envoyant en pension ou dans la plantation de notre oncle, en Caroline du Nord.

Handful

«Daniel n'a-t-il pas été délivré par mon Seigneur?» a crié Denmark Vesey.

Et toute l'église a répondu : «Et maintenant, Il vient à moi.»

On devait être deux cents entassés là-dedans. J'étais assise au fond, à l'endroit habituel. Les gens avaient commencé à laisser cette place libre en disant : «C'est la place de Handful.» Ça faisait quatre mois que je venais là et j'avais rien appris du tout à propos de mauma mais j'en savais plus que Missus sur ceux que Dieu avait délivrés.

Abraham, Moïse, Samson, Pierre, Paul – Mr. Vesey récitait la liste en chantant. Tout le monde était debout, on claquait dans les mains, on faisait de grands signes, on criait : «Et maintenant, il vient à moi» et moi, j'étais au milieu de la foule, en train de danser en sautillant comme dans le renfoncement à l'étage, quand j'étais gamine et que l'eau me faisait chanter.

Notre révérend était un Noir libre qui s'appelait Morris Brown et il disait que quand on se retrouvait comme ça, passionnés, c'était le Saint-Esprit qui descendait sur nous. Mr. Vesey, qui était un de ses quatre assistants, disait que ce n'était pas le Saint-Esprit, c'était l'espoir. En tout cas, ça brûlait au point de trouer la poitrine.

Il faisait une chaleur épouvantable dans l'église. Pendant qu'on criait, la sueur dégoulinait le long de nos visages et de nos vêtements ; quelques hommes se sont levés pour aller ouvrir les fenêtres. L'air frais est entré dans la salle et nos cris sont sortis.

Quand Mr. Vesey est arrivé au bout des personnages bibliques délivrés par Dieu, il a commencé à se promener le long des bancs en interpellant les gens.

Que mon Seigneur délivre Rolla.
Que mon Seigneur délivre Nancy.
Que mon Seigneur délivre Ned.

Si c'était ton nom qu'il criait, on avait l'impression qu'il allait voler jusqu'au ciel pour frapper Dieu entre les deux yeux. Le révérend Brown disait, attention, le ciel sera comme vous vous le représentez. Pour lui, c'était l'Afrique avant l'esclavage – autant de nourriture et de liberté qu'on voulait et pas un seul Blanc pour gâcher ça. Si mauma était morte, elle devait avoir une grande et belle maison quelque part avec Missus comme servante.

Mr. Vesey, lui, il n'aimait pas qu'on fasse des discours sur le ciel. Il disait que c'était des mœurs de lâche, d'attendre ardemment la vie après, de se comporter comme si la vie ici-bas ne comptait pas. Là, j'étais d'accord avec lui.

Même quand je chantais en sautillant, une partie de moi restait petite et tranquille, notant tout ce qu'il faisait et disait. J'étais l'oiseau qui observe le chat en train de faire le tour de l'arbre. Désormais, Mr. Vesey avait des mèches laineuses toutes blanches mais, à part ça, il avait la même tête qu'avant. L'air toujours aussi renfrogné et des lames de couteau plein les yeux. Il avait encore des bras costauds et un torse épais comme un tonneau à recueillir la pluie.

Je n'avais pas réussi à trouver le courage de lui parler. Les gens avaient peur de Denmark Vesey. J'avais commencé à me dire que ça tournait à la plaisanterie – après tout, j'étais peut-être venue à l'Église africaine pour le Seigneur. De toute façon, qu'est-ce que j'aurais bien pu apprendre à propos de mauma ?

Personne n'a entendu les chevaux approcher. Mr. Vesey avait entonné un nouveau chant – *Josué a livré la bataille de Jéricho et les murailles se sont écroulées*. Gullah Jack, son bras droit, tapait sur un tambour et nous, nous martelions le sol avec nos pieds. *Jéricho. Jéricho*.

Et puis les portes se sont ouvertes brutalement, Gullah Jack a cessé de jouer du tambour et le chant s'est éteint. Nous avons regardé autour de nous, perplexes, pendant que la Garde civile se déployait le long des murs et dans l'allée, un à chaque fenêtre, quatre barrant la porte.

Le chef marchait en tête avec un papier dans une main et un mousquet dans l'autre. Denmark Vesey a dit de sa voix de stentor : « Que signifie tout cela ? Vous êtes dans la maison du Seigneur, vous n'avez rien à faire ici. »

Le garde a fait une tête comme s'il ne croyait pas à sa chance. Il a pris son arme par la crosse et il l'a enfoncée dans le visage de Mr. Vesey. Une minute avant, il criait « Jéricho » et, maintenant, il était par terre avec une chemise pleine de sang.

Les gens ont commencé à crier. Un des gardes a tiré vers le plafond, ça a déclenché une pluie de sciure et des volutes de fumée. Ça tapait à l'intérieur de mes oreilles et quand le chef a lu le mandat d'arrêt, on aurait dit qu'il parlait du fond d'un puits asséché. Il a dit qu'autour de l'église les voisins nous considéraient comme un fléau. Nous étions accusés de troubles à l'ordre public.

Il a fourré le papier dans sa poche. « On vous embarque et demain matin, vous serez condamnés à subir un châtiment approprié. »

Une femme s'est mise à sangloter et toute l'église a commencé à vibrer de peur et de chuchotements. Nous connaissions la garnison – c'était là qu'on emprisonnait les criminels, noirs et blancs, avant de décider ce qu'on allait en faire. Les Blancs y restaient jusqu'à leur audience et les Noirs jusqu'à ce que leurs maîtres payent l'amende. Il fallait prier le Seigneur de ne pas avoir un maître radin parce que, s'il refusait de payer, on allait droit à la *Work House* pour éponger la dette.

Dehors, la lune paraissait toute faible dans le ciel. Ils nous ont divisés en quatre troupeaux et ils nous ont fait avancer dans la rue. Un esclave a chanté *Mon Seigneur n'a-t-il pas délivré Daniel?* et un garde lui a crié de la fermer. Après, on n'a plus rien entendu sauf le bruit des sabots des chevaux et un petit bébé sanglé sur le dos de sa mère qui gémissait comme un chaton. Je me suis démanché le cou pour voir Mr. Vesey, mais il n'était nulle part. Et puis j'ai remarqué des gouttes de sang sombre sur le sol et j'ai compris qu'il marchait devant.

Nous avons passé la nuit par terre dans une salle bourrée de cellules, hommes et femmes entassés ensemble et tous obligés de pisser dans le même seau, posé dans un coin. Une femme a toussé pendant la moitié de la nuit et deux hommes se sont mis à se bagarrer mais, surtout, on est restés assis dans le noir, le regard fixe, en somnolant de temps en temps. Une fois, je me suis réveillée et j'ai entendu le même bébé piauler.

À l'aube, un garde avec des cheveux longs et hirsutes a apporté un seau d'eau avec une louche et, chacun à notre tour, on a bu pendant que nos estomacs grondaient famine. Après ça, on nous a laissés réfléchir à ce qui nous attendait. Dans notre cellule, un homme avait été ramassé six fois par la Garde et il nous a tout expliqué, chiffres compris. L'amende était de cinq dollars et, si le maître payait pas, on prenait douze coups de fouet à la *Work House*, ou pire, on se retrouvait à la trépigneuse. Je savais pas ce qu'était une trépigneuse et il l'a pas dit, il nous a juste conseillé de supplier d'être fouetté. Puis il a soulevé sa chemise et on a vu son dos creusé de sillons comme la peau d'un alligator. De voir ça, j'ai senti la bile me monter dans la gorge. «Mon maît' paie jamais», il a dit.

La matinée s'est traînée et nous, on attendait et on a continué à attendre. Je pensais à rien d'autre qu'au dos du gars, à l'endroit où ils avaient mis Mr. Vesey, à comment il allait avec son visage éclaté. La chaleur cuisait l'air, ça commençait à puer l'aigre et le bébé s'est remis à brailler. Quelqu'un a dit : « Pourquoi on le nourrit pas, cet enfant ?

— J'arrive pas à l'allaiter », a répondu sa mauma. Une autre femme, qui avait des taches sur le devant de sa robe, a dit : « Vas-y, passe-moi l'enfant. Le mien est resté à la maison et y a tout ce lait avec personne pour le boire. » Elle a sorti son sein brun avec le lait blanc qui gouttait de son téton et le bébé s'est mis à manger.

Quand le garde aux cheveux longs est revenu, il a dit : « Écoutez si je dis votre nom. Si je vous appelle, vous êtes libres de partir et de rentrer affronter ce qui vous attend. »

On s'est tous mis debout. Je me suis dit, jamais un esclave Grimké n'a été envoyé à la *Work House*. Jamais.

« Seth Ball. Ben Pringle. Tinnie Alston. Jane Brewton. Apollo Rutledge... »

Il a lu des noms jusqu'à ce qu'il reste plus que moi, l'homme aux cicatrices, la mauma avec le bébé et une poignée d'autres. « Si vous êtes encore là, votre maître a décidé que la *Work House* saura vous mettre dans un état d'esprit salutaire. »

Un homme a dit : « Je suis un Noir libre, j'ai pas de maître.

— Si tu as les papiers pour le prouver, alors tu peux payer l'amende toi-même, lui a répondu le garde. Si tu peux pas payer immédiatemment, alors tu vas à la *Work House* avec les autres. »

Je me sentais sincèrement perplexe. J'ai dit : « Monsieur. Monsieur ? Vous avez oublié mon nom. Hetty. Hetty Grimké. »

En guise de réponse, la porte a claqué.

La trépigneuse mâchait bruyamment en grinçant des dents – on l'entendait avant même d'entrer dans la salle. L'employé de la *Work House* en a emmené douze d'entre nous sur la galerie supérieure en nous poussant avec un bâton. Denmark Vesey était derrière moi ; il avait le visage tellement enflé d'un côté que l'œil était fermé. Il était le seul d'entre nous à avoir des fers aux poignets et aux chevilles. Il marchait en traînant les pieds et la chaîne tintait à chaque pas.

Quand il a trébuché dans l'escalier, j'ai dit par-dessus mon épaule : «Faites attention maintenant.» Et puis j'ai chuchoté : «Et pourquoi vous avez pas payé l'amende? Vous êtes pas censé avoir de l'argent?

— Ce qu'ils infligent au dernier d'entre eux, c'est à moi qu'ils l'infligent», il a répondu.

Je me suis dit : Mr. Vesey se prend pour Jésus en train de porter la croix et c'est probablement parce qu'il a pas cinq dollars sur lui pour l'amende. Cependant, le connaissant, il pouvait très bien se donner corps et âme. Le bonhomme était orgueilleux, il avait la grosse tête mais il avait du cœur.

En arrivant sur la galerie et en regardant par-dessus la balustrade le supplice qui nous attendait, on s'est carrément effondrés par terre.

Un des surveillants a fixé la chaîne de Mr. Vesey à un anneau de fer et nous a dit de bien regarder la roue pour savoir comment faire. La mauma avec son bébé sur le dos a demandé : «Qui va tenir mon enfant pendant que je serai là-dessus?

— Tu crois qu'on a des gens pour s'occuper de ton enfant?» il a répondu.

Je me suis détournée, la façon dont elle baissait la tête et le bébé qui regardait par-dessus son épaule avec des yeux écarquillés.

La trépigneuse, c'était un tambour qui tournait, deux fois la taille d'un homme, avec des marches. Douze personnes se bousculaient pour l'escalader le plus vite possible, ce qui faisait tourner la roue. Ils s'accrochaient à une rampe au-dessus d'eux et on leur liait les poignets au cas où ils lâcheraient prise. Le moulin grinçait et, en dessous, le grain craquait. Deux surveillants à la peau noire faisaient les cent pas avec un fouet en cuir tressé – un chat à neuf queues, on appelait ça – et dès que la roue ralentissait ils frappaient le dos et les jambes de ces malheureux jusqu'à faire sortir la chair rose.

Mr. Vesey m'examinait de son œil valide. «Je t'ai pas déjà vue quelque part ?

— À l'église.

— Non, ailleurs.»

J'aurais pu lui cracher la vérité mais nous étions tous les deux dans la tanière du lion de Daniel et Dieu nous avait abandonnés. J'ai dit : «Où se trouve donc cette délivrance que Dieu était censé nous donner ? »

Il a reniflé. «Tu as raison, la seule délivrance, c'est celle qu'on obtient par nous-mêmes. Le Seigneur n'a pas d'autres mains ni pieds que les nôtres.

— Ça en dit long sur le Seigneur.

— Ça en dit long aussi sur nous.»

Une cloche a sonné et les mâchoires de la roue ont cessé leur mouvement. Les surveillants ont détaché les poignets des gens et ceux-ci sont descendus par une échelle jusqu'au niveau du sol. Certains étaient tellement épuisés qu'il fallait les traîner.

Le surveillant a libéré Mr. Vesey de son anneau. «Debout. C'est ton tour.»

Sarah

Le pied mutilé de Handful reposait sur un oreiller et Aunt-Sister étalait une feuille de plantain sur la blessure. D'après l'odeur qui flottait dans l'air, je savais que la plaie avait été récemment plâtrée de potasse et de vinaigre.

« Miss Sarah est là », annonça Aunt-Sister.

La tête de Handful roula d'un côté à l'autre du matelas mais ses yeux demeurèrent clos. On lui avait administré une lourde dose de laudanum, l'apothicaire était déjà venu et reparti.

Je clignai des yeux pour m'empêcher de pleurer – de la voir couchée là, estropiée, mais mon angoisse venait aussi de ma culpabilité. J'ignorais qu'elle avait été arrêtée, que Mère avait décidé de la laisser en subir les conséquences à la *Work House*. Je n'avais même pas remarqué son absence. Rien de tout cela ne serait arrivé si je n'avais pas rendu la propriété de Handful à Mère. Je savais que Handful serait moins bien lotie avec elle et pourtant je m'en étais quand même débarrassée. Cette abominable hypocrisie qui était la mienne.

Sabe avait ramené Handful à la maison en voiture alors que j'étais dehors, à un cours sur la Bible. Un cours sur la Bible. La honte m'envahit en pensant à moi en train d'examiner de près les versets du chapitre 13 des Corinthiens : « Quand je posséderais toute science, quand j'aurais même toute la foi, si je n'ai pas la charité, je ne suis rien. »

Je m'obligeai à regarder Aunt-Sister de l'autre côté du lit.

«C'est grave?»

Elle me répondit en soulevant la feuille verte pour que je voie de mes propres yeux. Le pied de Handful était tordu vers l'intérieur selon un angle anormal et entaillé depuis la cheville jusqu'au petit orteil, la chair à nu. Une ligne sanglante perlait à travers le cataplasme. Aunt-Sister la tamponna avec une serviette avant de lisser à nouveau la feuille dessus.

«Comment est-ce arrivé? demandai-je.

— Ils l'ont mise sur la trépigneuse, elle est tombée et son pied est passé sous la roue.»

Un dessin de cette ignominie récemment installée était paru dans le *Mercury* avec cette légende : «Un châtiment plus efficace». L'article avançait que la machine rapporterait cinq cents dollars de bénéfice à la ville dès la première année.

«L'apothicaire dit que le pied n'est pas cassé, continua Aunt-Sister. Les ligaments qui tiennent les os sont déchirés et, maintenant, elle est infirme, ça, je le sais rien qu'en la regardant.»

Handful gémit puis marmonna quelque chose d'absolument inintelligible. Je pris sa main, surprise de la sentir aussi menue, tout en me demandant comment son pied n'avait pas été réduit en charpie. Elle paraissait petite, allongée là, mais elle n'avait plus rien d'enfantin. Ses cheveux, taillés à la diable, ne dépassaient pas trois centimètres de longueur. Elle avait les yeux terriblement cernés. Le front barré de rides profondes. Elle s'était transformée en petite vieille ratatinée.

Ses paupières frémirent mais ne s'ouvrirent pas et elle tenta à nouveau de parler. Je me penchai tout près de ses lèvres.

«Va-t'en, siffla-t-elle. *Va-t'en.*»

Je me dis plus tard qu'elle avait la tête brouillée par les opiacés. Forcément, elle ne savait pas ce qu'elle disait.

Ou peut-être faisait-elle allusion à son propre désir de partir.

Handful garda la chambre dix jours durant. Aunt-Sister et Phoebe lui apportaient ses repas et soignaient son pied ; Goodis paraissait toujours traîner dans l'escalier, attendant des nouvelles mais moi, je ne m'approchais pas, je craignais que cette phrase, elle ne l'ait prononcée pour moi finalement.

L'interdiction d'entrer dans le bureau de Père n'avait jamais été levée et j'y mettais rarement les pieds, mais pendant la convalescence de Handful je m'y faufilai pour prendre deux livres – *Le Voyage du pèlerin* de Bunyan et *La Tempête* de Shakespeare, une aventure marine qui, je le pensais, pouvait particulièrement lui plaire – et je les déposai devant sa porte, où je frappai avant de m'éloigner précipitamment.

Le matin où Handful réapparut, nous les Grimké, nous étions en train de prendre le petit déjeuner dans la salle à manger. Seuls quatre enfants n'étaient ni mariés ni partis faire des études : Charles, Henry, Nina et bien sûr, moi, la tante rouquine, la vieille fille de la famille. Mère avait pris place au bout de la table ; le paravent de soie articulé se trouvait juste derrière elle et ses jasmins peints à la main formaient comme un halo autour de sa tête. Elle se tourna vers la fenêtre et je vis sa bouche s'ouvrir sous le coup de la surprise. Handful était là. Elle traversait la cour et se dirigeait maladroitement vers le chêne en s'appuyant sur une canne en bois trop grande pour elle. À chaque pas, elle se lançait en avant en tirant son pied droit derrière elle.

« Elle marche ! » s'écria Nina.

Je repoussai ma chaise pour quitter la table, Nina sur mes talons.

« Vous n'avez pas demandé la permission ! » s'exclama Mère.

Aucune de nous deux ne tourna la tête dans sa direction.

Handful se tenait debout sous l'arbre bourgeonnant, sur une plaque de mousse émeraude. Son pied avait laissé des traces dans la poussière et je m'aperçus que je les enjambais comme si c'étaient des traces sacro-saintes. Elle se mit à enrouler du fil rouge autour du tronc. Je ne parvenais pas à comprendre la signification de cette étrange pratique. Et pourtant, cela durait depuis des années.

Nina et moi attendîmes pendant qu'elle sortait une paire de ciseaux de sa poche pour couper le vieux fil fané. Plusieurs brins roses s'accrochèrent à l'écorce et quand elle tira dessus, sa canne glissa et elle se rattrapa à l'arbre.

Nina lui ramassa sa canne et la lui tendit. « Ça fait mal ? »

Le regard de Handful passa de Nina à moi. « Plus tellement maintenant. »

Nina s'accroupit pour examiner la façon dont le pied de Handful était tordu vers l'intérieur, la bosse bizarre qui s'était formée sur le dessus, comment elle avait adapté sa chaussure en découpant l'ouverture et en laissant le lacet dénoué.

« Je suis désolée de ce qui est arrivé, dis-je. Vraiment désolée.

— J'ai lu ce que j'ai pu des livres que vous m'avez apportés. Ça m'a occupée plutôt que de rester couchée à rien faire.

— Je peux toucher ton pied ? demanda Nina.

— *Nina !* » m'écriai-je.

Et soudain je compris – c'était le cauchemar qui revenait depuis qu'elle était enfant, c'était l'horreur cachée de la *Work House*.

Handful comprit peut-être, elle aussi, ce besoin de faire face. « Ça me dérange pas », dit-elle.

Nina passa le doigt le long de la cicatrice encore croûteuse qui flambait sur la peau de Handful. Le silence s'épaissit autour de nous et je levai les yeux vers les feuilles qui saillaient sur les branches comme des petites fougères. Je sentais le regard de Handful sur moi.

« Y a-t-il quelque chose dont tu as besoin ?

Elle se mit à rire. « Quelque chose dont j'ai besoin ? Voyons voir. » Elle avait les yeux durs comme du verre, d'un jaune incandescent.

Elle avait traversé une épreuve que je ne pouvais même pas imaginer et elle s'en était sortie meurtrie, encore plus profondément marquée que son pied déformé. Ce que j'avais entendu dans ce rire impitoyable, c'était un changement radical. Elle paraissait soudain dangereuse, de la même façon que sa mère l'avait été. Mais Handful était plus réfléchie et méthodique que sa mère ne l'avait jamais été, et plus méfiante aussi, ce qui rendait la situation plus préoccupante. Une vague prémonitoire déferla en moi, un soupçon des ténèbres qui s'annonçaient, et puis cela s'effaça. Je lui dis : « Je voulais seulement...

— Je sais ce que vous vouliez dire », dit-elle, mais d'une voix plus douce.

Sa colère avait disparu et je crus, l'espace d'un instant, qu'elle allait se mettre à pleurer, ce que je ne l'avais jamais vue faire, même pas quand sa mère avait disparu.

Au lieu de cela, elle fit demi-tour et repartit vers la cuisine, le corps penché lourdement vers la gauche. Sa détermination m'était presque aussi douloureuse que son infirmité et il fallut que Nina me saisisse par la taille et m'attire à elle pour que je prenne conscience que je penchais, moi aussi.

Quelques jours plus tard, Cindie frappa à ma porte avec un message m'ordonnant d'aller sur la terrasse du premier étage où Mère se retirait presque tous les après-midis pour profiter d'un peu d'air frais. Elle n'avait pas l'habitude de mettre ses convocations par écrit mais la distraction de Cindie avait pris des proportions démesurées : on la retrouvait à déambuler dans les pièces, incapable de se rappeler ce qu'elle était venue y faire, apportant à Mère une brosse à cheveux au lieu d'un oreiller, une série de fautes étranges qui, je le savais, ne tarderaient pas à convaincre Mère de la remplacer par quelqu'un de plus jeune.

Tout en descendant l'escalier, il me vint pour la première fois à l'esprit qu'elle voudrait peut-être aussi remplacer Handful, dont les sorties au marché, où elle savait si bien choisir et négocier étoffes et fournitures, étaient désormais compromises. Je m'arrêtai sur le palier, sous le regard méchant des Parques, comme toujours, et mon ventre se serra de peur. Était-ce pour cette raison que Mère m'avait priée de venir?

Bien qu'on fût au début du mois de mai, la chaleur s'était installée avec son humidité pénétrante. Mère, assise dans la balancelle, essayait de se rafraîchir avec son éventail en ivoire. Elle n'attendit pas que je sois assise.

«Depuis plus d'un an, l'état de ton père ne présente aucune amélioration. Ses tremblements empirent chaque jour et ici, on ne peut rien faire de plus pour lui.

— Que me dites-vous là? Est-il…

— Non, écoute-moi. J'ai parlé au docteur Geddings et nous sommes d'accord – la seule chose qu'on puisse encore tenter, c'est de l'emmener à Philadelphie. Il y a là-bas un chirurgien de renom, le docteur Philip Physick. Je lui ai écrit il y a peu de temps et il a accepté de recevoir ton père.»

Je m'assis sur un siège bas.

«Il s'y rendra en bateau, continua-t-elle. Ce sera pour lui un voyage épuisant et il y a de fortes chances qu'il soit obligé de rester dans le Nord tout l'été, ou du moins aussi longtemps qu'il faudra pour trouver un traitement, mais ce projet lui a redonné espoir.»

Je hochai la tête. «Eh bien, oui, bien sûr. Il doit tenter tout ce qui est possible.

— Je suis contente que tu prennes les choses ainsi. Ce sera à toi de l'accompagner.»

Je me levai d'un bond. «Moi? Vous avez l'intention de m'envoyer seule avec Père à Philadelphie? Mais pourquoi pas avec Thomas ou John?

— Sois raisonnable, Sarah. Ils ne peuvent pas abandonner leur profession et leur famille aussi facilement.

— Et moi, je peux?

— Dois-je te rappeler que tu n'as ni profession ni famille? Tu vis sous le toit de ton père. Tu as des devoirs envers lui.»

M'occuper de Père semaine après semaine, sans doute des mois durant, toute seule dans un endroit éloigné – je sentis la vie m'abandonner.

« Mais je ne peux pas quitter... »

Je m'apprêtais à dire : *Je ne peux pas quitter Nina*, mais préférai m'abstenir.

« Je veillerai sur Nina, si c'est ce qui t'inquiète. »

Elle sourit, une chose si rare. Je me revis au salon avec le pasteur, le regard froid de Mère tandis que je défendais le droit de Nina à suivre sa conscience. Je n'avais pas pris son avertissement suffisamment au sérieux : *Tant que ces deux-là vivront sous le même toit, il n'y a guère d'espoir pour Angelina....* Ce n'était pas Nina que Mère avait l'intention de faire partir. C'était moi.

« Tu t'en vas dans trois jours », dit-elle.

Handful

Mauma avait fait semblant de boiter et moi, je boitais pour de bon. J'avais récupéré sa vieille canne mais elle m'arrivait à la poitrine – c'était plutôt une béquille qu'une canne.

Un jour, alors qu'il pleuvait à verse et que Goodis ne pouvait pas travailler au jardin, il m'a dit : « Donne-moi cette canne.

— Pourquoi ?

— Donne-la-moi, c'est tout. »

J'ai obéi.

Il a passé le reste de la journée à la tailler. Quand il est revenu, il la tenait cachée derrière son dos. Il a dit « J'espère que t'aimes bien les lapins. »

Non seulement il avait coupé l'extrémité pour la mettre à la bonne taille mais il avait sculpté le pommeau en forme de tête de lapin. Un museau rond et tacheté, des grands yeux et deux longues oreilles rabattues en arrière. Il avait même tailladé le bois pour représenter la fourrure.

J'ai dit : « Maintenant, les lapins, j'aime ça. »

J'avais pas souvent eu droit à pareille gentillesse. Un jour, je lui ai demandé d'où venait son nom et il m'a dit que sa mauma l'avait appelé Goodis quand il avait dix ans parce qu'il était le plus gentil de tous ses enfants.

Grâce à ma canne, je me déplaçais aisément. En me voyant arriver dans la cuisine pour dîner ce soir-là, Cindie a dit que je bondissais à travers la cour comme un lapin. J'ai pas pu m'empêcher de rire.

Le jour suivant, ils ont emmené Cindie quelque part et nous, on l'a jamais revue. Aunt-Sister a dit qu'elle avait la cervelle usée, que Missus l'avait envoyée avec Thomas dans la plantation, où elle allait finir sa vie. Thomas, c'était lui qui s'occupait de la plantation maintenant et, c'est vrai, il est revenu avec une nouvelle servante pour Missus qui s'appelait Minta.

Que Dieu la protège.

Cindie qui se retrouvait chassée comme ça, ça nous a tous fichu la trouille. Je me suis remise à ma tâche de couturière plus vite qu'on ne prononce le mot «lapin». J'ai montré à Missus que je montais très bien l'escalier. J'ai grimpé sans m'arrêter et, quand je suis arrivée en haut, elle a dit : «Bravo, Hetty. Je suis sûre que tu sais à quel point cela m'a fait de la peine de t'envoyer à la *Work House*.»

J'ai hoché la tête pour montrer à quel point je compatissais.

Et puis elle a ajouté : «Malheureusement, ces choses deviennent parfois indispensables et il semble que cela t'a été profitable. Et pour ton pied... eh bien, je regrette cet accident mais regarde-toi. Tu te rétablis très bien.

— Oui, m'dame.» Je lui ai fait une révérence depuis la dernière marche en pensant à ce que Mr. Vesey avait dit une fois à l'église : *Il y a un aspect de moi à montrer au maître. Il y en a un autre pour ce que je sais être moi.*

J'ai entendu un *tap-tap* à ma porte un jour en fin d'après-midi et Sarah se tenait là, son visage couvert de taches de rousseur blanc comme un linge. J'étais en train de travailler sur les culottes de master Grimké – Missus m'en avait balancé toute une tripotée en disant qu'ils flottaient parce qu'ils étaient trop grands. Quand Sarah est entrée, j'étais en train de boitiller autour de la table à découper, en étalant une de ces culottes pour voir ce que je pouvais faire. J'ai reposé les ciseaux.

«... Je voulais seulement dire... Bon, je suis obligée de partir... Dans le Nord. Je... je ne sais pas quand je pourrai revenir. »

À nouveau, elle s'exprimait en faisant des pauses entre les mots ; elle m'a parlé du docteur à Philadelphie, qu'elle allait devoir soigner son papa, se retrouver séparée de Nina, toutes les misères des valises à faire qui l'attendaient. Je l'écoutais en me disant : Les Blancs s'imaginent toujours qu'on s'intéresse à tout ce qui leur arrive, chaque fois qu'ils se cognent un orteil.

« Quel fardeau pour vous, je lui ai dit, je suis désolée. »

À la minute où ces mots sont sortis de ma bouche, j'ai su qu'ils venaient direct de cette partie de mon cerveau qui était vraiment moi, pas celle à montrer au maître. J'étais authentiquement désolée pour elle. Sarah s'était épanchée dans mon cœur mais en même temps je détestais ce teint blafard, cette façon impuissante de me dévisager en permanence. Elle se montrait gentille avec moi et elle faisait partie de tout ce qui me volait ma vie.

« ... Fais bien attention à toi pendant que je serai absente. »

En la regardant se diriger vers la porte, je me suis jetée à l'eau. « Vous vous souvenez, il y a quelque temps vous m'avez demandé si j'avais besoin de quoi que ce soit ? Eh bien, oui, j'ai besoin de quelque chose. »

Elle s'est retournée, l'air plus gaie. « Bien sûr... tout ce que je peux.

— J'ai besoin d'un papier signé.

— ... Quel genre de papier ?

— Un papier qui m'autorise à être dans la rue. Au cas où quelqu'un m'arrête à l'extérieur.

— Oh. »

Pendant une minute, elle a rien ajouté d'autre. Puis : « ...Mère ne veut pas que tu sortes, pas pendant un petit moment... Elle a désigné Phoebe pour aller au marché. En plus, ils ont fermé l'Église africaine – il n'y a plus nulle part où aller. »

J'aurais pu répondre que l'Église était condamnée d'avance mais ça m'a fait un coup d'apprendre ça. « J'ai quand même besoin d'un laissez-passer.

— ... Pourquoi ? Où as-tu besoin d'aller ?... C'est dangereux, Handful.

— J'ai passé la plus grande partie de ma vie à me déplacer pour vous, à agir pour vous et je n'ai jamais rien demandé pour moi. Désormais, je dois me rendre dans un certain nombre d'endroits, et ça ne regarde que moi. »

Elle a élevé la voix. Pour la première fois. « ... Et comment envisages-tu de quitter la propriété ? »

Au-dessus de nous, il y avait la petite fenêtre par laquelle mauma avait eu l'habitude de passer. Elle était très haute et représentait l'unique source de lumière de la pièce. *Si mauma peut le faire, alors moi aussi. Je le ferai estropiée, aveugle et à reculons, s'il le faut.*

Ces idées, je ne les ai pas formulées à voix haute. D'un signe de tête, je lui ai montré la feuille de papier sur l'étagère, à côté d'une plume et d'un encrier. J'ai dit : « Si vous n'acceptez pas de m'écrire ce laissez-passer pour circuler en toute sécurité, alors, je l'écrirai moi-même et je le signerai de votre nom. »

Elle a pris une profonde inspiration en me dévisageant longuement, puis elle est allée tremper la plume dans l'encrier.

La première fois que je me suis faufilée dehors en passant par la fenêtre, Sarah était partie depuis une semaine. Le pire moment, c'est quand j'ai dû me laisser tomber sur les briques, dissimulée par rien d'autre que le laurier-rose blanc. Encombrée par ma canne-lapin et le gros paquet en toile de jute ficelé sur mon dos, j'ai atterri sur le mauvais pied. Je suis restée assise sans bouger le temps que la douleur s'estompe, puis je suis passée du couvert des arbres dans la rue, rien qu'une esclave de plus en train d'exécuter les ordres d'un Blanc.

J'ai choisi ce jour-là parce que Missus avait la migraine. On n'attendait que ça, ses migraines. Quand ça la prenait, elle se mettait au lit et nous laissait à nous-mêmes. J'essayais de ne pas réfléchir à la façon dont je rentrerais. Mauma, elle, attendait qu'il fasse sombre pour escalader la clôture de derrière et c'était la meilleure méthode, mais on était en été et la nuit tombait tard, ce qui laissait le temps à tout le monde de s'interroger sur l'endroit où je me trouvais.

Un pâté de maisons plus bas, j'ai repéré un des Gardes. Il m'a regardée droit dans les yeux avant d'observer ma façon de boiter. Marche tranquillement. Pas trop vite. Pas trop lentement. Agrippée aux oreilles du lapin, je n'ai plus respiré tant que je n'avais pas tourné le coin de la rue.

Ça m'a pris deux fois plus de temps qu'avant pour aller jusqu'au 20 Bull Street. J'ai traversé la rue pour examiner la maison, qui avait toujours besoin d'être repeinte. Je ne savais pas si Denmark Vesey était sorti de la *Work House* ni ce qui lui était arrivé. Le dernier souvenir que j'avais de cet enfer, c'était sa voix qui criait : « Aidez la fille en bas, aidez-la ! »

Je ne m'étais pas encore autorisée à y réfléchir mais, debout là dans la rue, ce souvenir m'est revenu comme un tableau. *Je suis sur cette trépigneuse, je me cramponne à la barre de toutes mes forces. J'escalade la roue, j'escalade la roue. Ça s'arrêtera jamais. Mr. Vesey est silencieux, on l'entend même pas grogner mais les autres gémissent en appelant Jésus et la mèche de cuir fend l'air. J'ai de la sueur plein les mains, elles glissent sur la barre. Le nœud qui retient mon poignet se desserre. Je m'ordonne de ne pas regarder ni à droite ni à gauche, de garder la tête droite, de continuer à avancer mais la femme qui a un bébé dans le dos est en train de hurler. Le fouet lui cingle les jambes. Puis l'enfant crie. Je regarde. Je regarde sur le côté et sa petite tête est ensanglantée. Rouge et humide. C'est à ce moment-là que tout s'obscurcit. Je lâche, la corde se dénoue. Je tombe et là, y a pas d'ailes qui me poussent dans le dos.*

Devant la fenêtre, chez Denmark Vesey, une femme était en train de repasser. Elle me tournait le dos mais je voyais sa silhouette, sa peau claire, son foulard de couleur vive, son bras qui se balançait au-dessus du vêtement et ça s'est bloqué dans ma poitrine.

Quand je suis montée sur la véranda, je l'ai entendue chanter. *Way down yonder in the middle of the field, see me working at the chariot wheel.* En jetant un coup d'œil par la fenêtre ouverte, j'ai vu qu'elle ondulait aussi des hanches. *Now let me fly, now let me fly, now let me fly way up high*[1].

J'ai frappé à la porte et le chant s'est interrompu. Elle a ouvert sans lâcher le fer et l'odeur du charbon traînait derrière elle. Mauma disait toujours qu'il avait des épouses mulâtres dans toute la ville, mais la principale vivait ici, dans la maison. Elle a pointé le menton, les sourcils froncés, et je me suis demandé si elle me prenait pour la petite nouvelle.

« Qui es-tu ?

— Je m'appelle Handful. Je suis venue voir Denmark Vesey. »

Elle m'a dévisagée d'un œil torve puis elle a regardé mon pied tordu. « Eh bien, je suis Susan, sa femme. Qu'est-ce tu lui veux ? »

Je sentais la chaleur irradier du fer. La femme n'avait pas toujours eu la belle vie et je ne pouvais pas lui en vouloir de ne pas ouvrir sa porte aux filles perdues. « Tout ce que je veux, c'est lui parler. Il est ici, oui ou non ?

— Je suis ici », a dit une voix. Il était debout derrière elle, appuyé au chambranle de la porte, les bras croisés comme s'il était Dieu en train de contempler le monde en marche. Il a ordonné à sa femme de se trouver une occupation et les yeux de celle-ci sont devenus aussi étroits que des fentes. « Emporte ce fer avec toi, il a dit. Ça fait de la fumée dans la pièce. »

Elle est partie avec son fer pendant qu'il m'examinait. Son visage s'était creusé. On voyait le contour de ses

---

1. *Oh Let Me Fly*. Littéralement : « Très loin là-bas au milieu du champ, regarde-moi travailler à la roue du chariot [...] Maintenant laisse-moi m'envoler, laisse-moi m'envoler, laisse-moi m'envoler très haut dans le ciel. »

pommettes. Il a dit : « Tu as de la chance que la pourriture ne se soit pas mise dans ton pied ; tu serais morte.

— Je m'en suis sortie. Mais on dirait que toi aussi.

— Tu n'es pas venue ici me parler de ma santé. »

Il voulait pas tourner autour du pot. Ça faisait mon affaire. J'avais mal au pied à force de marcher. J'ai retiré le paquet de mon dos et je me suis assise. L'ameublement était austère, des chaises en rotin et une table avec une bible dessus.

« Je venais souvent ici avec ma mauma. Elle s'appelle Charlotte. »

Le rictus qui ne le quittait jamais s'est effacé. « Je savais que je t'avais déjà vue quelque part. Tu as les mêmes yeux qu'elle.

— C'est ce qu'on me dit toujours.

— Tu as son courage, aussi. »

J'ai serré le paquet en toile de jute contre ma poitrine. « Je veux savoir ce qui lui est arrivé.

— Ça remonte à loin.

— Bientôt sept ans. »

Comme il disait rien, j'ai dénoué le sac et j'ai étalé le quilt-histoire de mauma sur la table. Les carrés tombaient pratiquement jusqu'à terre et les couleurs étaient assez vives pour embraser la pièce sombre.

Les gens disent qu'il souriait jamais mais quand il a vu les esclaves passer devant le soleil en volant, il a souri. Il a regardé granny-mauma et les étoiles qui tombaient, il a regardé mauma qui abandonnait mon papa dans les champs, moi et elle disposant des pièces prédécoupées sur le cadre à quilt. Il a examiné les arbres des âmes et la punition sur une seule jambe. Il n'a posé aucune question sur ce qu'il voyait. Il avait compris que c'était son histoire à elle.

J'ai jeté un œil à la dérobée sur le dernier carré où mauma avait cousu l'homme avec le tablier de charpentier et les chiffres 1884. J'ai observé avec beaucoup d'attention pour voir s'il se reconnaissait.

« Tu penses que c'est moi, pas vrai ? il a dit.

— Je sais que c'est toi, mais je comprends pas ces chiffres. »

Il s'est mis tout de suite à rire. « Un, huit, huit, quatre. C'était les chiffres sur mon billet de loterie. Les chiffres qui ont acheté ma liberté. »

Il faisait une chaleur étouffante dans la pièce. La sueur me dégoulinait le long des tempes. Alors, c'est ça son dernier mot. Voilà à quoi ça se résume – une chance de devenir libre. Une chance bien illusoire.

J'ai replié le quilt, je l'ai remballé dans le sac de jute et je l'ai noué dans mon dos. J'ai pris ma canne et j'ai dit : « Elle était enceinte, tu le savais ? Le jour où elle a disparu, ton bébé a disparu avec elle. »

Il a pas cillé mais je voyais bien qu'il était pas au courant.

J'ai dit : « Ces chiffres-là, ils sont jamais sortis pour elle, pas vrai ? »

Sarah

Le voyage en bateau fut pénible. Après avoir longé la côte pendant près de deux semaines, l'estomac retourné par les vagues houleuses de Virginie, nous suivîmes le Delaware jusqu'à Penn Landing. À l'arrivée, je mourais d'envie d'embrasser la terre ferme. Avec Père presque trop faible pour parler, ce fut à moi que revint la tâche de récupérer nos malles et de louer une voiture.

Comme nous approchions de Society Hill, où résidait le médecin, la ville devint jolie avec ses arbres et ses clochers, ses belles demeures et ses maisons mitoyennes en brique. Je fus frappée de voir à quel point on ne voyait pas d'esclaves dans les rues. Cette brusque prise de conscience m'aida à desserrer un nœud à l'intérieur de moi, un nœud dont j'ignorais l'existence jusqu'à ce moment précis.

Je trouvai à nous loger dans une pension quaker près de Fourth Street, et Père s'en remit totalement à moi – pour la nourriture, pour la façon dont il devait s'habiller, pour toutes les décisions concernant sa santé. Il me confia même les sacs d'argent et les livres de comptes. Tous les deux ou trois jours, je nous convoyais jusqu'au cabinet du médecin en voiture de louage mais, après trois semaines de visites apparemment vaines, Père ne pouvait toujours pas faire plus de quelques pas sans souffrir le martyre et être épuisé. Il avait encore maigri. Il paraissait tout desséché.

Un matin, assise dans le cabinet du médecin, alors que je regardais les cheveux blancs et le nez aquilin – un nez très semblable à celui de Père –, du docteur Physick, celui-ci m'annonça : « Malheureusement, je ne parviens pas à trouver la raison des tremblements du juge Grimké ni pourquoi son état se détériore. »

Père ne fut pas le seul à être abattu. Moi aussi, j'étais minée par la déception alors que j'étais arrivée pleine d'optimisme. « ... Quand même, il doit bien exister quelque chose que vous puissiez lui prescrire.

— Oui, bien sûr. Je pense que l'air marin lui fera du bien.

— L'air marin ? »

Il sourit. « Vous êtes sceptique, mais ce sont des bienfaits reconnus. Cela s'appelle la thalassothérapie. J'ai entendu dire que même des malades gravement atteints recouvraient la santé. »

Je n'imaginais que trop bien la réaction de Père à cette proposition. L'air marin.

« Je vous prescris de l'emmener passer l'été à Long Branch, dit le médecin. C'est une petite station assez isolée sur la côte du New Jersey, connue pour sa cure marine. Je vais vous faire envoyer du laudanum et de l'élixir parégorique. Il faudra qu'il prenne l'air le plus possible. Encouragez-le à patauger dans l'océan, s'il en a la force. À l'automne, il aura peut-être suffisamment récupéré pour pouvoir rentrer chez lui. »

Peut-être aurais-je retrouvé Nina avant septembre.

Le médecin avait dit que Long Branch était petit, mais il avait exagéré. Ce n'était pas petit, ce n'était même pas minuscule ; cela existait à peine. Il y avait quatre fermes, une église méthodiste en planches, miniature, et un magasin de nouveautés. De même, ce n'était pas un lieu « assez » isolé ; c'était totalement isolé. À partir de Philadelphie, il fallut voyager six jours durant en voiture privée dont un à cahoter sur un sentier muletier. Après un arrêt dans l'unique boutique pour se fournir en produits de toilette, nous continuâmes notre route vers Fish Tavern, le seul et unique hôtel. Il était perché tout en haut d'une falaise qui dominait l'océan – un vaste édifice, battu par les vents. Lorsque le réceptionniste nous apprit que des groupes de prière se rassemblaient dans la salle à manger communale après le dîner, j'interprétai cela comme le signe que Dieu nous avait guidés.

Père était venu volontiers, trop volontiers, me parut-il. J'étais persuadée qu'il insisterait pour rentrer en Caroline du Sud. Je m'étais attendue à ce qu'il réagisse par une boutade – *N'avons-nous pas d'air marin à Charleston ?* – mais quand je lui avais annoncé la nouvelle, là, dans le cabinet de consultations du docteur Physick, en insistant sur le mot de « thalassothérapie », il s'était contenté de me dévisager longuement pendant un étrange moment. Une ombre était passée sur son visage, que je pris alors pour de la déception. Il dit : « Allons donc dans le New Jersey. Oui, c'est cela que nous allons faire. »

Ce premier après-midi, avant le crépuscule, je lui apportai un bol de soupe de morue dans sa chambre. Lorsqu'il tenta de manger, sa main tremblait si violemment que le contenu de la cuillère éclaboussa les draps. Il s'adossa à la tête du lit et me laissa le nourrir. Je me mis à bavarder à propos de l'océan si bruyant, des marches sinueuses qui menaient de l'hôtel au rivage, tentant avec une certaine frénésie de nous distraire de ce qui était en train de se passer. Sa bouche, qui s'ouvrait et se fermait comme celle d'un oisillon. La cuillère dans le bouillon incolore. L'inutilité de tout cela.

Le fracas des vagues emplissait toute la pièce tandis que je le nourrissais. À travers la vitre, je voyais l'eau, de la couleur de l'étain, fouettée par le vent jusqu'à former une houle écumante. Père finit par lever la main pour me prévenir qu'il avait eu assez de soupe mais aussi de bavardages.

Je préparai le pot de chambre sur le sol, non loin de lui. « Bonne nuit, Père. »

Il avait déjà les yeux fermés mais sa main tâtonna à la recherche de mon bras. « Tout va bien, Sarah. Nous laisserons les choses être comme elles le doivent. »

17 juillet 1819

Chère Nina,

Nous sommes installés à la Fish Tavern. Mère qualifierait cet endroit de minable mais il fut élégant autrefois et ne manque pas de caractère. Presque toute les chambres sont occupées mais je n'ai rencontré que deux pensionnaires. Il s'agit de deux sœurs d'un certain âge, veuves ; elles viennent de New York et fréquentent les groupes de prière tous les soirs dans la salle à manger. J'aime beaucoup la plus jeune des deux.

Père requiert une attention continuelle. Nous sommes venus ici pour profiter de l'air marin mais il n'a pas mis le pied hors de sa chambre. J'ouvre la fenêtre mais les glapissements des mouettes le dérangent et désormais, il tient à ce que la fenêtre soit close à midi. Je suis assez perfide – je la laisse à l'espagnolette et je lui affirme qu'elle est fermée. Une raison supplémentaire pour aller dans la salle à manger prier avec ces deux sœurs.

À quinze ans, tu es assez grande pour que j'ose te parler de sœur à sœur. Les douleurs de Père ne font qu'empirer. Le laudanum le fait dormir sporadiquement durant de longues heures et lorsque j'insiste pour qu'il fasse un peu d'exercice autour de la pièce, il s'appuie lourdement sur moi. La plupart des repas, je dois les lui donner à la cuillère. N'empêche, Nina, je continue à espérer. Si la foi déplace des montagnes, Dieu redonnera bientôt des forces à Père. Tous les jours, je m'assieds à côté de son lit, je prie et je lis la Bible à voix haute pendant des heures. Ne sois pas fâchée de me savoir aussi pieuse. Je suis presbytérienne, après tout. Comme tu le sais, nous sommes attachés à l'amertume de notre fiel.

Je suis certaine que tu ne provoques pas trop Mère. Si possible, retiens-toi jusqu'à mon retour. Je prie pour que Handful soit en bonne santé. Veille bien sur elle. Si elle a besoin d'être protégée pour quelque raison que ce soit, fais de ton mieux.

Tu me manques. Je me sens peut-être un peu solitaire mais Dieu est avec moi. Tu peux dire à Mère que tout va pour le mieux.

Ta fidèle sœur,
Sarah

Tous les jours, selon des horaires établis, l'employé de l'hôtel hissait et abaissait des drapeaux rouge et blanc près de l'escalier qui descendait à la plage. À neuf heures pétantes, le drapeau rouge montait, signalant aux messieurs qu'ils pouvaient prendre possession du sable. Je les observais entrer de façon tonitruante dans les vagues, faire la course au-delà des brisants et plonger. Ils refaisaient surface, de l'eau jusqu'à la taille, les mains sur les hanches, et scrutaient l'horizon. Sur la plage, ils se bagarraient, ils se regroupaient et ils fumaient des cigares. À onze heures, on hissait le drapeau blanc et les hommes remontaient vers l'hôtel, leur serviette de laine drapée autour du cou.

Ensuite, les dames faisaient leur apparition. Même si j'étais plongée dans une prière, je marmonnais «Amen» en hâte et je courais à la fenêtre les regarder descendre l'escalier avec leur tenue de bain et leur chapeau ciré. Je n'avais jamais vu de dames se baigner. Chez nous, les femmes n'entraient pas dans l'océan vêtues d'accoutrements fantaisistes. Il y avait bien un établissement de bains dans le port, au-delà de l'East Battery, avec une zone réservée aux dames, mais Mère considérait cela comme inconvenant. Une fois, à ma grande surprise, je vis les deux sœurs d'un certain âge, celles dont j'avais parlé à Nina, descendre l'escalier avec précaution en même temps que les autres. La plus jeune, Althea, prenait toujours la peine non seulement de s'inquiéter de la santé de Père mais de la mienne. «Comment allez-vous, ma chérie? Vous êtes très pâle. Prenez-vous suffisamment l'air?» Lorsque je l'avais aperçue ce jour-là parmi les baigneuses, elle avait jeté un coup d'œil derrière elle et, en m'apercevant à la fenêtre, elle m'avait fait signe de les rejoindre. J'avais secoué la tête mais rien ne m'aurait fait plus plaisir.

Les femmes entraient toujours dans l'eau d'une autre façon que les hommes, en se tenant aux grosses cordes ancrées dans le sable. Parfois, elles étaient une dizaine à s'allonger dans les vagues, collées les unes aux autres, à pousser des cris en tournant le dos aux embruns. Si Père dormait, je restais à la fenêtre à les observer, le cœur serré, jusqu'à ce que le drapeau blanc soit descendu.

Le matin du 8 août, j'étais à la fenêtre, négligeant mes prières, lorsque Père s'éveilla en criant mon nom. « *Sarah !* » Je me précipitai à son chevet, il était encore endormi. « *Sarah !* » cria-t-il à nouveau en remuant vivement la tête. Je posai la main sur sa poitrine pour le calmer et il ouvrit les yeux, le souffle court.

Il me scruta du regard fiévreux de qui échappe juste à un cauchemar. Penser que j'en étais partie intégrante, cela me fit de la peine. Pendant ces semaines passées à Long Branch, Père s'était montré bon envers moi. *Comment cela va-t-il pour toi, Sarah ? Tu manges suffisamment ? Tu as l'air épuisée. Pose la bible et va te promener.* Cette tendresse me bouleversait. Pourtant, il gardait ses distances et n'abordait jamais de sujets plus intimes.

Je posai un tissu frais sur son front. « … Père, je sais que venir jusqu'ici a été pour vous une épreuve et que votre état s'améliore… très lentement. »

Il sourit sans ouvrir les yeux. « Il est temps que la vérité soit dite. Il n'y a eu aucune amélioration.

— …Il ne faut pas perdre espoir.

— Vraiment ? »

La peau de ses joues était aussi fine et transparente qu'un voile. « Je suis venu ici pour mourir, tu dois le savoir.

— Non ! Je l'ignore totalement. » Je me sentais atterrée, et même en colère. C'était comme si le mauvais rêve avait fissuré sa façade et, brusquement, j'eus envie de la restaurer. « … Si vous pensez être mourant, alors, pourquoi ne pas avoir insisté pour que nous rentrions chez nous ?

— Ce sera difficile à comprendre pour toi, mais ces dernières années à la maison ont été très dures. C'est un soulagement d'être loin, d'être ici avec toi et de m'en aller doucement. J'ai le sentiment que, ici, je pourrai me détacher plus aisément de tout ce que j'ai connu et aimé durant ma vie entière. »

Je me cachai la bouche d'une main. Mes yeux se remplirent de larmes.

« Sarah. Ma chère petite. Ne nous laissons pas aller à de vains espoirs. Je ne m'attends pas à guérir et d'ailleurs, je ne le souhaite pas. »

Il avait maintenant le visage enflammé. Je lui pris la main et, peu à peu, son expression s'apaisa et il s'assoupit.

Il se réveilla à trois heures de l'après-midi. Le drapeau blanc venait d'être hissé – je le voyais dans l'encadrement de la fenêtre ondoyer dans le ciel translucide. Je portai le verre d'eau à ses lèvres et l'aidai à boire. Il dit : « Nous avons eu nos querelles, n'est-ce pas ? »

Je savais ce qui allait suivre et je voulais l'épargner. M'épargner aussi. « Ça n'a plus d'importance maintenant.

— Tu as toujours été dotée d'un esprit indépendant et déterminé, peut-être même extrémiste, et je me suis montré sévère envers toi. Tu dois me pardonner. »

Je ne pouvais pas imaginer ce que cela devait lui coûter de prononcer ces mots. « Je vous pardonne. Et vous, vous devez me pardonner.

— Te pardonner quoi, Sarah ? D'avoir suivi ta conscience ? Ne crois-tu pas que je hais l'esclavage tout autant que toi ? Crois-tu que j'ignore que c'est la cupidité qui m'a empêché de suivre ma conscience comme tu as suivi la tienne ? La plantation, la maison, toute notre façon de vivre dépend des esclaves. »

Son visage se tordit et il étreignit son flanc un moment avant de continuer. « Ou devrais-je te pardonner d'avoir voulu exprimer de façon naturelle tes exigences intellectuelles ? Tu étais plus intelligente même que Thomas et

John mais tu es une femme, une autre cruauté que j'étais impuissant à changer.

— Père, je vous en prie. Je n'ai aucun ressentiment contre vous. » Ce n'était pas complètement vrai, mais je le dis.

Des rires montaient de la plage, apportés par le vent. « Tu devrais sortir pour te changer les idées », suggéra-t-il.

Je protestai mais il ne voulut pas céder. « Comment pourras-tu prendre soin de moi si tu ne prends pas soin de toi-même ? Fais-le pour moi. Je me débrouillerai très bien. »

J'avais seulement l'intention de patauger dans les vagues. J'ôtai mes chaussures et les posai à côté de la cabine de change qu'on avait roulée sur le sable. Au même moment, la plus sympathique des deux sœurs, Althea, repoussa la toile et sortit vêtue d'une tenue de bain à rayures rouge et noir avec jupe à volants et manches ballon. J'aurais voulu que Handful voie cela.

« Oh, quelle joie ! Vous venez enfin vous baigner avec nous ? dit-elle.

—... Oh, non, je n'ai pas la tenue qui convient. »

Elle scruta mon visage, qui devait respirer le malheur par tous ses pores, car elle annonça soudain qu'elle avait perdu toute envie de se baigner et que cela lui ferait extrêmement plaisir si je voulais bien emprunter son costume pour aller me tremper. Après la conversation que je venais d'avoir avec Père, je me sentais écorchée vive, vulnérable. J'avais envie de disparaître quelque part toute seule, pourtant je regardai la cordée de dames avançant dans la mer et au-delà, les montagnes d'eau verte, sans limite, invincible, et j'acceptai sa proposition.

Elle sourit en me voyant sortir de la cabine-vestiaire. Elle n'avait pas de bonnet et j'avais dénoué mes cheveux, qui flottaient dans le vent. Elle dit que je ressemblais à une sirène.

Je saisis une des cordes et, me cramponnant à deux mains, j'entrai dans l'eau jusqu'à rejoindre le reste des dames. Les vagues nous giflaient les cuisses, nous jetant de-ci de-là un minuscule jeu de bataille, et puis sans savoir ce que je m'apprêtais à faire, je lâchai prise pour m'éloigner un peu. J'avançai dans l'eau cinglante et, quand je fus à quelque distance, je me laissai tomber sur le dos et je me mis à flotter. C'était une expérience bouleversante que de sentir l'eau qui me soutenait. Que d'être couchée dans la mer pendant, que, à l'étage, mon père se mourait.

9 août 1819

Chère Mère,
La Bible nous promet que Dieu essuyera toutes les larmes qui coulent de nos yeux...

Je posai ma plume. Je ne savais pas comment le lui annoncer. Cela paraissait étrange que ce soit à moi de lui donner pareille nouvelle. J'avais imaginé qu'elle nous rassemblerait, nous ses enfants, dans le salon et qu'elle nous dirait : Votre père est parti rejoindre Dieu. Comment était-il possible que cette tâche m'ait échu ?

Plutôt que les funérailles marquantes qu'il aurait eues à Charleston – les fastes de St. Philip, la procession imposante dans Meeting Street, son cercueil hissé sur une voiture fleurie et la moitié de la ville marchant derrière –, au lieu de tout cela, il allait être enterré en tout anonymat dans le cimetière envahi de mauvaises herbes à côté de la minuscule église méthodiste devant laquelle nous étions passés en arrivant. Un chariot de ferme tirerait le cercueil. Je marcherais derrière, seule.

Mais je ne dirais rien de tout cela à Mère. Pas plus que je ne lui raconterais que, à l'heure de sa mort, j'étais en train de flotter en toute liberté sur les vagues, dans une solitude dont je me souviendrais toute ma vie, les mouettes croassant au-dessus de ma tête et le drapeau blanc flottant en haut du mât.

Handful

Missus avait les yeux tellement gonflés par les larmes qu'elle les gardait fermés. On était en milieu de matinée et elle était encore au lit, vêtue de sa tenue de nuit. La moustiquaire était tirée et les rideaux n'avaient pas été ouverts mais je voyais ses paupières bouffies. Minta, la nouvelle fille, restait dans son coin en essayant d'être invisible.

Quand Missus a essayé de me parler, elle a éclaté en sanglots. J'avais de la peine pour elle. Je savais ce que c'était de perdre quelqu'un. Ce que je savais pas, c'était pourquoi elle m'avait convoquée dans sa chambre. Tout ce que je pouvais faire, c'était rester plantée là en attendant qu'elle se reprenne un peu.

Au bout de quelques minutes, elle a crié à Minta : « Alors, tu vas te décider à m'apporter un mouchoir, oui ou non ? »

Minta s'est mise à fouiller dans un tiroir de linge, et Missus s'est tournée vers moi. « Il faut que tu commences ma robe immédiatement. Je veux du velours noir. Avec une garniture de perles. Mrs. Russell en avait une avec des pierres de jais, noires. Il me faudra aussi un bonnet avec un long voile de crêpe dans le dos. Et des gants noirs, mais fais des mitaines sans doigts à cause de la chaleur. Tu t'en souviendras ?

— Oui, m'dame.

— Cela doit être prêt dans deux jours. Et ce doit être impeccable. Hetty, tu comprends ? Impeccable. Travaille toute la nuit si c'est nécessaire. »

On dirait bien qu'elle a repris le contrôle d'elle-même et qu'elle le tient serré.

Elle m'a écrit un laissez-passer pour le marché et elle m'y a envoyée en voiture avec Tomfry, qui sortait, lui, pour acheter les faire-parts. Elle a dit que ça me prendrait trop de temps si je devais faire l'aller-retour en boitant bas. Voilà comment j'ai eu droit au premier voyage en voiture de toute ma vie. Pendant le trajet, Tomfry a dit : « Arrête de sourire comme ça, on est censés avoir du chagrin. »

Au marché, j'étais en train de regarder les éventaires haut de gamme pour trouver les perles que Missus désirait quand je suis tombée sur la femme de Mr. Vesey, Susan. Je ne l'avais pas revue depuis le début de l'été quand j'étais allée au 20 Bull Street.

« Regarde donc ce que le matou nous a ramené », elle a dit.

Je parie qu'elle était encore sacrément en pétard.

Je me demandais ce qu'elle pouvait bien savoir. Elle avait peut-être écouté aux portes le jour où j'avais causé avec Mr. Vesey. Et elle était au courant pour mauma, pour le bébé, tout quoi.

Je ne voyais aucune raison d'envenimer le conflit. « Je veux pas me disputer avec toi. Je viendrai plus vous embêter. »

Ça a suffi pour la calmer aussitôt. Ses épaules se sont détendues et son visage s'est adouci. C'est à ce moment-là que j'ai remarqué le foulard qu'elle portait. Rouge. Les bords cousus avec des petits points parfaits. Des taches d'huile sur le côté. J'ai dit : « C'est le foulard de ma mauma. »

Ses lèvres se sont entrouvertes comme si le bouchon avait sauté de la bouteille. J'ai attendu mais elle restait là, la bouche vide.

« Je connais ce foulard », j'ai dit.

Elle a posé son panier et elle l'a enlevé de sa tête. « Tiens, prends-le. »

J'ai laissé courir mon doigt le long de l'ourlet, sur les plis que ses cheveux avaient touchés. J'ai enlevé mon foulard de ma tête pour mettre celui de mauma. Bas sur le front, comme elle-même le portait.

« Comment tu l'as eu ? » j'ai demandé.

Elle a secoué la tête. « Je crois que tu dois le savoir. La nuit où ta mauma a disparu, elle a tapé à notre porte. Denmark a dit que la Garde allait rechercher une femme avec un foulard rouge, alors j'ai pris le sien et je lui ai donné un des miens. Un marron uni qui n'attirerait pas l'attention.

— Tu l'as aidée ? Tu l'as aidée à s'enfuir ? »

Elle n'a pas vraiment répondu, elle a dit : « Je fais ce que Denmark dit de faire. » Puis elle s'est éloignée en roulant des fesses, tête nue.

J'ai cousu pendant toute la journée et toute la nuit, tout le lendemain et la nuit suivante, et tout le temps, je portais le foulard de mauma. Tout le temps, je pensais à elle qui était allée chez Mr. Vesey ce soir-là, comment il en savait plus qu'il ne voulait le dire.

Chaque fois que j'emportais la robe en haut pour un essayage, je trouvais la maison sens dessus dessous pour que tout soit prêt pour le deuil. Missus disait que la moitié de la ville allait venir. Aunt-Sister et Phoebe faisaient cuire des biscuits, adaptés aux funérailles, et vérifiaient les services à thé. Binah entourait les tableaux et les miroirs de festons noirs et Eli avait été mis au ménage. À Minta revenait la pire tâche, fournir régulièrement les mouchoirs et faire le dos rond.

Dans le salon, Tomfry a accroché le portrait de master Grimké et préparé une table chargée d'objets symboliques. Il y avait son haut-de-forme en castor, des épingles de cravate et les livres de droit dont il était l'auteur. Thomas a apporté une banderole en tissu sur laquelle était écrit : « Disparu mais jamais oublié » et Tomfry l'a posée sur la table également, avec une horloge arrêtée à l'heure de sa mort. Missus ignorait l'heure exacte. Sarah avait écrit que c'était arrivé en fin d'après-midi donc Missus avait déclaré : « Disons quatre heures et demie. »

Quand elle n'était pas en train de pleurer, elle fulminait parce que Sarah n'avait pas eu l'idée de couper une mèche des cheveux de master Grimké pour la glisser dans la lettre. Ce qui la laissait démunie de toute relique susceptible de garnir sa broche de deuil en or. Autre chose qui lui déplaisait, c'était l'annonce parue dans le *Mercury*. On y lisait qu'il avait été inhumé dans le Nord, sans famille ni amis et que cela avait sûrement dû être une dure épreuve pour un fils de Caroline du Sud.

Je sais pas comment j'ai réussi à finir la robe à temps. C'était la plus belle que j'aie jamais faite. J'ai enfilé des centaines de perles de verre noires, puis j'ai assemblé les différents brins pour créer un col qui ressemblait à une toile d'araignée. Je l'ai ajusté à l'encolure en le laissant retomber sur le buste. Quand Missus l'a vue, elle a fait la seule et unique remarque bienveillante que je ne peux pas oublier. Elle a dit : « Eh bien, Hetty, ta mère serait fière. »

Un dimanche, alors que les visiteurs avaient cessé de défiler pour présenter leurs condoléances, j'ai fait le mur. C'était notre jour de congé, les servantes se prélassaient et Missus était claquemurée dans sa chambre. Je devais longer la maison avant de me sentir en sécurité et, en tournant le coin, j'ai vu Tomfry sur les marches, en train de marchander avec le petit esclave colporteur de poisson. Ils étaient penchés sur ce qui ressemblait à un panier de cinquante livres de flet. J'ai baissé la tête et j'ai continué à avancer.

« Handful ! C'est toi ? »

J'ai levé les yeux ; Tomfry me regardait du haut des marches. Il était vieux désormais, les yeux laiteux, et ça m'a traversé l'esprit de lui répondre : *Non, je suis quelqu'un d'autre,* mais il aurait pu voir la canne que je tenais à la main. Là-dessus, y avait pas à s'y tromper. J'ai dit : « Ouais, c'est moi. Je vais au marché.

— Qui a dit que tu pouvais y aller ? »

J'avais le laissez-passer de Sarah dans ma poche mais il risquait fort d'avoir des doutes – elle était encore dans le Nord, elle attendait le bateau pour rentrer. Je suis restée bloquée sur le trottoir.

Il a dit : « Qu'est-ce que tu fabriques dehors ? Réponds-moi. »

Dans ma tête, j'entendais la trépigneuse grincer.

Une silhouette s'est approchée de la fenêtre. Nina. Puis la porte s'est ouverte et elle a dit : « Qu'est-ce qui se passe, Tomfry ?

— Handful est dehors. J'essaie de savoir ce qu'elle fait.

— Oh. Je lui ai demandé de faire une course pour moi, c'est tout. Je t'en prie, ne dis rien à Mère, je ne veux pas qu'on l'ennuie avec ça. Vas-y donc », a-t-elle ajouté à mon intention.

Tomfry est revenu vers le marchand de poissons. Je suis partie le plus vite que j'ai pu. Arrivée à George Street, je me suis arrêtée pour regarder derrière moi. Nina était toujours dehors à m'observer. Elle a levé le bras pour me saluer.

Pas loin du 20 Bull Street, il y avait un petit concert improvisé – trois garçons soufflaient dans des gros pots et Gullah Jack, le bras droit de Mr. Vesey, tapait sur son tambour. Une foule de gens de couleur s'était rassemblée, et deux des femmes se lançaient dans ce que nous appelions « step-dance ». Je me suis arrêtée pour regarder parce qu'ils s'offraient une petite parade type *Strut Miss Lucy*[1]. Je me suis concentrée presque uniquement sur Gullah Jack. Il avait des favoris épais et il bondissait sur ses jambes courtes. Une fois la chanson terminée, il a glissé le tambour sous son bras et il est parti vers chez Mr. Vesey. Avec moi sur les talons.

1. Strut Miss Lucy est un jeu que pratiquent les petites filles. Elles forment deux rangées ; une fille passe au milieu en faisant un mouvement de son choix – un pas de danse, une grimace amusante – et les autres lui emboîtent le pas en l'imitant.

J'ai vu de la fumée sortir de la cuisine et je suis allée frapper là. Susan m'a fait entrer en disant : « Eh bien, je suis étonnée qu'il t'ait fallu autant de temps. » Elle m'a demandé de lui donner un coup de main, les hommes se réunissaient dans la pièce de devant.

« Ils se réunissent pourquoi ? »

Elle a haussé les épaules. « Je sais pas, et j'ai pas envie de savoir. »

Je l'ai aidée à couper les choux et les carottes pour le dîner et quand elle leur a apporté une bouteille de Madère, je l'ai suivie. J'ai attendu à la porte pendant qu'elle leur versait à boire et je les ai vus assis autour de la table : Mr. Vesey, Gullah Jack, Peter Poyas, Monday Gell, plus deux qui appartenaient au gouverneur, Rolla Bennett et Ned Bennett. Je les connaissais tous de l'église. C'étaient tous des esclaves, sauf Mr. Vesey. Au bout d'un moment, il a commencé à les appeler ses lieutenants.

J'ai reculé discrètement dans l'entrée et j'ai laissé Susan revenir sans moi dans la cuisine. Puis je me suis approchée de la porte, le plus près possible sans qu'on me voie.

À l'entendre, on avait l'impression que c'était la totalité des esclaves de l'État que Mr. Vesey répartissait. « Je prendrai les nègres français des bords du Santee et Jack, tu prends les esclaves des Sea Islands. Ceux qui seront difficiles à recruter, ce sera ceux des campagnes, dans les plantations. Peter, Monday et toi, c'est vous qui les connaissez le mieux. Rolla, je te confie les esclaves des villes et Ned, ceux du Neck. »

Il a baissé la voix et je me suis approchée un peu plus. « Gardez la liste de tous ceux que vous enrôlez. Et planquez-la sous peine de mort. Dites à tout le monde d'être patient, le grand jour arrive. »

Je sais pas d'où il est sorti mais Gullah Jack m'est tombé dessus avant que j'aie eu le temps de me retourner. Il m'a attrapée par-derrière et il m'a jetée dans la pièce, en envoyant valdinguer ma canne-lapin. J'ai rebondi contre le mur et j'ai atterri à plat dos.

Il a enfoncé son pied dans ma poitrine, en m'écrasant contre le sol. « Qui es-tu ?

— Enlève ton sale pied de moi !» J'ai craché mais la bave m'est retombée dessus.

Il a levé la main comme s'il était prêt à me frapper et du coin de l'œil j'ai vu Denmark Vesey le saisir au collet et le balancer à l'autre bout de la pièce. Ensuite, il m'a remise sur mes pieds. « Ça va ? »

J'avais les bras qui tremblaient si fort que je n'arrivais pas à les faire tenir tranquille.

« Tout ce que tu as entendu ici, tu le gardes pour toi », il m'a dit.

J'ai hoché la tête et il m'a entourée de son bras pour faire cesser mes tremblements.

Il s'est tourné vers Gullah Jack et les autres et il a dit : « Voilà la fille de ma femme et la sœur de mon enfant. Elle fait partie de la famille et ça veut dire que vous ne levez pas la main sur elle. »

Il a ordonné aux hommes de retourner dans son atelier. Nous avons attendu pendant qu'ils repoussaient bruyamment leurs chaises et sortaient de la pièce.

Donc, il considérait mauma comme une de ses femmes. *Je fais partie de la famille.*

Il m'a avancé une chaise. « Tiens, assieds-toi. Qu'est-ce que tu fais ici ?

— Je suis venue pour apprendre ce qui est vraiment arrivé à mauma. Je sais que tu le sais.

— Certaines choses, mieux vaut les ignorer, il a répondu.

— Eh bien, c'est pas ce que la Bible prêche. Elle dit que si tu sais la vérité, elle te rendra libre. »

Il a fait le tour de la table. « Très bien, alors. » Il a fermé la fenêtre pour que la vérité reste dans la pièce et n'aille pas flotter aux oreilles du monde.

« Le jour où Charlotte a eu des ennuis avec la Garde, elle est venue ici. Je travaillais dans l'atelier et quand j'ai relevé la tête, elle était là. Il l'avait poursuivie jusqu'à la rizerie et là, elle s'était cachée dans un sac, à l'intérieur de la fabrique. Sa robe était couverte de balles de riz.

Je l'ai gardée ici jusqu'à ce qu'il fasse noir et puis je l'ai emmenée au Neck, où les contrôles de police sont légers. Je l'ai emmenée là-bas pour qu'elle se cache. »

Dans le Neck, situé juste au Nord de la ville, on trouvait plein de logements pour les Noirs libres et les esclaves dont les maîtres acceptaient qu'ils vivent « en dehors ». Des cabanes à nègres, on appelait ça. J'ai essayé de m'en représenter une, de me représenter mauma dedans.

« Je connaissais un Noir libre là-bas ; il avait une chambre et il a pris ta mauma. Elle a dit que quand la Garde arrêterait de la chercher, elle retournerait chez les Grimké et elle implorerait leur pitié. »

Il avait pas cessé d'arpenter la pièce mais soudain il est venu s'asseoir à côté de moi et il a terminé ce récit de vérité le plus vite qu'il a pu. « Une nuit, elle est allée aux toilettes dans Radcliff Alley et là, il y avait un Blanc, un braconnier d'esclaves qui s'appelait Robert Martin. Il l'attendait. »

Un bruit m'a envahi la tête, une plainte si envahissante que je n'entendais plus rien. « Un braconnier, c'est quoi un braconnier ?

— Quelqu'un qui vole les esclaves. Ces gens-là sont des ordures. Ce type, nous le connaissions tous – il avait un petit commerce dans le coin. Au début, des marchandises ordinaires et puis il a commencé à acheter des esclaves. Et puis il a commencé à les voler. Il faisait la chasse à l'esclave dans le Neck. Il laissait toujours traîner ses oreilles partout et il poursuivait les fugitifs. Il y en a plus d'un qui l'a vu capturer Charlotte.

— Il l'a emmenée ? Il l'a vendue quelque part ailleurs ? »

J'étais déjà debout, je criais pour couvrir le bruit dans ma tête. « Pourquoi t'es pas allé la chercher ? »

Il m'a prise par les épaules et il m'a secouée. Il avait les yeux qui luisaient comme des pierres à feu. Il a dit : « Gullah Jack et moi, on l'a cherchée pendant deux jours. On a cherché partout mais elle avait disparu. »

Sarah

Je fis le pénible voyage de retour vers Philadelphie, où je trouvais à me loger dans la même maison de Society Hill où Père et moi avions pris pension auparavant, décidée à ne rester que le temps d'attendre le départ du bateau. Mais le matin prévu, ma malle fermée et la voiture arrivée, quelque chose d'étrange et d'inconnu en moi regimba.

Mrs. Todd, qui me louait la chambre, frappa à ma porte. « Miss Grimké, la voiture – elle vous attend. Puis-je envoyer le cocher prendre votre malle ? »

Je ne répondis pas immédiatement, mais restai debout devant la fenêtre à regarder la vigne bien fournie sur la palissade, la rue pavée bordée de sycomores, la lumière qui formait des dessins mouchetés et, entre mes dents, je chuchotai : « Non. »

Je me tournai vers elle en dénouant mon bonnet. Il était noir avec un petit volant, parfait pour un deuil. Je l'avais acheté la veille dans High Street, seule aux commandes dans les boutiques, n'ayant de comptes à rendre qu'à moi-même, puis j'étais revenue dans cette chambre simple où il n'y avait ni domestiques ni esclaves, pas de mobilier excessif avec filigrane ou doré à la feuille, personne pour m'obliger à prendre le thé avec des visiteurs qui ne m'intéressaient nullement, aucun devoir d'aucune sorte, rien que cette petite chambre dans laquelle je m'occupais de tout toute seule, même de refaire mon lit et de veiller à mon linge. Je me tournai vers Mrs. Todd. « ... J'aimerais garder la chambre un peu plus longtemps, si c'est possible. »

Elle eut l'air perplexe. « Vous ne partez plus comme prévu ?

— Non, je voudrais rester un peu plus longtemps. Pas très longtemps. »

Je me dis à moi-même que c'était parce que je voulais pleurer la mort de Père en solitaire. Vraiment, était-ce si difficile à croire ?

Mrs. Todd était l'épouse d'un clerc de notaire qui tirait le diable par la queue et elle vint me serrer la main. « Vous pouvez rester aussi longtemps que vous le souhaitez. »

J'écrivis une lettre déférente à Mère, expliquant l'inexplicable : Père était mort et je ne rentrais pas directement à la maison. *J'ai besoin de le pleurer seule.*

La réponse de Mère arriva en septembre. Sa petite écriture serrée était saturée d'encre et de colère. Ma conduite était honteuse, égoïste, cruelle. « Comment as-tu pu m'abandonner dans les heures les plus sombres de ma vie ? » écrivait-elle.

Je brûlai sa lettre dans la cheminée mais ses mots me laissèrent des contusions de culpabilité. Il y avait du vrai dans ce qu'elle avait écrit. J'étais égoïste. J'avais abandonné ma mère. Nina, également. J'avais de quoi m'inquiéter mais je ne fis pas ma malle.

Je passai mes journées comme une fausse malade. Je dormais quand j'étais fatiguée, souvent au milieu de la journée. Mrs. Todd renonça à me voir aux heures prévues pour les repas et mit ma nourriture de côté dans la cuisine. Je l'emportais dans ma chambre à des heures étranges, puis je lavais moi-même la vaisselle. Il n'y avait pas grand-chose à lire mais j'écrivais dans un petit carnet que j'avais acheté, essentiellement sur les derniers jours de Père, et je travaillais les versets de la Bible à l'aide d'un jeu de fiches thématiques. Je me promenais dans les rues, à l'ombre des sycomores qui passaient du blond au bronze, m'aventurant de plus en plus loin chaque jour – Washington Square,

Philosophical Hall, Old St. Mary et une fois, plutôt par hasard, The Man Full of Trouble Tavern[1] où j'entendis des cris et des bruits de vaisselle cassée.

Un dimanche, alors que le froid était piquant et la lumière tranchante, je fis tout le chemin, piétinant un épais tapis de feuilles mortes, jusqu'à Arch Street, où je tombai sur un temple quaker de dimensions tellement imposantes que je m'arrêtai pour le regarder. À Charleston, nous avions une minuscule Maison des Amis, une construction délabrée où personne ne venait, disait-on, sauf deux vieillards acariâtres. Alors que je me tenais là, des gens commencèrent à sortir par la porte centrale, les femmes et les jeunes filles vêtues de robes sinistres, usées jusqu'à la corde ; à côté, nous autres les presbytériens, nous paraissions presque extravagants. Même les enfants avaient des manteaux ternes et des petits visages sévères. Je les observai tandis qu'ils se détachaient contre ce fond de briques rouges, avec le toit sans flèche, les fenêtres fermées et dépourvues de toute fioriture, et je trouvai le spectacle rebutant. J'avais entendu dire qu'ils restaient assis en silence, à attendre que l'un d'eux profère à voix haute ses plus intimes relations avec Dieu pour en faire profiter les autres. Cela me paraissait terrifiant.

Les quakers mis à part, ces journées ressemblaient beaucoup aux moments durant lesquels j'avais flotté dans l'océan à Long Branch, sous le drapeau blanc. C'était des semaines empreintes de vitalité, presque comme si un second cœur battait dans ma poitrine. J'avais découvert que je savais parfaitement bien me débrouiller toute seule. S'il n'y avait eu la mort de Père, j'aurais pu être heureuse.

Quand vint novembre cependant, je compris que je ne pouvais plus m'attarder davantage. L'hiver s'annonçait. La mer allait devenir perfide. Je fis mes bagages.

Le bateau était une vedette, ce qui me donna l'espoir d'atteindre Charleston en dix jours. J'avais réservé en première

---

1. Une des tavernes historiques de Philadelphie, qui a fermé en 1996.

classe mais ma cabine était sombre et exiguë, avec seulement un placard mural et une couchette de soixante centimètres de large. Aussi souvent que possible, je montais sur le pont supérieur pour profiter de l'air froid et vivifiant, me tassant avec les autres passagers du côté sous le vent.

Le troisième matin, je m'éveillai avant l'aube et m'habillai rapidement, sans prendre la peine de tresser mes cheveux. La cabine était étouffante comme un tombeau, elle sentait le renfermé, et je débarquai sur le pont avec ma chevelure carotte au vent, m'attendant à être seule; cependant il y avait déjà quelqu'un accoudé au bastingage. Rabattant le capuchon de mon manteau, je m'installai un peu à l'écart.

Une petite lune blanche brillait encore dans le ciel, s'accrochant aux derniers lambeaux de nuit. En dessous, une fine ligne de lumière bleue courait le long de l'horizon. Je la regardai grandir.

«Comment vous portez-vous?» dit une voix d'homme, utilisant le salut formel des quakers que j'avais souvent entendu à Philadelphie.

Je me tournai vers lui, une mèche de mes cheveux s'échappa de mon capuchon et me fouetta le visage.

«... Je me porte bien, monsieur.»

Il avait une magnifique fossette au menton et des yeux bruns perçants surmontés de sourcils inclinés vers le haut comme les pentes d'une minuscule colline. Il portait des culottes simples avec des boucles en argent aux genoux, une veste sombre et un tricorne. Une mèche de cheveux, noire comme le charbon, se baladait sur son front. Il paraissait plus âgé que moi, une dizaine d'années peut-être ou davantage. Je l'avais déjà vu sur le pont et, la première soirée, dans la salle à manger du bateau avec sa femme et leurs huit enfants, six garçons, deux filles. Je m'étais dit alors qu'elle paraissait très fatiguée.

«Je m'appelle Israel Morris», se présenta-t-il.

Plus tard, je me demanderais si les Parques m'avaient placée là, si c'était elles qui m'avaient fait traîner à Philadelphie trois mois durant en attendant l'appareillage de ce bateau-là précisément, même si évidemment, nous les presbytériens, nous croyions que c'était Dieu qui arrangeait des rencontres propices comme celle-ci, et non des femmes de la mythologie avec fuseaux, fils et ciseaux.

Les grand-voiles claquaient en sifflant, ce qui faisait beaucoup de vacarme. Je me présentai à mon tour, puis nous restâmes là un moment, à regarder l'aube se lever, les oiseaux de mer monter en flèche dans le ciel. Il me raconta que sa femme, Rebecca, était en quarantaine dans leur cabine pour s'occuper de leurs deux benjamins qui avaient attrapé la dysenterie. Il était courtier, négociant-commissionnaire, et bien qu'il se montrât discret, je compris que son activité était florissante.

À mon tour, je lui parlai du séjour que j'avais fait avec mon père et de son décès inattendu. Ma langue laissait les mots couler avec aisance et je ne bégayais que très peu. Je ne pus qu'attribuer cela aux mouvements des vagues autour de nous.

«Je vous en prie, acceptez toute ma compassion, dit-il. Cela a dû être très difficile, de prendre soin de votre père seule. Votre mari ne pouvait donc pas voyager avec vous ?

— Mon mari ? Oh, monsieur Morris, je ne suis pas mariée. »

Ses joues s'empourprèrent.

Voulant dissiper la gêne de ce moment, j'ajoutai : «Je vous assure, ce n'est pas un sujet qui m'inquiète beaucoup. »

Il se mit à rire et me posa des questions sur ma famille, sur notre vie à Charleston. Lorsque je lui parlai de la maison de East Bay Street et de la plantation dans l'arrière-pays, son expression enjouée disparut. «Vous possédez donc des esclaves ?

— … Ma famille, oui. Mais moi, personnellement, je ne l'approuve pas.

— Pourtant, vous êtes alliée avec ceux qui en possèdent ? »

Je me hérissai. « … Il s'agit de ma famille, monsieur. Que devrais-je faire, à votre avis ? »

Il me dévisagea avec autant de bonté que de pitié. « Demeurer silencieux devant le mal est en soi une forme de mal. »

Je me tournai vers l'eau terne. Quel genre d'homme pourrait s'exprimer ainsi ? Un gentleman du Sud avalerait aussitôt sa langue.

« Pardonnez cette brutalité, dit-il. Je suis quaker. Nous considérons l'esclavage comme une abomination. C'est un élément important de notre foi.

— … Il se trouve que je suis presbytérienne et même si nous n'avons pas une doctrine anti-esclavagiste comme la vôtre, cela représente également un élément important de ma propre foi.

— Bien sûr. Je vous prie de m'excuser. Je crains qu'il n'y ait en moi un fanatique que je suis incapable de contrôler. »

Il toucha le bord de son chapeau en souriant. « Je dois aller m'occuper du petit déjeuner de ma famille. J'espère que nous pourrons bavarder à nouveau, Miss Grimké. Bonne journée. »

Pendant les deux jours qui suivirent, je ne pensai à rien d'autre qu'à lui. Il perturbait pratiquement tout le temps que je passais éveillée mais aussi mon sommeil. J'étais attirée par lui de façon bien plus profonde que je ne l'avais été par Burke, et c'était bien cela qui me faisait peur. J'étais attirée par cette conscience impitoyable, par ce quakérisme rebutant, par la force de ses idées, par sa force à lui. Il était marié et, de cela, j'étais reconnaissante. Ainsi, j'étais à l'abri.

Il revint vers moi le sixième jour du voyage, dans la salle à manger. Le bateau filait avant un coup de vent annoncé et le pont supérieur nous avait été interdit. « Puis-je me joindre à vous ? demanda-t-il.

— … Si vous voulez. » Je me sentais la poitrine en feu. Ce feu gagnait mes joues, les transformant en pommes sauvages. « … Vos enfants sont-ils guéris ? Et votre femme ? Est-elle restée en bonne santé ?

— La maladie a gagné tous les enfants mais ils sont en voie de guérison, grâce à Rebecca. Nous ne pourrions pas vivre une seule journée sans elle. Elle est…» Il s'interrompit mais, comme je le regardais d'un air d'attente, il acheva sa phrase. «La mère parfaite.»

Sans chapeau, il paraissait plus jeune. Des mèches de cheveux noirs et hérissés flottaient dans tous les sens. Il avait des cernes de fatigue sous les yeux et j'imaginais que c'était à force d'aider sa femme à s'occuper des enfants, mais il sortit un livre à la reliure de cuir usé de son gilet et expliqua qu'il était resté à lire tard dans la nuit. «C'est le journal de John Woodman. Un des grands défenseurs de notre foi.»

Tandis que la conversation basculait à nouveau sur le quakérisme, il ouvrit le livre pour m'en lire des extraits, tentant ainsi de m'initier à leurs croyances. «Tout le monde a la même valeur, dit-il. Nos ministres sont aussi bien des femmes que des hommes.

— Des femmes?»

Je posai tant de questions sur cette pratique d'une telle rareté que cela finit par l'amuser.

«Dois-je en conclure que la valeur des femmes, comme l'abolition, fait partie de votre foi personnelle? dit-il.

— J'ai longtemps souhaité pouvoir accomplir ma propre vocation.

— Vous êtes une femme exceptionnelle.

— Certains diraient que, plus qu'exceptionnelle, je suis extrémiste.»

Il sourit et ses sourcils montèrent à l'assaut de son front, accroissant leur inclinaison. «Serait-il possible qu'une quaker se cache derrière votre peau de presbytérienne?

— Pas du tout», répondis-je.

Mais plus tard, dans la solitude, je n'en fus plus si sûre. Condamner l'esclavage était une chose – que je pouvais faire individuellement dans le fond de mon cœur –, mais des femmes ministres du culte!

Durant les quelques jours que nous passâmes encore à bord, nous continuâmes nos conversations dans cet univers venté du pont supérieur, ainsi que dans la salle à manger, où flottait une odeur de riz bouilli et de cigares. Nous discutions non seulement des quakers mais de théologie, de philosophie et des différentes opinions sur l'émancipation. Il était d'avis que l'abolition devait être progressive. J'étais partisan d'une abolition immédiate. Il avait trouvé en moi un bon interlocuteur, intellectuellement parlant, mais je ne comprenais pas tout à fait pourquoi il se montrait aussi amical avec moi.

La dernière soirée à bord, Israel me proposa de venir dans la salle à manger faire la connaissance de sa famille. Sa femme, Rebecca, avait le plus jeune sur ses genoux, un petit bonhomme en pleurs qui n'avait guère plus de trois ans et dont le visage rouge venait picorer l'épaule de sa mère, comme un picvert. Elle était une de ces femmes menues, légères, dont le corps semblait tissé d'air. Elle avait les cheveux aussi clairs que la paille, tirés en arrière avec une raie au milieu et des mèches qui lui tombaient sur le visage.

Elle tapota le dos de l'enfant. « Israel dit le plus grand bien de vous. Il dit que vous avez eu la bonté de l'écouter vous expliquer notre foi. J'espère qu'il ne vous a pas fatiguée. Il peut se montrer opiniâtre. » Elle me sourit d'un air complice.

Je ne voulais pas qu'elle soit aussi charmante, aussi jolie. « … Eh bien, il s'est certainement montré très exhaustif », dis-je et elle se mit à rire. Je me tournai vers Israel. Il la regardait d'un air ravi.

« Si vous revenez dans le Nord, il faudra venir chez nous », dit Rebecca avant d'entraîner tous les enfants vers leur cabine.

Israel s'attarda encore un moment et sortit le journal de John Woolman. « Je vous en prie, acceptez-le.

— Mais c'est votre exemplaire. Je ne peux pas le prendre.

— Cela me ferait très plaisir – je m'en procurerai un autre en rentrant à Philadelphie. La seule chose que je vous demande, une fois que vous l'aurez lu, écrivez-moi pour me décrire vos impressions. »

Il ouvrit le livre et me montra un morceau de papier sur lequel il avait noté son adresse.

Cette nuit-là, après avoir soufflé la bougie, je demeurai éveillée, pensant à ce livre rangé dans ma malle et à l'adresse glissée dedans. *Une fois que vous l'aurez lu, écrivez-moi.* Dans l'obscurité soumise au roulis, le mouvement des vagues m'emportait à grande vitesse vers Charleston.

Handful

Quand ils ont l'intention de vous vendre, la première chose qu'ils disent, c'est : va te laver les dents. Aunt-Sister nous a toujours expliqué ça. Elle a dit que quand les esclaves étaient vendus dans les rues, la première chose que les Blancs vérifiaient, c'était leurs dents. Pourtant, aucun de nous n'a pensé à ses dents après la mort de master Grimké. On pensait que la vie allait continuer avec les mêmes vieilles mesquineries.

L'homme de loi est arrivé pour lire le testament deux jours après le retour de Sarah. On s'est rassemblés dans la salle à manger, tous les enfants Grimké et tous les esclaves. Ça m'a paru bizarre que Missus ait tenu à ce qu'on soit là, nous les esclaves. On s'était rangés au fond de la pièce, en nous disant à moitié qu'on faisait partie de la famille.

Sarah était d'un côté de la table et Nina de l'autre. Sarah regardait régulièrement sa sœur avec un sourire triste et Nina détournait les yeux. Ces deux-là s'étaient disputées.

Missus portait sa belle robe de deuil noire. Je voulais la prévenir qu'elle devait la quitter pour laisser Mariah la nettoyer parce qu'il y avait des marques grises sous les aisselles. Depuis la fin du mois d'août, elle la portait tous les jours et elle acceptait aucune remarque. Le caractère de cette femme empirait tous les jours.

L'homme de loi – il s'appelait Mr. Huger – s'est levé avec une liasse de documents à la main et il a dit que c'était le testament et les dernières volontés de John Faucheraud Grimké, disparu en mai dernier. Il a lu les tenants, les aboutissants, les à savoir, les ci, les ça. C'était pire que la Bible.

Missus n'a pas eu la maison. La maison, elle est revenue à Henry ; il n'avait pas encore dix-huit ans mais du moins elle pouvait vivre dedans jusqu'à sa mort. « Je lui laisse le mobilier, la vaisselle, l'argenterie, une voiture et deux de mes chevaux, les réserves d'alcool et d'épicerie qui seront à disposition au moment de ma mort. » Et ça continuait comme ça, indéfiniment. Tous les objets et les biens mobiliers.

Et puis il a lu quelque chose qui m'a donné la chair de poule. « Elle recevra six de mes nègres, parmi lesquels elle pourra choisir, et les autres, elle les vendra ou les dispersera chez mes enfants, comme bon lui semblera. »

Binah était debout à côté de moi. Je l'ai entendue chuchoter : « Seigneur, non. »

J'ai regardé la rangée d'esclaves. On n'était plus que onze maintenant – Rosetta était morte dans son sommeil l'année précédente.

Elle recevra six de mes nègres... le reste, elle les vendra ou les dispersera. Cinq d'entre nous allaient partir.

Minta a commencé à renifler. Aunt-Sister a dit : « Taistoi » mais même ses vieux yeux regardaient partout, l'air effrayé. Elle avait trop bien formé Phoebe. Tomfry se faisait vieux, lui aussi, et Eli avait les doigts tordus comme des sarments de vigne. Goodis et Sabe étaient encore jeunes mais on n'a pas besoin de deux esclaves dans une écurie où il y a deux chevaux. Prince était costaud et s'occupait de la cour, mais il avait des crises où il s'asseyait, les yeux dans le vide en se mouchant dans sa chemise. Mariah travaillait avec efficacité et j'imaginais qu'elle allait rester, mais Binah, elle marmonnait entre ses dents parce qu'elle était la nourrice et qu'il n'y avait plus d'enfants à élever.

Je me suis dit : Missus aura besoin d'une couturière, mais mes yeux sont retombés sur la robe noire. À partir de maintenant, elle n'aurait plus besoin que de quelques robes dans son armoire, et elle pouvait très bien embaucher quelqu'un pour les lui faire.

Soudain, Sarah est intervenue : « … Père n'a pas pu vouloir une chose pareille ! »

Missus lui a décoché un regard venimeux. « Ton père a écrit ces mots lui-même, et nous allons honorer ses dernières volontés. Nous n'avons pas le choix. Laisse donc Mr. Huger continuer. »

Quand il a recommencé à lire, Sarah m'a regardée avec les mêmes yeux bleus pleins de chagrin qu'elle avait déjà le jour de ses onze ans et que je m'étais retrouvée devant elle avec le ruban lavande autour du cou. Le monde était un endroit cabossé de partout et elle ne pouvait pas le réparer.

En décembre, tout le monde était sur les nerfs dans l'attente de ce que Missus allait dire ; qui allait partir et qui allait rester. Si je me retrouvais vendue, comment mauma pourrait-elle jamais me retrouver ?

Tous les soirs, je glissais une brique chaude dans mon lit pour m'éviter d'avoir froid aux pieds et je restais couchée là à me répéter que mauma était vivante. Quelque part dans un endroit quelconque. Je me demandais si l'homme qui l'avait achetée était gentil. Je me demandais s'il l'avait envoyée travailler dans les champs. Continuait-elle à coudre ? Avait-elle gardé avec elle mon petit frère ou ma petite sœur ? Portait-elle toujours la pochette autour du cou ? Je savais qu'elle reviendrait ici si cela lui était possible. C'était ici qu'était son âme, dans l'arbre. C'était ici que j'étais.

Ne me laisse pas être celle qui doit partir.

Missus ne voulait pas fêter Noël cette année mais elle a dit, allez-y, faites Jonkonnu si cela vous tente. C'était une coutume qui avait commencé quelques années auparavant, apportée par les esclaves venus de Jamaïque. Tomfry se déguisait avec une chemise et un pantalon en haillons sur lesquels on avait cousu des bandes de couleur vive, et un chapeau en tuyau de poêle sur la tête – on l'appelait le Chiffonnier. Nous, on défilait derrière lui, en chantant et en tapant sur des casseroles, et on faisait le tour jusqu'à la porte de derrière. Lui, il frappait et Missus et tout le monde sortait pour le regarder danser. Après, Missus nous distribuait des petits cadeaux. Ça pouvait être une pièce de monnaie ou une nouvelle bougie. Parfois, une écharpe ou une pipe en maïs. C'était censé faire notre bonheur.

Nous ne prévoyions pas de nous sentir d'humeur cette année mais le jour de Jonkonnu, Tomfry a surgi dans la cour, échevelé et vêtu de ses haillons et nous avons fait beaucoup de vacarme et oublié nos ennuis pendant une minute.

Missus est sortie, vêtue de sa robe noire, avec un panier de cadeaux, escortée par Sarah, Nina, Henry et Charles. Ils faisaient de leur mieux pour nous sourire. Même Henry, qui ressemblait à sa mère, faisait une tête d'ange souriant.

Tomfry s'est lancé dans sa danse. Il a virevolté. Bondi. Agité les bras. Ses rubans tourbillonnaient et, quand il a eu fini, ils ont applaudi et lui, il a ôté son grand chapeau et il a frotté son crâne grisonnant. Piochant dans son panier, Missus a distribué aux femmes des jolis éventails en papier décoré. Les hommes ont eu droit à deux pièces, pas une.

Le ciel avait été couvert toute la journée mais, brusquement, le soleil a surgi. Missus, appuyée sur sa canne à pommeau doré, nous scrutait tous. Elle a appelé Tomfry. Puis Binah. Eli. Prince. Mariah. Elle a dit : « J'ai quelque chose en plus pour vous » et elle a tendu à chacun d'eux un flacon d'huile à gargarisme.

« Vous m'avez bien servi, leur a-t-elle déclaré. Tomfry, tu iras chez John. Binah, tu iras chez Thomas. Eli, je t'envoie chez Mary. »

Et puis, elle s'est tournée vers Prince et Mariah. « Je suis désolée de vous dire qu'il faudra vous vendre. Ce n'est pas ce que je souhaite, mais c'est obligatoire. »

Personne n'a dit un mot. Le silence s'est abattu sur nous comme une pierre qu'on peut pas soulever.

Mariah est tombée à genoux et elle est venue supplier Missus, l'implorant de changer d'avis.

Missus s'est essuyé les yeux. Puis elle a fait demi-tour et elle est rentrée dans la maison, suivie par ses fils mais Sarah et Nina sont restées derrière, en nous regardant avec beaucoup de pitié.

Le couperet de la hache m'avait épargnée. Notre Seigneur n'a-t-il pas délivré Handful ? La hache avait également épargné Goodis et le soulagement que j'ai ressenti m'a bien surprise. Mais Dieu n'avait rien à voir dans tout ça. Seulement les quatre qui se tenaient debout et Mariah, encore à genoux. Je ne pouvais pas supporter de regarder Tomfry avec le chapeau écrasé sous son bras. Prince et Eli, les yeux fixés au sol. Binah, avec son éventail en papier, qui examinait Phoebe. Sa fille qu'elle reverrait jamais.

Missus a redistribué le travail à ceux d'entre nous qui restaient. Sabe est devenu majordome à la place de Tomfry. Goodis a dû s'occuper de la cour, de l'écurie et de conduire la voiture. Phoebe s'est retrouvée avec la lessive ; Minta et moi, on a hérité des tâches ménagères d'Eli.

Le premier de l'an, Missus m'a envoyée nettoyer le lustre anglais du salon. Elle a dit qu'Eli ne l'avait pas astiqué correctement une seule fois en dix ans. Il avait vingt-huit branches avec des abat-jour en cristal et des pendeloques de verre taillé en forme de larmes. En grimpant sur l'échelle et les mains gantées de coton blanc, je l'ai démonté, j'ai tout étalé sur la table et j'ai tout fait briller à l'ammoniac. Après, je savais plus comment remonter tout ça.

Je suis allée trouver Sarah dans sa chambre, où elle lisait un livre relié en cuir. « Nous allons bien trouver », a-t-elle dit. On s'était pas beaucoup parlé depuis qu'elle était rentrée – elle paraissait tout le temps abattue, toujours plongée dans le même livre.

Une fois qu'on a réussi à remonter le lustre et à le remettre à sa place, elle a eu soudain les larmes aux yeux. J'ai dit : « Vous êtes triste à propos de votre papa ? »

Elle m'a fait une réponse des plus étranges et j'ai compris que ce qu'elle disait, c'était la vraie raison de la tristesse qu'elle avait rapportée avec elle. « … J'ai vingt-sept ans, Handful, et voilà ma vie désormais. » Elle a regardé la pièce autour d'elle, elle a levé les yeux vers le lustre puis elle les a baissés vers moi. « … C'est ça, ma vie. Coincée ici jusqu'à la fin de mes jours. » Sa voix s'est brisée et elle a porté la main à sa bouche.

Elle était coincée, exactement comme moi, mais elle, elle était prisonnière de son esprit, de l'esprit de ceux qui l'entouraient, pas par la loi. À l'Église africaine, Mr. Vesey répétait souvent : « Faites attention, vous pouvez être deux fois esclave, une fois dans votre corps et une fois dans votre esprit. »

J'ai essayé de lui expliquer ça. « Mon corps est peut-être esclave mais pas mon esprit. Pour vous, c'est l'inverse. »

Elle a cligné des paupières et les larmes sont montées, à nouveau, aussi étincelantes que du verre taillé.

Le jour où Binah est partie, j'ai entendu Phoebe pleurer d'aussi loin que la cuisine.

Sarah

1er février 1820

Cher Israel,

Comme j'ai souvent pensé à nos conversations sur le bateau! J'ai lu le livre que vous m'avez confié et il m'a profondément enflammée. Il y a tant de choses que je voudrais vous demander! Comme j'aimerais que nous soyons à nouveau ensemble...

3 février 1820

Cher Mr. Morris,

Après avoir été loin des maléfices de l'esclavage pendant six mois, mon esprit explose d'une horreur renouvelée en y étant à nouveau confrontée depuis mon retour à Charleston. La lecture du livre que vous m'avez donné n'a fait qu'empirer la situation. Je n'ai nulle part où me tourner si ce n'est vers vous...

10 février 1820

Cher Mr. Morris,

J'espère que vous allez bien. Comment va votre chère femme, Rebecca...

11 février 1820

Merci, monsieur, pour ce livre. Je trouve dans vos croyances quakers une beauté déconcertante – l'idée

qu'il existe une graine de lumière à l'intérieur de nous,
une mystérieuse Voix Intérieure. Auriez-vous la bonté de
m'expliquer comment cette Voix...

Je lui écrivis tant et plus, des lettres que je ne parvenais pas à achever. Invariablement, je m'arrêtais au milieu d'une phrase. Je posais ma plume, je pliais le papier et je le cachais avec les autres au fond du tiroir de mon bureau.

C'était le milieu de l'après-midi, la tristesse de l'hiver pesait tandis que j'attrapais l'épaisse liasse, dénouais le ruban de satin noir et rajoutais la lettre du 11 février à la pile. Envoyer ces lettres ne serait que source d'angoisse. J'étais trop attirée par lui. Chaque réponse de sa part n'aurait fait qu'aviver mes sentiments. Et ce ne serait pas une bonne chose s'il m'entraînait vers le quakérisme. Ici, les quakers étaient une secte méprisée, on les considérait comme des gens anormaux, bizarres et mal habillés, un petit groupe discordant d'excentriques qui attiraient tous les regards dans la rue. À coup sûr, plutôt que de me rapprocher de ce genre de ridicule, je devais le fuir. Et Mère – elle n'autoriserait jamais une chose pareille.

Entendant sa canne sur le parquet en pin du couloir, j'attrapai les lettres et j'ouvris le tiroir, affolée et tremblante. La pile dégringola sur mes genoux et se répandit sur le tapis. Au moment où je me penchais pour ramasser tous ces feuillets, la porte s'ouvrit à la volée, sans que j'aie entendu frapper, et elle s'encadra sur le seuil, le regard braqué sur ma cachette.

Je relevai la tête vers elle, le ruban noir autour des doigts.

«Tu es attendue dans la bibliothèque», annonça-t-elle.

Je ne pus déceler chez elle la moindre curiosité pour le contenu de ces papiers éparpillés. «Sabe est en train d'emballer les livres de ton père – j'ai besoin que tu ailles surveiller qu'il fait cela convenablement.

— Emballer?

— Ils seront répartis entre Thomas et John», dit-elle et sur ces mots, elle fit demi-tour et repartit.

Je ramassai les lettres, je renouai le ruban et je les rangeai dans le tiroir. Pourquoi je les conservais, je n'en savais rien – c'était idiot.

Lorsque j'arrivais dans la bibliothèque, Sabe n'y était pas. Il avait vidé presque toutes les étagères, entassant les livres dans plusieurs grosses malles, qui étaient ouvertes sur le sol, ce même sol où je m'étais agenouillée tant d'années auparavant quand Père m'avait interdit toute lecture. Je n'avais aucune envie d'y penser, ni à cette époque épouvantable ni à cette pièce dépouillée, les livres perdus pour moi, perdus pour toujours.

Je m'écroulai dans le fauteuil de Père. Dans le couloir, la pendule faisait entendre son tic-tac, amplifié, et je sentais les ombres se regrouper à nouveau en moi, de façon bien pire cette fois. Depuis mon retour, je n'avais fait que m'enfoncer plus profondément chaque jour dans la mélancolie. C'était le même puits de ténèbres dans lequel j'étais tombée lorsque j'avais douze ans et que j'avais perdu le goût de la vie. À l'époque, Mère avait appelé le docteur Geddings et je craignais qu'elle ne recommence aujourd'hui. Tous les jours, je me forçais à descendre pour le thé. J'endurais les visites de ses amis. Je continuais à être présente à l'église, à l'étude de la Bible, aux œuvres de charité. Le matin, je m'asseyais avec Mère, des tambours de broderie sur nos genoux, piquant l'aiguille dans le tissu. Elle m'avait confié la tâche de tenir les comptes de la maison et, toutes les semaines, j'inspectais les réserves, je rédigeais des inventaires et des listes d'approvisionnement. La maison, les esclaves, Charleston, Mère, les presbytériens – ils représentaient la chaîne et la trame de tout.

Nina avait pris ses distances. Elle était en colère contre moi parce que j'étais restée à Philadelphie après la mort de Père. «Tu ne sais pas ce que c'était d'être ici toute seule, avait-elle protesté. Mère me serinait constamment mes erreurs de jugement, toutes depuis l'église jusqu'à ma nature rebelle en passant par l'esclavage. C'était atroce!»

J'avais fait le tampon entre Mère et elle et, en restant si longtemps loin de la maison, elle s'était retrouvée totalement exposée. «Je suis désolée, dis-je.

— Tu ne m'as écrit qu'une seule fois! Une seule!»

Le ressentiment et la peine tordaient les traits de son beau visage.

C'était vrai. J'avais conçu une telle passion pour ma liberté là-bas. Je ne m'étais plus souciée de rien. «Je suis désolée», répétai-je.

Je savais qu'avec le temps elle me pardonnerait ces mois égoïstes pendant lesquels je l'avais abandonnée, mais je sentais que son éloignement avait également une autre raison. À quinze ans, elle avait besoin de prendre le large, de se dégager de mon ombre, de comprendre qui elle était, une fois loin de moi. Mon repli à Philadelphie n'était que le prétexte pour affirmer son indépendance.

Au moment de s'enfuir dans sa chambre le jour de notre affrontement, elle avait crié : «Mère avait raison, je suis incapable de penser par moi-même. C'est toujours à travers toi!»

Nous nous conduisions désormais comme deux étrangères. Je la laissais faire mais cela ajoutait encore à mon désespoir.

Je contemplais les malles remplies de livres sur le sol de la bibliothèque, je me souvenais des affres d'autrefois, quand je voulais exercer une profession, avoir un but. Le monde avait été un endroit si attirant, jadis.

Sabe n'était toujours pas revenu. Je me levai de mon siège et commençai à fouiller avec nostalgie dans les ouvrages; je tombai sur la *Biographie consacrée de Jeanne d'Arc de France*. Je ne saurais dire combien de fois j'avais lu ce merveilleux petit récit sur le courage de sainte Jeanne avant que Père ne me bannisse de sa bibliothèque. J'ouvris le livre, j'examinai un dessin représentant ses armoiries – deux fleurs de lys. J'avais oublié ce dessin et soudain, je compris pourquoi je m'étais accrochée au bouton fleur de lys lorsque j'avais onze ans. Je glissai le livre sous mon châle.

Ce soir-là, incapable de dormir, j'entendis l'horloge sonner deux heures, puis trois. Peu de temps après, il se mit à pleuvoir, une pluie diluvienne qui martelait sans merci la terrasse couverte et les fenêtres. Je sortis de sous les couvertures et j'allumai la lampe. J'allais écrire à Israel. J'allais lui raconter comment la mélancolie me dévorait parfois, comment j'étais presque prête à me réfugier au fond du tombeau. J'allais encore écrire une autre lettre que je n'enverrais jamais. Cela parviendrait peut-être à me soulager.

J'ouvris le tiroir de mon bureau et examinai le léger désordre qui y régnait. Là, comme je les avais laissés, il y avait ma Bible et les Commentaires de Blackstone, mon papier à lettres, l'encre, la plume, la règle et la cire à cacheter ; mais je ne voyais pas le paquet de lettres. J'approchai la lampe et passai la main dans tous les recoins. Le ruban noir était bien là, enroulé comme une vilaine arrière-pensée. Mes lettres à Israel avaient disparu.

J'eus envie de l'agonir de cris. Une envie qui s'empara de moi avec une violence aveugle ; j'ouvris ma porte à la volée et je dévalai l'escalier en m'accrochant à la rampe car j'avais l'impression que mes jambes se dérobaient sous moi.

Je tambourinai du poing sur sa porte, puis je secouai la poignée. Elle était fermée à clé. «... Comment avez-vous osé me prendre ça ! hurlai-je. Comment osez-vous ? Ouvrez cette porte ! Ouvrez ! »

Je me refusais à imaginer ce qu'elle avait pensé en lisant mes prières implorantes à un inconnu vivant dans le Nord. Un quaker. Un homme marié. Croyait-elle que j'étais restée à Philadelphie pour lui ?

Derrière la porte, je l'entendis appeler Minta, qui dormait par terre à côté de son lit. Je tambourinai à nouveau. «... Ouvrez ! Vous n'avez pas le droit ! »

Elle ne répondit pas mais la voix apeurée de Nina me parvint du palier. « Sarah ? »

Je levai les yeux et je vis sa chemise de nuit blanche luire dans le noir. Henry et Charles étaient à côté d'elle et ils ressemblaient tous trois à des spectres.

« … Allez vous coucher ! » ordonnai-je.

Leurs pieds nus claquèrent sur le sol et j'entendis la porte de leurs chambres se fermer l'une après l'autre. Faisant volte-face, je brandis à nouveau le poing mais ma colère avait cédé, elle refluait dans l'endroit atroce d'où elle s'était échappée. Molle et épuisée, j'appuyai ma tête contre le mur, remplie de haine contre moi-même.

Le lendemain matin, je ne parvins pas à me lever. J'eus beau essayer de toutes mes forces, c'était comme si quelque chose me clouait à terre. J'enfonçai mon visage dans l'oreiller. Désormais, tout m'était égal.

Durant les jours qui suivirent, Handful m'apporta des plateaux que je touchais à peine. Je n'avais d'appétit pour rien si ce n'était pour dormir et le sommeil me fuyait. Certaines nuits, je déambulais sur la terrasse en contemplant le jardin par-dessus la balustrade ; je m'imaginai passer par-dessus.

Un jour, Handful posa un sac de jute à côté de moi sur le lit. « Ouvrez-le », dit-elle. J'obéis et une odeur de brûlé s'en échappa. À l'intérieur, je découvris mes lettres, noircies et carbonisées. Elle avait surpris Minta en train de les jeter dans le feu, à la cuisine, comme Mère le lui avait ordonné. Handful les avait sauvées avec un tisonnier.

Lorsque le printemps s'annonça sans que mon état s'améliore, le docteur Geddings fit son apparition. Mère semblait avoir sincèrement peur pour moi. Elle venait me rendre visite dans ma chambre avec des brassées de jonquilles tombantes et me parlait avec douceur, proposant d'aller me promener avec elle dans Gadsen Green ou racontant qu'elle avait demandé à Aunt-Sister de me préparer un gâteau de riz. Elle m'apportait des petits mots inquiets des membres de l'Église, à qui on racontait que j'avais une pleurésie. Je la dévisageais d'un œil indifférent, puis je me tournais vers la fenêtre.

Nina venait me voir, elle aussi. « Était-ce à cause de moi ? demanda-t-elle. C'est ma faute si tu te sens aussi mal ?

— Oh, Nina, dis-je. … Tu ne dois jamais imaginer une chose pareille… Je ne parviens pas à expliquer ce qui ne va pas chez moi, mais ce n'est pas toi. »

Puis un jour, en mai, Thomas apparut. Il insista pour qu'on s'installe sur la véranda où l'air tiède embaumait le lilas. Je l'écoutai tandis qu'il racontait avec passion un compromis récent au Congrès qui avait annulé l'interdiction de l'esclavage dans le Missouri. « Ce maudit Henry Clay ! s'écria-t-il. Le grand pacificateur. À cause de lui, le cancer se propage à nouveau. »

Je n'avais aucune idée de ce dont il parlait. À ma grande surprise, cependant, je me sentais curieuse. Ultérieurement, je pris conscience que c'était justement l'objectif de Thomas – créer un petit système de poulie pour tenter de me remorquer.

« Il est idiot – il croit que permettre l'esclavage dans le Missouri va calmer les trublions ici, mais cela ne fera que diviser le pays plus profondément. »

Il tendit la main vers le journal qu'il avait apporté et le déplia à mon intention. « Regarde-moi ça. »

Une lettre avait été imprimée en première page du *Mercury*. Elle traitait le compromis de Clay de « cloche d'incendie ».

Elle s'est mise à sonner et m'a rempli de terreur. Je la considère comme le glas de l'Union… La lettre était signée Thomas Jefferson.

Cela faisait si longtemps que je ne m'étais pas préoccupée de ce qui se passait dehors. Une vieille colère se ralluma en moi. L'hostilité à l'esclavage devait trouver de nouvelles bases, audacieuses ! On avait l'impression que mon frère lui-même y était opposé.

« … Tu t'es rangé au côté du Nord ? demandai-je.

— Je sais seulement que nous ne pouvons pas continuer aveuglément dans le péché en enchaînant les gens. Il faut y mettre un terme.

— … Vas-tu libérer nos esclaves, alors, Thomas ? »

Poser pareille question était vindicatif. Je savais qu'il n'en avait nullement l'intention.

« Pendant que tu étais partie, j'ai fondé une branche de la colonisation américaine ici, à Charleston. Nous levons des fonds.

— ... Je t'en prie, dis-moi que tu n'en es pas encore à espérer racheter la liberté de tous les esclaves pour les renvoyer en Afrique ? »

Je n'avais pas ressenti pareille ardeur depuis mes discussions avec Israel pendant le voyage. J'en avais les joues en feu. « ...C'est ça, ta réponse à ce "cancer qui se propage" ?

— C'est peut-être une mauvaise réponse, Sarah, mais je n'en imagine pas d'autre.

— Ton imagination serait donc aussi faible, Thomas ? Si l'Union meurt, comme le dit notre vieux président, ce sera par manque d'imagination... Par orgueil Sudiste démesuré, par amour de nos richesses, par brutalité de nos cœurs ! »

Il se leva et baissa les yeux vers moi. Il sourit. « Ah nous y sommes, dit-il. Voilà ma sœur. »

Je ne peux pas dire que je redevins celle que j'étais après cela, mais peu à peu la mélancolie céda le pas, remplacée par l'impression d'être en train d'émerger, en toute tension, comme une créature dépourvue de peau ou de coquille. Je commençais à manger les gâteaux de riz. Je buvais du thé imprégné de millepertuis et je m'asseyais au soleil pour relire le livre quaker. Je pensais souvent à la cloche d'incendie dans la nuit.

Au milieu de l'été, sans préméditation, je pris une feuille de papier à lettres.

19 juillet 1820

Cher Mr. Morris,

Pardonnez-moi d'avoir été si longue à vous écrire. Le livre que vous m'avez donné en novembre de l'année passée à bord du bateau a été depuis lors mon plus fidèle compagnon. La foi des quakers m'attire mais je ne sais si j'aurais le courage de la suivre. Cela aurait pour moi des conséquences terribles, j'en suis bien convaincue. Je ne demande rien d'autre que vos conseils.

Votre bien dévouée,
Sarah Grimké

Je remis la lettre à Handful. « Garde-la soigneusement, lui dis-je. Et poste-la toi-même au courrier de l'après-midi. »

Quand la réponse d'Israel arriva, j'étais dans l'office, en train d'inventorier les garde-manger et d'établir une liste de produits à acheter au marché. Handful l'avait détournée des mains de Sabe dès qu'elle l'avait vue à la porte. Elle me la donna, puis resta là à attendre.

Je pris un couteau à beurre dans le tiroir et brisai le sceau. Je la lus deux fois, une première fois pour moi et une deuxième, à voix haute, pour elle.

10 septembre 1820
Chère Miss Grimké,
J'étais très content de recevoir votre lettre et plus particulièrement d'apprendre que vous êtes attirée par les quakers. Le chemin qui mène à Dieu est étroit et le prix à payer est élevé. Je vous rappelle les Écritures : « Celui qui trouve sa vie devra la perdre et celui qui perd sa vie devra la trouver. » Ne craignez pas de perdre ce qu'il est indispensable de perdre.

C'est à regret que je dois vous faire part d'une terrible nouvelle, qui me laisse affligé. Ma chère Rebecca est décédée en janvier dernier. Elle est morte d'une méchante grippe peu de temps après notre retour de Philadelphie. Ma sœur, Catherine, est venue chez nous s'occuper des enfants. Leur mère leur manque, tout comme à moi, mais savoir que notre bien-aimée épouse et mère est avec Dieu est pour nous d'un grand réconfort.

Écrivez-moi. Je suis ici pour vous encourager dans votre chemin.

Votre ami,
Israel Morris

J'étais assise dans ma chambre, à midi, les yeux fermés et les doigts croisés sur le ventre ; je cherchais à entendre la Voix que les quakers affirmaient avec certitude que nous avions en nous. Je me livrais à cette douteuse activité depuis que j'avais reçu la lettre d'Israel, même s'il me paraissait discutable que les quakers qualifient cela d'« activité ». Pour eux, cette écoute était l'ultime « inactivité », une espèce de capitulation devant l'immobilité du cœur intime de chacun. Je voulais croire que Dieu pourrait finir par apparaître, chuchotant ordres et illuminations. Comme d'habitude, je n'entendais rien.

J'avais immédiatement répondu à la lettre d'Israel ; ma main tremblait si fort que les traits tracés à l'encre paraissaient chancelants sur le papier. Je lui exprimais toute ma compassion, je priais pour lui, je lui envoyais toutes sortes de pieuses promesses. Chaque mot paraissait galvaudé, comme le blabla ininterrompu de mes cours bibliques. De quoi me sentir protégée.

Il avait répondu par une autre lettre et notre correspondance avait enfin démarré, consistant essentiellement en questions sérieuses de ma part et d'un brin de conseils de la sienne. Je lui demandai avec précision à quoi ressemblait la Voix Intérieure. Comment pourrai-je la reconnaître ? « Je ne peux pas vous le dire, m'écrivit-il. Mais quand vous l'entendrez, vous le saurez. »

Ce jour-là, le silence paraissait inhabituellement lourd et maussade, comme le poids de l'eau. Il me bouchait les oreilles et tambourinait contre mes tympans. Des pensées futiles couraient dans ma tête, semblables aux écureuils qui bondissent dans les arbres. Peut-être étais-je trop anglicane, trop presbytérienne, trop Grimké pour cela. J'ouvris les yeux et je vis que le charbon dans la cheminée s'était éteint.

Encore quelques minutes supplémentaires, me dis-je, et quand mes paupières retombèrent, je n'attendais rien de particulier, je n'avais pas d'espoir, je ne faisais pas d'effort – j'avais renoncé à la Voix –, et ce fut alors que mon esprit cessa de courir et que je commençai à flotter au gré d'un courant tranquille.

Va dans le Nord.

La voix s'introduisit dans mon petit oubli, tombant comme une magnifique pierre sombre.

Je repris mon souffle. Cela n'avait rien d'une pensée ordinaire – c'était distinct, frissonnant, intensément divin.

Va dans le Nord.

J'ouvris les yeux. Mon cœur battait si fort que j'appuyai la main sur ma poitrine.

C'était impensable. Une fille non mariée ne partait pas vivre toute seule et sans protection dans un lieu étranger. Elle habitait à la maison, avec sa mère et, quand il n'y avait pas de mère, avec ses sœurs, et s'il n'y avait pas de sœurs, avec ses frères. Elle ne rompait pas avec tout et tous ceux qu'elle connaissait et qu'elle aimait. Elle ne faisait pas fi ainsi de leur existence, de leur réputation et du nom de leur famille. Elle ne créait pas le scandale.

Je me levai d'un bond pour marcher de long en large devant la fenêtre, en me répétant que ce n'était pas possible. Mère allait réinventer Armageddon. Voix ou pas Voix, elle mettrait fin très vite à tout cela.

Père avait laissé toutes ses propriétés et la majeure partie de sa fortune à ses fils mais il n'avait pas oublié ses filles. Nous avions hérité chacune de dix mille dollars et, si je me montrais économe, si je vivais sur les intérêts, cela pouvait me suffire jusqu'à la fin de mes jours.

Derrière la vitre, le ciel paraissait immense, rempli d'une lumière cassée, et je me souvins soudain de cette journée l'hiver précédent lorsque Handful nettoyait le lustre du salon et cette allégation qu'elle m'avait lancée : « Mon corps est peut-être esclave mais pas mon esprit. Pour vous, c'est l'inverse. » Ces mots, je ne les avais pas pris au sérieux – qu'est-ce qu'elle pouvait bien savoir de tout ça ? Mais je comprenais maintenant à quel point ils étaient exacts. Mon esprit avait été enchaîné.

Je me dirigeai vers ma commode et j'ouvris le tiroir, celui que je n'ouvrais jamais, celui qui contenait la boîte en pierre de lave. À l'intérieur, je trouvai le bouton d'argent que Handful m'avait rendu plusieurs années auparavant. Il était noir de crasse et depuis longtemps oublié. Je le posai au creux de ma paume.

Comment peut-on savoir qu'on entend la voix de Dieu ? J'étais convaincue que la voix qui m'ordonnait d'aller dans le Nord était celle de Dieu, mais peut-être que ce que j'entendais vraiment ce jour-là c'était mon propre élan vers la liberté. Peut-être s'agissait-il de ma propre voix ? Mais en quoi est-ce important ?

IV.

Septembre 1821 – Juillet 1822

Sarah

La maison s'appelait Green Hill. Lorsque Israel m'avait écrit pour m'inviter chez lui, dans sa famille, non loin de Philadelphie, je m'étais imaginé une maison spacieuse, avec une façade blanche, une grande véranda et des volets couleur de pin. Ce fut un choc d'arriver à la fin du printemps et de trouver un petit château entièrement en pierre. Green Hill était une composition mégalithique de pierres gris pâle, de fenêtres en arceaux, de balcons et de tourelles. En regardant cette bâtisse pour la première fois, je me sentis une véritable exilée.

Au moins, la défunte épouse d'Israel, Rebecca, avait rendu l'intérieur de la maison accueillant. Elle l'avait rempli de tapis accrochés aux murs et de coussins fleuris, avec un mobilier Shaker très simple et des horloges murales d'où sortaient à longueur de journée des petits coucous qui annonçaient l'heure. C'était un endroit très étrange mais j'en vins à apprécier de vivre dans une carrière. J'aimais la façon dont la façade de pierre luisait sous la pluie et prenait des reflets d'argent quand la lune était pleine. J'aimais comment les voix d'enfants résonnaient en lentes spirales dans les pièces et comment l'air demeurait doux et frais dans la chaleur du jour. Surtout, j'aimais cette impression que la maison était impénétrable.

Après des mois de correspondance avec Israel et des accrochages à répétition avec Mère, j'installai mes quartiers dans une chambre mansardée au deuxième étage. Ma tactique avait été de la convaincre que tout cela était une idée de Dieu. C'était une femme pieuse. Si quelque chose pouvait prendre le pas sur ses obsessions sociales, c'était bien la piété. Mais lorsque je lui parlai de Voix Intérieure, elle fut horrifiée. Dans sa tête, j'étais en train de prendre le chemin de ces saintes complètement folles qui s'étaient retrouvées jetées dans l'huile bouillante et condamnées au bûcher. Quand j'avouai finalement que j'avais l'intention de vivre sous le toit de l'homme à qui j'avais écrit ces lettres scandaleuses jamais envoyées, elle se mit à multiplier les symptômes, depuis le bouton de fièvre jusqu'aux douleurs dans la poitrine. Les douleurs dans la poitrine étaient assez réelles, à en croire ses traits tirés, sa peau luisante de sueur, et je m'inquiétais à l'idée que mes projets risquaient littéralement de la tuer.

« S'il te reste encore une once de décence, tu ne vas pas fuir ton foyer pour aller vivre dans la maison d'un veuf quaker ! » avait-elle hurlé lors de notre dernière querelle.

Nous étions alors dans sa chambre et je me tenais dos à la fenêtre, regardant son visage marbré par la colère.

« … La sœur célibataire d'Israel vit également là, lui répétai-je pour la dixième fois. … Je loue simplement une chambre. Je m'occuperai des enfants, je donnerai des cours aux filles… Tout cela est parfaitement respectable. Pensez à moi comme à une préceptrice.

— Une préceptrice », répéta-t-elle. Elle pressa le dos de sa main sur son front comme si elle écartait quelques débris célestes. « Cela tuerait ton père. S'il n'était déjà mort.

— Ne mêlez pas Père à ceci. Il aurait voulu que je sois heureuse.

— Je ne peux… Je refuse d'accepter cela !

— … Alors, je partirai sans votre bénédiction. »

Je fus sidérée de ma propre audace. Elle se recula dans son siège et je compris que je l'avais blessée. Elle me foudroya du regard, l'œil dur. « Eh bien, va-t'en ! Mais garde donc pour toi cette sordide histoire d'entendre des voix. Tu pars dans le Nord pour ta santé, tu as bien compris ?

— Et de quoi je souffre, exactement ? »

Elle se tourna vers la fenêtre et parut se plonger dans la contemplation du ciel safran. Le silence se prolongea tant que je me demandai si elle ne m'avait pas congédiée. « La toux, répondit-elle enfin. Nous craignons que tu sois phtisique. »

Tel fut le pacte que nous conclûmes. Mère tolérerait ce séjour et accepterait de ne pas me couper de la famille et moi, je prétendrai que la phtisie menaçait mes poumons.

Au cours des trois mois que je passai à Green Hill, je me sentis souvent écartelée et nostalgique. Nina me manquait et Handful n'était jamais loin de mes pensées. À ma grande surprise, Charleston me manquait, certainement pas ses esclaves et ses castes sociales, mais la lumière rasante sur le port, l'air piqueté de sel, les oiseaux de paradis dans les jardins avec leur tête orange, les vents d'été qui faisaient claquer les volets sur les vérandas. Lorsque je fermais les yeux, j'entendais les cloches de St. Philip et je sentais l'étouffante douceur des haies de troènes tomber sur la ville.

Dieu merci, les journées ici étaient bien remplies. Elles se partageaient entre huit enfants mélancoliques, dont l'âge allait de cinq à seize ans, et les tâches domestiques que j'effectuais pour la sœur d'Israel, Catherine. Même dans mes plus sévères périodes presbytériennes, je n'aurais pas pu rivaliser d'austérité avec elle. Elle était pleine de bonnes intentions mais d'un collet-monté incurable. Elle avait beau porter des lunettes, elle avait de mauvais yeux, noyés de larmes, et elle était incapable d'enfiler une aiguille ou de mesurer la farine. J'ignorais comment ils avaient pu se débrouiller avant mon arrivée. Les robes des filles avaient des ourlets irréguliers et le tôt-fait pouvait aussi bien se retrouver salé que sucré.

Toutes les semaines, nous faisions un long trajet pour nous rendre au temple d'Arch Street, en ville ; j'étais maintenant quaker à l'essai, après avoir subi l'interrogatoire du conseil des Anciens sur mes convictions. Il ne me restait qu'à attendre leur décision en me conduisant le mieux possible.

Tous les soirs, au grand dam de Catherine, j'allais avec Israel au pied de la colline, jusqu'à la petite mare, pour nourrir les canards. Avec leurs plumes vertes irisées et leurs capuchons noirs fantaisie, c'était des canards résolument anti-quakers. Catherine avait une fois comparé leur plumage à mes robes. «Toutes les dames Sudistes se parent-elles de manière aussi ostentatoire?» m'avait-elle demandé. Si seulement cette femme savait. J'avais laissé derrière moi les éléments les plus somptueux de ma garde-robe. J'avais offert à Nina nombre de robes en soie ornées de tout ce qu'on pouvait imaginer, depuis des plumes jusqu'à de la fourrure; une magnifique coiffe en dentelle; une toque à la Van Dyke d'importation; un châle en tulle volanté, une broche en lapis; des rangs de perles; un éventail incrusté de minuscules miroirs.

À un moment donné, il me faudrait renoncer aux fanfreluches, céder mes biens, me débarrasser de tous mes jolis objets et me résoudre aux robes grises et aux bonnets austères, ce qui ne ferait qu'accentuer ma grande banalité. Histoire de m'encourager, Catherine m'avait déjà proposé plusieurs de ces tenues couleur de poussière, comme si de les voir pouvait encourager autre chose que l'aversion. Heureusement, le rituel de renoncement n'était pas exigé avant la fin de ma période probatoire et je n'avais nullement l'intention de précipiter les choses.

Lorsque je me promenais avec Israel au bord de la mare, nous lancions des croûtes de pain dans l'eau et nous observions les canards se précipiter dessus. Dans les roseaux, il y avait un vieux canot à rames posé à l'envers, mais nous ne nous aventurâmes jamais à monter dedans. Au lieu de cela, nous nous asseyions sur un banc qu'il avait fabriqué lui-même et nous bavardions des enfants, de la politique, de Dieu et, inévitablement, de la foi quaker. Il parlait beaucoup de sa femme, qui était morte un an et demi auparavant. On aurait pu la canoniser, sa Rebecca. Une fois, après l'avoir longuement évoquée, sa voix s'étrangla et il me prit la main tandis que nous nous attardions en silence dans la lumière violette qui s'assombrissait.

Je dormais profondément dans ma chambre quand des bruits de sanglots vinrent troubler mon sommeil ; j'émergeai avec difficulté. On était en septembre, avant que l'été ne s'achève. La fenêtre était grande ouverte et, l'espace d'un instant, je n'entendis rien d'autre que le bruit des criquets. Puis cela recommença, une sorte de gémissement.

J'entrouvris la porte et je vis Becky, la petite d'Israel âgée de six ans, noyée dans une chemise de nuit blanche bien trop grande pour elle, qui pleurait à chaudes larmes en se frottant les yeux. Non seulement elle portait le nom de sa mère mais elle avait aussi ses cheveux de lin fané ; pourtant, par certains côtés, cette enfant me faisait penser à moi. Ses cils et ses sourcils étaient si clairs qu'on les distinguait à peine, ce qui lui donnait un air délavé, comme à moi. En outre, elle mâchonnait les mots en marmonnant, ce qui provoquait les moqueries sans pitié de ses frères et sœurs. Ayant entendu un de ses frères la surnommer Faux-jeton, je l'avais tancé vertement. Désormais, il m'évitait mais Becky, depuis, me suivait partout comme un ourson.

Elle se précipita vers moi et se jeta dans mes bras.

« ... Grands dieux, que se passe-t-il ?

— J'ai rêvé de Ma Ma. Elle était dans la terre, dans une boîte.

— ... Oh, ma mignonne, non. Ta maman est avec Dieu et ses anges.

— Mais je l'ai vue dans la boîte. Je l'ai vue. »

Elle se mit à sangloter éperdument contre ma chemise de nuit.

Je lui caressai la tête et, lorsque ses pleurs s'apaisèrent, je dis : « Viens... Je vais te ramener dans ta chambre. »

Elle se recula et d'un bond, sauta dans mon lit en remontant l'édredon jusqu'à son menton. « Je veux dormir avec toi. »

Je m'installai à côté d'elle et, quand elle se rapprocha de moi pour se pelotonner contre mon épaule, je me sentis submergée par un bonheur indicible. Sa tête exhalait l'odeur douce des feuilles de marjolaine que Catherine cousait dans leurs oreillers. Sa main tomba sur ma poitrine et je remarquai une petite chaîne qui dépassait de son poing fermé.

« Qu'est-ce que tu tiens dans la main ?

— Je dors avec, répondit-elle. Mais chaque fois, je rêve d'elle. »

Elle ouvrit ses doigts pour me montrer un médaillon rond, plaqué or. D'un côté, on voyait un bouquet de fleurs gravé, des jonquilles nouées d'un ruban et, en dessous, un nom. *Rebecca.*

« C'est mon nom, expliqua-t-elle.

— Et le médaillon, il est aussi à toi ?

— Oui. »

Ses doigts se refermèrent dessus.

Je n'avais jamais vu l'ombre d'un bijou ni sur Catherine ni sur la sœur aînée de Becky mais, à Charleston, une petite fille portait un médaillon aussi communément qu'une barrette à cheveux.

« Je n'en veux plus, dit-elle. Je veux que ce soit toi qui le portes.

— … Moi ? Oh, Becky, je ne peux pas porter ton médaillon.

— Pourquoi ? »

Elle se redressa, les yeux à nouveau pleins de larmes.

« Parce que… il est à toi. C'est ton nom dessus, pas le mien.

— Mais tu peux bien le porter maintenant. Rien que maintenant. »

Elle me regarda d'un air tellement implorant que je le lui pris des mains. « … Je vais le garder pour toi.

— Tu le porteras ?

— … Je le porterai une fois, si ça peut te faire plaisir. Mais une fois seulement. »

Petit à petit, sa respiration ralentit en produisant un chuchotement de ruban palpitant, et je l'entendis murmurer « Ma Ma ».

Toute la semaine, Becky m'accueillit avec un regard inquisiteur vers l'encolure de ma robe. J'avais espéré qu'elle oublierait l'épisode du médaillon, mais cette envie de me voir le porter semblait avoir pris des proportions inimaginables dans son esprit. Dès qu'elle voyait que je ne l'avais pas, elle arrondissait le dos, toute déçue.

Avais-je tort de me sentir méfiante ? Une boucle de cheveux était enroulée dedans, ceux de Becky sans doute, mais leur couleur pâle devait lui rappeler des souvenirs de sa mère. Si voir le bijou sur moi lui offrait une fugitive consolation, cela ne pouvait pas faire de mal.

Un mardi, je mis donc le médaillon pour le cours que je donnais aux filles. Les garçons se retrouvaient tous les matins dans la salle de classe avec un précepteur qui venait de la ville alors que je travaillais avec les deux filles au même endroit l'après-midi. Israel avait fabriqué une rangée de pupitres qu'il avait fixés au mur, ainsi qu'un grand banc. Il avait installé un tableau noir, des étagères à livres et un bureau qui sentait le cèdre, destiné au professeur. Ce matin-là, j'étais vêtue de ma robe émeraude que je réservais plutôt pour les grandes occasions, tant elle évoquait les plumes du canard. L'encolure laissait apercevoir mes clavicules ; le médaillon en or était niché entre les deux.

Dès que Becky le repéra, elle se dressa sur la pointe des pieds, le corps gonflé de plaisir, ses traits minuscules exprimant toute leur joie. Pendant l'heure qui suivit, elle me remercia en levant la main dès que je posais une question, qu'elle connût ou non la réponse.

On m'avait donné carte blanche pour leur programme et j'étais bien décidée à ce que ma vieille ennemie, Mme Ruffin, et son « éducation adaptée à la douceur de l'esprit féminin » n'aient surtout rien à voir avec ce que je leur apprenais. J'avais l'intention de leur enseigner la géographie, l'histoire mondiale, la philosophie et les mathématiques. Elles liraient les classiques et, quand nous en aurions terminé, elles connaîtraient le latin mieux que leurs frères.

Cependant, je n'étais nullement opposée à ce qu'elles apprennent l'histoire naturelle, et après un cours particulièrement ardu sur longitudes et latitudes, j'ouvris le livre de James Audubon, *Les Oiseaux d'Amérique*, un gros in-folio relié en cuir brun, pesant aussi lourd que Becky. Montrant la gélinotte huppée, qu'on rencontrait fréquemment dans les bois alentour, je dis : « Qui peut imiter son cri ? »

Nous étions là, une bande de gélinottes huppées devant la fenêtre ouverte, en train de siffler et de faire des trilles, quand Catherine entra dans la salle et voulut savoir quel genre de cours j'étais en train de donner. Elle avait entendu nos pépiements alors qu'elle ramassait les derniers concombres du potager. « Cela faisait beaucoup de bruit », dit-elle tout en balançant son panier à légumes, ce qui laissa des traces de terre sur sa robe couleur de cendre. Becky, toujours sensible aux irritations de sa tante, intervint avant que j'aie eu le temps de m'expliquer. « Nous étions en train d'appeler la gélinotte huppée.

— Ah oui ? Je vois. » Elle me regarda. « Cela semblait inutilement bruyant. Peut-être plus doucement la prochaine fois. »

Je lui souris, elle pencha la tête et s'approcha davantage, si près que l'ourlet de sa robe vint frôler le mien. Ses yeux s'écarquillèrent derrière le verre épais de ses lunettes tandis qu'elle se concentrait sur le médaillon à mon cou.

« Qu'est-ce que cela signifie ? dit-elle.

— ... De quoi parlez-vous ?

— Enlevez-moi ça ! »

Becky se glissa entre nous deux. « Ma tante. Ma tante. »

Catherine l'ignora. « Vos intentions me paraissaient déjà on ne peut plus claires, Sarah, mais je n'imaginais pas que vous auriez l'audace de porter le médaillon de Rebecca !

— … de Rebecca ? … Vous voulez dire, il appartenait à… » Ma voix m'abandonna et les mots se mirent à coller comme des bernacles au fond de ma gorge.

« L'épouse d'Israel, dit-elle, achevant ma phrase.

— Ma tante ? »

Becky, le visage levé, noyée dans les vagues grises et vertes de nos jupes, avait l'air d'une naufragée. « C'est moi qui le lui ai donné.

— Tu as fait quoi ? Eh bien, peu importe qui le lui a donné, elle n'aurait pas dû le prendre. » Elle tendit la main, paume à plat, et vint la coller à quelques centimètres de mon menton. J'entendais l'air entrer et sortir de ses narines.

« … Mais je ne… savais pas.

— Donnez-moi ce médaillon, s'il vous plaît.

— Non ! » cria Becky en se jetant sur le tapis.

Je reculai d'un pas, je défis le collier et je le déposai dans la main ouverte de Catherine. Puis je me penchai pour relever Becky mais sa tante tira doucement la petite par le bras et entraîna les deux filles hors de la pièce.

Je sortis calmement, lentement de la salle et descendis vers la mare. Avant de m'enfoncer sous les arbres, je jetai un regard vers la maison. La lumière était toujours aussi vive et acidulée, mais Israel allait bientôt rentrer et Catherine l'attendrait, le médaillon à la main.

Cachée au milieu des cèdres, d'une main, je me tins le ventre et, de l'autre, la bouche ; je demeurai ainsi plusieurs secondes, comme si je cherchais à me faire toute petite. Puis je me redressai et suivis le chemin jusqu'à l'eau.

J'entendis la mare avant de la voir – les grenouilles plongées dans leur chantonnement, le bruissement de violon des insectes. Sans réfléchir, je longeai le bord jusqu'à atteindre le canot à rames. Il était enfoncé dans la boue et je dus tirer de toutes mes forces pour réussir à le faire basculer. Je pris la pagaie et j'inspectai le fond, à la recherche de trous ou de planches pourries. Ne voyant rien, je rassemblai mes jupons et grimpai dedans ;

je ramai jusqu'au milieu de la mare, un endroit inaccessible, loin de tout. Je tentai de réfléchir à ce que j'allais lui
dire, je m'inquiétai à l'idée que ma voix s'éclipse à nouveau et m'abandonne.

Je demeurai là un long moment ; l'eau clapotait autour de
moi. Une brume montait au-dessus de l'eau, les libellules
piquaient l'air et je trouvais tout cela magnifique. J'espérais qu'Israel ne me chasserait pas. J'espérais que la Voix
Intérieure n'allait pas se manifester maintenant, et dire :
Va au Sud.

« Sarah ! »

Je me retournai brusquement, le bateau oscilla et je
m'agrippai aux plats-bords pour le stabiliser.

« Que faites-vous ? » cria Israel.

Il était sur la berge, sans chapeau, vêtu de sa culotte
qui s'arrêtait aux genoux avec ses boucles brillantes. Se
protégeant les yeux de la main, il me fit signe de revenir.

J'enfonçai la pagaie dans l'eau, je heurtai rudement la
coque et je revins jusqu'au rivage en faisant des zigzags
ineptes.

Nous nous assîmes sur le banc pendant que je m'efforçais de m'expliquer : j'avais cru que ce médaillon appartenait à sa fille Rebecca et non à sa femme Rebecca. Je lui
racontai le soir où Becky me l'avait apporté et, si ma voix
était aussi tendue que bafouillante, elle ne me lâcha pas.

« … Je n'essaierai jamais de prendre la place de votre
femme.

— Non, répondit-il. Personne ne pourrait y parvenir.

— … Je doute que Catherine me croie, cependant. Elle
est très en colère. »

— Elle se montre protectrice, c'est tout. Notre mère est
morte jeune et Catherine s'est occupée de moi. Elle ne s'est
jamais mariée et Rebecca, les enfants et moi nous étions
sa seule famille. Votre présence, je le crains, l'a troublée.
Je crois qu'elle ne comprend pas très bien pourquoi je
vous ai demandé de venir ici.

— … Je crois que je ne comprends pas très bien non
plus, Israel… Pourquoi suis-je ici ?

— Vous me l'avez dit vous-même – Dieu vous a enjoint de venir dans le Nord.

— … Mais il n'a pas dit : "Va à Philadelphie, va dans la maison d'Israel."

Il posa la main sur mon bras et le serra, à peine. « Vous souvenez-vous des derniers mots que ma Rebecca vous a dits sur le bateau ? Elle a dit : "Si vous revenez dans le Nord, il faudra venir chez nous." Je crois que c'est elle qui vous a amenée ici. Pour moi, pour les enfants. Je crois que c'est Dieu qui vous a amenée ici. »

Je détournai les yeux vers la mare tachée de pollen et de vase, avec l'eau qui verdissait dans la lumière déclinante. Lorsque je le regardai à nouveau, il m'attira à lui pour me serrer contre sa poitrine et je sentis que c'était bien moi qu'il tenait dans ses bras, pas sa Rebecca.

Handful

J'ai senti les beignets de maïs alors que j'étais encore loin de chez Denmark Vesey, l'odeur de friture dans l'air, la douceur du maïs envahissant la rue. Depuis deux ans, je filais au 20 Bull Street dès que je trouvais un trou dans la semaine par où me faufiler. Sabe, dans son rôle de major-dome, avait tout du valet négligent et il ne nous surveillait pas comme le faisait Tomfry – au moins, là, on pouvait dire merci à Missus.

Je racontais à Sabe qu'on était à court de fil, de cire d'abeille, de boutons ou de crottes de rat et, bon gré mal gré, il m'envoyait au marché. Le reste du temps, il ne tenait pas à savoir où j'étais. La seule chose qu'il avait en tête, c'était de descendre le cognac et le whisky de master Grimké stockés dans la cave et de folâtrer avec Minta. Ils étaient toujours dans la pièce vide au-dessus de la remise à voitures occupés à faire exactement ce qu'on pense qu'ils étaient en train de faire. Aunt-Sister, Phoebe, Goodis et moi, on les entendait s'ébattre depuis la véranda de la cuisine et Goodis me regardait en haussant le sourcil. Tout le monde savait qu'il en pinçait pour moi depuis le jour de son arrivée. Il avait sculpté cette canne-lapin exprès pour moi et il m'aurait donné la dernière patate douce de son assiette. Une fois, quand Sabe m'avait engueulée parce que j'avais disparu, Goodis lui avait flanqué son poing dans la figure et Sabe s'était aussitôt dégonflé. Jamais un homme ne m'avait touchée, je n'en avais jamais eu envie, mais parfois, quand j'entendais Sabe et Minta dans la remise, Goodis ne me paraissait pas si mal.

Une fois Sarah partie, toute la maison avait commencé à aller à vau-l'eau. Maintenant que le dernier garçon était à l'université, il ne restait plus personne dans la maison que Missus et Nina avec nous, les six esclaves, pour la faire marcher. Missus se faisait constamment de la bile pour l'argent. Elle avait cette grosse somme que lui avait laissée master Grimké, mais elle disait que c'était une misère par rapport à ce dont elle avait besoin. La peinture de la maison était tout écaillée et Missus avait vendu le cheval supplémentaire. Elle ne mangeait plus de gâteaux et nous les esclaves, on vivait de riz et encore de riz.

Quand j'ai senti l'odeur des beignets – c'était deux jours avant Noël –, je me souviens que le fond de l'air était frais et qu'il y avait des couronnes de Noël fixées sur la porte des vérandas, les palmes tressées comme des cheveux. Cette fois, Sabe m'avait envoyée porter un message de Missus à l'étude du notaire. Ne croyez pas que je ne l'avais pas lu avant de le donner.

> *Cher Mr. Huger,*
> *Je considère que mon allocation est insuffisante pour subvenir aux exigences d'une vie convenable. Je vous demande de prévenir mes fils de l'ampleur de mes besoins. Comme vous le savez, ils ont en leur possession des biens qui pourraient être vendus pour améliorer ma pension. Pareille suggestion sera mieux accueillie si elle vient d'un homme ayant votre influence et qui était un ami fidèle de leur père.*
>
> *Votre bien dévouée,*
> *Mary Grimké*

Dans ma poche, j'avais un bocal de sorgho que j'avais piqué dans le garde-manger. J'aimais bien apporter un petit quelque chose à Denmark et là, ce serait

particulièrement bienvenu avec les beignets. Il avait l'habitude d'annoncer à quiconque traînait dans les parages
que j'étais sa fille. Il ne disait pas que j'étais comme une
fille, non, il affirmait à tout bout de champ que j'étais sa
fille. Susan râlait mais elle se montrait bonne avec moi,
elle aussi.

Je l'ai trouvée dans la cuisine, en train de transvaser les
beignets de la poêle à frire dans un plat. Elle a dit : « Mais
où t'étais passée ? Ça fait plus d'une semaine qu'on t'a pas
vue.

— Ça t'énerve quand je suis là et ça t'énerve quand je
suis pas là. »

Ça l'a fait rire. « Ça m'énerve pas que tu sois là. Celui qui
m'énerve, qu'il soit là ou pas, il est dans son atelier.

— Denmark ? Qu'est-ce qu'il a encore fait ? »

Elle a ricané. « Tu veux dire à part avoir des bonnes
femmes dans toute la ville ? »

J'ai préféré ne pas relever puisque mauma avait fait partie du contingent. « Ouais, à part ça. »

Un sourire lui a étiré les lèvres. Elle m'a tendu le plat.
« Tiens, va lui porter ça. Il est de mauvaise humeur, c'est
tout. C'est à propos de ce Monday Gell. Il a perdu quelque
chose et ça met Denmark hors de lui. Une espèce de liste.
J'ai cru que Denmark allait le tuer, ce type. »

Je suis repartie vers l'atelier ; j'avais compris que Monday avait perdu la liste des recrues qu'il avait enrôlées
pour Denmark dans la plantation Bulkley.

Depuis longtemps déjà, Denmark et ses lieutenants
s'étaient mis à recruter des esclaves, dont ils notaient les
noms dans ce qu'ils appelaient le Livre. La dernière fois
que je les avais entendus en parler, plus de deux mille
esclaves s'étaient engagés à prendre les armes le jour venu.
Denmark m'avait autorisée à rester pour écouter pendant
qu'il parlait de lever une armée pour nous libérer, et les
hommes s'étaient habitués à ma présence. Ils savaient que
je gardais tout ça pour moi.

Denmark n'aimait pas que le vent souffle sans qu'il lui
ait indiqué lui-même la bonne direction. Il avait fixé les

mots exacts que Gullah Jack et les autres devaient utiliser pour attirer les recrues. Un jour, il m'a demandé de jouer le rôle d'une esclave qu'il serait en train de séduire.

« As-tu entendu les nouvelles ? il m'a dit.

— Quelles nouvelles ? » Comme il m'avait dit de dire.

« On va être bientôt libres.

— Libres ? Mais comment ça ?

— Viens avec moi, je vais te montrer. »

C'était comme ça qu'il voulait que les choses soient dites. Après, si un esclave vivant en ville était assez accroché, le lieutenant était censé l'amener au 20 Bull Street pour rencontrer Denmark. S'il s'agissait des esclaves des plantations, Denmark se déplaçait et on organisait une réunion clandestine.

J'étais présente un jour où un de ces esclaves intéressés avait débarqué, et c'est une scène que je n'oublierai pas jusqu'à la tombe. Denmark s'était levé de sa chaise toutes voiles dehors comme Elijah dans son char. « Le Seigneur s'est adressé à moi, il a crié. Il a dit : "Va libérer ton peuple." Si ton nom est écrit dans le Livre, tu es l'un des nôtres et tu es l'un de Dieu, et la liberté, nous la prendrons quand Dieu nous le dira. Ne laisse pas l'inquiétude entrer dans ton cœur. Ni la peur. Tu crois en Dieu, crois aussi en moi. »

Quand il a prononcé ces mots, je me suis sentie secouée des pieds à la tête, un choc identique à celui que je connaissais dans le renfoncement quand j'étais petite et que je pensais à l'eau qui allait m'emmener ailleurs ou dans l'église quand on chantait à propos des murailles de Jéricho qui s'écroulent et dans mes jambes, les baguettes de tambour battaient la mesure. Mon nom n'était pas inscrit dans le Livre, il n'y avait que celui des hommes, mais je l'aurais bien écrit moi-même si j'avais pu. Je l'aurais écrit en lettres de sang.

Au moment où je suis arrivée, Denmark était en train de cheviller les pieds d'une table en pin sylvestre. Quand je suis entrée dans la pièce avec les beignets, il a posé l'arrache-clou et il a souri ; et quand j'ai sorti le sirop de sorgho, il a dit : « Si c'est pas du Charlotte tout craché, ça. »

Tout en m'appuyant contre l'établi pour alléger le poids de ma jambe, je l'ai regardé manger et puis j'ai dit : « Susan a dit que Monday avait perdu sa liste. »

La porte donnant sur la ruelle était ouverte pour laisser la sciure s'envoler ; il est allé jeter un coup d'œil des deux côtés et il l'a fermée. « Monday est un sacré abruti. Il gardait sa liste dans un tonneau vide de la sellerie, à la plantation Bulkley, et hier, le tonneau avait disparu et personne sait où.

— Qu'est-ce qui se passera si quelqu'un la trouve, cette liste ? »

Il s'est rassis sur son tabouret et il a pris la fourchette. « Ça dépend. Si la liste provoque des soupçons et qu'elle est transmise à la Garde, ils passeront tous les inscrits en revue à coups de fouet jusqu'à ce qu'ils découvrent de quoi il s'agissait. »

Ce qui suffit à me coller la chair de poule. J'ai dit : « Et toi, tu les gardes où, tes noms ? »

Il s'est arrêté de mâcher. « Pourquoi tu veux le savoir ? »

Là, je m'aventurais en terrain glissant, mais ça m'était égal. « Bon, ils sont bien cachés, oui ou non ? »

Ses yeux se sont égarés vers la sacoche de cuir posée sur l'établi.

« Ils sont dans la sacoche ? j'ai dit. Fin prêts pour se faire embarquer ? »

J'ai dit ça comme s'il était vraiment un sacré abruti, lui aussi, mais au lieu de réagir violemment, il s'est mis à rire. « Cette sacoche reste constamment sous mes yeux.

— Mais si la Garde met la main sur les noms de Monday et vient te chercher, ils n'auront aucun mal à trouver ta liste. »

Il n'a pas répondu, il s'est essuyé la bouche d'un revers de main. Il savait que j'avais raison mais il ne voulait pas le reconnaître.

Le soleil entrait par la fenêtre, dessinant quatre carrés de quilt éclatants sur le sol. Je les ai regardés tandis que le silence s'éternisait, je pensais à ce qu'il avait dit « *Du Charlotte tout craché* », et j'ai repensé à ce qu'elle faisait, mettre des bouts de cheveux et des petits porte-bonheur dans le molleton de ses quilts, et puis je me suis souvenue de la fois où elle s'était fait prendre la main dans le sac avec le rouleau de soie verte de Missus. À l'époque, elle m'avait dit : « J'aurais dû coudre cette soie verte à l'intérieur d'un quilt et elle l'aurait jamais trouvée. »

« Je sais ce que tu dois faire de cette liste, j'ai dit.

— Toi, tu sais ça ?

— Il faut que tu la caches à l'intérieur d'un quilt. Je peux coudre une poche secrète dans laquelle la glisser. Après, tu étends le quilt sur le lit, à la vue de tout le monde, et personne ne voit la différence. »

Il s'est mis à arpenter l'atelier trois fois, quatre fois de suite. Il a fini par demander : « Et si j'ai besoin de la récupérer ?

— C'est facile. Je laisserai un espace suffisant dans la couture pour que tu puisses glisser ta main dedans. »

Il a hoché la tête. « Va voir si Susan a un quilt quelque part. Dépêche-toi. »

À la nouvelle année, Nina a déniché cinq filles pour démarrer un groupe de prières féminin. Elles se réunissaient dans le salon le mercredi matin, je leur servais du thé et des gâteaux, j'entretenais le feu et je surveillais la porte ; et de ce que j'ai pu entendre, la dernière chose dont il était question, c'était bien de prières. Nina se donnait un mal de chien pour les sensibiliser aux méfaits de l'esclavage.

Cette fille. Elle était comme Sarah. Elle avait les mêmes idées, le même désir de se rendre utile, mais il y avait une différence entre elles deux. À dix-sept ans, Nina faisait tourner toutes les têtes qui passaient à sa portée et savait séparer le bon grain de l'ivraie. Cependant, ses prétendants ne résistaient pas longtemps. Missus disait qu'elle les faisait fuir avec ses idées trop arrêtées.

Je sais pas pourquoi elle faisait pas aussi fuir les filles.

Pendant leurs réunions, elle tenait des discours enflammés qui continuaient jusqu'à ce qu'une d'elles perde le fil et se lance dans un tout autre sujet de conversation – qui a dansé avec qui ou qui portait quoi à la dernière réception. Nina n'insistait pas, mais elle avait l'air contente de pouvoir dire ce qu'elle avait en tête et Missus était contente, elle aussi, de penser que Nina avait fini par trouver un intérêt à la religion.

C'est pendant une réunion en mars que la fille Smith a fini par prendre le mors aux dents. Nina s'échinait à lui faire comprendre à quel point la violence était présente dans le quartier même dans lequel elle vivait.

« Tu veux venir ici, Handful ? » m'a appelée Nina.

Elle s'est tournée vers les filles. « Vous voyez sa jambe ? Vous voyez comment elle la traîne derrière elle ? C'est à cause de la trépigneuse de la *Work House*. C'est une infamie et ça se passe juste sous ton nez, Henrietta ! »

La fille Smith s'est hérissée. « Eh bien, que faisait-elle à la *Work House* d'abord ? Il faut bien qu'il y ait de la discipline, quand même, non ? Qu'avait-elle fait ?

— Ce qu'elle avait *fait* ? N'as-tu donc rien entendu de ce que j'ai dit ? Que Dieu nous protège, comment peux-tu être aussi aveugle ? Si tu veux savoir comment Handful s'est retrouvée à la *Work House*, elle est juste devant toi. C'est une personne, pose-lui la question.

— Je préférerais ne pas le faire », a répondu la fille en rassemblant ses jupes sous ses jambes.

Nina s'est levée pour venir se mettre à côté de moi. « Pourquoi n'enlèverais-tu pas ta chaussure pour lui montrer le genre de brutalités qui se déroulent dans la rue même où elle habite ? »

J'aurais dû refuser de le faire mais je n'avais jamais oublié comment Nina était venue à mon secours le jour où Tomfry m'avait surprise devant la maison alors que je m'apprêtais à filer chez Denmark. Elle ne m'avait jamais demandé où j'étais allée et le fait est, j'avais envie de montrer à ces filles ce que la *Work House* m'avait fait subir. J'ai ôté ma chaussure et j'ai dénudé l'os tout tordu et les cicatrices rose chair qui couraient sur ma peau comme des vers de terre. Les filles ont porté leur main à leur nez en devenant blanches comme des linges mais Henrietta Smith a fait mieux. Elle s'est carrément évanouie dans sa chaise.

Je suis allée chercher les sels et je l'ai ranimée, mais non sans que Missus ait entendu le raffut.

Dans la soirée, alors que j'étais dans ma chambre au sous-sol, on a frappé à ma porte ; j'ai ouvert et j'ai vu Nina avec les yeux tout gonflés.

« Mère t'a punie ? m'a-t-elle demandé. Il faut que je le sache. »

Depuis la mort de master Grimké, Missus frappait Minta si souvent avec sa canne à pommeau doré qu'on ne la voyait plus jamais sans traces de coups sur ses bras bruns. Rien d'étonnant à ce qu'elle passe son temps dans la remise à voitures avec Sabe pour trouver de quoi se réconforter. Missus nous frappait aussi à coups de canne, Phoebe et moi, et elle en était même arrivée à frapper Aunt-Sister, ce que je n'aurais jamais cru voir de ma vie. Aunt-Sister ne se laissait pas démonter. Je l'ai entendu dire à Missus : « Binah et ceux que vous avez vendus, c'est eux les veinards ! »

Nina était en train de dire : « J'ai essayé de lui dire que c'était moi qui t'avais demandé d'enlever ta chaussure, que c'était pas toi qui l'avais proposé… »

J'ai tendu le bras pour lui montrer la marque du coup.

« La canne ? a voulu savoir Nina.

— Un seul coup mais costaud. Et à vous, qu'est-ce qu'elle a fait ?

— Elle m'a surtout grondée. Les filles ne reviendront plus pour aucune réunion.

— Ça, je m'en doutais », j'ai répondu. Elle avait l'air tellement triste que j'ai ajouté : « Eh bien, vous avez essayé. »

Ses yeux se sont remplis de larmes et je lui ai tendu mon foulard propre. Elle l'a pris, elle s'est écroulée dans le fauteuil à bascule et elle a enfoui son visage dedans. Je ne savais pas très bien si ses yeux allaient résister à force de pleurer, que ce soit sur l'échec de son groupe de prières, sur le départ de Sarah ou sur son isolement.

Après avoir versé toutes les larmes de son corps, elle est retournée dans sa chambre ; j'ai allumé une chandelle et, dans cette lumière vacillante, j'ai imaginé le quilt sur le lit de Denmark et, dedans, la poche secrète, et dans la poche secrète le rouleau de papier avec tous les noms. Des gens prêts à donner leurs vies pour la liberté. Le jour où j'avais eu cette idée pour planquer la liste, Susan n'avait pas trouvé un seul quilt dans toute la maison – elle utilisait des couvertures en laine ordinaires. J'ai fabriqué un nouveau quilt à partir de zéro – carrés rouges et triangles noirs, nos préférés à mauma et moi, l'envol des merles.

Denmark était convaincu que rien ne pourrait changer si on ne versait pas le sang. Écroulée dans le fauteuil à bascule, je pensais à Nina, qui faisait la morale à cinq filles blanches gâtées ; à Sarah, qui supportait si mal le monde dans lequel elle vivait qu'elle avait dû le quitter, et, même si je sentais à quel point leurs actes étaient empreints de bonté, j'avais l'impression que les leçons de morale et les départs ne pesaient pas bien lourd quand il s'agissait de vaincre tant de cruauté.

Le châtiment était imminent et c'était à nous de l'infliger. On en passerait par le sang. C'était le seul et unique moyen, non ? J'étais maintenant contente de savoir Sarah loin d'ici et à l'abri du danger et j'allais devoir protéger Nina. Je me suis dit : Ne laisse pas l'inquiétude entrer dans ton cœur. Ni la peur.

Sarah

Je dépliai la nappe blanche toute fraîche; la déployant vers le ciel, je la regardai se transformer en un petit nuage ovoïde avant de s'étaler sur les aiguilles de pin.

«Ce n'est pas la nappe que nous utilisons pour les pique-niques», dit Catherine en croisant les bras.

Ses critiques à l'encontre de ma personne étaient semblables à ses prières – sacrées, quotidiennes et toujours sévères. Désormais, je faisais attention. Je continuais à donner des cours aux enfants mais je m'efforçai de ne pas avoir une attitude maternelle. Je m'en remettais à Catherine pour tous les sujets domestiques – si elle mettait du sel dans le gâteau, elle mettait du sel dans le gâteau. Et Israel – je ne lui accordais même pas un regard quand elle se trouvait dans la pièce.

«... Je suis désolée, dis-je. Je croyais que vous aviez dit la nappe blanche.

— Il va falloir la passer à l'eau de Javel et l'amidonner. Prions le ciel qu'il n'y ait pas de résine de pin sur le sol. »

Seigneur, pas de résine de pin. Je vous en prie.

On était le 1er avril, Becky avait sept ans aujourd'hui et c'était le premier jour de l'année qu'on pouvait considérer comme chaud. Après cet hiver dans le Nord, j'avais totalement changé d'avis sur la chaleur. Avant d'arriver ici, je n'avais jamais vu la neige; le jour où elle était venue, le ciel de Pennsylvanie s'était ouvert en deux comme un immense édredon de duvet d'oie et le monde entier s'était retrouvé couvert de plumes. En voyant cela, j'étais aussitôt sortie me promener pour sentir les flocons se poser dans mes mains et sur ma langue, je les avais laissés s'installer sur mes cheveux, qui flottaient librement sur mes épaules. En rentrant dans la maison, j'avais avisé Israel et plusieurs des enfants postés à la fenêtre en train de me regarder, l'air sidéré. Mon ravissement avait tourné à la gadoue à peu près au même moment que la neige elle-même. Nous nous étions retrouvés coincés dans un crépuscule perpétuel. La couleur avait déserté le monde, réinventant le paysage rien qu'avec des nuances de noir et de blanc, et les cheminées avaient beau rugir sans pitié, le froid glaçait mes os natifs de Charleston comme du givre.

Le pique-nique était une idée à moi. Les quakers ne célébraient pas les fêtes – on traitait tous les jours de la même façon, on les vivait tous dans la même simplicité –, mais on savait qu'Israel esquivait volontiers les anniversaires des enfants. Ce jour-là, il était à la maison en train de travailler, enfermé dans son bureau avec des factures, des livres de comptes et des lettres de change. Ayant assez de bon sens pour ne pas aller soumettre mon caprice à Catherine, j'étais allée l'interrompre au milieu de la matinée.

« ... Le printemps est là, lui avais-je dit. Sachons en profiter... Un pique-nique nous fera du bien à tous et vous devriez voir Becky, elle est tellement excitée à l'idée d'avoir sept ans... Une petite fête ne pourrait pas faire de mal, non ? »

Il posa le livre de comptes qu'il tenait à la main et me dévisagea avec un sourire lent et confiant. Cela faisait des mois qu'il ne m'avait plus touchée. À l'automne, il lui arrivait souvent de me prendre la main ou de glisser son bras autour de ma taille quand nous remontions la colline après être allés nous promener au bord de la mare mais après, l'hiver était venu, nos promenades avaient cessé et il avait repris ses distances, se retirant quelque part en lui-même pour hiberner. J'ignorais ce qui s'était passé jusqu'à ce que, un matin de janvier, Catherine annonçât que c'était le deuxième anniversaire de la mort de Rebecca. Elle paraissait en proie à une joie sombre en expliquant à quel point son frère était plongé dans le deuil, plus encore cet hiver que l'hiver précédent.

« D'accord, faites le pique-nique, mais pas de gâteau d'anniversaire, répondit Israel.

— … Oh, je n'aurais jamais pu imaginer quelque chose d'aussi décadent qu'un gâteau », dis-je avec un grand sourire, en me moquant un peu de lui.

Il éclata de rire.

« Vous devriez venir, vous aussi », ajoutai-je.

Ses yeux se tournèrent vers le médaillon posé sur son bureau, celui avec les jonquilles et le nom de sa femme gravé dessus.

« Peut-être, dit-il. J'ai beaucoup de travail aujourd'hui.

— … Eh bien, essayez de vous joindre à nous. Cela ferait plaisir aux enfants. »

Je le quittai, regrettant de me laisser si facilement perturber par cet homme d'humeur si changeante, prêt à m'étreindre un jour, totalement froid le lendemain.

Et là, tandis que je contemplais la nappe blanche étalée par terre, je n'étais même plus déçue, j'étais carrément en colère. Il n'était pas venu.

Catherine et moi, nous sortions le contenu du panier, une douzaine d'œufs durs, des carottes, deux miches de pain, du beurre de pomme et un genre de fromage doux que Catherine avait obtenu en faisant bouillir de la crème qu'elle avait ensuite mise à sécher sur un torchon. Les enfants avaient découvert de la menthe à l'orée du bois et ils étaient en train d'écraser les feuilles entre leurs doigts. L'air était imprégné de cette odeur.

« Oh », j'entendis Catherine dire. Tournée vers la maison, elle regardait Israel traverser l'herbe jaunie.

Nous mangeâmes assis par terre, contemplant le ciel, entonnoir étincelant. Le repas terminé, Catherine sortit du pain d'épice du panier et entassa les tranches en pyramide. «La tranche du haut est pour toi, Becky», dit-elle.

À l'évidence, Catherine aimait cette enfant, elle les aimait tous et soudain, j'eus du remords de toutes les mauvaises pensées qu'elle avait pu m'inspirer. Les enfants se jetèrent sur le pain d'épice et se dispersèrent, les garçons vers les arbres et les deux filles pour cueillir les fleurs sauvages qui commençaient à pousser, et ce fut à ce moment, alors que Catherine s'activait pour tout ranger, que je commis une erreur épouvantable.

J'étais allongée, appuyée sur mes deux coudes, à distance respectable d'Israel; j'avais le sentiment qu'il était sorti de sa longue hibernation et j'avais envie de me réchauffer à cette idée. Catherine nous tournait le dos et, quand je regardai Israel, il avait à nouveau cette expression pleine de désir, ce sourire triste et brûlant, et il osa faire glisser son petit doigt sur la nappe pour venir crocheter le mien. C'était une chose minuscule, nos doigts enlacés comme deux branches mais, submergée par tant d'intimité, je retins mon souffle.

Ce bruit suffit pour que Catherine tourne la tête; elle nous regarda par-dessus son épaule. Israel arracha son doigt du mien. Ou bien fut-ce moi qui arrachai le mien du sien?

Elle le dévisagea. «Ainsi, c'est bien ce que je soupçonnais.

— Ça ne te regarde pas», rétorqua-t-il.

Il se releva, me fit un sourire plein de regrets et repartit vers la maison.

Elle garda le silence un moment mais, lorsque je voulus l'aider à ranger le panier, elle dit : «Vous devez partir immédiatement et trouver un logement ailleurs. Il n'est pas convenable que vous restiez ici. Je parlerai à Israel de votre départ mais il serait préférable que vous partiez de votre plein gré sans qu'il ait besoin de s'en mêler.

— ... Il ne me demanderait pas de partir!

— Nous devons faire ce que les convenances exigent», répondit-elle et, à ma grande surprise, elle posa sa main sur la mienne. «Je suis désolée, mais c'est mieux ainsi.»

Nous étions assis tous les onze sur un seul banc dans
la Maison quaker de Arch Street – les huit enfants Morris
encadrés par Israel d'un côté, Catherine et moi de l'autre.
Je ne comprenais pas pourquoi nous devions être tous
présents pour assister à ce qu'on appelait communément
«une réunion de culte et d'affaires». Pareilles réunions
avaient pour objectif de régler les situations délicates,
pour l'amour du ciel! Elles avaient lieu tous les mois et
d'habitude je restais toujours à la maison avec les enfants,
pendant qu'Israel s'y rendait avec Catherine. Cette fois,
elle avait insisté pour que nous y allions tous.

Après le pique-nique, Catherine n'avait guère perdu de
temps pour s'entretenir avec Israel et il n'avait pas cédé –
je resterais à Green Hill. Si l'incident du médaillon avait
déjà refroidi les relations entre Catherine et moi, mon
refus de partir et le refus d'Israel de la soutenir les avaient
rendues carrément glaciales. Il ne me restait plus qu'à
espérer que le temps arrange les choses.

Dans la salle, une femme se leva pour ouvrir le culte par
la lecture d'un verset de la Bible. Elle était la seule femme
pasteur parmi nous. Elle ne paraissait guère plus âgée
que moi, qui avais vingt-neuf ans, plutôt jeune pour pareil
exploit. La première fois que je l'avais entendue parler en
assemblée, j'avais été impressionnée. Désormais, j'y pensais plutôt avec une pointe de jalousie. Si j'avais fait mienne
l'essentiel de la foi quaker, jusqu'à présent, je m'étais toujours abstenue de prendre la parole pendant le culte.

On entra dans le vif du sujet et des quakers se mirent
à exposer toute une série de questions assez ennuyeuses.
Très vite, deux des fils d'Israel commencèrent à se pousser
mutuellement et le plus jeune s'endormit. Quelle bêtise de
la part de Catherine de nous traîner ici, me dis-je.

Catherine se leva, arrangeant son châle sur ses épaules
frêles. «Je suis guidée par l'Esprit à exposer un sujet de
préoccupation.»

Je relevai brusquement la tête, l'œil sur sa mâchoire
bien découpée, puis sur Israel, à l'autre bout du banc, qui
paraissait aussi surpris que moi.

« Je demande à ce qu'on parvienne à l'unanimité sur la nécessité de trouver un nouveau logement pour notre chère amie en période de probation, Sarah Grimké, déclara Catherine. Miss Grimké est une préceptrice exceptionnelle pour les enfants d'Israel et elle m'aide dans toutes les tâches domestiques ; elle est, évidemment, une chrétienne de grande valeur, et il est important que nul, à l'intérieur ou à l'extérieur de notre communauté, ne puisse s'interroger sur la bienséance d'une femme non mariée vivant sous le toit d'un veuf. À Green Hill, nous avons du chagrin de la voir partir, mais c'est un sacrifice auquel nous consentons volontiers pour le bien de tous. Nous demandons que vous nous épauliez dans son déménagement. »

Les yeux fixés sur le parquet brut et l'ourlet de sa robe, je ne parvenais plus à respirer.

Je ne me souviens pas de toutes les réactions de l'assistance une fois prononcé cet insidieux discours. Je me souviens avoir été félicitée pour mes scrupules et mon sens du sacrifice. Je me souviens de mots comme *honorable, altruiste, digne d'éloges, essentiel.*

Lorsque le bourdonnement des voix s'arrêta enfin, un homme âgé déclara : « Y a-t-il unanimité sur cette affaire ? Si quelqu'un souhaite manifester son opposition, qu'il se fasse connaître. »

Moi, je souhaite manifester mon opposition. Moi, Sarah Grimké. Je sentais les mots gonfler entre mes côtes mais ils se perdirent en route. Je voulais réfuter les affirmations de Catherine mais je ne savais pas par où commencer. De façon très ingénieuse, elle avait fait de moi un modèle de bonté et d'abnégation. Toute contestation de ma part aurait l'air de contredire ce jugement et je prenais le risque de ne jamais être acceptée au sein de l'assemblée quaker. Une idée qui me faisait souffrir. En dépit de leur austérité, de leur manie de couper les cheveux en quatre, ils avaient produit le premier document anti-esclavagiste de l'histoire. Ils m'avaient montré un Dieu d'amour et de lumière, une foi centrée sur la conscience individuelle. Je n'avais nulle envie de les perdre, pas plus que je ne voulais perdre Israel, ce qui allait sûrement se produire, si je ne franchissais pas avec succès la période probatoire.

Je ne pouvais plus bouger, même pas le plus petit muscle de ma langue.

Israel se laissa glisser au bout du banc comme s'il s'apprêtait à se lever pour parler en ma faveur, mais il resta là sans bouger, à enfoncer son poing serré dans la paume de son autre main. Catherine l'avait placé dans la même situation intenable que moi – il ne voulait donner à personne une bonne raison de douter de la bienséance de ce qui se passait chez lui, surtout pas à ces braves gens d'Arch Street qui étaient au centre de son existence, qui avaient connu et aimé Rebecca. Je le comprenais. Cependant, à le voir ainsi hésiter sur le bord du banc, j'eus le sentiment que sa réticence à me défendre publiquement venait de quelque chose d'encore plus profond, de la nécessité enfouie mais souveraine de protéger l'amour qu'il portait à sa femme. Je compris soudain que c'était pour la même raison qu'il ne m'avait jamais déclaré sa flamme. Il me lança un regard torturé et se réinstalla sur le banc.

À l'avant de la salle, la femme pasteur, assise sur le « banc des Anciens » avec d'autres pasteurs, me scrutait, notant le désarroi que je ne parvenais pas à dissimuler. Je lui rendis son regard en m'imaginant qu'elle lisait en moi jusqu'au tréfonds de mon cœur, qu'elle voyait des choses que je commençais à peine à comprendre moi-même. *Il ne demandera sans doute jamais ma main.*

Elle me fit soudain un signe de tête et se leva. « Je souhaite manifester mon opposition. Je ne vois aucune raison pour que Miss Grimké déménage. Ce serait pour elle un grand bouleversement et une épreuve pour tous ceux qui sont impliqués. Sa conduite est irréprochable. Nous ne devrions pas tant nous soucier des apparences extérieures. »

Elle se rassit et me sourit ; je faillis éclater en sanglots.

Elle fut la seule à se lever pour contrer Catherine. Les quakers décidèrent que je devais quitter Green Hill d'ici la fin du mois et l'inscrivirent dûment dans le Livre des Minutes, le procès-verbal de leurs réunions.

Après le culte, Israel sortit rapidement pour chercher la voiture mais je demeurai assise sur le banc, essayant de reprendre mes esprits. Je ne voyais vraiment pas où je pourrais m'installer. Allais-je continuer à être la préceptrice des enfants ? Catherine les entraînait vers la sortie, mais Becky se retourna pour me regarder, en cherchant à se dégager des mains de sa tante qui la retenaient comme un harnais.

« Sarah ? Je peux vous appeler Sarah ? »

C'était la femme qui m'avait défendue.

J'acquiesçai d'un signe de tête. « ... Merci d'être intervenue comme vous l'avez fait... Je vous en suis reconnaissante. »

Elle me tendit une feuille de papier. « Voilà mon adresse. Vous êtes la bienvenue si vous voulez venir vivre avec mon mari et moi. » Elle s'apprêtait à partir mais elle se retourna. « Pardonnez-moi, je ne me suis pas présentée. Je m'appelle Lucretia Mott. »

Handful

Chez Denmark, dans l'atelier, les lieutenants se tenaient debout autour de l'établi. Ils quittaient rarement leur chef. Celui-ci leur expliquait que la date était fixée, dans deux mois, et qu'il y avait six mille noms inscrits dans le Livre.

J'étais assise dans un coin sur un repose-pieds, à mon endroit habituel, et j'écoutais. Personne ne faisait très attention à moi, sauf si l'un d'eux avait envie de boire quelque chose. « Handful, apporte la gnôle. » « Handful, apporte la ginger beer. »

On était en avril et Charleston étouffait déjà sous la moitié de la chaleur qui règne en enfer. Les hommes en étaient dégoulinants. « Ces dernières semaines, vous avez intérêt à jouer les gentils esclaves mieux que jamais, a dit Denmark. Que tout le monde serre les dents et obéisse aux maîtres. Si quelqu'un s'avisait de raconter aux Blancs qu'une révolte d'esclaves va éclater, il faudrait que les Blancs se mettent à rire en disant : "Pas les nôtres, en tout cas, ils sont comme de la famille. Ce sont les gens les plus heureux de la terre." »

Pendant qu'ils discutaient, je me suis mise à penser à mauma et l'image que j'avais d'elle était toute délavée, comme le rouge sur un quilt quand on l'a fait bouillir trop souvent. Il y avait des moments où je n'arrivais plus à me souvenir des traits de son visage, ni de l'endroit où se trouvaient les cals sur ses doigts à force de manier l'aiguille, ni à quoi ressemblait son odeur à la fin de la journée. Quand c'était le cas, j'allais rendre visite à l'arbre des âmes. C'était là que je la percevais le mieux, mauma, dans les feuilles, dans l'écorce et dans les glands tombés à terre.

Assise sur mon tabouret, j'ai fermé les yeux pour essayer de la faire revenir, inquiète à l'idée qu'elle m'avait abandonnée pour de bon. Aunt-Sister aurait dit : « Laisse-la partir, il est largement temps », mais je préférais souffrir parce que je me souvenais du visage et des mains de mauma que de me sentir en paix sans eux.

Pendant une minute, je me suis dit que j'allais filer retrouver l'arbre des âmes – prendre le risque de passer par-dessus la barrière avant qu'il fasse noir, mais Missus m'avait déjà surprise le mois dernier et le coup qu'elle m'avait asséné sur la tête cicatrisait à peine. Elle avait prévenu Sabe : « Si Handful ressort sans permission, je te ferai fouetter en même temps qu'elle. » Maintenant, il avait des yeux de mouche derrière la tête.

J'ai essayé de me concentrer sur ce que racontaient les hommes.

« Ce qui nous faudrait, c'est un moule à balles, a dit Denmark. Nous avons des mousquets mais nous n'avons pas de munitions. »

Ils ont passé en revue la liste des armes. Je savais déjà qu'il y aurait du sang mais pas qu'il coulerait à flots dans les rues. Ils avaient des gourdins, des haches et des couteaux. Ils avaient des épées, volées. Ils avaient des barils de poudre et des mèches lentes cachés sous les quais qu'ils avaient l'intention de répartir tout autour de la ville pour qu'elle brûle jusqu'à la terre.

Ils ont dit qu'un esclave maréchal-ferrant du nom de Tom était en train de fabriquer cinq cents piques. J'ai pensé qu'il devait sûrement s'agir du même Tom maréchal-ferrant qui avait fait la fausse médaille d'esclave pour mauma à l'époque où elle avait commencé à se faire embaucher à l'extérieur. Je me souvenais du jour où elle me l'avait montrée. Un petit carré de cuivre avec un trou en haut sur lequel était écrit « Domestique,

Numéro 133, Année 1805 ». Tout ça, je le voyais très bien, mais impossible de distinguer clairement le visage de mauma.

Dans ma poche, j'avais une toute petite plume de geai que j'avais ramassée en venant. Je l'ai sortie et je l'ai fait rouler entre mes doigts, histoire de m'occuper et, du coup, je me suis retrouvée à penser à l'époque où mauma avait assisté à un enterrement d'oiseau. Quand elle était petite, elle et ma granny-mauma sont tombées sur un corbeau mort, couché sous leur arbre des âmes. Elles sont allées chercher une pelle pour l'enterrer et, quand elles sont revenues, il y avait sept corbeaux en rond sur le sol, autour de l'oiseau mort, ils ne faisaient pas *caow caow* mais *tsip tsip*, un cri aigu comme une mélopée funèbre. Ma granny-mauma lui a dit : « Regarde, voilà comment font les oiseaux, ils arrêtent de voler et de chercher de quoi manger et ils descendent s'occuper de leurs morts. Ils les entourent en criant. Ils font ça pour que ça se sache de partout : autrefois cet oiseau était vivant et maintenant il est mort. »

Cette histoire m'a ramené l'image de mauma, une image rouge vif. Je la voyais à la perfection. Je voyais sa peau d'un jaune desséché, les cals sur ses phalanges, ses yeux dorés et lumineux et l'écart entre ses dents, la mesure exacte.

« Il y a un moule à balles à l'arsenal municipal dans Meeting Street, a dit Gullah Jack. Mais entrer là-dedans... là, je sais pas !

— Y a combien de gardiens ? » a demandé Rolla.

Gullah Jack s'est frotté les favoris. « Deux, parfois trois. Dans cet endroit, il y a tout le stock d'armes pour la garde mais ils laisseront pas un seul d'entre nous s'introduire là-dedans.

— Entrer dedans signifierait livrer bataille, a dit Denmark, et ça, c'est une chose que nous ne pouvons pas nous permettre. Comme je l'ai dit, le plus important maintenant, c'est de pas éveiller les soupçons.

— Et moi ? » j'ai dit.

Ils se sont tournés vers moi comme s'ils avaient oublié ma présence.

« Quoi, et toi ? a demandé Denmark.

— Je pourrais y entrer. Personne ne regarde à deux fois une esclave boiteuse. »

Sarah

Quand le crépuscule s'amorça, je m'assis à mon bureau, dans ma chambre et j'ouvris une lettre de Nina. J'étais à Green Hill depuis presque un an et je lui avais écrit sans faillir tous les mois, des petits récits de ma vie et des questions sur la sienne, mais elle n'avait jamais répondu à aucune missive, pas une seule, et maintenant, j'avais entre les mains une enveloppe couverte de son ample écriture et je ne pouvais m'empêcher d'imaginer le pire.

14 mars 1822

Chère sœur,

J'ai été une piètre correspondante et encore plus piètre sœur. Je n'étais pas d'accord avec ta décision de partir dans le Nord et je n'ai pas changé d'avis mais je me suis très mal conduite et j'espère que tu voudras bien me pardonner.

Je ne sais plus à quel saint me vouer en ce qui concerne notre mère. Elle devient plus violente et plus difficile chaque jour. Elle affirme sans cesse que nous n'avons pas de quoi vivre et elle en rend responsables Thomas, John et Frederick qui ne sont pas capables de veiller à son bien-être. Inutile de le dire, ils ne viennent pas souvent et Mary ne vient jamais, seulement Eliza. Depuis ton départ, Mère passe la majeure partie de son temps enfermée dans

sa chambre et, quand elle en sort, c'est seulement pour
fulminer contre les esclaves. Elle leur balance des coups
de canne pour la moindre peccadille. Elle a récemment
frappé Aunt-Sister simplement parce qu'elle avait brûlé
quelques miches de pain. Hier soir, elle a tapé sur Hand-
ful parce qu'elle l'a surprise en train de passer par-des-
sus la barrière. Je devrais ajouter que Handful était en
train de rentrer dans la cour et non d'en sortir; quand
Mère a demandé qu'elle s'explique, Handful a répondu
qu'elle avait vu un chiot blessé dans la rue et qu'elle avait
enjambé la barrière pour aller lui porter secours. Elle a
insisté pour dire qu'elle revenait de cette rapide mission
de sauvetage mais je ne crois pas que Mère l'ait crue. Moi,
je ne l'ai pas crue. Mère a ouvert l'arcade sourcilière de
Handful et je l'ai soignée du mieux que j'ai pu.

Je suis inquiète de voir le mauvais caractère de Mère
s'aggraver mais je crains également que Handful ne soit
engagée dans quelque chose de dangereux qui implique
de passer fréquemment par-dessus la barrière. Je l'ai moi-
même vue quitter la maison à une autre occasion. Elle
refuse de m'en parler. Je doute de pouvoir la protéger si
elle se fait prendre à nouveau.

Je me sens seule et impuissante ici. Je t'en prie, viens à
mon secours. Je t'en supplie, reviens à la maison.

                 Ta sœur qui a besoin de toi et qui t'aime,
                                                  Nina

Je reposai la lettre. Repoussant ma chaise, je m'approchai de la lucarne pour regarder le bosquet de cèdres qui
allait s'assombrissant. Un petit essaim de lucioles s'en élevait, pareilles à des braises. *Je me sens seule et impuissante*
ici – les mots de Nina, mais j'avais l'impression que c'était
les miens.

Plus tôt dans la journée, Catherine avait fait monter ma
malle du sous-sol et je m'étais attelée à la tâche de sortir
mes affaires de l'armoire et du bureau, de les étaler sur le
lit et sur le tapis natté – bonnets, châles, robes, chemises de
nuit, gants, journaux intimes, lettres, la petite biographie

de Jeanne d'Arc que j'avais volée dans le bureau de Père, un seul rang de perles, des brosses en ivoire, des flacons de verre gravé contenant des lotions et des poudres et, le plus précieux de tout, ma boîte en pierre de lave avec le bouton d'argent.

« Vous n'êtes pas descendue pour le dîner. »

Israel se tenait sur le pas de la porte ; il jeta un œil à l'intérieur, effrayé, manifestement, à l'idée de pénétrer dans mon petit sanctuaire en désordre.

Selon les critères en vigueur chez les Grimké, mes possessions étaient maigres mais j'étais néanmoins gênée de cet étalage, en particulier les sous-vêtements de laine que je tenais à la main. Il regarda fixement la malle ouverte puis les combles, comme blessé par le fait de me voir faire mes bagages.

« … Je n'avais pas faim », dis-je.

Il finit par pénétrer dans ce désordre. « Je suis venu vous dire… excusez-moi, j'aurais dû intervenir pendant le culte, j'ai eu tort de ne pas intervenir. Ce qu'a fait Catherine était impardonnable – je le lui ai dit sans ambages. J'irai voir les anciens cette semaine et je leur dirai clairement que je ne souhaite pas que vous partiez.

Ses yeux brillaient de ce que je pris pour de l'angoisse.

« … C'est trop tard, Israel.

— Mais non. Je peux leur faire comprendre…

— Non ! »

Ce *non* claqua avec plus de force que je ne l'aurais voulu.

Il vint s'écrouler au bout de mon lit étroit et passa les doigts dans son exubérante chevelure noire. Le voir sur le lit, au milieu de mes robes, de mes perles et de ma boîte en pierre de lave me remplit d'une douleur aiguë, presque exquise. Je savais à quel point il allait me manquer.

Il se leva et me prit la main. « Vous continuerez à venir faire cours aux filles, non ? Plusieurs personnes ont proposé de vous loger. »

Je retirai ma main. « … Je rentre chez moi. »

Ses yeux se fixèrent sur la malle et je vis ses épaules s'arrondir, ses côtes s'affaisser. « Est-ce à cause de moi ? »

Je gardai le silence, ne sachant que répondre. La lettre de Nina était arrivée juste quand j'avais atteint le fond et, c'était vrai, cette excuse pour partir se révélait bienvenue. Étais-je en train de le fuir ? « Non, lui répondis-je. J'étais certaine que je serais partie, de toute façon, alors à quoi bon en disséquer la raison ? »

Lorsque je lui fis part du contenu de la lettre, il dit : « C'est terrible, ce qui arrive à votre mère, mais il doit y avoir d'autres frères et sœurs pour faire face à cette situation.

— C'est de moi que Nina a besoin. De personne d'autre.

— Mais c'est très soudain. Vous devriez y réfléchir. Prier. Dieu vous a amenée jusqu'ici, vous ne pouvez le nier. »

Je ne pouvais le nier. J'étais venue dans le Nord et même dans cet endroit précisément – Green Hill, Israel et les enfants –, poussée par quelque chose de bon, de positif. Quitter Charleston, ça restait un impératif aussi splendide que le jour où je l'avais ressenti pour la première fois. Mais il y avait la lettre de Nina posée sur le bureau. Et puis il y avait cette autre histoire, l'histoire de Rebecca.

« Sarah, nous avons besoin de vous ici. Vous êtes devenue indispensable pour... pour nous tous.

— ... C'est décidé, Israel. Je suis désolée. Je rentre à Charleston. »

Il poussa un soupir. « Au moins, dites-moi que vous nous reviendrez lorsque la situation sera stabilisée là-bas. »

La vitre brillait du reflet de la pièce mais je m'en approchai à toucher le verre. L'hélice brillante des lucioles était encore là. « ... Je ne sais pas. Je ne sais plus. »

Handful

La nuit avant que j'aille à l'Arsenal municipal voler un moule à balles, Goodis et moi, on s'est faufilés dans la pièce vide au-dessus de la remise à voitures – celle où nous dormions, mauma et moi – et je l'ai laissé faire ce qu'il voulait faire avec moi depuis des années et que, je pense, j'avais moi aussi envie de faire avec lui. J'avais vingt-neuf ans et, je me disais, si je me fais prendre demain, la Garde me tuera et si c'est pas eux qui me tuent la *Work House* s'en chargera, alors, avant de quitter la terre, ce serait mieux que j'aie pu découvrir pourquoi ça passionne tout le monde.

La pièce était vide à l'exception d'une paillasse que Sabe avait posée par terre pour Minta et lui, mais ça sentait toujours cette bonne vieille odeur de crottin. J'ai jeté un œil sur le matelas cradingue, pendant que Goodis étendait dessus une couverture propre en lissant soigneusement chaque petit pli et, à voir le soin avec lequel il faisait ça, je me suis sentie submergée par une vague de tendresse pour lui. Il n'était pas vieux, mais il avait perdu presque tous ses cheveux. La paupière de son œil vagabond était tombante, alors que l'autre restait bien ouverte, il avait toujours l'air à moitié endormi, mais il avait un grand sourire généreux et il n'a pas arrêté de sourire tout en m'aidant à me déshabiller.

Une fois que j'étais étendue sur la couverture, il a regardé la pochette autour de mon cou, ma pochette bourrée des débris de notre arbre des âmes.

« Ça, je l'enlève pas », j'ai annoncé.

Il l'a pincée pour tâter les morceaux durs d'écorce et de glands. « C'est tes bijoux ?

— Ouais. C'est mes pierres précieuses. »

Il a repoussé la pochette sur le côté et il a pris mes seins dans ses mains en disant : « Ils sont pas plus gros que deux noisettes, mais c'est comme ça que je les aime, petits et bruns comme ceux-là. » Il a embrassé ma bouche et mes épaules, il a frotté son visage contre les noisettes. Ensuite, il a embrassé mon pied abîmé, en suivant des lèvres le chemin tortueux de mes cicatrices. Je n'étais pas du genre à pleurer mais là, les larmes ont jailli de mes yeux et ont coulé derrière mes oreilles.

Je n'ai pas prononcé un seul mot pendant tout ce temps-là, même quand il m'a pénétrée. Au début, j'avais l'impression que j'étais le mortier et lui le pilon. C'était comme de piler du riz, mais doux et gentil, pour ouvrir les cosses dures. Une fois, il a ri et il a dit : « C'était l'idée que tu t'en faisais ? » et j'ai pas pu répondre. J'ai souri avec les larmes qui ruisselaient.

Le lendemain matin, j'étais tout endolorie d'avoir fait l'amour. Au petit déjeuner, Goodis a dit : « C'est une belle journée. Qu'est-ce que t'en penses, Handful ?

— Oui, c'est une belle journée.

— Demain aussi, il fera beau.

— Peut-être. »

Après le repas, je suis allée trouver Nina pour lui demander si je pouvais avoir un laissez-passer pour aller au marché – Sabe n'était pas d'humeur généreuse. Je lui ai dit : « Aunt-Sister dit que de la mélasse avec un peu de whisky, ça pourrait faire beaucoup de bien à ta mauma, ça pourrait la calmer, mais on n'en a pas du tout. »

Elle a écrit le laissez-passer et, en me le tendant, elle a dit : « Chaque fois que tu auras besoin de… mélasse ou de n'importe quoi d'autre, viens me voir. D'accord ? »

C'est comme ça que j'ai compris qu'on avait un arrangement, toutes les deux. Évidemment, si elle avait su ce que
je m'apprêtais à faire, elle aurait jamais signé ce papier de
son nom.

J'ai marché jusqu'à l'arsenal avec ma canne-lapin; je
portais un panier contenant des chiffons, des détergents,
un plumeau et j'avais un grand balai sur l'épaule. Gullah
Jack surveillait les lieux depuis déjà un bon moment. Il
avait dit que, le premier lundi du mois, ils ouvraient les
portes pour l'inventaire et l'entretien, ils comptaient les
armes, ils nettoyaient les mousquets et je sais pas quoi
encore. Une Noire libre qui s'appelait Hilde venait ces
jours-là pour balayer, faire la poussière, huiler les râteliers
d'armes et récurer les toilettes à l'extérieur. Gullah Jack lui
avait donné la pièce pour qu'elle vienne pas aujourd'hui.
Denmark m'avait fait un dessin du moule à balles. Ça
ressemblait à une pince plate, sauf que l'extrémité était
pleine pour former une petite cuvette dans laquelle on
versait le plomb pour faire la balle de mousquet. Il disait
qu'un moule à balles n'était pas beaucoup plus gros que sa
main, donc d'en prendre deux si je pouvais. Le principal,
il disait, c'était de ne pas se faire prendre.
Pour moi aussi, c'était le principal.
L'Arsenal était une construction ronde en *tabby*[1] avec des
murs de soixante centimètres d'épaisseur. Il y avait trois
hautes fenêtres étroites, garnies de barreaux. Aujourd'hui,
les volets étaient ouverts pour laisser entrer la lumière.
Le soldat de garde a voulu savoir qui j'étais et où se trouvait Hilde. Je lui ai servi l'histoire selon laquelle elle était
malade et qu'elle m'avait envoyée travailler à sa place. Il
a dit : « T'as pas l'air du genre à pouvoir porter un balai. »
*Eh ben, tu crois qu'il est venu comment sur mon épaule,
ce balai? Tout seul?* C'était ça que j'avais envie de lui

---

1. Le *tabby* est un matériau de construction traditionnel, un mélange
de chaux et d'eau, avec des coquillages, du gravier et des cailloux. Une
fois sec, il devient dur comme la pierre.

répondre mais j'ai baissé les yeux. « Oui m'sieu mais je travaille dur, vous verrez. »

Il a déverrouillé la porte. « Aujourd'hui, on nettoie les fusils. Va pas te mettre dans leurs jambes. Quand t'auras fini, tape à la porte et je te ferai sortir. »

Je suis entrée. La porte a claqué. Le verrou a cliqueté.

Je suis restée plantée là à essayer de me repérer dans cette pénombre, ça sentait le moisi, l'huile de lin et une odeur rance de renfermé. Il y avait deux gardes de l'autre côté ; ils me tournaient le dos et ils étaient en train de démonter un mousquet sous une des fenêtres – toutes les pièces étaient étalées sur une table. L'un des deux s'est retourné et a dit : « C'est Hilde. »

Je l'ai pas détrompée. J'ai commencé à balayer.

L'arsenal, c'était une grande salle remplie d'armes. J'avais les yeux qui traînaient partout. Des barils de poudre étaient entassés au milieu jusqu'à mi-hauteur. Bien rangés le long des murs, il y avait des râteliers en bois remplis de mousquets et de pistolets, des montagnes de boulets de canon et, dans le fond, des dizaines de caisses en bois.

J'ai continué à passer le balai, j'avançais peu à peu dans la salle et j'espérais que le *swish-swish* couvrirait ma respiration bruyante et irrégulière. Les soldats bavardaient et leurs voix résonnaient.

« Celui-là, il pourrait tirer avec le cran de sûreté. Tu vois le ressort sur le chien ? Il est mort. »

« Vérifie que la tête de l'écouvillon est étanche et qu'il n'y a pas de rouille dessus. »

Une fois à l'abri de leurs regards, derrière les barils de poudre, ma respiration est devenue plus calme. J'ai sorti mon plumeau. J'ai épousseté les caisses de bois, l'une après l'autre, m'arrêtant chaque fois pour jeter un coup d'œil par-dessus mon épaule avant de soulever le couvercle pour regarder ce qu'il y avait dedans. J'ai trouvé des cornes de vache avec des sangles de cuir. Un fouillis de menottes métalliques. Des barres de plomb. Des morceaux de corde fine que j'ai deviné être des mèches. Mais pas de moules à balles.

Et puis j'ai remarqué un vieux tambour posé contre un mur et derrière, il y avait encore une autre caisse. Alors que je me dirigeais vers elle, mon pied boiteux a renversé le tambour et, *badaboum*, il est tombé par terre.

Aussi sec, un bruit de bottes. J'ai attrapé le chiffon et le plumeau et j'avais la main qui tremblait tellement qu'on aurait dit qu'ils étaient devenus vivants.

« C'est quoi, ce raffut ? a hurlé le soldat.

— C'est le tambour, il est tombé.

— Mais... t'es pas Hilde ! il a dit, en plissant les yeux.

— Non, elle est malade. Je la remplace. »

Il tenait à la main une longue tige métallique, une pièce du mousquet. Il l'a pointée sur le tambour. « Ce genre de maladresse, on n'en a pas besoin ici ! »

— Oui m'sieu, je recommencerai pas. »

Il est retourné travailler mais j'avais le cœur en marmelade.

J'ai ouvert la caisse contre laquelle le tambour avait été appuyé et dedans, il y avait bien dix moules à balles. J'en ai sorti deux, lentement pour pas qu'ils se heurtent, et je les ai déposés dans mon panier sous les chiffons.

Après, j'ai balayé les toiles d'araignée et j'ai passé un chiffon huilé sur les râteliers. Une fois la salle aussi propre que Hilde l'aurait laissée, j'ai rassemblé mon matériel et je suis allée taper à la porte.

« N'oublie pas les latrines », a dit le soldat à la porte en me montrant du doigt le fond du bâtiment.

J'ai obéi, je suis retournée au fond mais je suis passée tout droit devant sans m'arrêter.

Le soir, dans ma chambre, j'ai trouvé un petit bout de toile d'araignée dans mes cheveux. J'ai pris une serviette et je me suis nettoyée et après je me suis allongée sur le quilt-histoire ; je me suis souvenue du sourire de Denmark quand j'étais arrivée et que j'avais sorti un moule à balles de mon panier. Et quand j'avais sorti le deuxième, il s'était donné une bonne claque sur la cuisse en disant : « Tu es sans doute le meilleur lieutenant que j'ai ! »

J'ai attendu que le sommeil vienne m'emporter, mais il n'est pas venu. Au bout d'un moment, je suis allée m'asseoir sur les marches de la véranda. Il n'y avait aucun bruit dans la cour. J'ai jeté un œil sur la chambre au-dessus de la remise et je me suis demandé si Goodis m'avait cherchée après le dîner. Maintenant, il devait dormir. Denmark aussi. J'étais la seule à être réveillée, je m'inquiétais pour le réceptacle au bout du moule, là où on coulait le plomb. Combien de gens ces balles de mousquet allaient-elles tuer ? J'avais très bien pu croiser l'un d'eux aujourd'hui. Je pourrais en croiser un autre demain. Je pouvais croiser cent personnes qui allaient mourir à cause de moi.

La lune était ronde et blanche, petite en haut du ciel. La taille idéale pour prendre place dans le réceptacle du moule à balles. C'était exactement ce que je souhaitais. Je souhaitais y couler la lune plutôt que du plomb.

Sarah

J'arrivai à Charleston vêtue de ma plus belle tenue quaker, une robe grise unie avec un col plat blanc et un bonnet assorti, l'image même de l'humilité. Avant de quitter Philadelphie, j'avais été officiellement admise au sein de la compagnie quaker. La période de probation était terminée. J'étais désormais l'une des leurs.

En me retrouvant après plus d'un an d'absence, Mère avait accepté que je l'embrasse sur la joue et elle avait dit : « Je vois que tu es devenue quaker. Vraiment, Sarah, comment peux-tu te montrer dans Charleston habillée de cette façon ? »

Cette tenue ne me plaisait pas non plus mais, au moins, elle était en laine et n'avait exigé le travail d'aucun esclave. Nous, les quakers, nous refusions le coton Sudiste. *Nous, les quakers* – comme cela me paraissait étrange.

Je m'efforçai de sourire et de prendre le commentaire de Mère à la légère, n'en comprenant pas encore toutes les implications. « ... Est-ce là votre façon d'accueillir mon retour ? Tout de même, j'ai bien dû vous manquer. »

Elle était assise au même endroit que là où je l'avais vue pour la dernière fois, près de la fenêtre, dans la vieille bergère recouverte de brocart doré fané, vêtue de la même robe noire, son infernale canne à pommeau doré posée sur les genoux. On aurait dit qu'elle n'avait pas bougé de là depuis mon départ. Tout chez elle semblait immuable, sauf qu'elle paraissait légèrement plus décrépite. La peau de son cou, ridée comme celle d'une tortue, s'étalait sur son col et, sur son front, ses cheveux s'effilochaient comme un tissu effrangé.

« Tu m'as manqué, mon enfant, bien sûr. La maison tout entière a souffert de ta désertion, mais tu ne peux te promener ainsi vêtue – tu seras immédiatement identifiée comme une quaker et leurs opinions opposées à l'esclavage sont bien connues ici. »

Je n'avais pas pensé à cela. Lissant ma jupe du plat de la main, je me sentis soudain pleine d'affection pour cette tenue si terne.

Une voix intervint. « Si c'est ce que signifie cette affreuse robe que tu portes, alors, j'en veux une moi aussi. »

Nina. Une personne entièrement nouvelle. Plus grande, me dominant d'une tête, ses cheveux sable attachés, ses pommettes plus marquées, les sourcils épais et les yeux noirs. Ma sœur était devenue une femme d'une sombre beauté.

Elle me prit dans ses bras. « Tu ne dois plus jamais partir. »

Tandis que nous étions là, enlacées, Mère marmonna, comme pour elle-même : « Pour une fois, la petite et moi, nous sommes d'accord. »

Nina et moi, nous éclatâmes de rire et, à notre grand étonnement, Mère se mit aussi à rire et le bruit que nous faisions toutes les trois dans cette chambre provoqua en moi une joie absurde.

« … Regarde-toi », dis-je en prenant le visage de Nina dans mes mains jointes.

Les yeux de Mère passèrent de mon col à mon ourlet et retour.

« Je suis tout à fait sérieuse en ce qui concerne cette robe, Sarah. La maison d'une des familles quakers de la ville a été bombardée d'œufs. Il y avait un article hier dans le *Mercury*. Dis-le-lui, Nina. Explique à ta sœur que les habitants de Charleston ne sont pas d'humeur à la voir parader dans cette tenue. »

Nina soupira. « En ville, il y a des rumeurs de révolte des esclaves.

— Une révolte ?

— Ce ne sont que des bêtises, déclara Mère, mais les gens sont à cran sur ce sujet.

— Si on en croit ce qu'on raconte, dit Nina, les esclaves vont envahir les rues, tuer la totalité des Blancs et brûler la ville. »

Mes bras se couvrirent de chair de poule.

« Quand ils auront tué et incendié, ils vont piller la banque et puis voler les chevaux dans les écuries municipales ou sinon embarquer à bord des bateaux ancrés dans le port et faire voile vers Haïti. »

Mère laissa échapper un petit rire de gorge. « Vous les imaginez en train d'échafauder un plan aussi élaboré ? »

Je sentis un grand vide dans ma poitrine. De fait, je les imaginais tout à fait. Pas le massacre – ça, mon esprit ne parvenait pas à se le représenter. Mais, à Charleston, les esclaves étaient plus nombreux que les Blancs, alors pourquoi ne fomenteraient-ils pas un complot pour conquérir leur liberté ? S'il voulaient réussir, il leur faudrait autant d'audace que de préparation. Et la violence était un passage obligé.

D'instinct, je joignis les mains sous mon menton, comme pour prier. « … Dieu aimé.

— Mais on ne peut pas prendre ça au sérieux, dit Nina. Il y a eu une situation identique à Edgefield, vous vous en souvenez ? Les familles blanches étaient persuadées qu'on allait les assassiner dans leurs lits. C'était de l'hystérie à l'état pur.

— … Qu'est-ce qu'il y a derrière tout ça ? D'où vient cette rumeur ?

— Ça a commencé par le domestique du colonel John Prioleau. Apparemment, sur les quais, cet esclave a entendu parler d'une révolte et il l'a rapporté au colonel, qui est allé prévenir les autorités. La Garde a remonté la piste – un esclave du nom de William Paul, qui est bien connu, manifestement, pour être un vantard. Le malheureux a été arrêté et enfermé à la *Work House*. » Nina s'interrompit en frissonnant. « Je préfère ne pas penser à ce qu'on lui a fait subir. »

Mère frappa sur le sol avec sa canne. « L'intendant de notre ville a démenti cette rumeur. Le gouverneur Bennett a démenti cette rumeur. Je refuse d'en entendre parler davantage. Simplement, Sarah, prends garde, nous vivons sur une poudrière. »

J'aurais aimé moi aussi pouvoir démentir la possibilité d'une révolte mais désormais je la sentais en moi, forte comme la mer.

Le lendemain matin, je cherchai Handful et je la trouvai assise à côté de Goodis sur les marches de la cuisine, une aiguille à la main et un dé en cuivre au doigt, en train d'ourler ce qui semblait être un tablier. Ils riaient tous les deux en se donnant mutuellement des petites bourrades affectueuses. En me voyant approcher, ils cessèrent.

Goodis se leva d'un bond et le haut de sa salopette se défit d'un côté. Saisie d'une brusque angoisse à l'idée de l'accueil que me réservait Handful, je désignai l'endroit où il manquait un bouton. « … Il va falloir demander à Handful de t'arranger ça », dis-je, ce que je regrettai immédiatement. C'était une remarque autoritaire et condescendante. Ce n'était pas ainsi que j'envisageais nos retrouvailles.

« Oui, m'dame », dit-il et, après avoir jeté un coup d'œil à Handful, il s'éloigna.

Je me penchai pour l'enlacer, en la saisissant par les épaules. Au bout d'un moment, elle leva les bras et me tapota les côtes.

« Nina a dit que vous alliez revenir. Vous restez pour de bon ?

— … Peut-être, répondis-je en m'asseyant à côté d'elle. On verra.

— Eh bien, si j'étais vous, je reprendrais tout de suite le bateau. »

Je lui souris. Une bande d'ombre bleu foncé tombait sur nous, venant du toit ; elle s'assombrit tandis que nous laissions le silence s'installer. Je me retrouvai en train de fixer son pied tordu vers l'intérieur, ses mains travaillant sans relâche, son dos courbé sur sa tâche, et je sentis revenir la vieille culpabilité.

Je la bombardai de questions : comment elle s'en était tirée depuis mon départ, comment Mère l'avait traitée, comment les autres esclaves s'étaient débrouillés. Je lui demandai si elle n'entretenait pas une relation d'amitié privilégiée avec Goodis. Elle me montra la cicatrice sur son front en m'expliquant que c'était l'œuvre de maman. Elle me raconta que la vue d'Aunt-Sister baissait et que c'était plutôt Phoebe qui faisait la cuisine, que Sabe n'arrivait pas à la cheville de Tomfry et que Minta était une bonne pâte qui écopait de toute «la méchanceté de Missus». Sur le sujet de Goodis, elle se contenta de sourire, ce qui suffit à la trahir.

«... Et que sais-tu des rumeurs d'une révolte des esclaves ?» lui demandai-je finalement.

Sa main s'immobilisa sur son ouvrage. «Pourquoi ne me diriez-vous pas ce que vous, vous en savez ?»

Je répétai ce que Nina avait dit de l'esclave, William Paul, qui affirmait qu'un soulèvement se préparait.

«... Les autorités déclarent publiquement que c'est faux», ajoutai-je.

Elle posa le tablier qu'elle était en train de coudre. «Ils disent ça ? Ils ne croient pas que c'est la vérité ?» Elle parut brusquement tellement soulagée que non seulement je ne doutai plus de la réalité de la révolte mais, en outre, qu'elle était tout à fait courant de ce qui se passait.

«... Même s'ils croient à l'existence d'un tel projet, ils ne l'avoueront pas, lui dis-je parce que je voulais qu'elle comprenne où se situait le danger. Je doute qu'ils le reconnaissent officiellement. Ils ne voudraient pas provoquer la panique. Ni se couper l'herbe sous le pied. S'ils ont découvert la plus petite preuve de complot, crois-moi, ils vont réagir. »

Elle reprit son aiguille et son fil ; le silence retomba, plus pesant cette fois. J'observais sa main qui montait et descendait, formant des pics et des creux, l'éclat de son dé, et je me souvins de nous – deux petites filles sur un toit, et elle qui me parlait du dé en vrai cuivre. Celui-là même, je supposai. Je la revoyais allongée sur les tuiles, fixant le ciel brouillé et les nuages, la tasse à thé en équilibre sur son ventre, la poche de sa robe bourrée de feuilles, le bord à ruchés ressortant. Ce jour-là, chacune avait déballé ses secrets à l'autre. Aucune de nous deux n'avait jamais approché de si près l'égalité. Je tentai de conserver cette image dans ma tête, de lui insuffler vie, mais elle s'effaça.

Je n'espérais plus qu'elle se confiât encore à moi. Désormais, elle garderait ses secrets pour elle.

Le dimanche, accompagnée de Nina, je me mis en route à pied pour la minuscule Maison quaker ; une promenade exceptionnellement longue qui nous emmenait de l'autre côté de la ville. Nous marchions bras dessus bras dessous tandis qu'elle me racontait les lettres qui étaient arrivées pendant des semaines après mon départ, des lettres qui s'inquiétaient de ma santé. J'avais oublié cette histoire de phtisie que Mère avait concoctée pour expliquer mon absence. Nous en rîmes avec Nina durant tout le trajet jusqu'à Society Street.

Une pluie d'été diluvienne était tombée pendant la nuit et l'air en était tout rafraîchi, imprégné de l'odeur des oliviers à thé. Des pétales de fleurs roses de bougainvillées flottaient sur les flaques de pluie et, en les voyant, en sentant la présence de Nina à mon côté par une si belle journée, j'eus le sentiment de pouvoir retrouver le plaisir d'être chez moi.

Les dix derniers jours s'étaient écoulés dans un calme relatif. J'avais passé mon temps à essayer de remettre la maison en ordre et à avoir de longues conversations avec Nina, qui m'interrogeait interminablement sur le Nord, sur les quakers, sur Israel. J'avais espéré éviter toute allusion à Israel mais il se glissait dans les moindres interstices. Handful avait tout fait pour m'éviter. Heureusement, en ville, on n'entendait aucun propos sortant de l'ordinaire, les allusions à la révolte des esclaves avaient diminué et les gens étaient retournés à leurs occupations. Je commençais à croire que j'avais dramatisé cette histoire.

Ce matin-là, j'étais habillée « avec ma tenue d'abolitionniste », comme Mère s'obstinait à l'appeler. En tant que quaker, je n'avais pas le droit de porter autre chose et Dieu sait si j'étais vraiment quelqu'un de consciencieux. En début de matinée, pendant le petit déjeuner, quand elle avait appris que j'avais l'intention d'assister au culte quaker et d'y emmener Nina, Mère avait piqué une colère tellement prévisible que nous avions attendu en bâillant presque qu'elle ait terminé. En tout cas, c'était aussi bien qu'elle ignore tout de notre décision d'y aller à pied.

En approchant du marché, nous commençâmes à entendre un martèlement sourd au loin, puis des cris. Au coin de la rue, deux esclaves passèrent en courant devant nous, tenant leurs jupons. Une bonne centaine de soldats de la milice de Caroline du Sud, sabres au clair et pistolets au poing, avançaient vers nous. Ils étaient flanqués de la Garde civile, armée de mousquets au lieu de leurs habituelles matraques.

C'était un dimanche de marché, un jour où les esclaves occupaient largement la rue. Figées sur place, Nina et moi nous les regardâmes s'enfuir, pris de panique, devant ces hussards à cheval qui leur fonçaient dessus en leur hurlant de se disperser.

« Que se passe-t-il ? » dit Nina.

J'observais toute cette pagaille, abasourdie. Nous nous étions immobilisées devant la Carolina Coffee House et je décidai que nous allions nous y réfugier, mais c'était fermé. « On va faire demi-tour », dis-je.

Cependant, à ce moment précis, une vendeuse de rue, une esclave qui n'avait guère plus de douze ans, se précipita vers nous ; dans sa panique et sa frayeur, elle trébucha et renversa le contenu de son panier de légumes à nos pieds. Instinctivement, Nina et moi nous nous penchâmes pour l'aider à ramasser les radis, les choux et les pommes qui s'étaient éparpillés.

« Poussez-vous de là ! cria un homme. Vous ! »

Relevant la tête, j'aperçus un agent qui venait vers nous au trot de son cheval. C'était à Nina et moi qu'il s'adressait. Nous nous redressâmes tandis que la petite continuait à ramasser dans la poussière sa marchandise abîmée.

« … Nous ne faisons pas de mal en l'aidant », dis-je tandis qu'il tirait sur les rênes pour s'arrêter.

Cependant, ce n'était pas au navet que j'avais dans la main qu'il s'intéressait mais à ma robe.

« Vous êtes une quaker ? »

Il avait un visage large et osseux avec des yeux légèrement globuleux qui lui donnaient sans doute l'air plus terrifiant qu'il ne l'était vraiment, mais pareille logique m'était à ce moment-là parfaitement étrangère. J'avais la gorge serrée tant par la peur que par l'appréhension et ma langue, faible créature, restait immobile dans ma bouche comme une limace dans sa fissure.

« Vous m'avez entendu ? demanda-t-il calmement. Je vous ai demandé si vous étiez une de ces parias religieuses qui se mobilisent contre l'esclavage. »

J'eus beau remuer les lèvres, rien n'en sortit excepté ce silence épouvantable. Nina s'approcha pour mêler ses doigts aux miens. Je savais qu'elle avait envie de s'interposer mais elle se retenait, elle attendait. Je fermai les yeux et j'entendis les mouettes crier dans le port, s'interpellant mutuellement. Je les imaginais en train de glisser dans les courants d'air et se reposer sur la crête des vagues.

« Je suis quaker », répondis-je.

Les mots jaillirent sans l'hésitation qui précédait la plupart de mes phrases. J'entendis Nina reprendre son souffle.

Sentant l'altercation, deux Blancs s'arrêtèrent pour regarder. Derrière eux, je vis la jeune esclave filer, son panier à la main.

« Comment vous appelez-vous ? demanda l'agent.

— Sarah Grimké. Et vous, monsieur, qui êtes-vous ? »

Il ne se donna pas la peine de répondre.

« Vous n'êtes pas la fille du juge Grimké... sûrement pas.

— C'était mon père, oui. Il est mort depuis près de trois ans.

— Eh bien, c'est une bonne chose qu'il n'ait pas vécu assez longtemps pour vous voir comme ça.

— ... Je vous demande pardon ? Je ne vois pas en quoi mes croyances vous concernent le moins du monde. »

J'avais le sentiment de larguer mes amarres. Ce qui me vint à l'esprit, ce fut le souvenir d'avoir fait la planche dans la mer, ce jour-là à Long Branch alors que Père était malade. Flotter loin de la corde.

La milice était enfin parvenue à notre hauteur et passait derrière le soldat dans un déferlement de bruit et d'arrogance. Son cheval se mit à agiter la tête avec nervosité quand il éleva la voix pour couvrir le vacarme. « Par respect pour le juge, je ne vous arrêterai pas. »

Nina intervint. « Mais de quel droit... »

Je l'interrompis, voulant lui éviter de patauger dans des eaux qui devenaient de plus en plus traîtres. Étrangement, je n'éprouvais aucun remords. « ... M'arrêter ? dis-je. Pour quels motifs ? »

Une horde de gens avait rejoint les deux premiers badauds. Un homme vêtu d'une jaquette du dimanche cracha dans ma direction. Nina me serra la main plus fort.

« Vos croyances, même votre apparence, sapent l'ordre que je m'efforce de maintenir ici, déclara le soldat. Elles perturbent la paix des honnêtes citoyens et donnent des idées dangereuses aux esclaves. Vous favorisez le genre d'insurrection qui se développe justement maintenant dans notre ville.

— ... Quelle insurrection ?

— Oseriez-vous prétendre que vous n'avez pas entendu les rumeurs ? Les esclaves se préparaient à massacrer leurs maîtres et à s'enfuir. Ce qui aurait inclus, j'en suis persuadé, vous et votre sœur ici présente. Cela devait avoir lieu cette nuit mais je vous assure que ce projet a été réduit à néant. »

Reprenant les rênes posées sur sa selle, il jeta un coup d'œil aux rangs de la milice avant de se tourner vers moi. «Rentrez chez vous, Miss Grimké. Votre présence dans la rue est indésirable et incendiaire.

— *Rentrez chez vous !* » cria quelqu'un dans la foule et ils le répétèrent tous en chœur.

Je me redressai et fixai d'un œil noir leurs visages pleins de colère. «... Que peuvent donc faire les esclaves ? m'écriai-je. ... Si nous ne leur accordons pas la liberté, ils se libéreront seuls par tous les moyens.

— *Sarah !* » cria Nina, surprise.

Alors que la foule commençait à m'agonir d'injures, je la pris par le bras et nous fîmes demi-tour en toute hâte. «Ne te retourne pas, lui dictai-je.

— Sarah, dit-elle, hors d'haleine, d'une voix débordante de peur et d'admiration. Tu es devenue officiellement une rebelle. »

La révolte des esclaves n'eut pas lieu cette nuit-là, ni aucune autre nuit. Les notables de la ville avaient effectivement anéanti le complot avec les arguments brutalement persuasifs de la *Work House*. Durant les jours qui suivirent, les nouvelles de la révolte dûment préparée ravagèrent Charleston comme une épidémie, laissant la ville abasourdie et pétrifiée. Il y eut des arrestations et le bruit courut qu'il y en aurait encore beaucoup d'autres. Ce n'était que le début de monstrueuses répercussions. Des habitants se mettaient déjà à renforcer leurs murs de clôture avec des tessons de bouteilles le temps qu'on puisse y installer des pointes métalliques permanentes. Les demeures les plus élégantes allaient bientôt se retrouver cernées par des *chevaux-de-frise*, des barbelés formant une cuirasse décorative.

Dans les mois qui suivraient, un ordre nouveau, très sévère, allait se mettre en place. Des décrets seraient publiés, visant à contrôler et restreindre encore plus les déplacements des esclaves, et des châtiments sévères seraient appliqués à tout contrevenant. On allait bâtir une forteresse pour protéger la population blanche. Mais, durant cette première semaine, nous étions tous encore sous le choc.

L'attitude de défi que j'avais eue en pleine rue était désormais de notoriété publique. Mère pouvait à peine me regarder sans blêmir et même Thomas débarqua pour m'avertir que la clientèle de son cabinet en pâtirait si je devais persister dans ce genre de folie. Seule Nina prit résolument mon parti.

Et Handful.

Elle était en train de nettoyer l'escalier d'acajou en fin d'après-midi, dans le sillage de l'événement, quand on balança une pierre dans la fenêtre du salon ; la vitre fut fracassée. Ayant entendu le bruit que fit le verre en se brisant, je descendis en courant et trouvai Handful le dos contre le mur, à côté de la fenêtre brisée, essayant de voir ce qui se passait dehors sans être vue. Elle me fit signe de reculer. « Attention, ils pourraient bien en lancer une autre. »

Une pierre grosse comme un œuf de poule gisait au milieu du tapis dans un lit de tessons de verre. On entendait crier dans la rue. *Fille à esclaves. Fille à nègres. Abolitionniste. Pute Nordiste.*

Nous échangeâmes un long regard tandis que les cris s'éloignaient. La maison retrouva son calme et sa sérénité. La lumière entrait à flots, tapant sur les morceaux de verre, les transformant en braise incandescente sur le tapis cramoisi. Cette vision m'anéantit carrément. Non parce que j'inspirais de la haine, mais parce que je me sentais tellement impuissante, parce que j'avais l'impression de ne rien pouvoir faire. J'allais avoir bientôt trente ans et je n'avais jamais rien fait.

On dit que, dans les moments extrêmes, le temps ralentit, tendant à retrouver l'essence même de son immobilité, et, debout dans l'escalier, j'eus l'impression que tout s'était arrêté. Au beau milieu de cette inertie, je fus encore une fois poussée par ce besoin irrépressible et douloureux de savoir où pouvait bien se trouver ma place dans le monde.

Ce désir impérieux, je le ressentais plus solennellement que n'importe quel autre, davantage même que cette vieille solitude qui m'était naturelle. Ce qui me vint à l'esprit, ce fut le bouton à fleur de lys dans la boîte et la gamine perdue qui l'avait rangé là, comment je l'avais transporté de Charleston à Philadelphie et retour, transporté comme on transporte un triste espoir en décomposition.

Handful fit quelques pas sur le tapis, au milieu des débris scintillants, et ramassa la pierre. Je l'observai tandis qu'elle la retournait entre ses doigts, et je compris que j'allais à nouveau quitter cet endroit. J'allais repartir dans le Nord pour vivre la vie que je pourrais.

Handful

Le jour du châtiment est passé sans qu'une seule balle de mousquet soit tirée, sans qu'une mèche soit allumée, sans qu'aucun d'entre nous soit libéré, mais plus aucun Blanc ne nous a regardés comme des individus inoffensifs.

J'ignorais qui avait été arrêté et qui ne l'avait pas été. J'ignorais si Denmark était en sécurité ou au désespoir, ou les deux. Sarah disait qu'il valait mieux pas traîner dans les rues mais le mercredi, je n'y tenais plus. J'ai été voir Nina pour lui dire que j'avais besoin d'un laissez-passer pour aller acheter de la mélasse. Elle me l'a écrit en me disant : « Sois prudente. »

Denmark était chez lui, dans sa chambre, en train de remplir une besace de vêtements et d'argent. Susan m'a emmenée là et elle avait les yeux rouges d'avoir pleuré. Je suis restée sur le seuil de la porte à respirer l'air trop lourd et j'ai pensé : tout ça n'a rien donné mais il est encore là.

Il y avait un lit métallique contre le mur, couvert avec le quilt que j'avais fait pour cacher la liste des noms. Les triangles noirs étaient parfaitement cousus sur les carrés rouges mais aujourd'hui, je les trouvais bien tristes. Comme l'enterrement d'un oiseau.

Je lui ai dit : « Alors, où tu t'en vas ? »

Susan a fondu en larmes et il a dit : « Femme, si tu dois faire autant de bruit, va pleurer ailleurs. »

Elle m'a bousculée pour sortir et, en reniflant, elle a dit :
« Va donc rejoindre ton autre femme, alors.

— Tu t'en vas pour une autre ? » j'ai demandé.

Le rideau avait été tiré devant la fenêtre, laissant un espace sur le côté par où se faufilait la lumière. Cet éclat était pointé sur lui, un vrai cadran solaire. « C'est une question de temps avant qu'ils viennent me chercher ici, dit-il. Hier, ils ont pris Ned, Rolla et Peter. Ils sont tous les trois à la *Work House* et je ne doute pas de leur courage, mais on va les torturer jusqu'à ce qu'ils donnent les noms. Si nos projets doivent survivre, il faut que je parte. »

Un frisson de peur m'a parcouru le dos. « Et mon nom à moi ? Ils vont donner mon nom parce que c'est moi qui ai volé le moule à balles ? »

Il s'est assis sur le lit, sur les ailes des merles morts, les bras pendants le long des genoux. Quand les recrues venaient chez lui, lui, il criait « *Le Seigneur m'a parlé* » et il avait l'air aussi sévère et aussi puissant que le Seigneur en personne, mais là, pour l'instant, il paraissait plutôt abattu. « Ne t'inquiète pas, c'est le chef qu'ils cherchent – c'est-à-dire moi. Personne prononcera ton nom. »

Je détestais devoir lui poser cette question mais il fallait que je sache. « Qu'est-il arrivé à nos plans ? »

Il a secoué la tête. « Ceux qui me causaient le plus de soucis, c'était les domestiques, ceux qui font pas la différence entre où eux terminent et où leurs maîtres commencent. On a été trahis, voilà ce qui s'est passé. L'un d'eux nous a trahis, et la Garde a posté des espions. »

Sa mâchoire s'est durcie et il s'est levé du lit. « Le jour où on était prêts à frapper, il y avait un tel renfort de troupes que nos estafettes n'ont pas réussi à sortir de la ville pour diffuser la nouvelle. On n'a pas pu allumer les mèches ni récupérer les armes. Nom de Dieu ! Qu'ils aillent tous au diable ! Nom de... » Ses traits se sont tordus.

Je n'ai pas bougé jusqu'à ce que ses épaules se relâchent et que la souffrance s'apaise. J'ai dit : « Tu as fait ce que tu as pu. Personne ne l'oubliera.

— Mais si, on l'oubliera. »

Il a pris le quilt et me l'a mis dans les bras. « Tiens, emporte ça avec toi et brûle la liste. Brûle-la tout de suite. J'ai pas le temps de le faire.

— Où tu vas aller ?

— Je suis un homme libre. Je serai où je serai », il a répondu avec prudence, au cas où Rolla et les autres donneraient quand même mon nom et que les Blancs viennent me torturer.

Il a attrapé sa besace et il s'est dirigé vers la porte. Ce n'était pas la dernière fois que je le voyais. Mais ces mots, « Je serai où je serai », c'était bel et bien les derniers mots qu'il devait jamais m'adresser.

J'ai brûlé la liste de noms dans le poêle de la cuisine. Et puis j'ai attendu ce qui devait arriver.

Denmark a été pris quatre jours plus tard, dans la maison d'une mulâtre libre. Il a eu un procès avec sept juges et avant que ce soit fini et réglé, tout le monde en ville, Blancs et Noirs, connaissait son nom. Les rumeurs du procès couraient dans les rues et les ruelles et on ne parlait que de ça dans les salons et les cours. Les esclaves disaient que Denmark Vesey était le Jésus noir et, même s'ils le tuaient, il ressusciterait le troisième jour. Les Blancs affirmaient que c'était le serpent gelé de la fable, celui qui frappe le sein qui l'a nourri. Ils disaient que c'était un général qui avait trompé sa propre armée, qu'il n'avait jamais eu autant d'armes que les esclaves croyaient. La Garde a découvert quelques piques et pistolets ainsi que deux moules à balles, mais rien d'autre. Peut-être Gullah Jack, qui a réussi à demeurer libre jusqu'en août, a-t-il fait disparaître le reste, mais je me suis demandé si Denmark avait étiré la vérité comme du caramel, exactement comme ils l'affirmaient. Quand j'ai ouvert le quilt pour brûler la liste, j'ai compté deux cent quatre-vingt-trois noms dessus et pas six mille, comme il l'avait dit. Aujourd'hui, je crois qu'il voulait seulement allumer l'incendie, pensant que s'il y parvenait tout le monde rejoindrait le combat.

Le jour où le verdict est tombé, Sabe m'avait mise à quatre pattes pour rouler les tapis et frotter les sols dans le grand couloir. Il faisait une telle chaleur que j'aurais pu rincer le savon avec la sueur qui dégoulinait de mon visage. J'ai dit à Sabe que frotter les sols, c'était un travail à faire l'hiver et il a dit, d'accord, rien ne t'empêche de recommencer aussi cet hiver. Je vous jure, je comprenais pas ce que Minta lui trouvait.

Je venais de me faufiler sur la véranda pour m'aérer un peu quand Sarah est arrivée et elle a dit « … J'ai pensé que tu voudrais le savoir, le procès de Denmark Vesey est terminé. »

Évidemment, il y avait pas une chance au monde pour que le bonhomme en sorte libre, mais n'empêche, j'ai agrippé la rampe, l'espoir me donnait les jambes en coton. Elle est venue tout près de moi et elle a posé la main sur ma robe trempée. « … Ils l'ont déclaré coupable.

— Qu'est-ce qui va lui arriver maintenant ?

— … Il est condamné à mort. Je suis désolée. »

J'ai rien laissé paraître de ce que je ressentais à l'intérieur, la façon dont le chagrin chantait à nouveau dans le vide de mes os.

Et j'ai pas pensé à me demander pourquoi Sarah m'avait cherchée pour m'annoncer cette nouvelle. Nina et elle savaient toutes les deux que je quittais parfois la maison pour des raisons personnelles, mais elles ignoraient que c'était chez lui que je me rendais. Elles ignoraient qu'il m'appelait sa fille. Elles ignoraient qu'il était quelqu'un à qui je tenais.

« … Quand ils ont donné le verdict, ils ont également promulgué un décret, elle a dit. Une espèce d'ordre venu des juges. »

J'ai examiné son visage, ses taches de rousseur flamboyantes dans le soleil et son regard noir d'inquiétude et j'ai compris pourquoi elle était venue sur la véranda me voir – c'était à propos de ce décret.

« … Toute personne noire, homme ou femme, qui portera le deuil de Denmark Vesey en public sera arrêtée et fouettée. »

J'ai détourné les yeux pour contempler le jardin d'agrément où Goodis avait laissé le râteau, la binette et l'arrosoir. Toute la végétation ployait sous la soif. Tout se flétrissait.

« ... Handful, je t'en prie, écoute-moi. D'après ce décret, tu ne peux pas porter de noir dans les rues, ni pleurer, ni prononcer son nom, ni rien faire pour rappeler son nom. Tu comprends ?

— Non, je comprends pas. Je comprendrai jamais », j'ai répondu et je suis rentrée dans la maison reprendre la brosse.

Le 2 juillet, avant le lever du soleil, j'ai quitté la chambre en m'extirpant par la fenêtre puis je me suis arc-boutée, le dos contre la maison et ma bonne jambe contre le mur, avant de me tortiller pour franchir la barrière, comme je faisais avant. Tout plutôt que de quémander un laissez-passer. Au diable les Blancs qui signent de leurs noms pour que j'aie le droit de marcher dans la rue. Qu'ils aillent au diable.

J'ai traversé la ville d'un bon pas en profitant de l'obscurité qui me protégeait. En arrivant à Magazine Street, il faisait grand jour. Dès que j'ai vu la *Work House*, je me suis arrêtée pile et, l'espace d'une minute, j'ai eu l'impression de me retrouver dedans. J'entendais le grincement de la trépigneuse, je sentais l'odeur de la peur. Dans ma tête, je voyais le fouet frapper le bébé sur le dos de sa mère et je me sentais tomber. La seule façon pour moi de pas faire demi-tour, c'était de penser à Denmark, comment ils allaient les faire sortir, ses lieutenants et lui, par la porte de la *Work House*.

Les juges avaient décidé que le 2 juillet serait le jour de leur exécution, un secret connu de la terre entière. Ils disaient que Denmark et cinq autres seraient mis à mort tôt le matin à Blake's Lands, un marécage avec un bosquet de chênes auxquels on pendait les pirates et les criminels. Tous les esclaves qui trouveraient le moyen d'aller là-bas y seraient, et les Blancs aussi, j'en étais sûre, mais quelque chose me disait d'aller à la *Work House* d'abord et d'escorter Denmark jusqu'à Blake's Lands. Peut-être qu'il m'apercevrait et qu'il saurait comme ça que le dernier kilomètre de sa vie, il le faisait pas tout seul.

Je me suis accroupie près des écuries, à côté de la barrière, et assez vite quatre charrettes tirées par des chevaux en sont sorties avec les condamnés entravés au fond, assis sur leur propre cercueil. Ils avaient tous été battus comme plâtre – Rolla et Ned dans la première charrette, Peter dans la deuxième et deux hommes que je connaissais pas dans la troisième. Dans la dernière, il y avait Denmark. Il était assis tout droit, la mine sinistre. Il m'a pas vue me lever et avancer en boitant derrière eux sur le bas-côté de la route. Chaque charrette était lourdement gardée, donc j'étais obligée de rester loin derrière.

Les chevaux avançaient au pas, lentement. Je les ai suivis un long moment avec mon pied qui me faisait mal dans ma chaussure, trimant dur pour pas me laisser distancer ; j'avais envie qu'il me voie et puis, il s'est passé une drôle de chose. Les trois premières charrettes ont tourné pour prendre la direction de Blake's Lands mais la quatrième, celle de Denmark, est partie dans l'autre direction. Denmark a eu l'air perplexe et il a tenté de se lever, mais un garde l'a repoussé.

Il a regardé ses lieutenants s'éloigner. Il a crié : « Mourir comme des hommes ! » Il a continué à crier tandis que la distance grandissait entre eux et que les roues barattaient la poussière et Rolla et Peter criaient en réponse : « *Mourir comme des hommes ! Mourir comme des hommes !* »

Je ne savais pas où allait la charrette de Denmark mais je courais derrière avec leurs cris qui emplissaient l'air. Et puis ses yeux sont tombés sur moi et il s'est tu. Tout le reste du chemin, il m'a regardée marcher derrière et me faire distancer.

Ils l'ont pendu à un chêne dans une portion déserte d'Ashley Road. Personne n'était là, sauf les quatre soldats, le cheval et moi. Tout ce que j'ai pu faire, c'était regarder, accroupie dans les broussailles, au milieu des palmiers nains. Denmark est monté sans rien dire sur le banc et il a pas bougé quand ils lui ont passé le nœud coulant autour du cou. Il est parti comme il avait crié aux autres de le faire, comme un homme. Jusqu'au moment où, d'un coup de pied, ils ont délogé le banc de sous lui, il est resté les yeux fixés sur les feuilles de palmier parmi lesquelles j'étais cachée.

J'ai détourné le regard quand il est tombé. J'ai gardé la tête baissée, j'ai écouté les halètements qui venaient de l'arbre. Tout autour, les bernard-l'ermite se déplaçaient sans bruit, en m'observant de leurs petits yeux stupides, à sortir et rentrer de leurs trous creusés dans la terre noire.

Lorsque j'ai relevé la tête, Denmark se balançait au bout de la branche avec la mousse qui y était accrochée.

Ils l'ont descendu, ils l'ont couché dans le cercueil de bois et ils ont cloué le couvercle. Une fois la charrette disparue, je suis sortie de ma cachette et j'ai marché jusqu'à l'arbre. C'était presque paisible, là, dans l'ombre. Comme si rien s'était passé. Seulement des traces d'égratignures là où le banc avait basculé.

Il y avait une fosse commune non loin de là. J'ai compris qu'on l'avait enterré là et que personne ne saurait où il reposait. Le décret des juges spécifiait qu'on pouvait pas pleurer, qu'on pouvait pas prononcer son nom, qu'on pouvait pas évoquer son souvenir mais moi, j'ai pris un petit bout de fil rouge dans ma pochette et je l'ai noué autour d'une brindille sur une branche basse et plongeante, pour marquer l'endroit. Puis j'ai pleuré toutes les larmes de mon corps et j'ai prononcé son nom.

V.

Novembre 1826 – Novembre 1829

Handful

Le mois de novembre était déjà bien avancé; Goodis avait attrapé une toux grasse et je me dirigeais vers l'écurie avec de l'infusion de marrube et du sucre brun pour sa gorge, en me disant que c'était encore un jour sans éclat dans le monde. Un point de plus dans le tissu.

Dans la maison, Missus et Nina étaient en train de se quereller. Une fois, c'était la façon dont Missus nous traitait, nous, les esclaves, la fois d'après, c'était Nina qui refusait de reprendre la vie sociale. Sans Sarah ici pour les séparer, elles passaient leurs journées à se disputer. Phoebe était dans la cuisine en train de préparer un ragoût de viande et Aunt-Sister l'accablait de conseils dont elle se serait bien passée. Minta se cachait quelque part, sans doute dans la buanderie, et Sabe, si je me trompais pas, était dans la cave, en train de fumer la pipe de master Grimké. Maintenant que l'alcool était terminé, je sentais tout le temps l'odeur du tabac.

J'ai ralenti le pas en arrivant au potager pour voir si Goodis l'avait préparé pour l'hiver. Mais on n'y voyait que des mottes de terre. Le jardin d'agrément était également un désastre – les rosiers étouffaient le laurier et le myrte poussait dans vingt directions, toutes mauvaises. Missus disait que Goodis était l'incarnation même de l'indolence mais le bonhomme n'était pas paresseux, il en avait simplement plein le dos d'être obligé de s'occuper de ses courges et de ses fleurs.

Alors que j'examinais la terre en me faisant du souci pour lui, j'ai eu l'impression d'être observée. J'ai d'abord levé les yeux vers la fenêtre de Missus, mais elle était vide. La porte de l'écurie était ouverte mais Goodis pansait le cheval en me tournant le dos. Et puis, du coin de l'œil, j'ai aperçu deux silhouettes à la barrière du fond. Elles n'ont pas bougé quand j'ai regardé dans leur direction, elles sont restées là dans la lumière vive – deux esclaves, une vieille et une gamine. Qu'est-ce qu'elles voulaient ? Il y avait toujours un esclave prêt à vous vendre quelque chose, mais je n'en avais jamais vu aucun proposer de la marchandise de ce côté-là. Je détestais l'idée de les chasser. La vieille femme, toute voûtée, avait l'air frêle. La petite la tenait par le bras.

Je suis retournée là-bas en m'appuyant sur ma canne, les doigts posés sur la tête de lapin, sentant à quel point le bois était usé par toutes ces années d'utilisation. La femme et la jeune fille me quittaient pas des yeux. En m'approchant, j'ai remarqué qu'elles portaient des fichus du même rouge délavé. La femme avait la peau brun-jaune. Brusquement, elle a écarquillé les yeux et son menton s'est mis à trembler. Elle a dit : « *Handful.* »

Je me suis arrêtée, j'ai laissé cette voix voleter dans l'air et s'immobiliser au-dessus de moi. Puis j'ai lâché ma canne et je me suis mise à courir, du mieux que je pouvais. En me voyant arriver, la vieille femme s'est écroulée sur le sol. Je n'avais pas la clé de la barrière, j'ai sauté par-dessus, comme si je traversais le ciel. Je me suis agenouillée et je l'ai serrée dans mes bras.

J'avais dû crier parce que Goodis est arrivé en courant, puis Minta, Phoebe, Aunt-Sister et Sabe. Je me souviens d'eux qui nous regardaient de l'autre côté de la barrière. Je me souviens de la jeune inconnue qui disait : « C'est toi, Handful ? » Et moi, par terre, qui berçais la femme comme on berce un nouveau-né.

« Seigneur Dieu tout-puissant, a dit Aunt-Sister. C'est Charlotte. »

Goodis a porté mauma dans la chambre du sous-sol et l'a déposée sur le lit. Tout le monde s'est entassé pour la regarder comme si elle était un fantôme. Nous étions des vrais cerfs dans les bois, totalement figés, effrayés du moindre mouvement. J'avais chaud et je ne parvenais plus à respirer. Les paupières de mauma se sont révulsées et j'ai vu que le blanc de ses yeux avait commencé à jaunir comme le reste de sa personne. Elle était maigre comme un clou. Son visage était tout ridé et ses cheveux blancs. Elle avait disparu quatorze ans plus tôt mais elle avait vieilli de trente ans.

La petite s'est calée contre elle sur le lit et ses yeux passaient d'un visage à l'autre ; elle avait la peau noire comme du charbon. Elle était bien charpentée, avec des grandes mains, des grands pieds et un front comme la pleine lune. Elle ressemblait beaucoup à son papa. La fille de Denmark.

J'ai dit à Minta, va chercher un torchon humide. J'ai essuyé le visage de mauma et elle s'est mise à grogner en tournant la tête. Sabe s'est dépêché d'aller chercher Missus et Nina ; le temps qu'elles soient arrivées, mauma commençait à avoir les yeux en face des trous.

Une odeur de corps pas lavés flottait autour du lit, ce qui a fait reculer Missus qui s'est couvert le nez. « Charlotte, elle a dit de loin. C'est bien toi ? Je n'aurais jamais cru te revoir. Mais où es-tu allée, au nom du ciel ? »

Mauma a ouvert la bouche, elle a essayé de parler mais ses mots ont griffé l'air sans beaucoup de sens.

« Nous sommes heureuses de ton retour, Charlotte », a dit Nina.

Mauma l'a regardée en clignant des paupières comme si elle n'avait pas la moindre idée de qui venait de parler. Nina devait avoir six ou sept ans quand mauma avait disparu.

« Elle a toute sa tête ? a demandé Missus.

— Elle est à bout de forces, a répondu Aunt-Sister, les mains sur les hanches. Ce qu'il lui faut, c'est de quoi manger et un bon repos. »

Et elle a envoyé Phoebe chercher du bouillon de viande.

Missus examinait la petite. « Qui est-ce ? »

Évidemment, c'était ce que tout le monde voulait savoir. La gamine s'est redressée et elle a dévisagé Missus avec un regard tranchant comme une lame.

« C'est ma sœur », j'ai dit.

Le silence s'est fait dans la chambre.

« Ta sœur ? a répété Missus. Pour l'amour du ciel ! Qu'est-ce que je suis censée faire d'elle ? J'arrive à peine à vous nourrir, tous autant que vous êtes. »

Nina a entraîné sa mère vers la porte. « Charlotte a besoin de repos. Laissons-les s'occuper d'elle. »

Lorsque la porte s'est refermée sur elles, mauma m'a regardée avec son sourire d'autrefois. Elle avait un gros trou pas beau là où autrefois il y avait ses dents de devant. Elle a dit : « Handful, mais regarde-moi ça. Mais regarde-moi ça. Ma petite fille, si grande.

— J'ai trente-trois ans maintenant, mauma.

— Tout ce temps… »

Ses yeux se sont remplis de larmes, les premières que je la voyais verser de toute ma vie. Je me suis installée à côté d'elle sur le lit et j'ai posé ma tête tout près de la sienne.

Elle m'a dit tout bas dans l'oreille : « Qu'est-il arrivé à ta jambe ?

— J'ai fait une mauvaise chute », j'ai murmuré.

Sabe a envoyé tout le monde au travail pendant que je nourrissais mauma à la cuillère et que la petite avalait son bouillon direct du bol. Elles ont dormi côte à côte tout l'après-midi. De temps en temps, Aunt-Sister passait la tête par l'entrebâillement de la porte et disait : « Ça va comme vous voulez ? » Elle apportait des sablés, de l'huile de ricin bouillie dans le lait et des couvertures pour faire un grabat par terre qui allait devenir ma couche par la nuit. Elle m'a aidée à leur enlever leurs chaussures sans les réveiller et quand elle a vu leurs pieds tout suppurants de plaies, elle a déposé du savon et un seau d'eau près de la porte.

La petite s'est réveillée une fois et a demandé le pot de chambre. Je l'ai emmenée aux toilettes et je l'ai attendue en observant les feuilles du chêne tomber comme si elles flottaient jusqu'au sol. *Mauma est ici.* Ce miracle, je l'avais pas encore vraiment réalisé, j'étais pas encore tombée à genoux. J'étais sous le choc de ce qu'elle était devenue et je m'inquiétais de la façon dont Missus allait réagir. Elle les avait regardées comme s'il s'agissait de deux sangsues qu'elle cherchait à jeter loin d'elle.

Lorsque la petite est sortie des toilettes pieds nus, je lui ai dit : « Il va falloir qu'on te lave les pieds. »

Ses pieds, elle les a examinés, les lèvres entrouvertes avec le bout rose de sa langue qui dépassait. Elle devait avoir treize ans. *Ma sœur.*

Je l'ai fait asseoir sur le trépied dans la cour dans le dernier coin encore chauffé par le soleil. J'ai apporté le seau et le savon dehors et j'ai mis ses pieds à tremper. « Pendant combien de jours vous avez marché, ta mauma et toi, pour arriver jusqu'ici ? »

Depuis ce matin, à la barrière, elle avait à peine ouvert la bouche et maintenant, par contrecoup, les mots jaillissaient de ses lèvres sans plus vouloir s'arrêter. « Je suis pas sûre. Trois semaines. Peut-être plus. On fait tout le chemin depuis Beaufort. La maison de Master Wilcox. On marche la nuit. On prend les sentiers des marchands et on suit les ruisseaux. Dans la journée, on se cache dans les fossés et dans les champs. C'est la cinquième fois qu'on s'enfuit, alors on sait où il faut aller. Mauma, elle a frotté nos jambes et nos chaussures avec du poivre et de la pelure d'oignon pour embrouiller les chiens. Elle dit cette fois on revient pas et plutôt mourir que pas réussir.

— Attends. Mauma et toi, vous vous êtes enfuies quatre fois avant celle-ci et vous avez été rattrapées chaque fois ? »

Elle a hoché la tête en regardant les nuages. Elle a dit : « Une fois, on est arrivées au fleuve Combahee. Une autre, à Edisto Island. »

J'ai sorti ses pieds l'un après l'autre du seau et je les ai enduits de savon pendant qu'elle parlait, et ça, c'était quelque chose qu'elle aimait faire – parler.

« On a emporté du maïs et des ignames séchés. Mais après c'était fini alors on a mangé des feuilles et des fruits du raisin d'Amérique. Tout ce qu'on trouvait. Quand mauma arrivait tout au bout de ses forces, je la prenais sur mon dos et je la portais. J'avançais un peu, puis je me reposais et puis je la reprenais. Elle disait, s'il m'arrive quelque chose, continue à avancer jusqu'à ce que tu trouves Handful. »

Les choses qu'elle m'a racontées. Comment elles buvaient à même les flaques, comment elles léchaient les feuilles de sassafras, comment elles grimpaient aux arbres dans les marais et s'attachaient aux branches pour dormir, comment elles s'étaient perdues sous la lune et les étoiles. Elle a dit qu'une fois un *buckruh* s'était arrêté dans son chariot et qu'il les avait pas vues, couchées dans un fossé juste à côté de lui. J'ai fini par comprendre, elle parlait gullah, la langue que parlent les esclaves dans les îles. Elle l'avait appris naturellement au contact des femmes de la plantation. Si elle voyait un oiseau, elle disait, voilà un *bidi*. Une tortue, c'était *cooter*. Un blanc, *buckruh*.

Je lui ai séché les pieds sur mes genoux. « Tu m'as pas dit comment tu t'appelles.

— L'homme qui nous faisait travailler à la plantation m'appelait Jenny. Mauma, elle a dit que c'était pas un nom, ça. Elle a dit que notre peuple, il vole comme le merle. Le jour où je suis née, elle a regardé le ciel – *the sky* – et c'est comme ça qu'elle m'a appelée. Sky. »

La petite ne ressemblait pas du tout à son nom. Elle faisait penser à un tronc d'arbre, à une pierre dans un champ que la charrue contourne, mais ça m'a fait plaisir que mauma l'ait appelée comme ça. J'ai entendu Goodis tousser dans l'écurie et le cheval hennir. Je me suis levée et elle a relevé la tête pour me dire : « Quand on était perdues, elle me racontait l'histoire à propos des merles, je sais pas combien de fois. »

Je lui ai souri. «À moi aussi, elle l'a beaucoup racontée, cette histoire.»

À la voir, ma sœur n'avait rien d'extraordinaire et à l'écouter parler, on aurait pu croire qu'elle apprendrait jamais rien, mais j'ai tout de suite senti qu'elle était de la même trempe que mauma.

Cette nuit-là, je me suis réveillée sur la paillasse posée par terre ; mauma était debout au milieu de la pièce et elle me tournait le dos ; elle était immobile, en train de regarder la fenêtre haut perchée. Il faisait sombre mais son foulard avait glissé et ses cheveux brillaient comme de l'argent récemment astiqué. Sur le matelas, Sky ronflait paisiblement. En m'entendant bouger, mauma s'est retournée et elle m'a tendu les bras. En silence, je me suis levée et je suis allée vers elle. Droit dans ses bras. C'est à ce moment-là que j'ai compris qu'elle était rentrée.

Quand je me suis réveillée la fois suivante, l'aube était en train de se lever et mauma était assise sur son lit ; elle regardait son quilt-histoire. Elle avait dormi dessous toute la nuit mais sans le savoir.

Je suis allée lui caresser le bras. «Je l'ai terminé.»

La dernière fois qu'elle avait vu ce quilt, c'était un méli-mélo de carrés. Ils avaient un peu perdu de la couleur mais toute son histoire était là, rassemblée en un seul morceau.

«Tu as mis chaque carré à la bonne place, elle a dit. Je sais pas comment tu as réussi à faire ça.

— J'ai suivi l'ordre des choses qui te sont arrivées, c'est tout.»

Quand Phoebe et Aunt-Sister ont apporté le petit déjeuner, mauma était encore penchée sur le quilt, à étudier les moindres points. Elle a caressé le personnage du dernier carré, celui que je savais être Denmark. Ça m'a fait mal de penser que j'allais sans doute être obligée de lui raconter ce qui s'était passé.

Pendant la nuit, l'air s'était beaucoup refroidi dans la chambre, alors je suis allée chercher de l'eau dans la

buanderie, où Phoebe la gardait bien bouillante. Sky s'est
mise dans un coin pour laver son corps compact pendant
que je défaisais les boutons de la robe de mauma. « On va
la brûler, cette robe », j'ai dit et mauma a ri franchement.

La pochette que je lui avais faite pendait toute froissée
avec un nouveau lacet en cuir. Elle l'a fait passer par-dessus
sa tête et elle me l'a tendue. « Y a plus grand-chose dedans
maintenant. »

Quand je l'ai ouverte, une odeur de moisi s'en est
échappée. En plongeant mes doigts dedans, j'ai senti des
vieilles feuilles se réduire en poudre.

Mauma s'est assise sur le tabouret bas et, face à elle, je
lui ai retiré le haut de sa robe que j'ai laissé tomber sur sa
taille ; on voyait ses côtes et ses seins, aussi réduits que sa
pochette. J'ai plongé le chiffon dans la bassine et j'ai fait
le tour pour lui laver le dos. Elle s'est raidie. Elle avait
des cicatrices de coups de fouet aussi noueuses que des
racines d'arbre depuis le haut du dos jusqu'à la taille. Sur
l'épaule droite, on lui avait marqué un W au fer rouge. Il
m'a fallu une minute avant de pouvoir toucher toute cette
triste souffrance.

Quand j'ai fini en lui lavant les pieds dans la bassine, je
lui ai demandé : « Qu'est-ce qui est arrivé à tes dents ?

— Elles sont tombées un jour », a-t-elle répondu.

Sky a fait un bruit, genre *hmmmf*. Elle a dit : « Plus
exactement, on les lui a fait sauter.

— T'as pas besoin de t'en mêler, tu racontes trop d'histoires », a rétorqué mauma.

La vérité, c'était que Sky allait raconter bien plus d'histoires que mauma pourrait jamais l'imaginer. Avant la
fin de la semaine, elle m'avait expliqué comment mauma
avait systématiquement planté le bazar dans la plantation dès qu'elle en avait l'occasion. Plus elle prenait de
coups de fouet, plus elle faisait de trous dans les sacs de
riz. Elle cassait des choses, elle en volait, elle en cachait.
Elle enterrait les outils dans les bois, elle faisait tomber les clôtures, une fois elle a mis le feu aux latrines du
régisseur.

Du coin où elle se lavait, Sky a tenu à raconter l'histoire des dents de mauma. « C'est arrivé la deuxième fois qu'on est parties. Le régisseur a dit, si elle recommence, elle sera facile à repérer si elle a plus de dents. Il a pris un marteau...

— Ferme-la ! » a crié mauma.

Je me suis accroupie et je l'ai regardée droit dans les yeux. « Cherche pas à m'épargner. J'ai eu ma part, moi aussi. Je sais à quoi ressemble le monde. »

Sarah

Lorsque Israel vint me rendre visite, il portait une courte barbe de quaker, toute neuve. Nous étions assis côte à côte sur le divan dans le salon des Mott, et il caressait sans arrêt ses favoris tout en bavardant des prix de gros de la laine et des merveilles de la météorologie. Sa barbe, touffue et veloutée, était pimentée de gris. Il paraissait plus beau, plus avisé, comme une nouvelle incarnation de lui-même.

Quand j'étais revenue à Philadelphie après ma catastrophique tentative de retour à Charleston, j'avais loué une chambre chez Lucretia Mott, bien décidée à m'organiser une vie à ma mesure, et je pense y être parvenue. Deux fois par semaine, je me rendais à Green Hill pour donner des cours à Becky, mais ma vieille ennemie, Catherine, m'avait récemment appris que ma petite *protégée* partait en pension l'année suivante et que mon rôle de préceptrice s'achèverait au début de l'été. Si je voulais continuer à me rendre utile, il me faudrait chercher une autre famille quaker à qui offrir mes services, mais jusque-là, je n'avais pas fait cet effort. Catherine se montrait désormais plus aimable avec moi, même si elle se fermait toujours comme une huître dès qu'elle voyait Israel me sourire pendant le culte, ce qu'il ne manquait jamais de faire. Pas plus qu'il ne manquait de me rendre visite, passant deux fois par mois bavarder dans le salon des Mott.

Je le dévisageai en me demandant comment nous nous retrouvions échoués sur le plateau indéfini de l'amitié. Toutes sortes de rumeurs couraient à ce propos. Les deux fils aînés d'Israel s'opposaient à son remariage, non pas par principe, attention, mais spécifiquement, à un remariage avec *moi*. Il avait promis à Rebecca sur son lit de mort qu'il n'aimerait personne d'autre qu'elle. Certains, parmi les anciens, lui avaient vivement déconseillé de prendre femme pour des raisons qui allaient de sa propre inexpérience à mon instabilité. Après tout, je n'étais pas quaker de naissance. À Charleston, l'important, c'était d'être née dans la classe des planteurs ; ici, c'était chez les quakers. Certaines choses se retrouvaient à l'identique partout. « Vous êtes la plus patiente des femmes », m'avait dit un jour Israel. J'avais du mal à considérer cela comme une vertu.

Aujourd'hui, mis à part sa nouvelle barbe, la visite d'Israel tendait à ressembler à toutes les précédentes. Je tripotais ma serviette tandis qu'il discourait sur les fermes de moutons mérinos et les teintures pour la laine. Le silence finit par s'installer, on entendit alors le cliquetis des tasses, les voix des enfants à l'étage au-dessus mêlée aux pas rapides sur le parquet grinçant et puis, brutalement, sans préambule, il annonça « Mon fils Israel va se marier. »

La façon dont il dit cela, à voix basse, avec l'air de s'excuser, me mit mal à l'aise.

« ... Israel ? ... Le petit Israel ?

— Il n'est plus si petit maintenant. Il a vingt-deux ans. »

Il poussa un soupir, comme si quelque chose lui avait échappé, et je me demandai, de façon ridicule, s'il existait une loi quaker interdisant aux pères de se marier après leurs fils. Je me demandai aussi si la barbe n'était pas tant une nouvelle incarnation qu'une concession.

Quand vint le moment de se dire au revoir, il me prit la main et la posa sur la toison sombre de sa joue. Il ferma les yeux et, quand il les rouvrit, j'eus l'impression qu'il était sur le point de dire quelque chose. Je haussai les sourcils.

Mais il me lâcha la main, se leva du divan et, quelle que fût la pensée qui s'était faufilée hors de son cœur, elle y retourna, contrite et clandestine.

Il se dirigea d'un pas incertain vers la porte et partit, tandis que je demeurais assise, évaluant la situation avec une lucidité épouvantable : la passivité, l'hésitation sur l'avenir. Pas celles d'Israel – les miennes.

J'étais assise avec Lucretia dans la toute petite pièce qu'elle appelait un studio et la pluie d'hiver tambourinait sur la vitre, tournant à la glace. Nous avions tiré nos sièges tout près de la cheminée où le feu craquait, aussi vivant que des cordes de harpe. Lucretia était en train d'ouvrir un petit paquet de courrier arrivé dans l'après-midi. Je lisais un roman de Walter Scott interdit par les quakers, ce qui, évidemment, ne le rendait que plus attrayant mais, engourdie par la chaleur, j'abandonnai la lecture pour contempler les flammes.

C'était le moment de la journée que je préférais – une fois les enfants couchés et James, le mari de Lucretia, retiré dans son bureau, il n'y avait plus que nous deux réunies dans cette drôle de petite niche. Un studio. Pour tout mobilier, il y avait deux sièges rembourrés, une table à abattant, une cheminée, des étagères murales et une grande fenêtre qui donnait sur un bosquet de mûriers et de chênes noirs derrière la maison. On n'utilisait cette pièce ni pour faire la cuisine, ni pour coudre, ni pour s'occuper des enfants, ni pour se distraire. Pleine de journaux et de brochures, de livres et de correspondances, de palettes de peinture et de carrés de velours sur lesquels elle épinglait les magnifiques papillons lune qu'elle trouvait sans vie dans le jardin, cette pièce était simplement la sienne.

Je ne sais pas combien de soirées nous avons passé là à bavarder ou, comme ce soir, à rester assises sans rien dire, à unir nos solitudes. Lucretia et moi, nous avions tissé un lien qui allait au-delà de l'amitié. Et pourtant, la différence entre nous était palpable. Je la sentais pendant le culte, quand elle était assise sur le banc des Anciens, seule femme à exercer ce ministère au milieu de tous ces hommes, à la façon dont elle se levait pour prendre la parole avec une beauté si intrépide, et tous les matins quand je descendais, il y avait ses enfants poisseux de bouillie d'avoine. Elle provoquait en moi une légère impression de vide, mais ce n'était pas parce qu'elle avait un métier, des enfants ou même James, qui ne ressemblait pas aux autres hommes mais appartenait à une espèce inconnue, un mari qui se réjouissait de voir travailler sa femme et qui préparait lui-même la bouillie d'avoine. Non, ce n'était pas cela. Ce que je lui enviais, c'était d'être installée quelque part. Elle avait trouvé sa place.

«Ah voilà une lettre pour toi», dit Lucretia en me la lançant.

C'était le papier à lettres de Nina, mais ce n'était pas son écriture. Les lettres sommaires étaient tracées d'une main malhabile. *Miss Sarah Grimké.*

> *Chère Sarah,*
> *Mauma est revenue. Nina dit que je peux vous informer moi-même de cette nouvelle. Elle s'est enfuie de la plantation où elle était enfermée depuis tout ce temps. Si vous la voyagiez. Elle est pleine de cicatrices, elle a les cheveux tout blancs et l'air aussi vieille que Mathusalem mais à l'intérieur, elle est toujours pareille. Je la soigne nuit et jour. Elle a amené avec elle ma sœur qui s'appelle Sky. Je trouve que c'est un sacré nom. Il vient de mauma et de ses envies. Elle a toujours dit qu'un jour on volerait comme des merles.*
> *Missus est presque tout le temps fâchée contre Nina. Nina crée des problèmes dans l'Église presbytérienne où elle va. Un bonhomme est venu la semaine dernière pour la punir de quelque chose qu'elle avait dit. Mauma et Sky, y a qu'elles qui donnent l'espoir.*
> *Ça m'a pris trop longtemps pour écrire ça. Pardonnez mes fautes. J'ai plus l'occasion de lire ni de travailler sur mes mots. Mais un jour je le ferai.*
>
> *Handful*

« J'espère que ce n'est pas une mauvaise nouvelle », dit Lucretia en étudiant mon visage, où se reflétait un mélange de joie et d'angoisse.

Je lui lus la lettre à haute voix. Je ne m'épanchais guère sur les esclaves que possédait ma famille mais je lui avais parlé de Handful. Elle me tapota la main.

Le silence retomba tandis que la glace se changeait à nouveau en pluie qui battait la vitre comme une vague sombre. Je fermai les yeux en essayant d'imaginer les retrouvailles entre Handful et sa mère. La sœur qui s'appelait Sky. Les cicatrices de Charlotte et ses cheveux blancs.

« ... Pourquoi Dieu planterait-il en nous des aspirations aussi profondes... si elles n'aboutissent jamais à rien ? »

C'était plus un soupir qu'une question. Je pensais à Charlotte, à son ardent désir de liberté, mais au moment où je prononçais ces mots, je compris qu'ils s'appliquaient également à moi.

Je ne m'attendais pas vraiment à voir Lucretia réagir mais, au bout d'un moment, elle dit : « Dieu nous emplit de toutes sortes d'aspirations qui vont à l'encontre des valeurs du monde – mais le fait que ces aspirations n'aboutissent souvent à rien, eh bien, je doute que ce soit là l'œuvre de Dieu. » Les yeux plissés, elle me regarda en souriant. « Je crois que nous savons que c'est le fait des hommes. »

Elle se pencha vers moi. « La vie est organisée contre nous, Sarah. Et c'est bien pire pour Handful, sa mère et sa sœur. Nous aspirons tous à un coin de ciel, n'est-ce pas ? Je soupçonne Dieu de planter en nous ces aspirations pour que, au moins, nous tentions d'infléchir le cours des choses. Il faut essayer, c'est tout. »

Je sentis ces paroles creuser un trou dans la vie que je m'étais faite. Un trou irréparable.

Je commençai à lui raconter que, lorsque j'étais enfant, j'avais convoité le firmament tout entier. Une profession jamais essayée par aucune femme. J'aurais voulu qu'elle sache que je ne me satisfaisais pas d'être préceptrice car c'était un métier qui ne me passionnait pas, mais je renonçai à cet aveu. Même Nina ne savait rien de mon désir de devenir juriste, ni que cela s'était terminé en humiliation.

«... Mais tu as fait plus qu'essayer de devenir ministre du culte... Tu y es parvenue... Je me suis souvent demandé s'il fallait entendre un appel spécial de Dieu pour entreprendre cela. »

Les ministres quakers étaient très différents du clergé anglican ou presbytérien auquel j'étais habituée. Ils ne se tenaient pas debout derrière une chaire à prêcher des sermons : ils prenaient la parole pendant les moments de silence, inspirés par Dieu. Tout le monde pouvait parler, bien sûr, mais les ministres étaient ceux qui s'exprimaient le mieux, qui proposaient des messages pour le culte et dont la voix paraissait prépondérante.

Elle repoussa le chignon emmêlé épinglé sur sa nuque. « Je n'ai entendu aucun appel particulier. Je désirais avoir mon mot à dire, voilà à quoi cela se résume. Je voulais parler en conscience et que cela ait des conséquences. Certainement, Dieu nous demande cela à tous.

— ... Crois-tu... que... je pourrais devenir ministre quaker ? »

Ces mots-là étaient enfouis en moi depuis un bon moment, peut-être depuis le jour où, sur le bateau, j'avais rencontré Israel et qu'il m'avait dit qu'il existait des ministres femmes.

« Sarah Grimké, tu es la personne la plus intelligente que je connaisse. Bien sûr que tu pourrais. »

Assise dans mon lit, vêtue de ma chemise de nuit en lainage la plus chaude, les cheveux dénoués, j'étais penchée sur le pupitre et l'encrier d'étain que je m'étais récemment autorisée à acheter ; j'essayais de répondre à la lettre de Handful.

19 janvier 1827

Chère Handful,
Quelles joyeuses nouvelles ! Charlotte est revenue ! Tu as une sœur !

Je posai ma plume en regardant le cortège de points d'exclamation. Cela faisait penser aux pépiements d'un oiseau. C'était la cinquième fois que je recommençais.

Autour de moi, le lit était jonché de boulettes de papier. *Comme tu dois être heureuse maintenant*, avais-je d'abord écrit puis je m'étais inquiétée à l'idée qu'elle pût penser que j'en concluais que tous ses ennuis étaient désormais derrière elle. Essai suivant : *Recevoir ces nouvelles m'a plongée dans l'euphorie*. Et si jamais elle ne connaissait pas le mot *euphorie* ? J'étais incapable d'écrire une ligne sans craindre de paraître condescendante ou indifférente, trop réservée ou trop familière. Si je me souvenais toujours de nous en train de boire du thé sur le toit, c'était une époque révolue dont il ne subsistait plus que ces boulettes de papier.

Je pris la feuille de papier à lettres avec toute cette désinvolture en points d'exclamation et je la froissai. De l'encre vint me tacher la paume. La main en l'air pour éviter de toucher à l'édredon blanc de Lucretia, je repoussai le pupitre de mes jambes pour aller à la cuvette. Ne réussissant pas à faire partir la tache avec du savon, je fouillai dans le tiroir de la coiffeuse à la recherche de crème de tartre et là, à côté du flacon, je vis la boîte en pierre de lave noire qui contenait mon bouton fleur de lys. Je l'ouvris. L'argent du bouton avait noirci, comme encrassé après un séjour sous l'eau.

Ce bouton m'avait toujours suivie. Je l'avais jeté une fois mais il m'était revenu. Je pouvais en remercier Handful.

Je replongeai dans la chaleur du lit et posai le bouton sur le pupitre, observant comment il était éclairé par la lumière de la lampe. Adossée à l'oreiller, je me souvins de la fête donnée pour mon onzième anniversaire, au cours de laquelle Handful m'avait été offerte, comment je m'étais réveillée le lendemain avec le sentiment écrasant que j'étais née pour accomplir quelque chose dans le monde, quelque chose de grand, bien plus grand que moi-même. Je caressai le bouton du bout des doigts. Pour moi, il était depuis toujours le dépositaire de cette certitude.

Dans la chambre, tout se mit à grandir : les cendres qui tombaient sur l'âtre, un petit grattement contre la plinthe, l'odeur de l'encre, le relief de la fleur de lys sur le bouton. Je pris une nouvelle feuille de papier à lettres.

19 janvier 1827

Chère Handful,

J'ai le cœur en joie. J'essaie de t'imaginer avec Charlotte et une nouvelle sœur et je ne peux même pas rêver de ce que tu ressens. Je suis heureuse pour toi. En même temps, je suis triste pour les cicatrices de ta mère, pour toutes les abominations qu'elle a dû endurer. Mais plutôt que de m'attarder sur ces sujets maintenant, je préfère penser à vos retrouvailles.

Savais-tu que, quand nous étions enfants, Charlotte m'a fait promettre que, un jour, je ferais tout ce qui serait en mon pouvoir pour t'aider à être libre ? Nous étions à côté du tas de bois, là où vivait la petite chouette orpheline. Je m'en souviens comme si c'était hier. Je te l'avoue aujourd'hui, c'est pour cela que je t'ai appris à lire. Je me disais que la lecture était un genre de liberté, la seule que je pouvais t'offrir. Je suis désolée, Handful. Je suis désolée de ne pas avoir tenu ma promesse mieux que cela.

Je possède encore le bouton d'argent que tu as récupéré alors que je l'avais jeté. Pendant que je t'écris, il est posé à côté de l'encrier et il me rappelle le destin que j'ai toujours cru être le mien, un destin en attente. Comment puis-je expliquer une chose pareille ? Simplement, je le sais comme je sais que dans chaque gland, il y a un chêne. Toute ma vie, j'ai eu l'intense désir de faire éclore cette graine. Je pensais autrefois être faite pour devenir juriste, peut-être simplement parce que c'était ce que faisaient Père et Thomas, mais cela ne s'est jamais réalisé. En ce moment, je me sens prête à devenir ministre quaker. Si j'y parviens, ce sera au moins le moyen de réaliser ce que j'ai tenté de faire le jour de mon onzième anniversaire, ce jour où tu m'as été cruellement offerte comme un objet. Cela me permettra de dire à qui voudra bien l'entendre que je ne puis accepter cela, que nous ne pouvons accepter l'esclavage, que cela doit finir. Voilà pourquoi je suis sur terre – pas pour le ministère, ni pour le droit, mais pour l'abolition. Je ne l'ai finalement compris que cette nuit mais l'arbre a toujours été dans le gland.

Dis à ta mère que je suis bien contente qu'elle t'ait retrouvée. Salue ta sœur de ma part. J'ai bien souvent échoué, même dans l'amour que je te porte, mais je te considère comme mon amie.

Sarah

Handful

Cet hiver-là, mauma l'a passé à ne rien faire au coin du feu, dans la cuisine. Elle se remplumait un peu mais il y avait des moments où elle ne parvenait pas à garder ce qu'elle mangeait et on se retrouvait au point de départ. Elle disait que, chaque fois qu'elle me voyait, je lui proposais un morceau de gâteau.

Ce n'était pas les pièces vides qui manquaient mais on vivait toutes les trois ensemble au sous-sol. Goodis avait descendu un petit lit de la chambre d'enfants, nous l'avions calé à côté du grand et nous dormions comme trois pois dans leur cosse sous le cadre à quilt. Sky a demandé un jour à quoi servait tout ce bois cloué au plafond et je lui ai dit : « T'as jamais vu de cadre à quilt ? » et mauma a répondu : « Eh, toi, t'as jamais vu de rizière, alors zéro partout. »

Mauma continuait à refuser de raconter ce qui lui était arrivé. Elle disait : « Ce qui est fait est fait. » Presque toutes les nuits, pourtant, elle se réveillait pour arpenter la pièce et apparemment ça ne paraissait pas du tout digéré. Je me suis rendu compte que le meilleur traitement pour elle, c'était une aiguille, du fil et un bout de tissu. Un jour, je lui ai dit que j'avais besoin d'un coup de main et je lui ai tendu le panier à raccommodages. Quand je suis revenue, l'aiguille était un vrai colibri entre ses doigts.

Le plus ardu, c'était de trouver du travail pour Sky. Elle était incapable de faire la lessive, même si sa vie en dépendait. J'ai demandé à Sabe de l'essayer pour nettoyer la maison et servir le thé avec Minta et moi, mais Missus a dit qu'elle n'avait pas le physique de l'emploi et qu'elle dégoûtait les invitées. Après ça, elle est allée travailler dans la cuisine, mais elle a rendu Aunt-Sister folle avec tous ses bavardages, des histoires de lapins qui dupaient les renards et les ours. Elle finissait toujours par atterrir sur la véranda où elle chantait en gullah. «*Ef oona ent kno weh oona da gwuine, oona should kno weh oona dum from.*» La même chanson, à répétition. «Si tu ne sais pas où tu vas, tu devrais savoir d'où tu viens.»

Un matin, vers la fin de l'hiver, le heurtoir a claqué sur la porte d'entrée et Mr. Huger, le notaire, est entré en tapant des pieds par terre pour se réchauffer. Il m'a tendu son chapeau tandis que Sabe allait prévenir Missus.

Je suis allée trouver Nina dans sa chambre, où elle était en train de se préparer pour le cours qu'elle donnait à l'église. J'ai dit : «Vite, il faut que tu viennes voir ce que ta mauma prépare. Mr. Huger est arrivé et...»

Elle a quitté la pièce sans me laisser le temps de finir ma phrase.

J'ai traîné devant les portes fermées du salon mais j'ai rien pu entendre de ce qu'ils se disaient – rien qu'un mot de temps en temps. *Pension... Banque...* Le *crash du coton... Sacrifice.* L'horloge a sonné dix coups. Ce bruit a envahi toute la maison, il résonnait partout et, quand ça s'est arrêté, j'ai entendu Missus dire *Sky*. Elle parlait peut-être du toit bleu suspendu au-dessus du monde mais moi, je savais qu'il s'agissait de ma sœur.

J'ai collé mon oreille contre la porte. Si Sabe me voyait et me faisait déguerpir, ça m'était bien égal.

«Elle a treize ans, elle n'a aucune compétence domestique mais elle est costaud.»

Ça, c'était Missus qui parlait.

Mr. Huger a marmonné quelque chose à propos de tarifs, de vendre au printemps quand les semailles commençaient dans les plantations.

«Vous ne pouvez pas séparer Sky de sa mère, a crié Nina. C'est inhumain!

— Cela me déplaît à moi aussi, a répliqué Missus. Mais il faut être réaliste.»

J'ai senti mon souffle se coincer entre mes côtes comme si c'étaient des mains avides. J'ai fermé les yeux, fatiguée de ce monde lamentable.

Quand j'ai retrouvé mauma dans la cuisine, elle était toute seule avec le panier à raccommodages. Je me suis écroulée à côté d'elle. «Missus a l'intention de vendre Sky au printemps. Il faut qu'on lui trouve quelque chose à faire d'ici là.

— La vendre?» Elle m'a regardée d'un air ébahi, puis elle a plissé les yeux. «On n'est pas venues de si loin pour qu'elle vende ma gamine. Ça, c'est sûr et certain.

— Il doit bien y avoir au moins une chose au monde pour laquelle Sky serait douée.» La façon dont j'ai dit ça, comme si ma sœur était un peu débile, a provoqué la colère de mauma.

«Je te défends de parler comme ça! Ta sœur, elle a toute l'intelligence de Denmark! C'est lui son père, a-t-elle ajouté en secouant la tête, mais j'imagine que tu l'avais deviné toute seule.

— Oui, j'avais compris.»

Le moment semblait bien choisi pour lui dire. «Denmark, il...

— Y a pas un esclave vivant qui soit pas au courant de ce qui lui est arrivé, elle m'a interrompue. On l'a même su là-bas, à Beaufort.»

Je lui ai pas raconté que je l'avais vu se balancer au bout d'une branche mais je lui ai rien caché du reste. J'ai commencé par l'église où on avait chanté Jericho. Je lui ai parlé de la *Work House*, de comment j'étais tombée de la trépigneuse et que je m'étais massacré le pied. Je lui ai parlé de la façon dont Denmark m'avait accueillie en m'appelant sa fille. «J'ai volé un moule à balles pour cet homme.»

Elle a pressé ses doigts contre ses paupières, pour essayer de les empêcher de déborder. Quand elle a rouvert les yeux, ça lui a fait tout un labyrinthe de lignes rouges.

« Sky m'a demandé une fois qui était son papa. Je lui ai répondu que c'était un Noir libre de Charleston, mais qu'il était mort. C'est tout ce qu'elle sait.

— Pourquoi tu lui as pas raconté le reste ?

— Sky a l'habitude enfantine de raconter tout ce qu'on lui raconte. À la minute où tu lui dis qui est Denmark, elle en informera la moitié du monde. Ce qui ne va pas beaucoup l'aider.

— Mais elle a besoin de savoir qui il est.

— Ce dont elle a besoin, c'est de ne pas être vendue. La chose qu'elle connaît le mieux, c'est la culture du riz. Mets-la à travailler dans la cour. »

Sky s'est occupée du jardin d'agrément et elle l'a rendu à son ancienne gloire. Ça lui venait naturellement – la profondeur à laquelle planter les oignons de jonquille, quand tailler les rosiers, comment couper les haies pour faire comme les dessins du livre que Nina lui avait montré. Quand Sky plantait des légumes, elle prenait le crottin de cheval dans l'écurie et elle le mélangeait avec la terre. Elle creusait des sillons bien droits pour les graines et les recouvrait de son pied nu comme elle l'aurait fait avec le riz. Quand elle binait, elle chantait des chansons en gullah pour les plantes. Quand il y avait des scarabées, elle les virait à la main.

Le croiriez-vous mais les courges torticolis ont poussé jusqu'à avoir la taille de bonnes gourdes. Les têtes de pivoines étaient grosses comme des soupières roses. Même Missus s'est dérangée pour les voir. Dès que les jonquilles sont sorties et que l'air s'est bien radouci, elle a organisé un thé dans le jardin pour ses amies qui les a laissées vertes d'envie.

L'été est arrivé et Sky était toujours avec nous.

« Où tu ranges les chutes de tissu ? » a demandé mauma.

Elle était en train de fouiller dans la table à couture en laque, dans le coin de notre chambre. Par terre, à ses pieds, il y avait un panier débordant d'écheveaux de fil, de paquets d'aiguilles, d'épingles, de ciseaux et d'un ruban mesureur.

« Les chutes de tissu ? Là où on les a toujours rangées. Dans la boîte en bois. »

Elle l'a pris. « Tu as du coton rouge et du marron dedans ?

— J'ai toujours du coton rouge et du marron. »

Je l'ai suivie jusqu'à l'arbre des âmes, dans les branches duquel les corbeaux se cachaient. Elle s'est assise sur le vieux tabouret à écailler le poisson d'Aunt-Sister, adossée au tronc, et elle s'est mise au travail. Elle a découpé un carré rouge, puis dans le tissu marron, elle a fait une forme de chariot.

J'ai dit « C'est le chariot dans lequel la Garde t'a enfermée le jour où tu as disparu ? »

Elle a souri.

Elle reprenait le fil de son histoire. Elle ne mettrait jamais en mots ce qui lui était arrivé. Elle le raconterait sur le tissu.

Sarah

Quand vint l'automne, je me rendis avec Lucretia à Arch Street, pour la réunion des femmes. Debout dans le vestibule bondé, nous nous trouvâmes à côté de Jane Bettleman, qui fixa d'un œil noir et insistant le bouton fleur de lys que j'avais cousu à l'encolure de ma robe grise. Certes, ce bouton était décoratif, onéreux et plutôt grand, de la taille d'une broche. J'avais astiqué l'argent peu de temps auparavant et, dans la salle bien éclairée, il brillait comme un petit soleil.

Je touchai le relief du lys, puis je me tournai vers Lucretia pour lui chuchoter : « Mrs. Bettleman a été choquée par mon bouton.

— Puisque tu passes ton temps à mettre Mr. Bettleman en colère, il paraît juste que tu fasses la même chose avec sa femme », m'a-t-elle répondu dans l'oreille.

Je me retins de sourire. Sans aucun doute le plus puissant personnage d'Arch Street, Samuel Bettleman nous critiquait régulièrement une fois par semaine, Lucretia et moi. Au cours des derniers mois, nous étions souvent intervenues pendant les cultes sur la cause anti-esclavagiste et chaque fois il nous tombait dessus, en nous accusant de créer la division. Aucun de nos membres n'était favorable à l'esclavage, évidemment, mais nombre d'entre eux restaient muets sur la question et, en outre, les avis divergeaient sur la vitesse à laquelle devait s'accomplir l'émancipation. Même Israel était partisan d'une réforme progressive, car il estimait que l'esclavage devait disparaître lentement, au fil du temps. Mais ce qui restait vraiment en travers de la gorge de Mr. Bettleman et d'autres, c'était d'entendre les femmes donner leur avis pendant le culte. « Tant que nous discutons de la façon d'être de bonnes assistantes pour nos époux, tout va pour le mieux dans le meilleur des mondes, m'avait dit Lucretia un jour, mais dès le moment où nous dévions vers les sujets sociaux ou, Dieu nous pardonne, politiques, ils tiennent à nous faire taire comme on fait taire les enfants ! »

Lucretia savait comment me remonter le moral.

« Miss Grimké, Mrs. Mott, comment allez-vous ? » dit alors une voix.

Mrs. Bettleman était à côté de moi, les yeux fixés sur mon extravagant bouton.

Sans nous laisser le temps de lui rendre son salut, elle dit : « Vous avez là un objet inhabituellement décoratif.

— … Je suis sûre qu'il vous plaît. »

Elle s'attendait sûrement à ce que j'aie l'air contrit. Elle serra ses lèvres décolorées, ce qui amena l'image des bords striés d'un arum. « Eh bien, à coup sûr, il s'accorde avec cette nouvelle personnalité que vous affichez. Ces derniers temps, vous vous êtes beaucoup exprimée pendant le culte.

— … Je m'efforce de ne parler que lorsque Dieu m'y pousse, répondis-je, ce qui était largement plus dévot que sincère.

— Il est curieux, cependant, que Dieu vous pousse à vous exprimer le plus souvent contre l'esclavage. J'espère que vous prendrez pour votre édification ce que je m'apprête à vous dire, mais pour beaucoup d'entre nous, il nous semble que vous vous laissez absorber outre mesure par cette cause. »

Sans se laisser intimider par Lucretia, qui se rapprochait de moi, Mrs. Bettleman continua : « Un certain nombre d'entre nous estiment que l'heure de l'action n'a pas encore sonné. »

Mon sang ne fit qu'un tour. « ... Vous, qui ne connaissez rien à l'esclavage, mais rien du tout, vous osez dire que l'heure n'a pas sonné ? »

Ma voix résonna dans le vestibule, poussant les femmes à interrompre leurs conversations pour se tourner vers nous. Mrs. Bettleman prit son souffle – mais je n'avais pas terminé. « Si vous étiez une esclave en train de trimer dans les plantations en Caroline... je soupçonne que vous penseriez que l'heure a vraiment sonné. »

Elle tourna les talons et s'éloigna, nous laissant, Lucretia et moi, l'objet de regards choqués, muets.

« J'ai besoin de prendre l'air », dis-je calmement.

Nous quittâmes les lieux pour aller dans la rue. Nous dépassâmes les maisons de brique, les vendeurs de charbon et les marchands de fruits, jusqu'au Camden Ferry Slip. Nous continuâmes sur le quai, qui débordait de passagers arrivant du New Jersey. Tout au bout du débarcadère, face au vent, sur les vieilles planches se tenait un troupeau de mouettes blanches. Nous nous arrêtâmes non loin d'elles pour contempler le fleuve Delaware en retenant nos bonnets.

Je baissai les yeux et vis que j'avais les mains qui tremblaient. Lucretia s'en aperçut, elle aussi. Elle dit : « Tu ne vas pas regarder derrière toi, n'est-ce pas ? » Elle disait cela en référence à cette altercation, à cette terrible tendance que nous avons, nous les femmes, à reculer pour courir nous mettre à l'abri.

« Non, je ne regarderai pas derrière moi. »

16 février 1828
Ma chère sœur bien-aimée,
   Tu es la première et la seule à le savoir : j'ai donné mon cœur au révérend William McDowell de la troisième Église presbytérienne. À Charleston, lorsqu'on parle de lui, on dit « ce jeune et séduisant pasteur du New Jersey ». Il a tout juste la trentaine et son visage

ressemble à celui d'Apollon dans le petit tableau qui était accroché dans ta chambre. Il est arrivé de Morristown lorsque sa santé l'a contraint à trouver un climat plus clément. Oh, ma sœur chérie, il a les plus grandes réserves en ce qui concerne l'esclavage !

L'été dernier, il m'a enrôlée pour faire la classe aux enfants de l'école du Sabbat, un travail que j'accomplis avec joie toutes les semaines. J'ai fait un jour une remarque sur la cruauté de l'esclavage et j'ai reçu une visite d'avertissement du docteur McIntire, le directeur, et tu aurais dû voir comment William a pris ma défense. Après quoi, il m'a vivement conseillé, à propos de l'esclavage, de prier et d'attendre. Deux choses pour lesquelles je ne suis pas douée.

Il me rend visite toutes les semaines et nous discutons théologie, Église, situation du monde. Il ne s'en va jamais sans m'avoir pris la main pour que nous priions. J'ouvre les yeux et je le regarde plisser le front et se lancer dans ses éloquents plaidoyers. Si Dieu a une petite idée de ce que cela signifie d'être amoureux, alors, il me pardonnera.

J'ignore encore tout des intentions de William à mon égard, mais je crois que nos sentiments sont réciproques. Réjouis-toi pour moi.

Avec toute ma tendresse,
Nina

Lorsque la lettre de Nina arriva, je l'emportai sur le banc sous l'orme rouge dans la minuscule cour des Mott. Il faisait bon pour un mois de mars. Les crocus sortaient du sol encore durci par l'hiver, les sauterelles et les oiseaux étaient lancés dans un joyeux vacarme.

Après m'être couvert les genoux d'un petit quilt, je posai mes nouvelles lunettes au bout de mon nez. Ces derniers temps, les mots étaient devenus des gribouillis flous. Je pensais m'être abîmé les yeux à force de trop lire – depuis un an, je travaillais avec beaucoup d'acharnement pour avancer dans mes études de ministre – mais le médecin que j'avais consulté considérait que ce problème venait du fait que j'entrais dans l'âge mûr. J'ouvris la lettre en me disant, Nina, si tu pouvais me voir avec mon plaid de vieille dame et mes lunettes, tu croirais que j'ai soixante-dix ans et non la moitié.

Je lus les nouvelles concernant le révérend McDowell avec ce que j'imaginais être la satisfaction et l'inquiétude d'une mère. Je me demandai s'il était digne d'elle. Je me demandai ce que Mère pensait de lui et si je reviendrais à Charleston pour le mariage. Je me demandai quel genre d'épouse d'ecclésiastique Nina allait être et si le révérend avait une petite idée de la boîte de Pandore qu'il s'apprê-tait à ouvrir.

Qu'Israel débarquât précisément à ce moment-là, ce sera toujours une ironie du sort. J'étais en train de remettre la lettre dans ma poche quand, levant les yeux, je le vis venir vers moi sans manteau ni chapeau. On était en plein milieu de l'après-midi.

Il n'avait jamais fait allusion à l'épisode avec Jane Bet-tleman. À coup sûr, il en avait eu connaissance. Comme tout le monde à Arch Street. Cela avait divisé la commu-nauté avec, d'un côté, ceux qui me trouvaient hautaine et effrontée et, de l'autre, ceux qui pensaient que j'étais sim-plement passionnée et irréfléchie. J'estimais qu'il faisait partie de ceux-là.

Il s'assit à côté de moi, son genou vint toucher ma cuisse et une petite bouffée de chaleur m'envahit. Il avait tou-jours une barbe. Elle était bien taillée, mais plus longue et avec plus de fils d'argent. Cela faisait des semaines que je ne l'avais pas vu, si ce n'était pendant le culte. Aucune explication de son absence n'avait été donnée. J'avais considéré que c'était une évolution inévitable.

Je retirai mes lunettes. «... Israel... voilà qui est inat-tendu. »

Il y avait de l'urgence en lui. L'atmosphère en était trou-blée.

«Voilà un certain temps que je souhaitais vous parler, mais je résistais. Je m'inquiétais de la façon dont vous allez prendre ce que j'ai à vous dire. »

Il ne s'agissait sûrement pas de l'incident avec Mrs. Bettleman. Cela remontait à des mois.

« ... Y a-t-il des mauvaises nouvelles ? demandai-je.

— Je suppose que cela va vous paraître abrupt, Sarah, mais je suis venu décidé à parler pour que la situation s'éclaircisse enfin. Depuis cinq ans maintenant, je me bats avec les sentiments que vous m'inspirez. »

Brusquement, le souffle me manqua. Son regard s'égarait vers les arbres dénudés qui entouraient la cour. « J'ai pleuré Rebecca, peut-être trop longtemps. C'est devenu une habitude, de la pleurer. Je me suis laissé subjuguer par son souvenir, ce qui m'a fait exclure beaucoup trop de choses. »

Il baissa la tête. J'aurais voulu le rassurer en lui disant que tout allait bien, mais ce n'était pas vrai, alors je gardai le silence.

« Je suis venu vous présenter mes excuses. Cela paraissait déloyal de vous demander d'être ma femme alors que je me sentais encore tellement lié à elle. »

Il s'agissait donc d'excuses et non d'une proposition. « ... Vous n'avez pas à vous excuser. »

Il continua comme si je n'avais rien dit. « Il y a quelques semaines, j'ai rêvé d'elle. Elle venait vers moi, son médaillon à la main ; le médaillon que Becky a insisté pour que vous le portiez. Elle l'a posé dans ma main. Lorsque je me suis réveillé, c'était comme si elle m'avait libéré. »

Je contemplais tristement mes propres mains mais je relevai la tête en sentant à quel point le mot *libéré* avait été tangible dans sa voix, à quel point le moment était en train de basculer.

« Vous devez savoir combien je tiens à vous, dit-il. Un homme n'est pas fait pour vivre seul. Les enfants grandissent, mais les plus jeunes ont encore besoin d'une mère et Green Hill a grand besoin d'une maîtresse de maison. Catherine a exprimé le désir de retrouver son logis en ville. Je m'exprime très maladroitement. Je vous demande... j'espère que vous accepterez d'être ma femme. »

Ce moment, je l'avais imaginé : je ressentirais une joie débordante. Je fermerais les yeux et je saurais qu'enfin, ma vie allait vraiment commencer. Je dirais : *Israel chéri, oui*. Tout dans le monde serait *oui*.

Mais cela ne se passait pas ainsi. Ce que je ressentais, c'était quelque chose d'inconnu, de calme. Le bonheur maculé de peur. Durant une impérissable minute, je ne pus parler.

Mon silence le plongea dans l'angoisse. « Sarah ?

— ... Je souhaite dire oui... et pourtant, comme vous le savez, j'ai trouvé ma vocation. Le ministère... Ce que je veux dire c'est... puis-je être votre femme *et* pasteur ? »

Il écarquilla les yeux. « Je n'avais pas imaginé que vous voudriez poursuivre dans cette voie une fois que nous serions mariés. C'est vraiment ce que vous souhaiteriez ?

— Oui, c'est ce que je souhaite. De tout mon cœur. »

Il fronça les sourcils. « Pardonnez-moi, mais j'avais cru que vous aviez choisi cela uniquement parce que vous aviez renoncé à moi. »

Il considérait mes ambitions comme une consolation ? D'instinct, je me levai et reculai de quelques pas.

Je pensai à la certitude que j'avais ressentie quant à ma mission la nuit où j'avais écrit à Handful. Une certitude aussi pure que la voix qui m'avait amenée dans le Nord. Lorsque j'avais cousu ce bouton sur ma robe, je savais que c'était définitif.

Je me tournai vers lui et je vis qu'il était debout, il attendait. « Je ne peux pas être Rebecca, Israel. Toute sa vie était consacrée à vous et aux enfants ; je ne vous aimerais pas moins qu'elle, mais je ne suis pas comme elle. Il y a des choses que je dois accomplir. Je vous en prie, Israel, ne m'obligez pas à choisir. »

Il me prit les mains et les embrassa, d'abord une puis l'autre, et il me vint à l'esprit que si, moi j'avais parlé d'amour, lui n'avait pas prononcé ce mot. Il avait parlé de tendresse, de besoin – les siens, ceux des enfants, ceux de Green Hill.

«Ne serai-je pas, ne serons-nous pas suffisants pour vous? dit-il. Vous serez une merveilleuse épouse et la meilleure des mères. Nous veillerons à ce que vous ne regrettiez jamais d'avoir renoncé à vos ambitions.»

C'était sa façon de me donner sa réponse. Je ne pourrais pas avoir à la fois et lui et moi.

Handful

J'ai étalé une paillasse sous l'arbre et j'ai posé dessus mon panier à couture. Missus avait décidé qu'elle avait besoin de nouveaux rideaux et de nouvelles housses pour le salon, ce qui était bien la dernière chose utile, mais ça me donnait une bonne raison pour venir travailler à côté de mauma.

Elle s'installait sous l'arbre tous les jours et son histoire progressait sur le quilt. Même s'il se mettait à bruiner, elle refusait de bouger – on aurait dit Dieu en train de raccommoder le monde. Lorsqu'elle venait se coucher le soir, elle apportait l'arbre avec elle. L'odeur d'écorce et de champignons blancs. Des débris de terre sur tout le matelas.

L'hiver avait fait ses bagages. Les feuilles sortaient en se tortillant sur les branches de l'arbre et les glands dorés tombaient comme une fourrure perd ses poils. Assise à côté de mauma sur la paillasse, je pensais à Sarah là-bas dans le Nord; son visage pâle voyait-il jamais le soleil? Elle m'avait écrit quelques temps plus tôt, la première lettre que j'aie jamais reçue. Je la gardais dans ma poche presque en permanence.

La femme de Thomas avait donné à Missus un oiseau de cuivre qui retenait le tissu dans son bec. Je coinçais le bout dans son bec, je prenais mes mesures et je coupais. Mauma était en train de découper une application représentant un homme qui tenait un fer à marquer dans le feu.

« Qui est cet homme ? j'ai demandé.

— C'est massa Wilcox. Il m'a marquée la première fois qu'on s'est enfuies. Sky avait sept ans à peu près – j'ai dû attendre qu'elle soit assez grande pour qu'on voyage.

— Sky a dit que vous vous étiez enfuies quatre fois.

— On est reparties l'année suivante quand elle avait huit ans, et puis quand elle en avait neuf mais, cette fois, ils l'ont fouettée, elle aussi, alors j'ai arrêté.

— Comment ça se fait que t'as recommencé encore une dernière fois, alors ?

— Quand j'ai débarqué là-bas, avant la naissance de Sky, massa Wilcox est venu me voir. Tout le monde savait ce qu'il voulait, forcément. Quand il a posé la main sur moi, j'ai pris une pelletée de charbons chauffés au rouge sur le feu et je la lui ai balancée. Il a eu le bras tout brûlé à travers sa chemise. C'est là que je me suis fait fouetter pour la première fois mais il a plus jamais tenté ça avec moi. Et quand Sky a eu treize ans l'année dernière, il est revenu pour rôder autour d'elle. Je lui ai dit à la petite, on s'en va et plutôt mourir que pas réussir. »

Il n'y avait pas de mots de taille à lutter contre tout ça. J'ai dit : « Eh, vous avez réussi. Vous êtes ici maintenant. »

Nos aiguilles sont reparties. Dans le jardin, Sky était en train de chanter *Ef oona ent kno weh oona da gwuine, oona should kno weh oona dum from*.

Depuis qu'elle était là, Sky n'avait jamais mis le pied hors de l'enceinte Grimké. Missus n'avait aucun document attestant qu'elle en était propriétaire et Nina disait que, dehors, ça pouvait se révéler dangereux. Depuis Denmark, les règles s'étaient durcies et les *buckruhs* étaient devenus plus méchants mais quand ça a été de nouveau jour de marché j'ai dit à Nina : « Fais donc un laissez-passer pour Sky, fais ça pour moi. Je veillerai sur elle. »

J'ai mis un foulard propre sur la tête de Sky et je lui ai noué un tablier bien repassé autour de la taille. J'ai dit : « Et maintenant, fais gaffe à ne pas trop parler, d'accord ? »

Dehors, je lui ai montré les ruelles dans lesquelles s'enfoncer. Je lui ai désigné les gardes, comment passer devant les yeux baissés, comment céder le passage aux Blancs, comment survivre à Charleston.

Le marché était animé – les hommes qui portaient des lattes de bois chargées de poissons et les femmes qui déambulaient avec des paniers de légumes sur la tête gros comme des lessiveuses. Les petites esclaves étaient dehors, elles aussi, à vendre des galettes d'arachide dans leurs chapeaux de paille. Quand on est passées près des étals du boucher avec ses rangées de têtes de veaux sanguinolentes, Sky a ouvert des yeux comme des soucoupes. « Mais d'où ça vient tous ces trucs ? elle a demandé.

— Eh, tu es en ville maintenant. »

Je lui ai montré comment choisir ce dont Aunt-Sister avait besoin – du café, du thé, de la farine, de la semoule de maïs, du rumsteak, du saindoux. Je lui ai appris à marchander, à vérifier sa monnaie. La petite savait calculer de tête plus vite que moi.

Les courses terminées, j'ai dit : « Maintenant, on va aller quelque part et je veux pas que t'en parles à mauma, ni à Goodis ni à personne. »

Quand on est arrivées chez Denmark, on est restées dans la rue à regarder la façade blanchie à la chaux tout abîmée. J'étais venue là quelques mois après qu'ils avaient lynché Denmark et quand j'avais frappé à la porte une affranchie que j'avais jamais vue m'avait répondu. Elle a expliqué que son mari avait acheté la maison à la ville, qu'elle savait pas ce qu'était devenue Susan Vesey.

J'ai dit à Sky : « Tu chantes toujours qu'on devrait savoir d'où on vient. » J'ai désigné la maison. « C'était ici que vivait ton papa. Il s'appelait Denmark Vesey. »

Elle quittait pas la véranda des yeux pendant que moi, je lui parlais de lui. J'ai dit qu'il était menuisier, un homme grand, plein de courage et bien plus intelligent que n'importe quel Blanc. J'ai dit qu'à Charleston les esclaves l'appelaient Moïse et qu'il n'avait vécu que pour notre libération. Je lui ai parlé du sang qu'il était bien décidé à verser. Du sang avec lequel je m'étais réconciliée depuis belle lurette.

Elle a dit : « Je suis au courant pour lui. Ils l'ont pendu.

— S'il en avait eu l'occasion, il t'aurait appelée sa fille. »

Nous n'avions pas soufflé la bougie depuis cinq minutes que mauma a chuchoté de l'autre côté du lit : « Qu'est-ce qui est arrivé à l'argent ? »

J'ai rouvert brusquement les yeux. « Quoi ?

— L'argent que j'avais économisé pour acheter notre liberté. Qu'est-ce qu'il est devenu ? »

Sky dormait déjà profondément et, à chaque respiration, elle laissait échapper un petit sifflement. Nos voix l'ont fait se retourner en marmonnant des mots indistincts. Je me suis redressée sur un coude pour regarder mauma couchée entre nous deux. « J'ai cru que tu l'avais emporté.

— Ce jour-là, j'étais partie livrer des bonnets. Pourquoi donc j'aurais pris tout cet argent dans ma poche ?

— Je sais pas, j'ai murmuré. Mais il est pas ici. Je l'ai cherché partout.

— Eh bien, il se trouvait juste sous ton nez pendant tout ce temps – si ça avait été un serpent, il t'aurait mordue. Où il est, le premier quilt que tu as fait – celui avec les carrés rouges et les triangles noirs ? »

J'aurais dû le savoir.

« Je le range sur le cadre à quilt avec les autres. C'est là que t'as caché l'argent ? »

Elle a repoussé les couvertures et elle s'est levée, avec moi qui m'agitais derrière pour rallumer la bougie. Sky s'est redressée dans l'obscurité chaude et grésillante.

« Allez, debout, lui a dit mauma. On a besoin de faire descendre le cadre à quilt au-dessus du lit.

Sky a obéi, l'air endormi et perdu, pendant que j'attrapais la corde et que je tirais dessus. Les roues de la poulie avaient sacrément besoin d'être graissées.

Mauma a plongé dans la pile de quilts entassés sur le cadre et elle a trouvé celui qu'elle cherchait presque tout au fond. Quand elle l'a secoué, la pièce s'est remplie d'une odeur de vieux tissu. Elle a fendu la doublure et elle a passé la main à l'intérieur. En souriant, elle a sorti un premier petit paquet puis cinq autres, tous enveloppés de mousseline et noués d'une ficelle tellement pourrie qu'elle s'est détachée toute seule. « Regardez-moi ça, elle a dit.

— T'as trouvé quoi ? » a demandé Sky.

On lui a raconté comment mauma avait pris l'habitude de travailler à l'extérieur, on s'est mises à danser en examinant de près notre fortune et après on a rangé les billets sur le cadre et je l'ai remonté jusqu'au plafond.

Sky s'est rendormie mais mauma et moi, on avait les yeux grands ouverts.

Elle a dit : « Demain, la première chose à faire, c'est de remballer les billets et de les coudre à nouveau dans le quilt.

— On n'a pas assez pour nous acheter toutes les trois.

— Je sais, pour l'instant, on va attendre de voir. »

La nuit a repris ses droits, je suis partie à la dérive, je flottais entre deux eaux. Juste avant de m'enfoncer, j'ai entendu mauma dire : « J'espère plus devenir libre. Pour moi, la seule façon que je sois libre, c'est que vous, vous le soyez. »

Sarah

13 avril 1828

Ma bien-aimée Nina,

Le mois dernier, Israel m'a demandée en mariage, il a enfin décidé de se déclarer. Tu seras étonnée d'apprendre que je n'ai pas accepté. Il ne souhaitait pas me voir persévérer dans mes projets pour devenir pasteur, du moins pas si je devenais sa femme. Comment aurais-je pu choisir quelqu'un qui m'aurait obligée à renoncer à ma petite tentative personnelle pour trouver du sens à la vie ? Je me suis choisie moi-même et sans lot de consolation.

Tu aurais dû le voir. Il ne pouvait pas accepter qu'une femme d'âge mûr, déjà fanée, pût préférer la solitude à lui. Séduisant Israel, toujours convenable. Quand je lui ai donné ma réponse, il m'a demandé si je me sentais malade, si j'étais bien moi-même. Il m'a expliqué à quel point je commettais une grave erreur. Il a dit que je devais y réfléchir encore. Il a insisté pour que j'en parle avec les Anciens. Comme si ces hommes pourraient jamais connaître mon cœur.

À Arch Street, les gens n'ont pas mieux compris mon refus qu'Israel lui-même. Ils considèrent que je suis égoïste et malavisée. Est-ce la vérité, Nina ? Suis-je idiote ? À mesure que les semaines passent sans qu'il vienne me voir alors que je me sens inconsolable, je crains d'avoir commis la plus grosse bêtise de ma vie.

Je veux te dire à quel point je suis forte et résolue mais en réalité j'ai peur, je me sens seule et hésitante. J'ai l'impression qu'il est mort et j'imagine que, dans un sens, c'est vrai. Je me retrouve sans rien sauf cet étrange battement de cœur qui m'assure que je suis bâtie pour accomplir quelque chose dans ce monde. Je ne puis m'excuser de ce petit battement de cœur, ni de l'aimer autant que je l'aime, lui Israel.

Je pense à toi et à ton Révérend McDowell avec espoir et toute ma bénédiction.

Prie pour ta sœur aimante,
Sarah

Je posai ma plume et scellai ma lettre. Il était tard, la maisonnée Mott dormait, la bougie allait bientôt s'éteindre et la nuit résistait derrière la fenêtre. Depuis des semaines, je me refusais à écrire à Nina mais maintenant que c'était fait, comme un point de non-retour, j'abdiquais les rôles que j'avais toujours joués pour elle : mère, sauveteuse, modèle. Je ne voulais plus être tout cela. Je voulais être ce que j'étais, sa sœur faillible.

Lorsque Lucretia me tendit la lettre de Nina, j'étais dans la cuisine en train de faire des gâteaux comme en faisait Aunt-Sister, avec de la farine de blé, du beurre, de l'eau froide et une cuillerée de sucre. Je n'aimais guère faire la cuisine mais je m'efforçais de donner un coup de main par-ci par-là. J'ouvris la lettre au-dessus du saladier rempli de farine.

1er juin 1828

Ma sœur chérie,
Tiens bon. Le mariage est surévalué.
Les nouvelles me concernant, même si elles ne sont pas aussi désespérées que les tiennes, sont identiques. Il y a quelques semaines, je me suis rendue à l'église avant l'office et j'ai demandé aux Anciens de renoncer à leurs esclaves

et de dénoncer publiquement l'esclavage. Cela n'a pas du tout été bien perçu. Tout le monde, y compris Mère, notre frère Thomas et même le révérend McDowell ont réagi comme si j'avais commis un crime. Je leur demandais de renoncer à ce péché, pas au Christ ni à la Bible !

Le révérend McDowell est d'accord avec moi sur le principe mais quand j'ai insisté pour qu'il prêche en public ce qu'il me déclare dans l'intimité, il a refusé. « Prie et attends, m'a-t-il répondu. Prie et agis, ai-je rétorqué. Prie et parle ! »

Comment pourrais-je épouser quelqu'un qui fait preuve de tant de lâcheté ?

Désormais, je n'ai plus d'autre choix que de quitter son Église. J'ai décidé de suivre ton exemple et de devenir quaker. Je frémis en pensant aux robes atroces et au temple austère, mais ma décision est prise.

Bon vent, Israel ! Console-toi avec la certitude que le monde dépend de ce petit battement dans ton cœur.

Avec toute ma tendresse,
Nina

Lorsque j'eus achevé ma lecture, je pris une chaise pour m'asseoir. Des particules de farine flottaient dans l'air. Cela semblait une drôle de coïncidence : Nina et moi, nous vivions toutes deux la même douleur à seulement quelques semaines de distance. *Bon vent, Israel*, avait-elle écrit, mais il n'y avait rien de bon là-dedans. Je craignais fort de l'aimer jusqu'à la fin de mes jours, de toujours me demander à quoi cela aurait ressemblé de passer ma vie avec lui à Green Hill. J'étais taraudée par ce désir comme quelqu'un qui ne peut qu'idéaliser la vie qu'il a choisi de ne pas mener. Mais assise devant cette table en pin, je savais que si j'avais accepté la proposition d'Israel, j'aurais été également pleine de regrets. J'avais finalement choisi les regrets avec lesquels j'avais le moins de difficultés à vivre, voilà tout. J'avais choisi la vie avec laquelle j'étais en accord.

Cela faisait près de deux ans que je me battais pour être reconnue comme pasteur, sans succès, et j'accentuais encore mes efforts, en travaillant bénévolement à l'orphelinat pour convaincre les femmes quaker. Je passais tant de soirées à lire des textes sur la pensée quaker, sur le culte quaker, que je sentais en permanence la paraffine. L'obstacle principal cependant restaient mes interventions pendant le culte, des interventions absolument sinistres. Ma nervosité dès qu'il s'agissait de prendre la parole ne faisait qu'exacerber mon bégaiement et Mr. Bettleman se plaignait de mes « bredouillements incohérents ». On disait que l'art de la rhétorique n'était pas obligatoire pour devenir ministre mais, en réalité, tous ceux qui siégeaient sur le banc des Anciens étaient des orateurs impressionnants.

J'allai consulter le médecin qui m'avait prescrit mes lunettes dans l'espoir, en définitive, d'un traitement ; mais il me terrifia littéralement en parlant d'opérations au cours desquelles on tranchait la racine de la langue pour ôter les tissus excédentaires. Je quittai son cabinet en me promettant de ne jamais y retourner. Cette nuit-là, incapable de dormir, je m'assis dans la cuisine avec un verre de lait chaud et des noix de muscade ; je répétai encore et encore « Ton thé t'a-t-il ôté ta toux ? », un de ces virelangues que Nina voulait tellement m'entendre dire quand elle était enfant.

8 octobre 1828

Ma chère Sarah,

Je m'apprête à être publiquement chassée de la troisième Église presbytérienne. Il semble qu'ils n'aient guère apprécié que j'assiste au culte quaker ces quelques derniers mois. Mère est consternée. Elle insiste pour dire que ma chute a commencé quand j'ai refusé la confirmation à St. Philip. À l'en croire, j'étais à l'époque une marionnette de douze ans dont tu tirais les fils et aujourd'hui je suis une marionnette de vingt-quatre ans que tu continues à manipuler depuis Philadelphie. Comme tu es adroite, tout de même! Mère s'est sentie obligée d'ajouter que je suis une marionnette sans mari, ce dont je peux remercier mon orgueil et ma langue qui a toujours un avis sur tout.

Hier, le révérend McDowell est venu nous voir et il m'a informée que je devais revenir dans « le giron des élus de Dieu » si je ne voulais pas me retrouver convoquée à l'église et jugée pour avoir rompu mes vœux et négligé toute pratique religieuse. Tu te rends compte? Je lui ai répondu aussi calmement que j'ai pu : « Faites-moi parvenir ce document me citant à comparaître devant votre tribunal et je me défendrai moi-même. » Puis je lui ai offert du thé. Comme dit Mère, je suis orgueilleuse, fière et même fière de ma fierté. Mais, dès qu'il est parti, j'ai couru jusqu'à ma chambre et j'ai éclaté en sanglots. Je vais être jugée!

Mère affirme que je dois renoncer à mes bêtises quakers et revenir chez les presbytériens, sinon je vais attirer l'opprobre public sur les Grimké. Eh bien, nous avons déjà connu cela, n'est-ce pas? La mise en accusation de Père, ce méprisable Burke Williams et ton effroyable « désertion » vers le Nord. Aujourd'hui, c'est mon tour.

Je reste ferme sur mes positions.

Ta sœur,

Nina

Durant l'année qui suivit, j'entretins avec Nina une correspondance qui ressemblait fort à un journal, comme je n'en avais plus écrit depuis la mort de Père. Je lui racontais comment je m'entraînais à répéter « Ton thé t'a-t-il ôté ta toux? », à quel point j'avais peur que ma voix m'empêche de réaliser mes plus beaux espoirs. Je lui décrivais l'angoisse que c'était de voir Israel toutes les semaines au culte, la façon dont il m'évitait alors que sa sœur, Catherine, se montrait considérablement plus chaleureuse qu'auparavant, une volte-face que je n'aurais pu imaginer la première fois que j'étais retournée là-bas.

J'envoyais à Nina les dessins que je faisais du studio et lui rapportais les conversations que nous y avions, Lucretia et moi. Je la tenais au courant des plus belles pétitions qui circulaient dans Philadelphie : ne pas permettre que les Noirs libres puissent être chassés d'un quartier blanc, interdire les «bancs réservés aux gens de couleur» dans les lieux de culte.

Cela m'est apparu comme une grande révélation, lui écrivais-je, *vouloir l'abolition, ce n'est pas la même chose que vouloir l'égalité des races. Le préjugé sur les gens de couleur est au fondement de tout. Tant que ce problème n'est pas réglé, la situation désespérée des Noirs continuera longtemps après l'abolition.*

En réponse, Nina m'écrivit : *Je voudrais pouvoir afficher ta lettre au vu de tous au beau milieu de Meeting Street!*

Pareille idée n'avait rien pour me déplaire.

Elle me racontait ses querelles avec Mère, l'ennui qu'elle ressentait à rester assise dans la Maison quaker et l'ostracisme rampant auquel sa conduite l'exposait à Charleston. *Pendant combien de temps dois-je rester sur cette terre d'esclavage?* écrivait-elle.

Puis, par une indolente journée d'été, Lucretia me remit une lettre.

12 août 1829

   Chère Sarah,

Il y a plusieurs jours, alors que j'étais en route pour rendre visite à un de nos malades, j'attendais au carrefour de Magazine Street et de Archdale Street quand j'ai aperçu deux garçons – c'était vraiment des enfants! – qui escortaient une esclave terrifiée jusqu'à la Work House. Elle les suppliait de changer d'avis et, en me voyant, elle m'a implorée en sanglotant, «Je vous en prie, Missus, aidez-moi.» Je n'ai rien pu faire.

Je comprends maintenant qu'ici, je ne peux rien faire. Je viens te rejoindre, ma sœur. Je vais quitter Charleston et faire voile vers Philadelphie à la fin d'octobre, après les tempêtes. Nous serons ensemble, et ensemble, rien ne pourra nous décourager.

                 Avec tout mon amour,
                         Nina

J'attendais Nina depuis plus d'une semaine et je montais la garde devant la fenêtre de ma nouvelle chambre, chez Catherine. En novembre, nous avions eu un temps épouvantable, son bateau avait été retardé mais depuis hier, les nuages s'étaient dissipés.

Aujourd'hui. Aujourd'hui, certainement.

Sur mes genoux, il y avait un petit abrégé du culte quaker mais j'étais incapable de me concentrer. Je le fermai et commençai à arpenter la chambre étroite, une petite cellule austère semblable à celle qui attendait Nina de l'autre côté du palier. Je me demandais ce qu'elle en penserait.

Cela avait été difficile de quitter la maison de Lucretia mais, là-bas, il n'y avait pas de chambre d'amis pour accueillir Nina. La belle-fille d'Israel avait pris possession de Green Hill, ce qui avait permis à Catherine de se réinstaller dans sa petite maison en ville et, lorsqu'elle avait proposé de nous loger toutes les deux, j'avais accepté avec soulagement.

Je revins vers la fenêtre pour scruter les affleurements de bleu au-dessus de nos têtes puis le flot de feuilles d'orme dans la rue, d'un jaune intense, et brusquement je me sentis surprise de ma propre vie. Comme elle s'était bizarrement organisée, de façon tellement différente de tout ce que j'avais imaginé. La fille du juge John Grimké – un patriote Sudiste, propriétaire d'esclaves et aristocrate –, vivant dans cette austère demeure Nordiste, célibataire, quaker, abolitionniste.

Une voiture tourna le coin de la rue. Je m'immobilisai un instant, arrêtée par le *clomp clomp* des chevaux alezans, la façon dont leur démarche altière provoquait des remous dans les feuilles, et puis je me mis à courir.

Lorsque Nina ouvrit la portière et me vit me précipiter vers elle sans même un châle, mes cheveux roux s'échappant par mèches entières des épingles qui les retenaient, elle se mit à rire. Elle portait un manteau noir, très long, avec une capuche ; elle la rejeta en arrière et apparut dans toute sa splendeur, brune et radieuse.

« Ma sœur ! » s'écria-t-elle en se jetant dans mes bras.

VI.

Juillet 1835 – Juin 1838

Handful

Ce matin-là, debout à côté du lit, je regardais mauma qui dormait encore, les mains en boule sous le menton, comme une enfant. Je détestais devoir la réveiller mais je lui ai tapoté le pied et elle a soulevé les paupières. J'ai dit : « Tu te sens la force de te lever ? Little Missus m'a envoyée te chercher. »

Little Missus, c'était ainsi que nous appelions Mary, l'aînée des filles Grimké. Elle était devenue veuve au début de l'été et, avant même d'enterrer son mari, elle avait refilé la plantation de thé à ses garçons en disant que cet endroit l'avait tenue coupée du monde pendant déjà trop longtemps. Sans nous laisser le temps de dire ouf, on l'avait vue arriver avec neuf esclaves et plus de vêtements et de meubles que la maison pouvait en contenir. J'ai entendu Missus lui dire : « Tu n'avais pas besoin d'apporter la plantation tout entière avec toi. » Et Mary avait répondu : « Et mon argent, vous auriez aussi préféré que je l'abandonne derrière moi ? »

Juste au moment où Missus ne parvenait plus à lever sa canne à embout doré parce qu'elle avait la force d'un enfant de trois ans, voilà qu'arrivait Little Missus, toute prête à prendre la relève. Elle avait les yeux cernés de pattes-d'oie comme des traces de flèches et des fils d'argent dans les cheveux, mais c'était la même. Ce qui nous avait le plus marqués à l'époque où Mary était enfant, c'était la façon désastreuse dont elle traitait sa servante,

Lucy – l'autre fille de Binah. Le jour où Mary a débarqué avec tout son cortège, Phoebe s'est précipitée hors de la cuisine en criant : « Lucy ! Lucy ? » Comme personne n'a répondu, elle a couru vers Little Missus en lui demandant : « Vous avez amené ma sœur Lucy avec vous ? »

Little Missus a eu l'air déconcerté et puis elle a dit : « Oh, elle. Elle est morte il y a belle lurette. » Elle n'a pas vu le visage ravagé de Phoebe, rien que son tablier de cuisine. « Je ne sais pas à quelle heure on sert le déjeuner, a-t-elle repris, mais à partir de maintenant, ce sera à deux heures. »

Les quartiers des esclaves craquaient aux coutures. Toutes les pièces étaient remplies, certains dormaient par terre. Aunt-Sister et Phoebe protestaient sur le nombre de bouches à nourrir et Little Missus nous a obligées, mauma et moi, à coudre des nouvelles livrées et des robes pour tout le monde. Bienvenue aux esclaves Grimké. Elle n'avait pas amené de couturière avec elle mais la terre entière et son cousin au second degré. On avait un nouveau major-dome, une blanchisseuse, la servante personnelle de Little Missus, un cocher, un valet de pied, un palefrenier, une nouvelle aide pour la cuisine, pour la maison et pour la cour. Sabe s'est retrouvé rétrogradé aux jardins avec Sky, et Goodis, le pauvre Goodis, il restait assis dans l'écurie toute la journée, à sculpter des bouts de bois. Lui et moi, on a même perdu la petite pièce où nous continuions d'aller de temps en temps pour nous aimer.

Désormais, ici, dans la chambre du sous-sol, mauma ne soulevait pratiquement plus sa tête de l'oreiller. Elle n'était plus d'aucune utilité pour Little Missus. Elle a dit : « Mais qu'est-ce qu'elle me veut ?

— On a une grande réception aujourd'hui et elle veut que les rubans soient cousus sur les serviettes. Elle fait comme si tu étais la seule à pouvoir le faire. Elle m'a demandé de préparer les tables.

— Où est Sky ?

— Sky est en train de laver l'escalier de devant. »

Mauma avait l'air épuisé. Je savais que les douleurs qu'elle avait dans le ventre avaient empiré parce que, de toute la semaine, elle n'avait fait que picorer dans son assiette. Elle s'est redressée lentement et elle était si maigre que son corps, ça faisait comme une tige qui sortait du matelas.

« Mauma, recouche-toi. Je vais m'occuper de ces rubans.

— Tu es une bonne petite, Handful. Tu l'as toujours été. »

Le quilt-histoire était plié au pied du lit, car elle aimait le savoir près d'elle. Elle l'a étalé en travers de ses jambes. On était en juillet, une journée chaude et poisseuse ; l'espace d'un instant, je me suis demandé si ce froid qu'elle ressentait n'était pas celui qui vient quand arrive la fin. Mais elle s'est mise à le tourner jusqu'à trouver le premier carré. « C'est ma granny-mauma quand les étoiles tombent et qu'elle se retrouve vendue. »

Je me suis assise à côté d'elle. Elle n'avait pas froid, elle voulait seulement raconter encore une fois l'histoire inscrite sur le quilt. Elle adorait raconter cette histoire.

Elle avait tout oublié des rubans et des ennuis s'annonçaient à l'horizon pour moi mais il s'agissait de mauma, et il s'agissait de l'histoire. Elle a passé en revue le quilt tout entier, chaque carré, prenant son temps pour ceux qu'elle avait réalisés depuis son retour. Elle qui se fait embarquer dans le chariot par la Garde. Elle qui travaille dans les rizières avec son bébé sur le dos. Un homme qui lui marque l'épaule au fer rouge d'une main et de l'autre, lui tape sur les dents à coups de marteau. Elle qui s'enfuit à la lumière de la lune. Elle a fini par arriver au dernier carré, le quinzième – c'était moi, mauma et Sky avec nos bras liés ensemble comme une maille de chaînette.

Je me suis levée. « Rendors-toi maintenant.

— Non, je viens. Je monte d'ici peu de temps. »

Elle avait les yeux brillants comme ces lanternes en papier qu'on installait pour les garden-parties.

J'étais dans la salle à manger, face à la fenêtre, en train de remplir de fruits de grandes cornes en cristal, tout ce qui n'était pas pourri dans le garde-manger, quand j'ai aperçu mauma qui se dirigeait très lentement vers l'arbre des âmes au fond de la cour. Elle s'était enveloppée dans le quilt-histoire.

Mes mains se sont immobilisées – la façon dont elle glissait un pied, s'arrêtait, puis glissait l'autre. Quand elle a atteint l'arbre, elle a posé la main sur le tronc et elle s'est laissée glisser jusqu'à terre. Mon cœur a commencé à battre de façon désordonnée.

Sans regarder si Little Missus se trouvait dans les parages, j'ai filé par la porte de derrière. Aussi vite que je pouvais, aussi vite que la terre voulait passer sous mes pieds.

« Mauma ? »

Elle a relevé la tête. Toute lumière s'était éteinte dans son regard. Il ne restait plus qu'une mèche noire.

Je me suis mise à côté d'elle. « Mauma ?

— Tout va bien. Je viens chercher mon âme pour l'emporter avec moi. » On avait l'impression que sa voix venait de très loin à l'intérieur d'elle. « Je suis fatiguée, Handful.

J'ai essayé de ne pas avoir peur. « Je vais m'occuper de toi. Ne t'inquiète pas, tu vas pouvoir te reposer. »

Elle a souri, le plus triste des sourires, pour que je comprenne que du repos, elle allait en avoir, mais pas celui que j'espérais. Je lui ai pris les deux mains. Elles étaient glacées. Des os de petit oiseau.

Elle a répété : « Je suis fatiguée. »

Elle voulait que je lui dise que tout allait bien, qu'elle pouvait prendre son âme et s'en aller mais je ne pouvais pas le lui dire. J'ai répondu : « Bien sûr que t'es fatiguée. Tu as travaillé dur toute ta vie. Travailler, tu n'as fait que ça.

— Ne garde pas ce souvenir-là de moi. Ne garde pas le souvenir que j'étais une esclave qui a travaillé dur. Quand tu penseras à moi, tu diras, elle n'a jamais fait partie de ces gens-là. Elle n'a jamais appartenu à personne qu'à elle-même. » Elle a fermé les yeux. « Tu te souviendras de ça.

— Je m'en souviendrai, mauma. »

J'ai resserré le quilt autour de ses épaules. Là-haut, dans les branches, les corbeaux ont croassé. Les colombes ont gémi. Le vent s'est penché vers elle pour l'emporter dans le ciel.

Sarah

Dans la chaleur torride d'un matin d'août, nous arrivâmes à la Maison quaker, bien décidées à entrer pour nous installer sur le banc réservé aux Noirs.

«... Nous sommes bien sûres de vouloir le faire?» demandai-je à Nina.

Elle s'arrêta sur l'herbe jaunie, le visage dans la lumière ambrée et crue du ciel sans nuage. «Mais tu as dit que le banc des Noirs était une barrière qu'il fallait briser!»

J'avais effectivement dit cela, la veille au soir. Sur le moment, j'avais été saisie par cette idée mais maintenant, dans l'éclat aveuglant du jour, cela ressemblait davantage à une dangereuse initiative qu'à une barrière qu'on brise. Jusqu'à présent, les membres de la communauté d'Arch Street s'étaient accommodés de mes déclarations anti-esclavagistes comme on tolère le grouillement des insectes quand on est dehors – on les écrase en les ignorant le plus possible – mais là, on s'engageait dans tout autre chose. Pareil acte de rébellion ne m'aiderait sûrement pas dans le long combat que je menais pour devenir ministre quaker. L'idée de m'asseoir sur le banc des Noirs était venue après avoir lu *The Liberator*, un journal anti-esclavagiste que Nina et moi rapportions dans nos paquets et, une fois, plié dans le bonnet de Nina. Il était publié par Mr. William Lloyd Garrison, sans doute l'abolitionniste le plus radical du pays. J'étais convaincue que, si Catherine en trouvait un seul exemplaire dans nos chambres, elle nous chasserait sans sommation. Nous les dissimulions sous nos matelas et je me demandais maintenant si n'aurions pas dû rentrer pour les brûler.

La vérité, c'était que rien de tout cela n'était prudent. Des groupes pro-esclavagistes avaient fait régner la terreur tout l'été, non pas dans le Sud, mais ici, dans le Nord. Ils avaient balancé les presses à imprimer des abolitionnistes dans les fleuves, ils avaient mis le feu aux maisons des Noirs libres et des abolitionnistes, près d'une cinquantaine rien qu'à Philadelphie. Cette violence avait été un vrai choc pour Nina et moi – apparemment, la géographie n'était plus une protection. En étant abolitionniste, on risquait de se faire attaquer en pleine rue – interpeller, matraquer, lapider, tuer. La tête de certains était mise à prix et la plupart d'entre nous vivaient cachés.

En voyant à quel point Nina était déçue, je regrettai que Lucretia ne fût pas là. J'aurais aimé qu'elle surgisse à côté de moi avec son bonnet en organdi blanc et son regard intrépide, mais James et elle avaient changé de Maison, trouvant celle d'Arch Street trop conservatrice. J'avais envisagé de les suivre jusqu'à ce que Catherine dise clairement que Nina et moi serions alors obligées de chercher un autre logis et il existait fort peu d'endroits convenables, pour ne pas dire aucun, où deux sœurs célibataires pouvaient vivre ensemble. Parfois, je repensais à ce jour au bord du Delaware où j'avais déclaré à Lucretia que je ne regarderais plus en arrière ; j'avais continué à avancer du mieux que je pouvais, mais il y avait en permanence des compromis à trouver, une infinité de petites concessions.

« Tu n'es pas en train de te dégonfler ? me demanda Nina. Ne me dis pas que c'est le cas. »

J'entendis la voix d'Israel résonner dans la foule, il appelait Becky et, levant les yeux, je l'aperçus de dos qui disparaissait dans la Maison. Je m'immobilisai, dans l'odeur chaude des selles des chevaux et la puanteur de l'urine sur les pavés.

« Je suis toujours prête à me dégonfler... mais viens, ils ne m'en empêcheront pas. »

Elle glissa son bras sous le mien et j'eus du mal à suivre son allure tandis qu'elle m'entraînait vers la porte, le menton levé avec cet air de défi qu'elle avait depuis l'enfance ; l'espace d'une seconde, je la revis à quatorze ans, assise sur le canapé jaune en face du révérend Gadsden, avec le menton tout aussi déterminé, refusant la confirmation à St. Philip.

Nina n'était à Philadelphie que depuis peu de temps quand les quakers en avaient fait une institutrice d'école maternelle, un travail qu'elle méprisait. Nos demandes pour un autre emploi avaient été ignorées – je crois qu'ils estimaient qu'il fallait lui rabattre un peu son caquet en lui faisant changer les couches des bébés. Les hommes célibataires, dont le fils de Jane Bettleman, Edward, se piétinaient les uns les autres pour l'aider à descendre de voiture puis s'attardaient dans les parages au cas où elle aurait laissé tomber quelque chose qu'ils auraient pu ramasser mais elle, elle les trouvait tous ennuyeux. Quand elle avait fêté ses trente ans l'hiver précédent, j'avais commencé à m'inquiéter sans rien dire, non pas à l'idée qu'elle devienne une autre tante Amelia Jane comme moi – en fait, je lui avais même dit que si elle se retrouvait avec Mrs. Bettleman comme belle-mère, nous n'aurions plus qu'à nous jeter toutes les deux dans la rivière. Non, ce qui m'inquiétait, c'était qu'elle se retrouve à quarante-trois ans, l'âge que j'avais, toujours en train de faire roter les bébés quakers.

Le banc des Noirs se trouvait dans l'espace ménagé sous l'escalier qui menait au balcon. Comme à l'accoutumée, un homme montait la garde pour qu'aucun Blanc ne s'y assoie par accident et qu'aucune personne de couleur ne s'aventure au-delà. Quand je vis qu'Edward Bettleman était de garde aujourd'hui, je poussai un soupir. Manifestement, nous étions vouées à nous faire régulièrement des ennemis dans cette famille.

Sarah Mapps Douglass et sa mère, Grace, vêtues de leurs robe et bonnet quakers, étaient assises sur le banc.

Seules Noires parmi nous, Sarah Mapps, qui avait à peu près le même âge que Nina, enseignait dans l'école pour enfants noirs qu'elle avait créée et sa mère était modiste. Elles étaient connues pour leurs tendances abolitionnistes mais, tandis que nous avancions vers elles, je me demandai pour la première fois si ce que nous nous apprêtions à faire, Nina et moi, leur serait désagréable, si elles se trouveraient impliquées d'une quelconque manière.

Cette pensée me traversa l'esprit et j'hésitai ; me voyant m'arrêter, doutant de la fermeté de ma résolution, Nina marcha à vive allure jusqu'au banc et se laissa tomber à côté de la plus âgée des deux femmes.

J'ai le souvenir confus de plusieurs choses se passant en même temps – Mrs. Douglass laissa échapper un cri de surprise, Sarah Mapps se tourna vers moi, ayant tout compris, Edward Bettleman se précipita vers Nina en disant trop fort : « Pas ici, vous ne pouvez pas vous asseoir ici. »

Ignorant son intervention, Nina regardait courageusement droit devant elle pendant que je me glissais à côté de Sarah Mapps. Edward s'adressa à moi « Miss Grimké, ceci est le banc des Nègres, vous ne pouvez pas rester là.

—… Nous sommes bien ici », répondis-je en remarquant que des rangées entières de gens se démanchaient le cou pour voir ce qui se passait.

Edward n'insista pas et, dans le silence qui suivit, j'entendis les femmes sortir leurs éventails et les hommes s'éclaircir la gorge et j'espérais que cette agitation allait se calmer mais, à l'autre bout de la salle, sur le banc des anciens, les chuchotements allaient bon train et soudain, je vis Edward revenir avec son père.

D'instinct, nous nous rapprochâmes toutes les quatre sur le banc.

« Je vous demande de respecter la sainteté et la tradition du culte et de quitter ce banc », déclara Mr. Bettleman.

Le souffle de Mrs. Douglass s'accéléra et je fus saisie de peur à l'idée que nous les avions mises en danger. Trop tard, je me souvins d'une femme noire libre qui avait pris place sur un banc de Blancs lors d'un mariage et qu'on avait obligée à balayer les rues de la ville. De la main, je désignai les deux femmes. «... Elles n'ont rien à voir avec..., j'avais failli dire *notre acte de rébellion*, mais je m'étais interrompue. ... Elles n'ont rien à voir avec ceci.

— Ce n'est pas vrai», protesta Sarah Mapps en jetant un coup d'œil à sa mère puis à Mr. Bettleman. Nous avons tout à voir avec ceci. Nous sommes bien assises ensemble, n'est-ce pas ? »

Elle glissa ses mains dans les plis de sa jupe pour dissimuler leur tremblement, un geste qui suscita en moi autant de peine que d'affection.

Il attendait mais nous ne bougions pas. «Je vais vous le répéter une dernière fois», annonça-t-il. Il avait l'air incrédule, outré, certain d'être dans son bon droit mais il pouvait difficilement nous déplacer de force. Quoi que...

Nina se redressa, le regard embrasé. «Nous ne bougerons pas d'ici, monsieur ! »

Le visage de l'homme s'empourpra. Se tournant vers moi, il dit d'une voix basse et soigneusement maîtrisée : «Faites attention, Miss Grimké. Maîtrisez votre sœur et maîtrisez-vous également. »

Il s'éloigna ; je regardai Sarah Mapps et sa mère qui, soulagées, se serraient la main et puis Nina, l'air plutôt exultant. Elle était plus courageuse que moi, elle l'avait toujours été. Je me préoccupais bien trop de l'opinion des autres ; elle, elle s'en fichait éperdument. J'étais prudente, elle était impétueuse. J'étais quelqu'un qui réfléchissait, elle, elle agissait. J'allumais les feux, elle les propageait. Et là, brusquement mais définitivement, je compris à quel point les Parques avaient été rusées. Nina était une aile et moi, l'autre.

Par un après-midi de septembre que nous pensions paisible, Catherine nous fit descendre de nos chambres en faisant sonner la cloche du thé. Elle nous appelait souvent ainsi lorsqu'une lettre arrivait pour l'une d'entre nous, que le repas était servi ou qu'elle avait besoin d'aide pour quelque tâche ménagère. Nous y allâmes donc sans la moindre méfiance et ils étaient là, les Anciens, assis raides comme des piquets sur les chaises du salon de Catherine, quelques-uns debout le long du mur, et Israel parmi eux. Catherine, seule femme, trônait sur la vieille bergère de velours décatie. Nous étions tombées droit sur l'Inquisition.

Aucune de nous deux n'avait pris la peine de s'attacher les cheveux. Ceux de Nina flottaient sur ses épaules, tout en boucles et en tirebouchons et mes mèches rousses pendaient mollement jusqu'à ma taille. Ce n'était pas convenable devant une assemblée mixte mais Catherine ne nous congédia pas. Les lèvres pincées, elle fit une moue amère qui pouvait passer pour un sourire et nous fit signe d'entrer.

Trois semaines s'étaient écoulées depuis la première fois que nous nous étions assises sur le banc des Noirs en refusant d'en partir et, mis à part Mr. Bettleman, personne ne nous avait adressé le moindre reproche. Nous étions retournées nous asseoir avec Sarah Mapps et Grace la semaine suivante et puis celle d'après, et il n'y avait eu aucune tentative pour nous en empêcher. Je m'étais laissée aller à penser que les Anciens avaient accepté ce que nous avions fait. Apparemment, je m'étais trompée.

Debout côte à côte, nous attendions que quelqu'un parle. Le soleil incendiait les vitres, on se serait cru dans un four mais je sentis un filet de sueur froide ruisseler entre mes seins. Je tentai de croiser le regard d'Israel mais il se recula dans l'ombre de la corniche. Me tournant alors vers Catherine, je vis le journal posé sur ses genoux. *The Liberator.*

Mon ventre se noua.

Elle souleva le journal par un coin entre le pouce et l'index, comme si c'était une souris morte qu'elle avait trouvée dans un piège et qu'elle tenait par la queue. « Une lettre parue en première page du plus célèbre des journaux anti-esclavagistes du pays a attiré notre attention. » Elle remonta ses lunettes – les verres étaient aussi épais qu'un cul de bouteille. «Permettez-moi de vous en faire la lecture. *30 août 1835, Très estimé ami…*»

Nina étouffa un cri. «Oh Sarah, je ne savais pas qu'elle serait publiée.»

Devant son regard éperdu, je m'efforçai de comprendre de quoi il s'agissait. Cela finit par s'éclaircir, je tentai de parler mais je ne réussis à cracher que de l'air. Je dus m'arracher les mots comme on arrache du papier peint. «… Tu… as… écrit à… Mr. Garrison?»

Une chaise racla le sol et je vis Mr. Bettleman s'avancer vers nous. «Vous voulez nous faire croire que vous, une fille de famille propriétaire d'esclaves, vous avez adressé une lettre à un agitateur comme William Lloyd Garrison en pensant qu'il ne la publierait pas? C'est précisément le genre de document incendiaire qu'il diffuse.»

Loin de montrer le moindre remords, Nina n'était que défi. «Oui, j'ai peut-être bien pensé qu'il allait la publier!» s'exclama-t-elle. Puis, se tournant vers moi : «Les gens risquent leur vie pour la cause des esclaves et nous, nous ne faisons rien sauf nous asseoir sur le banc des Noirs! J'ai fait ce que j'avais à faire!»

Brusquement, il fut évident que ce qu'elle avait fait était absolument inévitable. Nos vies ne redeviendraient jamais ce qu'elles avaient été, elle y avait veillé, et j'avais à la fois envie de la serrer dans mes bras, de la remercier, et de la secouer comme un prunier.

Ils faisaient tous la même tête, sinistre, accusatrice, les sourcils froncés, tous sauf Israel. Il gardait les yeux fixés sur le sol comme s'il n'avait qu'une envie, se trouver ailleurs.

Catherine reprit sa lecture et Nina regardait droit devant elle, quelque endroit inaccessible au-dessus de leurs têtes. C'était une longue lettre, éloquente, un brûlot.

«*Si la persécution est indispensable pour accomplir l'émancipation, alors je le dis, qu'elle vienne, car telle est ma conviction, profonde, solennelle et mûrement réfléchie, qu'il s'agit là d'une cause pour laquelle il est digne de mourir. Angelina Grimké.*» Catherine replia le journal et le posa par terre.

Charleston serait évidemment informé de l'existence de cette lettre. Mère, Thomas, toute la famille la lirait avec honte et indignation. Elle ne pourrait plus jamais revenir à la maison – je me demandai si elle y avait songé, à quel point ces mots feraient claquer la dernière porte qui pouvait encore s'ouvrir pour elle là-bas.

À ce moment précis, Israel prit la parole du fond de la salle; je fermai les yeux pour écouter sa voix douce, sa brusque gentillesse. «Vous êtes toutes deux nos sœurs. Nous vous aimons comme le Christ vous aime. Nous ne sommes venus ici que pour vous ramener dans le droit chemin de vos frères quakers. Nous vous acceptons encore parmi nous si vous vous repentez, comme le fils prodigue est revenu chez son père...

— Vous devez désavouer cette lettre sinon vous serez exclues», résuma Mr. Bettleman, clair et succinct.

Exclues. Le mot flotta dans l'air comme un petit couperet, presque visible dans la lumière brutale. Cela ne pouvait pas arriver. J'avais passé treize ans de ma vie avec les quakers, six à la poursuite de ce ministère, la seule profession qui me restait. J'avais renoncé à tout pour cela, au mariage, à Israel, aux enfants.

Je me dépêchai de prendre la parole avant Nina. Je savais ce qu'elle allait dire et alors, le couperet tomberait. «Je vous en prie, je sais que vous êtes des gens miséricordieux.

— Essaie de comprendre, Sarah, tant qu'il s'agissait de s'asseoir sur le banc des Noirs, nous avons détourné les yeux, dit Catherine. Mais là, ça va trop loin.» Les mains jointes sous le menton, elle avait les phalanges blanches. «Et il faudra également réfléchir à l'endroit où vous irez si vous refusez de désavouer cette lettre. Je vous aime beaucoup toutes les deux, mais évidemment vous ne pourrez pas rester ici.»

Ma gorge se serra sous l'emprise de la panique.

«... Est-ce si grave d'écrire une lettre?... Est-ce si grave de donner ainsi corps à nos prières?

— Des sujets pareils... une femme n'a pas à s'en occuper, dit Israel en sortant de l'ombre dans laquelle il se cantonnait le long du mur. À coup sûr, vous n'êtes pas aveugles à cela. » Sa voix s'engluait dans la douleur et la frustration, il avait parlé sur le même ton lorsque j'avais refusé sa proposition et je compris qu'il faisait allusion à bien autre chose que la lettre. « Nous n'avons pas le choix. Ce que vous avez fait en vous exposant de cette manière sort largement des limites du quakerisme. »

Je saisis la main de Nina. Elle était chaude et moite. Je regardai Israel, seulement Israel. « ... Nous ne pouvons pas désavouer la lettre. Je regrette seulement de ne pas l'avoir signée, moi aussi. »

La main de Nina se referma sur la mienne et la serra au point de me faire mal.

Handful

Chère Sarah,
Mauma est morte le mois dernier. Elle s'est endormie sous le chêne et elle ne s'est plus relevée Elle est restée endormie six jours avant de mourir dans son lit, avec moi à côté d'elle et Sky aussi. Ta mère a payé pour qu'elle ait une boîte en pin.

Ils l'ont enterrée dans le cimetière des esclaves, dans Pitt Street. Missus a laissé Goodis nous emmener en voiture Sky et moi pour voir où elle repose et lui dire au revoir. Sky vient d'avoir vingt-deux ans et elle est aussi grande qu'un homme. Quand on était à côté de la tombe, je lui arrivais même pas à l'épaule. Elle a chanté la chanson que les femmes de la plantation chantent quand elles pilent le riz pour l'étaler sur les tombes. Elle a dit qu'on met du riz pour aider les morts à trouver le chemin du retour vers l'Afrique. Sky en avait pris une bonne poignée dans la cuisine et elle l'a répandu sur mauma tout en chantant.

Ce qui m'est venu en tête c'était la vieille chanson que j'avais inventée quand j'étais petite. De l'aut' côté de l'eau de l'aut' côté de la mer, que les poissons m'y transportent sans rien faire. J'ai chanté ça et puis j'ai pris le dé en cuivre, celui que j'ai toujours aimé depuis que je suis petite, et je l'ai déposé sur sa tombe pour qu'elle emporte ce morceau de moi avec elle.

Voilà, j'avais envie que tu le saches. Je crois qu'elle est en paix maintenant.

J'espère que cette lettre te parviendra. Si tu m'écris, fais attention parce que ta sœur Mary surveille tout. Le cocher noir qui vient de sa plantation et qui s'appelle Hector est devenu majordome et c'est son meilleur espion.

Ton amie,
Handful

À la lueur de la chandelle, j'ai écrit le nom et l'adresse de Sarah en imitant l'écriture de Missus du mieux que je pouvais. De toute façon, son écriture était devenue tellement épouvantable que j'aurais pu tracer les lettres n'importe comment et les faire passer pour les siennes. J'ai clos l'enveloppe avec une goutte de cire que j'ai écrasée avec son sceau. J'avais déjà volé un timbre dans sa chambre – disons plutôt que je l'avais emprunté. J'ai prévu de le rendre avant qu'on s'aperçoive de sa disparition. Papier à lettres et enveloppe, en revanche, étaient bel et bien volés.

De l'autre côté de la pièce, Sky dormait, écrasée par la chaleur. J'ai observé comment ses bras cherchaient l'endroit sur le matelas où mauma avait l'habitude de s'étendre, puis j'ai soufflé la chandelle, l'œil fixé sur la fumée qui se dispersait dans l'obscurité. Demain, je glisserais la lettre au milieu des autres prêtes à partir pour la poste en espérant que personne n'y regarderait de trop près.

Sky s'est mise à chanter dans son sommeil, on aurait dit du gullah, et j'ai pensé au riz qu'elle avait éparpillé sur la tombe de mauma pour essayer d'envoyer son âme en Afrique.

L'Afrique. N'importe où Sky et moi on se trouvait, c'était le seul endroit où mauma devait être.

Sarah

Je me réveillais tous les matins avec une impression de vide, de nausée. Catherine nous avait donné jusqu'au 1ᵉʳ octobre pour plier bagage et partir mais personne n'était prêt à accepter d'héberger deux sœurs exclues par les quakers, et la maison de Lucretia était désormais remplie d'enfants. Les rues avaient été inondées d'avertissements écrits à la main – punaisés sur les reverbères et les bâtiments, répandus sur le sol – avec un titre salace et accrocheur, caractéristique de ce genre de torchons : *SCANDALE : Une abolitionniste de la pire espèce se trouve parmi nous.* En dessous, la lettre que Nina avait envoyée au *Liberator* était imprimée en entier. Après ça, même la pension la plus minable aurait refusé de nous ouvrir ses portes.

J'avais atteint les limites du désespoir lorsqu'une lettre arriva sans nom d'expéditeur ni adresse sur l'enveloppe.

29 septembre 1835

Chères Misses Grimké,
Puisque vous avez eu la témérité de venir vous asseoir avec nous sur le banc des Noirs, peut-être pourriez-vous accepter de partager notre demeure jusqu'à ce que vous trouviez un logement plus convenable. Ma mère et moi nous n'avons à vous offrir qu'un grenier à moitié meublé, mais il y a une fenêtre et la cheminée passe au milieu

de la pièce et ainsi, elle est toujours chauffée. Elle est à vous, si vous le désirez. Nous vous demandons de ne pas parler de cet arrangement à quiconque, y compris à votre logeuse actuelle Catherine Morris. Nous vous attendons au 5 Lancaster Row.

Avec nos plus fraternelles pensées,
Sarah Mapps Douglass

Nous quittâmes notre ancienne vie dès le lendemain, ne laissant aucune adresse et sans dire au revoir ; nous débarquâmes en voiture devant une minuscule maison de briques dans un quartier pauvre, majoritairement blanc. En façade, il y avait une barrière en bois de guingois avec une chaîne, ce qui nous obligea à traîner nos malles jusqu'à l'entrée de derrière.

Le grenier était mal éclairé et diaphane de toiles d'araignée ; lorsqu'un feu flambait à l'étage en dessous, la température devenait oppressante et la pièce était envahie d'une fumée âcre de bois brûlé, mais il n'était pas question de récriminer. Nous avions un toit. Chacune avait la présence de l'autre. Et nous avions des amies, Sarah Mapps et Grace.

Sarah Mapps était instruite, peut-être même plus que moi, car elle avait suivi les cours de la meilleure école quaker pour les Noirs libres de la ville. Elle me racontait que, même quand elle était enfant, elle savait déjà que son unique mission dans la vie, c'était de fonder une école pour les enfants noirs. « Peu de gens comprennent une certitude aussi emphatique, déclara-t-elle. La plupart, y compris ma mère, estiment que j'ai fait un trop grand sacrifice en ne me mariant pas, en n'ayant pas d'enfants mais les élèves, ce sont eux mes enfants. » Je comprenais beaucoup mieux que ce qu'elle pouvait imaginer. Comme moi, elle aimait les livres et rangeait ses précieux volumes dans une commode de leur petit salon. Tous les soirs, elle faisait la lecture à sa mère de sa jolie voix psalmodiante – Milton, Byron, Austen –, en continuant longtemps après que Grace se fut endormie dans son fauteuil.

Il y avait partout des chapeaux à différentes étapes de leur réalisation, accrochés à des patères dans toute la maison, et quand ce n'était pas de vrais chapeaux, c'était des dessins de chapeaux éparpillés sur les tables ou glissés dans le cadre du miroir près de la porte. Grace fabriquait des créations imposantes, avec des emplumages débridés, qu'elle vendait dans les boutiques. Pareils modèles, en tant que quaker, elle n'aurait jamais pu les porter. Nina disait qu'elle vivait par procuration mais je crois qu'elle était simplement en proie aux nécessités d'une artiste.

La première semaine dans notre grenier, il nous fallut faire le ménage. Chasser poussière et araignées, faire briller les vitres. Nous frottâmes les deux étroits bois de lit, la table et la chaise et le fauteuil à bascule grinçant. Sarah Mapps nous monta un tapis tressé main, des quilts de couleurs vives, une table supplémentaire, une lanterne et une petite bibliothèque pour ranger nos livres et nos journaux. Nous glissâmes des branches de conifère sous les avant-toits pour parfumer l'air avant de pendre nos vêtements à des crochets muraux. J'installai mon encrier d'étain sur la table supplémentaire.

La deuxième semaine, nous nous ennuyâmes. Sarah Mapps avait dit qu'il fallait faire très attention à cacher nos allées et venues, les voisins ne toléreraient pas cette mixité raciale mais en nous glissant dehors un jour, nous fûmes repérées par un groupe de voyous qui nous criblèrent de cailloux et d'injures. *Assimilationistes. Assimilationistes.* Le lendemain, on balança des œufs sur la façade de la maison.

La troisième semaine, nous nous transformâmes en ermites.

Lorsque novembre arriva, je commençai à arpenter le tapis ovale en relisant des livres et des vieilles lettres, auxquels je me cramponnais pour ne pas disparaître au fond de cette mélancolie que je connaissais si bien depuis l'enfance. J'avais l'impression de lutter pour ne pas sombrer et que, si je mettais un pied hors du tapis, je tomberais dans mon abîme habituel.

Avant de quitter la demeure de Catherine, une lettre de Handful était arrivée, nous annonçant la mort de Charlotte. Chaque fois que je la lisais – et je le fis tant de fois que Nina finit par me menacer de la cacher quelque part –, je pensais à la promesse que j'avais faite d'aider Handful à devenir libre. Toute ma vie durant, j'avais été tourmentée par cette promesse et, maintenant, la mort de Charlotte, au lieu de me libérer, n'avait fait que rendre cette obligation plus prégnante. Je me répétais que j'avais essayé – et c'était vrai. Combien de fois avais-je écrit à Mère en la suppliant de me vendre Handful pour me permettre de la libérer ? Elle n'avait jamais même daigné répondre à mes demandes.

Et puis un matin, alors que ma sœur utilisait les derniers fonds de peinture qui nous restaient pour capturer le saule nu devant la fenêtre et que je m'acharnais à creuser un chemin dans le tapis, je m'arrêtai brusquement, l'œil braqué sur l'encrier d'étain. Je l'examinai pendant d'interminables minutes. Nous étions en pleine débâcle mais l'encrier était toujours là.

« ... Nina ! Tu te souviens de comment Mère nous obligeait à rester des heures assises pour rédiger des excuses ? Eh bien, je vais en écrire... D'authentiques excuses pour la cause anti-esclavagiste. Tu pourrais en faire autant, toi aussi... Nous pourrions nous y mettre toutes les deux. »

Elle me dévisageait tandis que tout ce que je savais, tout ce que je ressentais montait soudain jusqu'à ma conscience. « ... C'est le Sud qu'il faut atteindre, déclarai-je. ... Nous sommes originaires du Sud... nous connaissons les propriétaires d'esclaves, toi et moi... Nous savons comment leur parler... sans les sermonner, en sachant les toucher. »

Elle se tourna vers la fenêtre, comme pour étudier le saule, et quand elle revint à moi je vis ses yeux briller. « Nous pourrions écrire un pamphlet ! »

Elle se leva et entra dans le rectangle de lumière qui s'étendait par terre. « Mr. Garrison a publié ma lettre, il publiera peut-être aussi notre pamphlet et il l'enverra dans toutes les villes du Sud. Mais il ne faut pas l'adresser aux propriétaires d'esclaves. Ils ne nous écouteront jamais.

— ... À qui alors ?

— Nous allons le destiner aux femmes et au clergé. À ces propriétaires d'esclaves, on va leur envoyer les pasteurs ainsi que leurs épouses, leurs mères et leurs filles !

J'écrivais au lit sur mon pupitre, enveloppée dans un châle de laine, pendant que Nina travaillait, penchée sur la petite table, coiffée de son vieux bonnet bordé de fourrure. Le grenier tout entier souffrait du froid, du grincement de nos plumes et du cri des engoulevents qui déjà s'appelaient mutuellement dans l'obscurité grandissante.

Pendant tout l'hiver, la cheminée faisait macérer le grenier dans la chaleur et Nina passait son temps à ouvrir la fenêtre pour laisser entrer l'air glacé. Nous écrivions en étouffant ou en tremblant de froid, mais rarement entre les deux. Nos pamphlets étaient presque terminés – le mien, *Épître au Clergé des États du Sud*, et celui de Nina, *Appel aux Chrétiennes des États du Sud*. Elle avait pris les femmes et moi le clergé, ce qui me paraissait ironique étant donné que je m'étais toujours si mal débrouillée avec les hommes et elle si bien. Elle insistait pour dire que l'ironie aurait été encore bien pire si on avait fait le contraire – elle écrivant sur Dieu alors qu'elle s'était si mal débrouillée avec lui.

Après avoir établi la liste de tous les arguments déployés par le Sud en faveur de l'esclavage, nous les avions réfutés l'un après l'autre. Sur la page, je ne bégayais plus. C'était un enchantement d'écrire sans hésitation, d'écrire tout ce qui était enfoui au fond de moi, d'écrire avec toute l'audace que je n'aurais jamais trouvée dans mes actes. Je pensais parfois à Père et à l'aveu brutal qu'il m'avait fait au terme de sa vie. « Ne crois-tu pas que je hais l'esclavage ? Crois-tu que j'ignore que c'est la cupidité qui m'a empêché de suivre ma conscience ?» Mais c'était surtout Charlotte qui hantait mes pages.

En dessous, dans la cuisine, j'entendis Sarah Mapps et Grace mettre du bois dans le poêle, un vieux Rumford ronchon qui toussait en crachant des nuages de suie. Très vite, on sentit l'odeur des légumes en train de cuire – oignons, panais, fanes de betteraves – et nous rassemblâmes notre travail du jour avant de descendre par l'échelle.

En nous entendant arriver, Sarah Mapps se retourna, la tête enturbannée de fumée. «Vous avez des nouvelles pages à nous montrer ? demanda-t-elle et sa mère, qui était en train de pétrir de la pâte, s'interrompit pour écouter notre réponse.

— Sarah a descendu les dernières, répondit Nina. Elle a rédigé la phrase finale aujourd'hui et moi, j'espère bien achever demain !»

Sarah Mapps applaudit, exactement comme elle aurait applaudi les enfants dans sa classe. Nous avions pris l'habitude de nous réunir dans le salon, après le repas, et Nina et moi, nous leur lisions à voix haute les derniers passages que nous avions rédigés. Parfois, Grace était tellement bouleversée par ce que nous racontions sur l'esclavage pour l'avoir vu de nos yeux qu'elle nous interrompait par toutes sortes d'exclamations – *Mais quelle horreur ! Ils ne voient donc pas que nous sommes des personnes ? Nées par la grâce de Dieu*. Sarah Mapps allait généralement chercher le panier à ouvrage afin que sa mère pût se distraire en piquant son aiguille dans un des chapeaux qu'elle était en train de confectionner.

«Vous avez reçu une lettre aujourd'hui, Nina», annonça Grace en s'essuyant les mains avant de la récupérer dans la poche de son tablier.

Peu de gens étaient au courant de l'endroit où nous vivions – Mère et Thomas à Charleston, et j'avais également envoyé l'adresse à Handful mais, jusqu'à présent, je n'avais eu aucune nouvelle d'elle. Parmi les quakers, seule Lucretia savait où nous trouver car nous craignions que Sarah Mapps et Grace n'aient à souffrir de nous héberger.

L'écriture sur l'enveloppe, cependant, n'appartenait à aucune de ces personnes-là.

Je regardai par-dessus l'épaule de Nina pendant qu'elle l'ouvrait.

« C'est de Mr. Garrison ! » s'écria-t-elle.

J'avais oublié – Nina lui avait écrit quelques semaines auparavant en lui décrivant nos projets littéraires et il avait répondu avec enthousiasme en nous demandant de lui faire parvenir notre travail dès qu'il serait terminé. Je ne voyais pas ce qu'il pouvait vouloir.

21 mars 1836

Chère Miss Grimké,
  Je vous transmets une lettre que vous a écrite Elizur Wright de New York. Ne sachant comment vous joindre, il me l'a confiée pour que je vous l'envoie. Vous verrez, je pense, à quel point cette lettre est importante.
  Je prie pour que les monographies que vous préparez, votre sœur et vous, me parviennent bientôt et que vous sachiez toutes deux vous montrer à la hauteur de ce qui vous attend d'ici peu.

Que Dieu vous en donne le courage,
William Lloyd Garrison

Nina releva la tête, son regard, presque émerveillé, chercha le mien. Elle poussa un profond soupir et se mit à lire à voix haute la lettre qui accompagnait celle-ci.

2 mars 1836

Chère Miss Grimké,
  Je vous écris au nom de l'American Anti-Slavery Society[1], qui va bientôt mandater quarante agents et les envoyer parler de l'abolition au cours de réunions qui se tiendront dans tous les États anti-esclavagistes, pour gagner des convertis à notre cause et susciter des

---

1. L'American Anti-Slavery Society (1833-1870) est une société abolitionniste fondée par William Lloyd Garrison et Arthur Tappan.

soutiens. Après avoir lu l'éloquente lettre que vous avez envoyée au Liberator et avoir observé les protestations et les enthousiasmes qu'elle a provoqués, le comité exécutif est unanimement persuadé que votre connaissance des méfaits de l'esclavage dans le Sud et votre voix enflammée représenteront un atout incomparable.

Nous vous invitons à nous rejoindre dans ce grand combat moral et votre sœur, Sarah, également, car nous connaissons le sacrifice qu'elle a consenti et ses ferventes opinions abolitionnistes. Nous croyons que vous mènerez plus facilement votre mission à bien si elle vous accompagne. Si vous acceptiez toutes deux d'être nos deux seules et uniques agents féminins, nous vous enverrions parler aux femmes dans les ouvroirs de New York.

Nous vous attendrons le 16 septembre prochain pour une formation rigoureuse de deux mois sous la direction de Theodore Weld, le grand orateur abolitionniste. Votre tournée de conférences débutera en décembre.

Dans l'attente de votre décision mûrement réfléchie et de votre réponse,

Votre bien dévoué,
Elizur Wright
Secrétaire de l'AASS

Toutes les quatre, nous échangeâmes de longs regards, l'air stupéfait, ahuri et puis Nina me prit soudain dans ses bras. « Sarah, c'est tout ce que nous pouvions espérer et même davantage ! »

Elle me serra contre elle et moi, je demeurai là, sans bouger. Sarah Mapps prit une poignée de farine dans le saladier et la jeta sur nous comme des pétales de fleurs à un mariage ; leur rire résonna dans l'air embué.

« Tu te rends compte, on va être formées par Theodore Weld ! » s'exclama Nina.

C'était l'homme grâce auquel l'Ohio avait été « abolitionnisé ». Il avait la réputation d'un homme exigeant, bardé de principes et intransigeant.

Je me débrouillais comme je pus du repas et de la lecture et, une fois dans mon lit, je fus heureuse de retrouver l'obscurité. Je ne bougeais pas dans l'espoir que Nina me croie endormie mais j'entendis sa voix venir du lit, tout près de moi. «Je n'irai pas à New York sans toi.

— ... Je-je n'ai pas dit que je n'irais pas. Bien sûr, j'irai.

— Tu es restée tellement silencieuse, je ne sais pas quoi penser.

—... Je suis enchantée. C'est vrai, Nina... Sauf que... Je vais devoir parler. Parler carrément en public... devant des inconnus... Je vais être obligée d'utiliser la voix de ma gorge, pas celle de la page.»

Toute la soirée, je m'étais imaginé comment cela pouvait se passer, le moment où les mots se coaguleraient sur ma langue et les femmes à New York qui s'agiteraient sur leurs sièges, les yeux fixés sur leurs genoux.

«Tu te levais pendant le culte et tu prenais la parole, dit Nina. Tu ne laissais pas ton bégaiement t'empêcher de faire ce qu'il fallait pour devenir pasteur.»

Les yeux fixés sur le chevron noir au-dessus de ma tête, je sentais la vérité et la logique de ce qu'elle disait et j'en vins à penser que ce dont j'avais le plus peur, ce n'était pas de parler. Cette peur-là était vieille et fatiguée. Ce que je craignais, c'était le côté démesuré de tout cela – une femme nantie d'un mandat national qui prône l'abolition en parcourant tout le pays. J'avais envie de dire : mais qui suis-je pour faire cela, moi, une femme ? Mais cette voix n'était pas la mienne. C'était la voix de Père. C'était celle de Thomas. C'était celle d'Israel, de Catherine, de Mère. C'était celle de l'Église de Charleston et des quakers à Philadelphie. Si je pouvais la faire taire, ce ne serait certainement pas la mienne.

Handful

J'étais descendue près d'Adgers Wharf pour faire une course au moment où le bateau à vapeur quittait le port et ça c'était vraiment quelque chose, la roue à aubes qui tournait avec un bruit de tonnerre, la cheminée qui fumait, et les gens alignés sur le pont supérieur en train d'agiter leurs mouchoirs. J'ai regardé jusqu'à ce que le sillage ait disparu et que le bateau ait franchi la dernière crête bleue.

Little Missus m'avait envoyée chercher deux bouteilles de whisky d'importation et je me dépêchais pour pas être en retard. En ce moment, c'était sur moi que ça tombait d'exécuter la plupart de ses ordres. Lorsqu'elle chargeait ses esclaves de la plantation d'aller chercher quelque chose, ils revenaient avec un panier vide ou tenant encore à la main le message qu'ils étaient censés remettre. Ils étaient incapables de reconnaître The Battery de Wrag Square et elle les envoyait se coucher sans dîner s'ils avaient de la chance et, s'ils n'en avaient pas, Hector leur donnait cinq coups de fouet.

La semaine dernière, Sky a inventé une petite chanson qu'elle a chantée dans le jardin. *Little Missus Mary, méchante comme une teigne, Little Missus Mary, mérite que des beignes.* Je lui ai dit, chante pas ça parce que Hector il a des oreilles pour entendre mais Sky arrivait pas à se sortir cette chanson de la tête. Elle avait fini avec la bouche verrouillée par la muselière de fer. Une punition utilisée

quand un esclave volait de la nourriture mais ça fonc-
tionnait aussi bien pour un esclave trop insolent. Il avait
fallu quatre hommes pour immobiliser Sky, lui enfoncer
les broches dans la bouche et fixer l'engin sur sa nuque.
Elle criait tellement fort que je me suis mordu l'intérieur
de la joue à me faire saigner et j'ai senti le goût de fer dans
ma bouche. Sky n'a pu ni manger ni parler pendant deux
jours. Elle a dormi assise pour pas que le fer lui entaille les
chairs et quand elle se réveillait en gémissant, je glissais
un chiffon humide sous le bord du bâillon pour qu'elle
puisse sucer un peu d'eau.

En sortant du magasin où j'avais acheté le whisky, j'ai
pensé aux plaies ouvertes qu'elle avait de chaque côté de
la bouche, j'ai pensé qu'elle n'avait pas chanté une seule
fois depuis que tout ça était arrivé. Et puis soudain, il y a
eu des cris et une odeur de brûlé.

Des volutes noires montaient au-dessus de la vieille
Halle. La première chose qui m'est venue à l'esprit, c'était
Denmark, et la ville qui était enfin en flammes comme
il l'avait souhaité. J'ai relevé ma jupe et j'ai martelé les
pavés avec ma canne-lapin, en essayant de faire avancer
ma jambe plus vite. Les bouteilles de whisky s'entrechoquaient dans le panier. La douleur irradiait jusque dans
ma hanche.

À l'angle de Broad Street, je me suis immobilisée. Alors
que je croyais la ville transformée en brasier, ce n'était
qu'un feu de joie devant la Halle. Toute une foule était
rassemblée et l'employé de la poste, en haut des marches,
balançait des liasses de papier dans le feu. Chaque fois
qu'une nouvelle pile était jetée, les braises s'enflammaient
et le public rugissait.

J'ignorais ce qui pouvait bien les agiter comme ça, et la
dernière chose dont on a envie c'est de s'immiscer dans les
ennuis des autres, d'autant que je savais comment Little
Missus distribuait les coups de fouet quand on était en
retard, exactement comme quand on se perdait.

J'étais en train de me frayer un chemin, la tête baissée, quand j'ai repéré un des papiers qu'ils étaient en train

d'essayer de brûler abandonné sur le sol, tout piétiné. Je suis allée le ramasser.

Il était noirci d'un côté. *Épître au Clergé des États du Sud par Sarah M. Grimké.*

Je me suis figée sur place. Sarah. *Sarah M. Grimké.*

« Donne-moi ça, négresse ! » a crié un homme. Il était vieux et chauve, il dégageait une odeur aigre dans la chaleur de l'été. « Donne-moi ça tout de suite ! »

J'ai regardé ses yeux rouges et larmoyants et j'ai fourré la brochure dans ma poche. C'était le nom de Sarah et à l'intérieur, c'était ses mots. Ils pouvaient bien brûler le reste mais ils brûleraient pas celui-là.

Plus tard, Sky et Goodis allaient venir à mon chevet et dire : *Handful, mais à quoi tu pensais ? T'aurais dû le lui donner,* mais j'ai fait ce que j'ai fait.

Je n'ai prêté aucune attention à ce qu'il disait. Je lui ai tourné le dos et je me suis éloignée, pour échapper à sa puanteur et à sa main insistante.

Il a saisi l'anse de mon panier et il lui a donné une bonne secousse. J'ai tiré dans l'autre sens et lui, il n'a pas lâché, tout en oscillant sur ses pieds. Il a dit « Qu'est-ce que t'imagines ? Que je vais te laisser partir avec ça ? » Et puis il a baissé la tête, ce crétin à moitié soûl, et il a vu les bouteilles de whisky dans le panier, le meilleur whisky de Charleston, et il a sorti sa langue grise pour se lécher les babines.

J'ai dit : « Tiens, prenez l'alcool et moi je prends la brochure » et j'ai lâché le panier pour le lui laisser. Je suis partie en boitant bas ; mon futé lapin de canne et moi, on a disparu dans la foule.

J'ai continué à foncer jusqu'à Market Street. Le soleil coulait orange sur le port, les ombres vertes tombaient des murs des jardins. Du haut en bas de la rue, les chevaux se dépêchaient de rentrer chez eux.

Je ne me pressais pas. Je savais ce qui m'attendait.

Près de la maison Grimké, j'ai vu le débarcadère du bateau à vapeur et le bâtiment passé à la chaux avec une enseigne au-dessus de la porte, « Compagnie des bateaux à vapeur de Charleston». Un homme avec une montre à gousset était en train de fermer la porte. Une fois qu'il était parti, je suis descendue sur le débarcadère, je me suis cachée derrière les caisses de bois et j'ai observé les pélicans qui plongeaient droit comme des lames. Quand j'ai sorti la brochure de ma poche, des petits bouts de papier carbonisé me sont restés dans la main. Certains des mots m'ont donné vraiment du fil à retordre. Si je trébuchais sur l'un, je me concentrais sur les lettres en attendant que le sens vienne de lui-même et il venait, comme les images qui prennent forme dans les nuages.

> *Estimés amis,*
> *Je m'adresse à vous en tant que propriétaire d'esclaves, venue du Sud et repentie, avec l'absolue certitude que les Noirs ne sont pas du bétail qu'on peut posséder, mais des personnes juste en dessous de Dieu...*

Little Missus m'a fait fouetter à la lumière de la lune.

Quand je suis arrivé à la porte, en retard, sans son whisky d'importation et sans l'argent qu'elle m'avait donné pour l'acheter, elle a ordonné à Hector de s'occuper de mon cas. Il faisait nuit, le ciel noir scintillait d'étoiles métalliques tranchantes comme des lames et la lune était tellement pleine que l'ombre d'Hector se projetait parfaitement sur le sol. Il portait le fouet replié passé dans sa ceinture.

L'espoir, c'était toujours chez mauma que je l'avais trouvé et elle était partie.

Il m'a noué les mains à un poteau devant la cuisine. La dernière fois que j'avais été fouettée, c'était pour avoir appris à lire – un coup de fouet, un avant-goût sucré, disait-on – et Tomfry m'avait attachée au même poteau.

Cette fois, dix coups de fouet. Le prix pour lire les mots de Sarah.

J'attendais en tournant le dos à Hector. Je voyais Goodis accroupi dans l'ombre près du jardin aux herbes et Sky cachée à côté de l'office, les yeux brillants comme ceux d'un petit animal nocturne.

J'ai laissé mes paupières se fermer au monde. À quoi bon tout ça ? À quoi bon vraiment ?

Le premier coup sortait tout droit du feu, un tisonnier brûlant sous ma peau. J'ai entendu le coton de ma robe se déchirer et j'ai senti ma peau se fendre. Mes jambes se sont dérobées sous moi.

J'ai crié parce que je n'ai pas pu me retenir, parce que j'avais un corps frêle et pas du tout rembourré. J'ai crié pour réveiller Dieu de son sommeil.

Les mots du livre de Sarah résonnaient dans ma tête. *Une personne juste en dessous de Dieu.*

Dans ma tête, je voyais le bateau à vapeur. Je voyais tourner la roue à aubes.

Le lendemain, j'ai pris les mesures de Little Missus pour une robe, une tenue de marche en taffetas de soie, exactement ce dont tout le monde a besoin, et elle qui faisait mine qu'il ne s'était rien passé. Qui se montrait aimable. « Handful, que penses-tu de ce coloris doré, est-ce trop pâle ? » « Personne ne coud aussi bien que toi, Handful. »

Lorsque j'ai déroulé le ruban à mesurer depuis sa taille jusqu'à sa cheville, j'ai senti s'ouvrir la peau déchirée de mon dos et un filet de sang a coulé entre mes épaules. Phoebe et Sky avaient étalé du papier brun trempé dans la mélasse sur mon dos pour que les plaies à vif restent propres mais ça n'atténuait nullement la douleur. Chaque pas était une souffrance. Je marchais en faisant glisser mes pieds pour ne pas avoir à les soulever.

Little Missus, debout sur la boîte à couture, tournait lentement. Ça m'a fait penser au vieux globe dans le bureau de master Grimké, la façon dont il tournait.

Le marteau a résonné sur la porte d'entrée et nous avons entendu les semelles d'Hector claquer dans le couloir jusqu'au salon où Missus était en train de prendre le thé. Il a crié : « Missus, le maire est ici. Il dit qu'il faut que vous veniez jusqu'à la porte. »

Mary est descendue de la boîte et elle a passé la tête dehors pour voir ce qu'il y avait à voir. Missus était vieille maintenant, elle avait les cheveux blancs comme du papier, mais elle se déplaçait encore. J'ai entendu sa canne marteler le sol et puis sa voix d'aujourd'hui est arrivée jusque dans la pièce. « Mr. Hayne ! Je suis très honorée. Je vous en prie, entrez donc prendre une tasse de thé avec moi. » Comme si elle avait attrapé une grosse mouche.

Little Missus a commencé à s'agiter pour remettre ses chaussures. Missus et elle glorifiaient toujours le maire. À Charleston, Mr. Robert Haynes marchait sur l'eau.

« Je crains fort de ne pas être ici pour une visite de courtoisie, Mrs. Grimké. Je suis ici officiellement et il s'agit de vos filles. Sarah et Angelina. »

Little Missus s'est immobilisée. Elle a reculé dans l'embrasure de la porte, un pied chaussé et l'autre non. Je me suis approchée d'elle.

« J'ai le regret de vous informer que Sarah et Angelina ne sont désormais plus les bienvenues dans notre ville. Vous devrez les prévenir que, si elles reviennent, elles seront arrêtées et emprisonnées jusqu'à ce qu'un autre bateau à vapeur puisse les ramener dans le Nord. Ceci tout autant pour leur propre bien-être que pour celui de la ville – Charleston est tellement déchaîné contre elles à présent qu'elles seraient à coup sûr en butte à la violence si elles se montraient ici. »

Il y a eu un grand silence. La maison craquait de tous ses vieux os autour de nous.

« Vous comprenez, madame ? a dit le maire.

— Je comprends parfaitement, maintenant, à vous de me comprendre, moi. Mes filles ont peut-être des opinions sacrilèges mais personne ne les traitera de façon aussi indigne et insultante. »

La porte d'entrée a claqué bruyamment, la canne a martelé le sol et Missus s'est retrouvée dans le couloir, la lèvre tremblante.

Le ruban à mesurer m'a glissé des doigts. Il s'est enroulé sur le sol, à côté de mon pied. J'étais bien partie pour ne jamais revoir Sarah.

Sarah

Assise sur l'estrade, j'observais les visages de l'assistance se laisser captiver à mesure que Nina parlait ; l'air crépitait au-dessus des têtes comme s'il contenait quelque chose de pétillant. C'était notre conférence inaugurale et nous n'étions pas cantonnées dans quelque ouvroir devant vingt dames armées de tambours à broder comme l'avait d'abord envisagé l'Anti-Slavery Society. En l'occurrence, nous étions dans une grandiose salle new-yorkaise pleine à craquer, avec des balcons sculptés et des sièges en velours rouge.

Toute la semaine, les journaux s'étaient insurgés contre cette innovation malsaine où deux sœurs allaient pérorer comme des Fanny Wright[1]. Les rues s'étaient retrouvées jonchées de tracts avertissant les femmes qu'elles devaient rester chez elles et même l'Anti-Slavery Society était devenue nerveuse à l'idée de déplacer la conférence dans une salle ouverte à tous. Ils avaient été à deux doigts de tout annuler et de nous renvoyer dans l'ouvroir.

C'était Theodore Weld qui était intervenu pour blâmer la lâcheté de la Society. On le surnommait le Lion de la Tribu des abolitionnistes et ce n'était pas sans raison – il

---

1. Fanny (ou Frances) Wright (1795-1852), était une libre penseuse, féministe et abolitionniste. En 1825, elle fonda dans le Tennessee la commune de Nashoba, une communauté multiraciale où l'on démontrait les vertus émancipatrices de l'éducation sur les esclaves.

savait se montrer très percutant quand il le fallait. « Je défends le droit de ces dames à s'exprimer contre l'esclavage en tout lieu. Il est suprêmement ridicule de votre part de les malmener pour qu'elles renoncent à ce grand moment ! »

Il nous avait sauvées.

Nina arpentait la scène, les mains levées, elle poussait sa voix pour qu'elle s'envole jusqu'aux balcons. « Nous sommes là devant vous en tant que femmes du Sud, pour révéler la terrible vérité à propos de l'esclavage… » Elle avait dépensé une fortune pour acheter une robe élégante d'un bleu profond qui mettait sa chevelure en valeur et je ne pouvais m'empêcher de me demander ce que Mr. Weld en aurait pensé s'il avait pu la voir.

Même s'il avait dirigé les séances d'entraînement pour Nina et moi ainsi que les trente-huit autres agents, nous enseignant l'art oratoire, il n'avait jamais paru très sûr des conseils à nous donner. Fallait-il que nous restions debout, immobiles, en parlant doucement, conformément à ce que les gens attendaient d'une femme, ou bien bouger et nous agiter comme un homme ? « Je laisse cela à votre appréciation », nous avait-il dit.

Il montrait à notre égard ce qu'il appelait un « intérêt fraternel » et venait souvent nous rendre visite dans notre logis. Évidemment, c'était Nina qui l'intéressait et je doutais fort que ce fût fraternel. Elle n'aurait pas voulu l'admettre mais elle aussi était attirée par lui. Avant que nous arrivions à New York, je m'étais représenté Mr. Weld comme un vieil homme austère, mais il se révéla être jeune et aussi bienveillant qu'austère. Trente-trois ans et célibataire, il était incroyablement séduisant, avec une épaisse chevelure brune et bouclée et des yeux d'un bleu mordant ; il était daltonien, de sorte qu'il s'habillait de couleurs étranges et toujours très mal assorties. Nous trouvions cela touchant. Cependant, j'étais à peu près sûre que ce n'était pas ces qualités-là qui séduisaient Nina. Je soupçonnais que c'était son discours rédempteur. C'était ses mots, « Je laisse cela à votre appréciation ».

« Les femmes esclaves sont nos sœurs, s'exclama Nina en étendant les bras comme si toute une armée venait nous embrasser. Nous ne devons pas les abandonner. » C'était la fin de son discours, il fut salué par un tonnerre d'applaudissements et les femmes se mirent debout.

Tandis que les applaudissements continuaient à crépiter, je sentis la chaleur me monter au visage. Maintenant, c'était mon tour. Après m'avoir entendue pendant mon apprentissage d'oratrice, les hommes de la Society avaient décidé que Nina passerait en premier et moi après. Ils craignaient, si on inversait l'ordre, que peu de gens persévèrent jusqu'à la fin de mon discours pour écouter le sien. Je me levai en me demandant si les mots que j'avais préparés étaient déjà en pleine retraite.

Je m'avançai vers le lutrin, les jambes molles comme des éponges. L'espace d'un instant, je me cramponnai aux bords, bouleversée par l'idée que moi, entre tous, je me trouvais là. J'avais les yeux fixés sur une mer de visages attentifs et il me vint à l'esprit qu'après ma sœur, si belle et si grande, je devais donner une drôle d'image. Peut-être même les choquais-je. J'étais petite, plus très jeune, banale avec des lunettes au bout de mon nez et je portais toujours mes vieux vêtements quakers. Je me sentais bien dedans désormais. Je suis qui je suis. Cette pensée me fit sourire et, partout où je regardai, les femmes me rendirent mon sourire et je me pris à penser qu'elles comprenaient ce que j'avais en tête.

J'ouvris la bouche et les mots se mirent à couler. Je parlai pendant plusieurs minutes avant de regarder Nina comme pour lui dire : Je ne bégaie pas ! Elle hocha la tête, les yeux écarquillés, brillants de larmes.

Quand j'étais enfant, mon bégaiement allait et venait tout aussi mystérieusement que maintenant. Cependant, il m'accompagnait désormais depuis si longtemps que je l'avais cru définitif. Je continuais à parler. Je discourais tranquillement sur les méfaits de l'esclavage, ceux que j'avais vus de mes propres yeux. Je leur parlai de Handful, de sa mère et de sa sœur. Je ne leur épargnai rien.

Pour conclure, je scrutai le public par-dessus mes lunettes pendant un petit moment. « Nous ne serons plus jamais
silencieuses. Nous, les femmes, décrétons être dans le
camp des esclaves et rien ne nous fera taire tant qu'ils ne
seront pas libérés. »

Je fis volte-face pour aller retrouver mon siège tandis
que les femmes, debout, applaudissaient à tout rompre.

À New York, nous prîmes la parole devant de vastes assem-
blées des semaines durant avant de faire campagne dans le
New Jersey puis, ensuite, de nous déplacer dans les villes
qui bordaient l'Hudson. Les femmes venaient en foule, se
multipliant comme les pains et les poissons dans la Bible. À
Poughkeepsie, l'assistance était si nombreuse que le balcon
de l'église s'effondra et qu'il fallut évacuer le bâtiment, ce qui
nous obligea à prononcer nos discours dans le froid et la gri-
saille de février, mais pas une femme ne partit. Dans toutes
les villes où nous passions, nous encouragions les femmes
à former leurs propres associations anti-esclavagistes et à
collecter des signatures sur des pétitions. Mon bégaiement
allait et venait, même si, gentiment, il me laissait tranquille
pendant la majeure partie de mes discours.

Nous étions aussi célèbres que nous étions honnies.
Cet hiver et ce printemps-là, pratiquement tous les journaux du pays se firent l'écho de nos exploits. La presse
abolitionniste publiait nos discours et on imprimait nos
brochures par dizaines de milliers d'exemplaires. Même
notre ancien président, John Quincy Adams, accepta de
nous rencontrer et promit de faire parvenir au Congrès les
pétitions collectées par les femmes. Dans quelques villes
du Sud, on pendait nos effigies avec celle de Mr. Garrison
et notre mère nous avait écrit que, si nous venions à Charleston, nous risquions de nous retrouver en prison.

Mr. Weld était notre planche de salut. Il nous écrivait
des lettres communes où il faisait l'éloge de nos efforts. Il
nous disait que nous étions courageuses, loyales et obstinées. De temps à autre, il ajoutait un post-scriptum destiné uniquement à Nina. *Angelina, on entend dire partout*

que le public est littéralement esclave de votre éloquence.
Pour avoir assuré votre formation, j'aimerais me targuer de
ce succès mais vous ne le devez qu'à vous-même.

Par un doux après-midi d'avril, il surgit sans avoir prévenu dans la maison de campagne de Gerrit Smith, à Peterboro dans l'État de New York, où Nina et moi passions plusieurs jours au cours de notre dernière tournée de conférences. Il était venu, affirma-t-il, pour discuter des finances de la Society avec Mr. Smith, le mécène le plus important de l'association, mais cette coïncidence n'échappa à personne. Tous les matins, Nina et lui se promenèrent dans l'allée qui traversait les vergers. Il m'avait invitée également mais, après avoir jeté un coup d'œil à Nina, j'avais décliné sa proposition. Il nous escortait à nos conférences de l'après-midi et nous attendait à l'extérieur du bâtiment ; le soir, nous nous installions tous les trois au salon avec Mr. et Mrs. Smith pour débattre de stratégies pour notre cause et raconter nos aventures. Lorsque Mrs. Smith suggérait qu'il était temps pour les dames de se retirer pour la nuit, Theodore et Nina échangeaient un regard navré et il disait : « Eh bien, d'accord. Vous devez aller vous reposer », et Nina quittait la pièce avec une lenteur douloureuse.

Le jour de son départ, j'observai de ma fenêtre ces deux-là qui revenaient de leur promenade. Il avait commencé à pleuvoir alors qu'ils étaient dehors, une de ces brusques averses durant lesquelles le soleil continue à briller, et il tenait son manteau au-dessus de leurs têtes, faisant une petite tente pour eux deux. Ils avançaient sans la moindre hâte. Je voyais bien qu'ils étaient en train de rire.

Quand ils parvinrent sur la véranda, ils s'ébrouèrent, puis il se pencha et embrassa ma sœur sur la joue.

En juin, nous arrivâmes à Amesbury, dans le Massachusetts, pour quinze jours de répit dans la maison en bardeaux d'une Mrs. Whittier. Nous n'allions pas tarder à entamer une croisade de conférences en Nouvelle-Angleterre qui devait durer tout l'automne, mais nous étions totalement épuisées ; nous avions besoin de vêtements neufs, plus adaptés à la saison et j'entretenais une légère petite toux dont je ne parvenais pas à me débarrasser. Mrs. Whittier, une dame dodue avec des joues comme des pommes, nous nourrissait de soupes épaisses, nous administrait de l'huile de foie de morue, renvoyait tous les visiteurs et nous obligeait à aller au lit avant que la lune ne se lève.

Il nous fallut plusieurs jours avant de découvrir qu'elle était la mère de John Greenleaf Whittier, le meilleur ami de Theodore. Nous étions au salon, en train de prendre le thé, quand elle se mit à parler de son fils et de sa longue amitié avec Theodore ; brusquement, nous comprenions la raison pour laquelle elle nous avait invitées chez elle.

« Mais alors, vous devez bien connaître Theodore, dit Nina.

— Teddy ? Oh, il est comme un fils pour moi et un frère pour John. J'imagine que vous avez entendu parler de cet abominable serment qu'ils ont fait, ajouta-t-elle en secouant la tête.

— Un serment ? répéta Nina. Eh bien non, nous ne savons rien de cela.

— Je n'y suis pas favorable. Je considère que c'est trop extrémiste. Une femme de mon âge aimerait avoir des petits-enfants, après tout. Mais ce sont des hommes à principes, ces deux-là, il n'y a pas moyen de leur faire entendre raison. »

Nina était assise sur le bord de son siège et je la voyais blêmir. « Quel serment ont-ils fait ?

— Ils ont juré de ne jamais se marier, ni l'un ni l'autre, tant que l'esclavage ne serait pas aboli. Sincèrement, je doute que cela arrive de leur vivant ! »

Cette nuit-là, je fus réveillée par un coup frappé à ma porte bien longtemps après que la lune s'était levée. Nina était là, le visage fermé, l'air triste et résigné. « Ça m'est insupportable », dit-elle avant de s'écrouler sur mon épaule.

Cet été 1837, les habitants de Nouvelle-Angleterre se déplacèrent par milliers pour venir nous entendre et, pour la première fois, des hommes commencèrent à apparaître dans le public. Au début, une poignée, puis une cinquantaine et puis des centaines. Que nous nous adressions publiquement à des femmes, c'était déjà grave – mais que nous en fassions autant avec des hommes, voilà qui renversait littéralement l'univers puritain.

« Ils vont dresser les bûchers funéraires », dis-je à Nina lorsqu'on vit les premiers hommes apparaître, tentant de se faire discrets.

Nous riions, mais très vite, cela ne fut plus drôle du tout. *Je ne permets pas à la femme d'enseigner ni de prendre de l'autorité sur l'homme ; elle doit demeurer dans le silence*[1]. Existe-t-il verset plus exaspérant dans la Bible ? Cet été-là, il était prêché dans toutes les églises de Nouvelle-Angleterre avec les sœurs Grimké à l'esprit. Les églises congréganistes décidèrent de nous censurer, poussant à un boycott de nos conférences, et dans le sillage de cette décision, un certain nombre d'églises et de lieux publics nous furent interdits. À Pepperell, nous fûmes contraintes de prononcer notre conférence dans une grange, au milieu des chevaux et des vaches. « Comme vous le voyez, il n'y a pas de place à l'auberge, dit Nina. Mais n'empêche, les hommes sages se sont déplacés. »

Nous nous efforcions d'être courageuses, loyales et obstinées, comme Theodore nous avait décrites dans sa lettre, et nous commençâmes à utiliser une partie du temps réservé à nos conférences pour défendre notre droit à la parole. « Ce que nous exigeons pour nous, nous l'exigeons pour toutes les femmes ! » Tel fut notre cri de ralliement à Lowelle, à Worcester, à Duxbury, à vrai dire partout où nous allions. Vous auriez dû voir les femmes, comment elles affluaient à nos côtés et certaines, comme les intrépides dames d'Andover, rédigeaient des appels publics pour nous défendre. Ma vieille amie Lucretia nous fit parvenir un message d'aussi loin que Philadelphie. Il contenait quatre mots : *Tenez bon, mes sœurs.*

---

1. 1 Timothée 2 :12, traduction de Louis Segond.

Sans en avoir eu l'intention, nous étions en train de provoquer un soulèvement dans le pays. Que les femmes aient un certain nombre de droits était une idée nouvelle, inconnue et clouée au pilori, mais soudain on en discutait jusqu'au fin fond de l'Ohio. Ma sœur fut rebaptisée « Devilina », la diablesse. On nous traitait de « femmes incendiaires ». D'une manière ou d'une autre, nous avions allumé la mèche.

La dernière semaine d'août, nous revînmes dans le cottage de Mrs. Whittier comme si nous revenions de la guerre. Je me sentais épuisée et assiégée, ne sachant plus si j'aurais la force de continuer les conférences en automne. J'avais été vidée de ma dernière dose de combativité. Lors de notre ultime rassemblement de l'été, des dizaines d'hommes en colère, debout sur des chariots devant la salle, avaient crié « Devilina ! » en nous bombardant de pierres. L'une m'avait atteinte en pleine bouche, transformant ma lèvre inférieure en une grosse saucisse rouge. J'avais belle allure. Je ne savais pas exactement comment Mrs. Whittier allait réagir à tout cela, si elle accepterait même de nous héberger – désormais, nous étions des parias – mais lorsque nous arrivâmes, elle nous prit dans ses bras et nous embrassa sur le front.

Le troisième jour dans ce lieu protégé, alors que je revenais d'une promenade le long des berges de la Merrimack, je trouvai Nina appuyée contre la vitre comme si elle s'était endormie, la joue sur le verre, les yeux fermés, les bras le long du corps. On aurait dit une toupie qui venait d'arrêter de tourner.

En entendant mes pas, elle se retourna pour désigner la table sur laquelle était ouvert le *Boston Morning Post*. Mrs. Whittier prenait garde à cacher les éditoriaux mais Nina avait trouvé le journal dans la boîte à pain.

25 août
Les demoiselles Grimké font des discours, rédigent des brochures et se donnent en spectacle de façon fort peu féminine depuis déjà un bon moment mais elles n'ont

*pas encore trouvé de maris. Pourquoi toutes les vieilles
filles sont-elles abolitionnistes ? Parce que, incapables de
se caser, elles pensent avoir peut-être des chances avec un
Nègre, si elles parviennent seulement à rendre l'assimila-
tion à la mode...*

Je ne pus aller plus loin.

« Et comme si ça ne suffisait pas, Theodore débarque
cet après-midi avec Elizur Wright et le fils de Mrs. Whittier, John. Leur lettre est arrivée pendant que tu étais sortie. Mrs. Whittier est en train de préparer des tartes aux
fruits. »

Elle n'avait pas parlé de Theodore une seule fois de l'été
mais elle souffrait de ne pas le voir, cela se voyait comme
le nez au milieu de la figure.

Les hommes arrivèrent à trois heures. Ma lèvre avait
presque retrouvé sa taille habituelle et je pouvais maintenant parler sans donner l'impression que j'avais la
bouche pleine mais c'était encore douloureux et je gardai le silence, attendant qu'ils en viennent à l'objet de leur
visite ; je n'avais pas oublié la façon dont Theodore nous
avait défendues autrefois – *Il est suprêmement ridicule de
les malmener pour qu'elles renoncent à ce grand moment.*

Il portait aujourd'hui deux nuances de vert qui faisaient
mal aux yeux. Il s'avança vers la cheminée et s'empara
d'un bibelot en os de baleine qu'il se mit à examiner. Ses
yeux se posèrent sur Nina. « Aucune contribution à la
cause anti-esclavagiste n'est plus impressionnante et plus
acharnée que celle des sœurs Grimké, dit-il.

— Écoutez-moi ça ! » intervint la chère Mrs. Whittier.

Mais son fils baissa les yeux et je compris alors pourquoi ils étaient venus.

« Nous ne pouvons que vous complimenter, continua
Theodore. Et pourtant, en encourageant les hommes à
rejoindre vos auditrices, vous nous avez enlisés dans une
controverse qui a détourné l'attention de l'abolition. Nous
sommes venus ici dans l'espoir de vous convaincre...

— De nous convaincre de nous conduire en bons chiens de salon et d'attendre avec satisfaction sous la table les quelques miettes que vous nous jetterez? l'interrompit Nina. Est-ce cela que vous espérez?»

Le reproche était si vif et si blessant que je me demandai s'il ne s'agissait pas surtout d'une réaction au serment de Theodore concernant le mariage.

«Angelina, je vous en prie, écoutez-nous jusqu'au bout, reprit-il. Nous sommes de votre côté, du fond du cœur nous le sommes. Moi entre tous je soutiens votre droit à la parole. C'est franchement absurde de refuser que des hommes soient présents à vos réunions.

— Alors, pourquoi ces critiques? demandai-je.

— Parce que nous vous avons envoyées parler pour la cause de l'abolition, pas celle des femmes.»

Il jeta un coup d'œil à John dont les épais sourcils et le visage mince laissaient à penser que ces deux-là auraient vraiment pu être frères, et pas seulement au figuré.

«Il veut seulement dire que les esclaves sont d'une plus grande urgence, expliqua John. Je soutiens le combat des femmes, moi aussi, mais tout de même, vous n'allez pas perdre de vue la cause des esclaves pour une croisade égoïste contre quelque dérisoire doléance vous concernant?

— *Dérisoire?* s'écria Nina. Notre droit à la parole est-il quelque chose de dérisoire?

— Par comparaison avec la cause de l'abolition? Oui, certes oui.»

Mrs. Whittier se redressa d'un bond. «Vraiment, John! En tant que femme, je crois que je n'avais pas la moindre doléance avant que tu ne commences à parler!

— Pourquoi faut-il choisir entre une cause et l'autre? demanda Nina. Sarah et moi, nous n'avons jamais cessé de travailler pour l'abolition. Nous parlons autant des esclaves que des femmes. Ne le voyez-vous donc pas, nous pourrions faire cent fois plus pour les esclaves si nous n'étions pas nous-mêmes si enchaînées?» Elle se tourna vers Theodore et lui jeta le plus beau et le plus implorant des regards. « Ne pourriez-vous pas vous battre côte à côte avec moi ? Avec nous ? »

Il prit une longue inspiration et son visage le trahit – tordu par l'amour et l'angoisse – mais il était venu accomplir une mission et, comme l'avait expliqué Mrs. Whittier, c'était un homme de principes, à tort ou à raison. « Angelina, je vous considère comme mon amie, comme la plus chère de mes amies, et cela me torture de devoir vous résister, mais aujourd'hui, nous devons nous battre pour les esclaves. Le temps viendra pour nous d'aborder la question des femmes, mais pas tout de suite.

— Le temps d'affirmer les droits de quiconque, c'est au moment où ces droits sont déniés !

— Je suis navré », lui dit-il.

Dehors, le vent tourbillonnait, barattant les feuilles du bouleau. Cette odeur et ce bruit passaient par la fenêtre ouverte et, brusquement, un souvenir me traversa l'esprit : à la maison, sous le chêne de la cour, je forme des mots avec les billes de mon frère, *Sarah Partir*, et puis on tire l'esclave hors de l'étable et on la fouette. Je ne crie pas, je ne fais pas de bruit. Je ne dis pas un mot.

Le vieux Mr. Wright avait repris le flambeau et il atteignait le nœud de son discours. « Cela m'attriste, mais votre agitation autour des femmes nuit à notre cause. Elle menace de diviser en deux le mouvement abolitionniste. Je ne peux pas croire que telle est votre volonté. Nous vous demandons seulement de restreindre votre public aux femmes et de vous abstenir désormais de parler des réformes concernant les femmes. »

Faire taire les sœurs Grimké – mais cela ne cesserait-il donc jamais ? Je regardai Mr. Wright, assis là en train de frotter ses doigts pleins d'arthrite, puis je regardai John et Theodore – ces honnêtes hommes qui souhaitaient nous dompter, gentiment bien sûr, en toute bienveillance, pour le bien de l'abolition, pour notre bien à nous, pour le leur, pour le bien de tous. C'était si familier. Leur muselière était simplement d'une autre espèce.

Je ne m'étais exprimée qu'une seule fois depuis qu'ils étaient arrivés et j'avais l'impression d'avoir passé ma vie entière à amadouer ma voix pour la faire revenir depuis ce jour lointain où je l'avais perdue sous l'arbre. Manifestement furieuse, Nina avait cessé de discuter. Elle me regardait, me suppliant de dire quelque chose. Je portai les doigts à ma bouche pour tâter ma lèvre encore un peu gonflée, sentant monter l'indignation qui m'avait soutenue pendant tout l'été et, j'imagine, pendant toute ma vie, mais cette fois, elle s'exprima avec des mots durs et sans ambiguïté. « Comment pouvez-vous nous demander de revenir dans nos ouvroirs ? dis-je en me mettant debout. Tourner le dos à nous-mêmes et à notre propre sexe ? Nous ne souhaitons nullement provoquer la scission du mouvement, bien sûr que non – cela m'attriste d'y penser –, mais nous ne pouvons pas faire grand-chose pour les esclaves tant que nous serons sous la botte des hommes. Faites ce que vous devez faire, censurez-nous, retirez-nous votre soutien, nous tiendrons bon malgé tout. Et maintenant, messieurs, si vous voulez bien avoir l'amabilité de retirer vos bottes de notre cou. »

Ce soir-là, je commençai à rédiger ma deuxième brochure, *Lettres sur l'égalité des sexes* ; je travaillai des heures durant, jusqu'à l'aube. La première ligne s'était écrite toute seule dans ma tête pendant que j'écoutais les hommes tenter de nous dissuader : *Tout ce qu'un homme a moralement le droit de faire, une femme a moralement le droit de le faire aussi. Son Créateur l'a investie des mêmes droits, des mêmes devoirs.*

Handful

On était au printemps, l'époque où on nettoyait la mai-son de fond en comble ; tous les soirs, Sky et moi, on revenait dans la chambre en sous-sol après avoir passé la journée en compagnie de la brosse en sanglier et on s'écroulait sur le lit. La première chose que je voyais, c'était le cadre à quilt, le seul vrai toit au-dessus de ma tête. Je pensais à tout ce qui était caché là-haut – le quilt-histoire de mauma, l'argent, la brochure de Sarah, sa lettre où elle me parlait de la promesse qu'elle avait faite de me libé-rer – et je m'endormais contente que tout cela soit à l'abri au-dessus de ma tête.

Et puis, un dimanche matin, j'ai descendu le cadre. Sky m'observait sans rien dire tandis que je lissais de la main le quilt rouge avec ses triangles noirs ; j'ai senti les bil-lets cousus à l'intérieur. J'ai dégagé la brochure de Sarah de la mousseline qui l'emballait et je l'ai regardée, avant de la cacher à nouveau. Ensuite, j'ai étalé le quilt-histoire en travers du cadre et on est restées là à examiner l'histoire de mauma. J'ai posé la main sur le deuxième carré – la femme dans le champ et les esclaves qui s'envolent au-des-sus d'elle. Tout cet espoir dans le vent.

Nous n'avons pas entendu Little Missus arriver. Le loquet que mauma avait eu sur la porte avait disparu depuis belle lurette et Little Missus, c'était pas le genre à frapper. Elle a fait une entrée bruyante. « Je vais à

St. Philip et j'ai besoin de ma cape bordeaux. Tu étais censée me la recoudre. » Son regard est passé de moi au quilt. « Qu'est-ce que c'est que tout ça ? »

J'ai avancé d'un pas pour bloquer la vue sur le lit. « C'est vrai, j'ai oublié pour votre cape. » J'essayais d'éloigner le papillon de la flamme mais elle m'a bousculée pour voir les roses, les rouges, les oranges, les violets et les noirs du quilt. Mauma et ses couleurs.

« Je file vous recoudre votre cape », j'ai annoncé en saisissant la corde pour remonter le cadre avant qu'elle ait eu le temps de se rendre compte de ce qu'elle avait sous les yeux.

Elle a levé la main. « Attends. Tu as l'air sacrément pressée de me cacher ça. »

J'ai remis la corde en place, j'avais le cœur qui battait la chamade. Sky s'est mise à fredonner un petit air énervé. J'ai voulu mettre mon doigt sur mes lèvres mais, depuis qu'elle a dû porter cette muselière, je ne supporte plus de la faire taire. Nous avons échangé un long regard pendant que Little Missus scrutait un carré après l'autre, comme si elle lisait un livre. Tout ce que mauma avait subi – c'était là. La punition en équilibre sur une jambe, les coups de fouet, le marquage au fer rouge, les coups de marteau. Le corps de mauma gisait en morceaux sur le cadre à quilt.

La toile de mousseline avec la brochure de Sarah à l'intérieur était bien visible et, à côté, le quilt avec l'argent dedans. On distinguait la forme des liasses glissées dans la doublure. Je mourais d'envie de tout planquer, mais j'ai pas bougé.

Quand elle s'est tournée vers moi, la lumière du matin est tombée sur son visage et ses pupilles noires sont devenues deux têtes d'épingle. Elle a dit « Qui a fait ça ?

— C'est mauma. Charlotte.

— Eh bien, c'est macabre ! »

Je n'avais jamais eu autant envie de crier qu'à ce moment-là. J'ai dit : « Ces choses macabres lui sont arrivées. »

Ses joues se sont lentement empourprées. «Pour l'amour du ciel, on pourrait croire que toute sa vie n'a été que violence et cruauté. Je veux dire, ça ne raconte pas ce qu'elle a fait pour mériter ces châtiments.»

Elle a regardé à nouveau le quilt, les yeux fixés sur les applications. «Ici, elle a été bien traitée, personne ne peut le contester. J'ignore ce qu'elle a vécu quand elle s'est enfuie, nous n'étions plus responsables d'elle alors.» Little Missus se frottait les mains comme si elle était en train de les laver.

Le quilt lui avait fait honte. Elle s'est dirigée vers la porte en lui jetant un dernier regard et j'ai compris qu'elle ne pourrait jamais supporter l'idée que le quilt existait dans ce monde. Elle allait envoyer Hector le récupérer à la minute où nous aurions quitté la pièce. Il réduirait en cendres l'histoire de mauma.

Debout là, à attendre que les pas de Little Missus décroissent, j'ai regardé le quilt avec les esclaves qui volaient dans le ciel et la condition d'esclave m'a paru pire que la mort. La haine que je ressentais étincelait d'une telle splendeur que je me suis écroulée sur le sol, terrassée.

Sans son foulard, les cheveux de Sky étaient une vraie tignasse; quand elle s'est penchée sur moi, les bouts de ses mèches m'ont gratté le visage et j'ai senti une odeur de brosse en sanglier. Elle a dit «Tu te sens bien?»

J'ai levé les yeux vers elle. «On s'en va d'ici.»

Elle m'a entendue mais elle était pas sûre. «Qu'est-ce tu dis?

— On va s'en aller d'ici et plutôt mourir si on réussit pas.»

Elle m'a remise sur mes pieds comme on cueille une fleur et j'ai vu les traits de Denmark se superposer aux siens, ce jour où il avait roulé vers sa mort assis sur un cercueil. J'avais toujours désiré être libre, mais il n'y avait jamais eu d'endroit où aller ni aucun moyen de m'y rendre. Désormais, ça n'avait plus d'importance. Je tenais à la liberté encore plus qu'à mon souffle. Nous allions partir, à califourchon sur nos cercueils s'il le fallait. C'était ainsi que mauma avait vécu toute sa vie durant. Elle disait toujours faut savoir quel bout de l'aiguille on va être, celui qui est attaché au fil ou celui qui transperce le tissu.

J'ai pris le quilt jeté sur le cadre et je l'ai plié en pensant aux plumes cousues dedans, ces plumes qui contenaient la mémoire du ciel.

« Tiens, j'ai dit en le posant dans les bras de Sky, il faut que j'aille recoudre la cape de cette bonne femme. Range le quilt dans le sac de jute, apporte-le à Goodis et dis-lui de le cacher avec les couvertures des chevaux. Et que personne s'en approche. »

J'ai pas fait que recoudre sa cape. J'ai pris le sceau à timbrer de Little Missus qui traînait sur son bureau alors qu'elle était dans la chambre et je l'ai mis dans ma poche.

J'ai attendu qu'il fasse nuit pour écrire ma lettre.

23 avril 1838

Chère Sarah,

J'espère que cette lettre te parviendra. Sky et moi, on s'en va d'ici et plutôt mourir que pas réussir. Voilà la situation. Je sais pas comment on va faire, mais on a l'argent de mauma. Tout ce qu'il nous faut, c'est un endroit où aller. J'ai l'adresse sur cette lettre. J'espère te revoir un jour.

Ton amie,
Handful

Sarah

Le mariage eut lieu dans une maison de Spruce Street à Philadelphie le 14 mai à deux heures de l'après-midi – un jour de grand soleil et de nuages bleu pâle. Le genre de journée qui paraissait aussi résolument réelle que pas du tout réelle. Je me souviens : j'étais debout dans la salle à manger à la regarder se dérouler de loin, comme si je venais de m'arracher aux profondeurs du sommeil pour débarquer tout droit de mes draps frais dans un jour nouveau, une vie qui s'achevait et une autre qui commençait.

Mère avait envoyé un message de félicitations, ce à quoi nous ne nous attendions pas, dans lequel elle nous suppliait de raconter la cérémonie en détail. *Comment Nina sera-t-elle habillée ?* avait-elle demandé. *Oh, comme je voudrais la voir !* Naturellement, elle exprimait son soulagement à l'idée que Nina avait enfin un époux et elle espérait que nous allions toutes deux renoncer à cette existence artificielle que nous avions menée jusque-là mais, malgré cela, sa lettre n'était que la plainte d'amour d'une mère vieillissante. Elle nous appelait ses chères filles et se lamentait de la distance qui nous séparait. *Vous reverrai-je un jour ?* écrivait-elle. Une question qui me hanta des jours durant.

J'observai Nina et Theodore debout à côté de la fenêtre et sur le point de prononcer leurs vœux ou, comme Nina l'avait formulé, les mots que ce moment saurait inspirer à leurs deux cœurs ; je me dis que, finalement, mieux valait que Mère ne fût pas là. Elle aurait voulu voir Nina vêtue de dentelle ivoire, peut-être de lin bleu, portant des roses ou des lys, mais Nina avait considéré que tout cela manquait d'originalité et s'était embarquée dans un mariage conçu pour choquer les foules.

Elle portait une robe marron, coupée dans un coton issu du travail d'hommes libres, avec une large ceinture blanche et des gants de la même couleur ; pour la tenue de Theodore, elle avait choisi des couleurs assorties : une redingote marron, un gilet blanc et un pantalon beige. Elle tenait un bouquet de rhododendrons blancs fraîchement coupés dans la cour et je remarquai qu'elle en avait glissé une petite branche à la boutonnière de Theodore. Mère n'aurait pas pu supporter la robe marron et encore moins la prière qui ouvrit la cérémonie, dite par un pasteur noir.

Lorsque les journaux de Philadelphie avaient annoncé le mariage, laissant entendre que l'assistance serait sûrement mélangée, racialement parlant, nous nous étions inquiétés à l'idée de voir débarquer des opposants – insultes, cris et jets de pierres – mais, Dieu merci, on ne vit arriver que les invités. Sarah Mapps et Grace étaient là, ainsi que plusieurs esclaves affranchis que nous connaissions bien ; nous avions fixé la date du mariage pour qu'elle coïncide avec la Convention anti-esclavagiste en ville, afin de s'assurer la présence de certains des plus célèbres abolitionnistes du pays : Mr. Garrison, Mr. et Mrs. Gerrit Smith, Henry Stanton, les Mott, les Tappan, les Weston, les Chapman.

Ce mariage passerait à la postérité comme le mariage de l'abolition.

Nina était en train de parler, tournée vers Theodore et, soudain, malgré moi, je pensai à Israel et je sentis une pointe de tristesse. Quand cela se produisait, j'avais l'impression de tomber sur une pièce vide dont j'ignorais l'existence et, au moment d'y entrer, de me retrouver transpercée par le fantôme de celui qui l'avait jadis remplie. Buter ainsi n'était plus très fréquent mais chaque fois, j'y laissais des morceaux de mon cœur.

Les yeux fixés sur Nina, la radieuse Nina, je m'imaginai à sa place, Israel à côté de moi, tous deux en train de prononcer nos vœux, et cette idée-là suffit à me guérir. Telle était la vérité à laquelle je revenais toujours, je ne voulais plus d'Israel. Je ne voulais plus du mariage et pourtant je me retrouvais encore régulièrement la proie de ce spectre, le spectre si terriblement séduisant de ce qui aurait pu être.

Les yeux clos, je secouai la tête pour chasser les derniers restes de nostalgie et, quand je regardai à nouveau les mariés, il y avait un nuage de libellules derrière la fenêtre, une tempête verte, et puis elles disparurent.

Nina promit à haute voix de l'aimer et de l'honorer, omettant soigneusement le mot *obéir*, et Theodore se lança dans un monologue maladroit, déplorant les lois qui donnent à l'époux le contrôle des biens de sa femme, renonçant à toute revendication sur ceux de Nina, puis il se mit à tousser timidement, comme surpris de lui-même, et fit sa déclaration d'amour.

Nous avions mis de côté le conflit qui avait éclaté dans le cottage de Mrs. Whittier ; non pas que Theodore ait vraiment capitulé mais, à partir de ce jour-là, il avait adouci sa rhétorique comme l'aurait fait n'importe quel homme amoureux. Il y avait eu effectivement scission au sein du mouvement abolitionniste, comme l'avaient prévu ces messieurs ; Nina et moi étions devenues encore plus des parias mais cela avait fait avancer la cause des femmes.

J'étais présente quand Nina avait ouvert la lettre dans laquelle Theodore faisait sa demande. Elle était arrivée l'hiver dernier, alors que nous nous accordions un long répit à Philadelphie en compagnie de Sarah Mapps et Grace, tout en nous préparant à une série de conférences à l'Odeon de Boston. Elle l'avait lue, puis elle avait éclaté en sanglots en la laissant tomber sur ses genoux. Quand elle me l'avait lue, j'avais pleuré moi aussi mais mes larmes étaient un mélange de joie, de peur et de tristesse.

Ce mariage, je le désirais pour elle, je voulais son bonheur autant que je voulais le mien, mais où allais-je aller ? Des jours durant, je fus incapable de me concentrer sur la conférence que j'essayais d'écrire et de dissimuler à quel point je me sentais démunie. Je ne pouvais pas concevoir la vie sans elle, la vie toute seule, mais je ne voulais pas non plus me retrouver la parente encombrante qui vit dans un coin de la maison, toujours au milieu du chemin, et je ne pouvais imaginer que Theodore acceptât ma présence.

Et puis un jour, dans le salon de Sarah Mapps, Nina vint me voir et se laissa tomber sur le tabouret à côté de ma chaise. Sans un mot, elle ouvrit sa bible et lut à voix haute le passage dans lequel Ruth s'adresse à Naomi :

Ne me presse pas de t'abandonner et de m'éloigner de toi car où tu iras, j'irai ; où tu demeureras, je demeurerai ; ton peuple sera mon peuple et ton Dieu sera mon Dieu. Là où tu mourras, je mourrai et là je serai ensevelie. Que le Seigneur me fasse ce mal et qu'il y ajoute encore cet autre, si ce n'est pas la mort qui nous sépare.

Refermant la bible, elle ajouta : « Nous ne pouvons pas être séparées, ce n'est pas possible. Tu dois venir vivre avec moi quand je serai mariée. Theodore m'a demandé de te dire que son désir est identique au mien. »

Theodore avait acheté une petite ferme à Fort Lee, dans le New Jersey. Nous allions former une bien étrange trinité, tous les trois, mais Nina serait toujours près de moi. Nous pourrions continuer à écrire et à travailler pour la cause de l'abolition et celle des femmes, et moi, j'aiderais à tenir la maison et, quand viendraient les enfants, je serais leur tantine. Une vie qui s'achevait et une autre qui commençait.

Dans la salle à manger, le pasteur était en train de dire une prière et, je ne sais pourquoi, au lieu de fermer les yeux comme je le faisais toujours, je regardai Nina prendre la main de Theodore. Il avait été prévu que je laisse aux jeunes mariés quinze jours d'intimité avant de les rejoindre à Fort Lee mais je songeai soudain à Mère et à la question formulée dans sa lettre, *Vous reverrai-je un jour?* Cela paraissait être bien autre chose que la réflexion élégiaque jaillie du cœur d'une vieille femme et je me demandai si je ne devais pas saisir l'occasion de cette interruption dans notre travail pour aller la voir.

«Vous vous rendez compte, nous sommes maintenant mari et femme!» constata Nina elle-même lorsque la prière s'acheva.

La table, dressée dans le jardin, était recouverte d'une nappe en lin blanc sur laquelle étaient posés des plateaux de confiserie et des fleurs fraîchement coupées – digitales, azalées roses et pétales emplumés de vergerette. Le glaçage du gâteau de mariage était fait de blancs d'œuf mousseux et les couches de pâte étaient noircies avec de la mélasse pour rester dans le thème marron et blanc choisi par Nina. Il y avait un grand bol de jus framboise-groseille sucré autour duquel tous les abolitionnistes abstinents s'étaient regroupés, en faisant mine qu'il n'avait pas fermenté. J'avais bu trop vite un verre trop plein et je me sentais la tête mal arrimée.

Je déambulais parmi les invités, il y en avait quarante ou cinquante, je cherchais Lucretia, Sarah Mapps et Grace, tout en pensant, légèrement éméchée, voilà nos amis, nos proches, et Dieu merci, aujourd'hui, personne ne parle de la cruauté du monde. Je tombai sur John, le fils de Mrs. Whittier, que je n'avais pas revu depuis notre dernier tête-à-tête au mois d'août. Il amusait tout le monde en récitant un poème dont il était l'auteur et où il brocardait Theodore qui, manquant à sa parole, s'était marié. Il le comparait au traître Benedict Arnold et à tous ses semblables. Il me salua comme une sœur.

Lucretia me vit avant que je ne la voie. Cela faisait des années. Avec un sourire radieux, elle m'entraîna vers la lisière du jardin, près des rhododendrons en fleurs, où nous pourrions être seules. «Ma chère Sarah, j'ai du mal à croire que tu as pu accomplir tant de choses!»

Je sentis mes joues s'empourprer.

« C'est vrai, reprit-elle. Angelina et toi, vous êtes les femmes les plus célèbres d'Amérique.

— ... Les plus tristement célèbres, tu veux dire. »

Elle sourit. « Certes », acquiesça-t-elle.

Je me souvenais de Lucretia et moi dans son petit studio et de toutes ces soirées passées à bavarder, encore et encore. Quelle jeune femme agitée j'avais été, indécise et inquiète à l'idée de ne jamais trouver ma raison d'être. J'aurais voulu retourner en arrière pour lui dire que tout allait bien se passer.

Levant les yeux, j'aperçus Sarah Mapps et Grace de l'autre côté du jardin ; elles se dirigeaient vers nous. Nina et moi, nous n'avions cessé de voyager depuis dix-huit mois et, hormis notre visite l'hiver dernier, nous les avions fort peu vues. Je les pris dans mes bras. Lucretia, qui les avait connues à l'époque d'Arch Street, en fit autant.

Lorsque Sarah Mapps sortit une lettre de son réticule et me la tendit, je reconnus aussitôt l'écriture de Handful, même si l'enveloppe portait le sceau de ma sœur Mary. Incapable d'attendre, je l'ouvris et, le cœur serré, lus le bref message de Handful. On parlait de fugitifs qui parvenaient à traverser l'Ohio en venant du Kentucky, ou à atteindre Philadelphie et New York en venant du Maryland, mais rarement de si loin dans le Sud. *On s'en va d'ici et plutôt mourir que pas réussir.*

« Que se passe-t-il ? s'écria Lucretia. Tu as l'air bouleversée. »

Je leur lus la lettre puis je la repliai. J'avais les mains qui tremblaient.

« ... Elles vont se faire prendre. Ou se faire tuer », dis-je.

Sarah Mapps fronça les sourcils. « Elles doivent bien savoir dans quoi elles se lancent. Ce ne sont pas des enfants. »

Elle n'était jamais allée à Charleston. Elle n'avait aucune idée des lois et des décrets qui réglaient tous les instants de la vie des esclaves, de la Garde civile, du couvre-feu, des laissez-passer, des fouilles, des rondes de nuit, des comités de vigilance, des voleurs d'esclaves, de la *Work House*, insoutenable, la cruauté à l'état pur.

« Elles viennent nous rejoindre, dit Grace, comme si elle venait de comprendre.

— Et nous les accueillerons, ajouta Sarah Mapps. Elles peuvent prendre votre ancienne chambre au grenier. Elles nous donneront un coup de main pour l'école.

— Elles ne parviendront jamais à venir de si loin », dis-je.

Il me vint à l'esprit que Handful et Sky étaient peut-être déjà en route et je redépliai la lettre pour vérifier la date : *23 avril*. « Elle n'a été écrite qu'il y a trois semaines, dis-je plus pour moi-même que pour les autres. ... Je doute qu'elles soient déjà parties. J'ai peut-être encore le temps de tenter quelque chose.

— Mais qu'est-ce que tu pourrais bien faire ? demanda Lucretia.

— Je ne sais pas si je peux faire quoi que ce soit, mais je suis incapable de rester tranquille ici... Je pars à Charleston. Je peux au moins essayer de convaincre ma mère de me les vendre pour que je les affranchisse. »

Cette demande, je la lui avais déjà faite mais, cette fois, je la supplierai en personne.

Elle m'avait appelée « sa chère fille ».

Handful

Du renfoncement à l'étage, je regardais le port par la fenêtre et je me souvenais de la fois où, quand j'avais dix ans, j'avais vu l'eau pour la première fois ; comme elle voyageait loin et sans fatigue, j'avais inventé cette petite chanson, en caracolant, et maintenant j'allais avoir quarante-cinq ans et mes pieds ne dansaient plus. Ils avaient juste envie de partir loin d'ici. Little Missus ne m'avait plus laissée sortir depuis que j'avais été fouettée mais dès que j'en avais l'occasion, je me réfugiais là-haut. Parfois, comme aujourd'hui, j'apportais ma couture et je passais la matinée assise sous la fenêtre à piquer l'aiguille. Little Missus, ça lui était égal tant que je faisais mon travail, que je tenais ma langue, que je hochais la tête et que je disais *ouim'dame, ouim'dame, ouim'dame*.

Aujourd'hui, il faisait chaud et le soleil entrait à flots. J'ai ouvert la fenêtre et le vent soufflait fort, faisant remonter l'odeur des bancs de boue. De mon perchoir, j'ai vu le bateau à vapeur accoster à East Bay. J'avais beaucoup appris à force d'observer le monde aller et venir sur ce quai. Le vapeur arrivait presque tous les jours de la semaine. Le bateau de déblaiement passait d'abord pour dégager le passage, puis on entendait le rugissement de la roue à aubes et le halètement des remorqueurs, et ensuite les esclaves des docks commençaient à faire la navette en criant et ils se dépêchaient d'attraper les câbles et d'abaisser la passerelle.

Quand le bateau était sur le point de repartir, je regardais les voitures s'arrêter devant le bâtiment blanchi à la chaux à l'enseigne de la compagnie des bateaux à vapeur ; les gens entraient pour attendre un petit moment. De l'embarcadère, les esclaves montaient à bord les malles, les marchandises et les sacs de courrier. Quand dix heures sonnaient, les passagers traversaient la rue et les esclaves aidaient les dames à franchir la passerelle. Le bateau attendait toujours le passage de la Garde avant d'appareiller. Ils étaient deux, parfois trois, ils visitaient tout le bâtiment – pont supérieur, pont inférieur, cabine du pilote, du bas jusqu'en haut. Une fois, ils avaient ouvert chaque malle avant qu'elle soit embarquée. C'était à ce moment que j'avais compris qu'ils cherchaient les fugitifs, les esclaves fugitifs.

Le bateau du jeudi allait jusqu'à New York et après, on en prenait un autre qui allait à Philadelphie – j'avais appris ça en lisant le *Charleston Post and Courier*, que j'avais piqué dans le salon. Tous les horaires y étaient imprimés et on savait que le billet coûtait cinquante-cinq dollars.

Aujourd'hui, l'embarcadère était vide mais je n'étais pas montée jusqu'au renfoncement pour regarder le bateau, non, j'étais montée pour trouver un moyen d'embarquer. Toutes ces semaines passées, j'avais été patiente. Prudente. *Ouim'dame, ouim'dame.* Maintenant, j'étais assise là avec les feuilles de palmier qui claquaient dans le vent et je pensais à la gamine qui se baignait dans la baignoire en cuivre. Je pensais à la femme qui avait volé un moule à balles. Je l'aimais, cette fille, cette femme.

J'ai passé en revue tout ce que j'avais vu là, sur ce port, tout ce que je savais. J'étais assise, les mains immobiles, les yeux fermés et mon esprit volait avec les mouettes, le monde basculait comme l'aile d'un oiseau.

Quand je me suis levée, je tremblais de tous mes membres.

La semaine d'après, quand Hector a distribué les tâches pour la journée, il a dit à Minta de défaire tous les lits de la maison et d'emporter les draps à la buanderie. J'ai réfléchi vite fait et j'ai dit : « Oh, je vais m'en occuper, la pauvre Minta a tellement mal au dos. » Elle m'a regardée d'un drôle d'air, mais elle a pas discuté. Toute occasion de se reposer est bonne à prendre.

Dans le renfoncement l'autre jour, une idée avait surgi dans ma tête – les robes. J'ai vu les robes noires avec lesquelles nos deux maîtresses avaient porté le deuil de leurs maris. J'ai vu leurs capelines avec les épais voiles noirs et leurs gants noirs. Ces objets, j'en ai eu une vision claire comme le jour.

Quand je suis entrée dans la chambre de Missus, j'ai enlevé les draps, j'ai écouté si quelqu'un marchait dans l'escalier, ou un bruit de canne, et puis j'ai ouvert le dernier tiroir de son armoire à linge. C'était là que j'avais rangé moi-même la tenue de deuil de Missus, robe, chapeau et gants, bien des années auparavant. J'avais tout enveloppé dans un drap avec du camphre pour empêcher les mites d'y nicher et je l'avais mis dans le tiroir du bas. En y glissant la main, l'inquiétude m'a prise : si ça se trouvait, tout avait disparu depuis belle lurette, ou ce qui avait éloigné les mites avait attiré les rats mais alors, j'ai senti le tissu sous mes doigts.

J'ai jeté un œil dans le paquet. C'était toujours la plus belle robe que j'aie jamais faite de ma vie – en velours noir rebrodé de centaines de perles de verre, noir. Certaines, décousues, s'étaient éparpillées dans les plis du drap. Le voile du chapeau avait deux accrocs qu'il faudrait réparer et en plus j'avais oublié que les gants étaient en fait des mitaines. J'allais devoir rajouter des doigts. J'ai glissé tout ça dans le linge du lit que j'ai noué serré. J'ai laissé le ballot devant la porte et j'ai couru dans la chambre de Little Missus.

Ses vêtements de deuil étaient rangés à peu près de la même manière dans sa commode mais avec des copeaux de cèdre à la place du camphre. Je ne voyais pas comment nous allions pouvoir nous débarrasser de ces odeurs envahissantes. Une fois la robe, le chapeau et les gants bien roulés dans les draps, j'ai balancé les deux ballots sur mon dos et je suis redescendue avec ma canne, tout droit jusqu'à la chambre en sous-sol.

Ce soir-là, après avoir tiré le lit pour bloquer la porte, Sky a essayé la robe de velours noir de Missus ; elle pouvait même pas fermer les boutons. Missus avait beau avoir la taille épaisse, il fallait quand même que je lâche les coutures pour Sky et que j'ajoute quinze bons centimètres à l'ourlet et cinq aux manches. Elle était bien la fille de son père, ça oui.

Little Missus était de taille normale mais, dans sa robe, on aurait pu en mettre deux comme moi.

La seule chose qui nous manquait, c'était les chaussures, des chaussures convenables. Nous n'avions que des godillots d'esclave et il allait bien falloir s'en contenter.

Je me suis mise au travail le soir même. Sky m'apportait du fil et des ciseaux et surveillait le moindre de mes points. Elle chantait la chanson gullah qu'elle préférait, *Si tu ne sais pas où tu vas, tu devrais savoir d'où tu viens.*

Je lui ai dit : « Maintenant, on sait où on va.

— Ouais ! elle a répondu.

— On sera prêtes jeudi en huit, au moment où le bateau partira. »

Elle a pris son tablier posé sur le fauteuil à bascule et elle a fouillé dans sa poche ; elle en a sorti deux petits flacons comme ceux qu'Aunt-Sister utilisait pour les teintures. « Je nous ai préparé une décoction de laurier blanc. »

Un frisson m'a saisie, de la nuque jusqu'au bout des doigts. Le laurier blanc, c'était la plante la plus mortelle du monde. Un buisson s'était enflammé dans Hasell Street et un homme était mort sur le coup rien que d'en respirer la fumée. Le liquide brun dans le flacon de Sky nous enverrait au tapis vomir tripes et boyaux jusqu'à notre dernier souffle, mais ça prendrait pas longtemps.

« On s'en va et plutôt mourir que pas réussir », a dit Sky.

Sarah

C'était la tempête quand je débarquai à Charleston. Tandis que le bateau à vapeur entrait en rugissant dans le port, des éclairs déchiraient le ciel et la pluie tombait en rafales, et pourtant, je sortis sous le toit du pont supérieur pour ne pas rater l'entrée dans la ville. Voilà seize ans que je n'étais pas revenue.

À l'embouchure du port, nous passâmes en barattant l'eau devant Fort Sumter, dont la construction ne paraissait guère plus avancée que lorsque j'étais partie. La péninsule surgit des flots comme un antique mirage, les maisons blanches de la Battery noyées dans la pluie grise. L'espace d'un instant, je sentis cet appétit tranquille qui vous gagne quand on revient sur le lieu de ses origines, et puis la douleur de n'être nulle part chez soi. C'était beau, cet endroit, et c'était brutal. Il vous avalait, il vous assimilait, ou bien, si vous vous révéliez trop inmangeable, il vous recrachait comme un noyau de prune.

J'avais quitté cette ville de mon plein gré et pourtant on aurait dit qu'elle m'avait bannie tout autant que je l'avais bannie. À la revoir après tout ce temps, à revoir les marécages herbeux et exubérants aux limites de la ville, les toits serrés les uns contre les autres avec leurs terrasses et leurs dunettes, et derrière, les clochers de St. Philip et de St. Michael dressés comme des doigts sombres, l'idée d'aimer Charleston ou de le quitter ne me désolait nullement. C'était la géographie qui m'avait faite telle que j'étais.

Le vent fit tomber mon bonnet sur ma nuque, l'écharpe s'enroula autour de mon cou et quand je me tournai pour la rattraper, je vis le couple menaçant s'encadrer dans la fenêtre du salon. Rentrant chez eux après avoir fréquenté la bonne société de Newport, ils m'avaient reconnue peu de temps après que nous avions quitté New York. J'avais essayé de rester à l'écart de tout le monde, mais la femme m'avait dévisagée avec une curiosité insatiable. « Vous êtes la fille Grimké, n'est-ce pas ? dit-elle. Celle qui… » Son mari l'avait prise par le bras en l'entraînant sans lui laisser le temps de finir sa phrase. Elle voulait « dire celle qui nous a trahis. »

Ils m'examinaient d'un œil noir, jaugeant ma jupe mouillée et mon bonnet en déroute et j'étais convaincue que l'homme allait signaler ma présence aux autorités dès que nous aurions mis pied à terre. Ce retour était peut-être finalement une épouvantable erreur. Pour m'éloigner d'eux, je me dirigeai vers la proue du bateau au moment où un coup de tonnerre retentit, se perdant dans le bruit des moteurs. Charleston pouvait pardonner aux siens bien des choses, mais pas la trahison.

Je trouvai Handful une heure à peine après mon arrivée. Elle était en train de coudre dans le renfoncement de l'étage, comme de juste. Quand elle me vit, elle se leva d'un bond, vacillant un peu sur sa jambe infirme, et lâcha la chemise d'esclave par terre, ainsi que le fil et l'aiguille. Je lui tendis les bras et je me retrouvai en train de la serrer contre moi tandis qu'elle me serrait contre elle.

« J'ai eu ta lettre », lui dis-je doucement, au cas où des oreilles indiscrètes auraient traîné quelque part.

Elle secoua la tête. « Mais tu n'es pas revenue à cause de ça. À cause de moi.

— Bien sûr que si. »

Je ramassai la chemise et nous nous assîmes sur la banquette, sous la fenêtre.

Elle portait son habituel foulard rouge et n'avait presque pas changé. Elle avait toujours des yeux grands comme des soucoupes, leur couleur dorée avait un peu foncé, et elle était toujours aussi mince. Pas frêle ni maigrichonne, mais distillée, concentrée.

Il y avait une canne posée entre nous deux avec un lapin fantaisie sculpté sur le pommeau. Elle la déplaça et dit : « Tu n'es pas venue pour nous empêcher de partir, hein ?

— C'est dangereux, Handful… J'ai peur pour vous.

— Eh bien, sans doute, mais moi, les courbettes devant ta mère et ta sœur jusqu'à la fin de mes jours, ça me fait encore plus peur. »

Osant à peine chuchoter, je lui expliquai mon plan : essayer de convaincre Mère de me les vendre, Sky et elle.

Elle eut un rire amer. « *Ouh ouh.* »

Je ne m'étais pas attendue à cette réaction. Je regardai derrière elle, le port, et remarquai au loin le vapeur noyé sous la pluie.

Elle s'agita sur la banquette et je sentis le souffle lui manquer. « Je n'imagine pas du tout Missus faire une chose qui soit à mon avantage, c'est tout. Mais tu as parcouru tout ce chemin – personne d'autre n'aurait fait ça pour moi –, alors ça vaut le coup d'essayer, et si elle est d'accord pour nous vendre, je te rembourserai avec tout ce que j'ai, quatre cents dollars.

— Ce ne sera pas nécessaire…

— Écoute, autrement, je n'accepte pas. »

Nous cessâmes de discuter car Hector, le majordome dévoué à Mary, était en train de monter ma malle et son regard s'attardait sur nous plus longtemps que nous ne l'aurions souhaité. Je me levai. « Il faut que je m'installe.

— Va donc lui parler alors, chuchota Handful. Mais n'attends pas trop longtemps. »

J'attendis quatre jours. Il me parut imprudent de formuler cette requête avant – je tenais à ce que Mère croie que j'étais revenue uniquement pour la voir.

J'abordai le sujet le mardi après-midi alors que nous étions assises dans le salon, Mère, Mary et moi, en train d'agiter nos éventails pour lutter contre la chaleur étouffante. Un silence alangui s'était installé et aucune de nous ne paraissait vouloir le rompre. Nous avions épuisé tous les sujets de conversation anodins : le temps pluvieux, les merveilles du chemin de fer qui reliait Charleston à Savannah, une version expurgée du mariage de Nina, des nouvelles de mes frères et sœurs, des nièces et neveux que je n'avais jamais vus. Si je voulais avoir une chance d'assurer la liberté de Handful et de Sky, il ne fallait pas parler de mes scandaleuses aventures, qui avaient été racontées dans toute la presse. Ni de l'abolition, ni de l'esclavage, ni du Nord, ni du Sud, ni de religion, ni de politique, ni du fait que, l'été dernier, j'avais été proscrite de cette ville.

« Les gens parlent, Sarah », dit Mary en brisant la trêve.

Elle échangea un regard avec Mère et je vis à quel point elles étaient en accord l'une avec l'autre, à quel point elles se ressemblaient. Venu tout droit de mon enfance, il y eut un écho de ma solitude et je me sentis à nouveau le vilain petit canard. Même encore aujourd'hui. Quelque part au fond de ma mémoire, j'entendis la voix de Binah, « Pauvre Miss Sarah ». Ces sentiments puérils, irrationnels, d'où sortaient-ils brusquement ?

« La rumeur de ton retour court partout, déclara Mary. Ce n'est plus qu'une question de temps avant que le sheriff arrive pour mener son enquête et, si tu es présente, je ne sais pas exactement à quelle réaction tu t'attends de notre part. Nous pouvons difficilement te cacher comme une fugitive. »

Je me tournai vers Mère, qui détournait les yeux vers la véranda. Les fenêtres étaient ouvertes et l'odeur chocolatée du laurier-rose pénétrait dans la pièce, d'une intensité écœurante.

« Vous désirez que je parte ?

— Ce que nous désirons ne compte pas, répondit Mère. Si les autorités débarquent, je ne te dénoncerai pas à eux, évidemment. Tu es ma fille. Tu es encore une Grimké.

Nous suggérons simplement que tout serait plus simple si tu écourtais ta visite. »

À ma grande surprise, ses yeux se remplirent de larmes. Elle était empâtée à présent, elle avait perdu beaucoup de cheveux et son visage était profondément raviné. Elle ne me quittait pas des yeux tandis que ses larmes coulaient ; je me levai pour aller vers elle. Je me penchai maladroitement en avant et je l'enlaçai.

Elle s'accrocha à moi un instant, puis elle se redressa. Au lieu de retourner m'asseoir, je me mis à arpenter la pièce, jusqu'à la fenêtre et retour, rassemblant mon courage.

« Je ne voudrais surtout pas vous mettre en danger, je partirai par le prochain bateau mais avant, je voudrais vous faire une requête. Je voudrais acheter Hetty et sa sœur Sky.

— Les acheter ? répéta Mary. Mais pourquoi ? Tu n'es même pas du genre à faire du troc.

— Mary, pour l'amour du ciel, elle veut les affranchir, expliqua Mère.

— Je vous donnerai la somme que vous désirez, dis-je en revenant vers elle. Je vous en prie. Je considérerai cela comme une marque de bonté à mon égard. »

Mary se leva pour se mettre de l'autre côté du siège de Mère. « On ne peut vraiment pas se passer de Hetty, dit-elle. Il y a peu de couturières à Charleston qui lui arrivent à la cheville. Elle est irremplaçable. L'autre, on peut s'en passer, mais pas de Hetty. »

Mère examinait ses mains. Ses épaules montaient et s'abaissaient au rythme de son souffle et je me pris à espérer.

« Il existe des lois qui rendent ces choses difficiles, dit-elle. Les émanciper exigerait un décret législatif particulier.

— Difficile mais faisable », dis-je aussitôt.

Quelque chose en elle semblait s'incliner, se tendre vers moi. Mary le sentait, elle aussi. Elle posa la main sur celle de notre mère et glissa ses propres doigts entre les siens.

Elle dit : « Nous ne pouvons pas nous passer de Hetty. En outre, nous devons penser à elle. Où ira-t-elle ? Qui prendra soin d'elle ? Ici, elle a un foyer.

— Ce n'est pas son foyer, c'est sa prison », répliquai-je.

Mary se raidit. « Nous n'avons pas besoin que tu viennes nous faire la leçon sur l'esclavage. Je ne le supporterai pas et je te l'interdis. C'est notre façon de vivre. »

La colère me prit en l'entendant parler ainsi. Je me demandai un instant si je ne ferais pas mieux de me taire pour arranger mes affaires avec Mère. Avait-on jamais raison de sacrifier sa vérité par opportunisme ? Mère ferait ce qu'elle ferait, pas vrai ? Mais comment était-il possible que je n'aie aucune difficulté à m'exprimer dans le vaste monde et que je sois muette dans la maison qui m'avait vue naître ?

Quelque chose céda en moi – des années passées ici à cohabiter avec l'intenable. « *Votre façon de vivre !* Mais quelle justification est-ce là ? L'esclavage est un système sorti tout droit de l'enfer, il n'est pas défendable ! »

Le cou de Mary se couvrit de petites hosties rouges. « Dieu a ordonné que nous prenions soin d'eux », bredouilla-t-elle, toute démontée.

Je fis un pas vers elle et laissai libre cours à ma colère. « Tu parles comme si Dieu était blanc et né dans le Sud ! Comme si son image était notre propriété. Tu parles comme une idiote. Les Noirs ne sont pas des créatures différentes de nous. Avoir la peau blanche n'a rien de sacré, Mary ! Cela ne peut pas continuer à être la référence universelle. »

Je doute que quelqu'un lui ait jamais parlé sur ce ton et elle me tourna le dos, prise de court.

Je n'aurais su expliquer cette explosion, cette façon de m'exprimer sans détour, l'audace et l'autorité sur lesquelles ma vie était désormais bâtie. Moi aussi, je me sentis prise de court ; je fermai les yeux et je bénis ce qui m'arrivait. C'était comme revenir enfin à l'endroit d'où j'étais partie et je savais que désormais je ne me sentirais plus jamais une exilée.

Mère leva la main. « Tout cela m'a fatiguée », déclara-t-elle et elle se leva avec difficulté en s'aidant de sa canne à pommeau d'or. Elle se dirigea vers la porte, puis elle se retourna et nos regards se croisèrent. « Sarah, je ne te vendrai ni Hetty ni Sky. Je suis navrée de te décevoir, mais je suis prête à un compromis. »

Dans l'obscurité du sous-sol, le bruit que je fis en frappant se perdit, comme avalé. Il était minuit passé. J'avais attendu jusque-là pour aller trouver Handful ; je m'étais faufilée en bas quand la maison était endormie, sans avoir quitté mes vêtements de nuit. La lanterne se balançait dans ma main, les ombres oscillaient, tandis que je tapais à la porte de Handful. Allez, Handful, réveille-toi.

« Qui est là ? »

Derrière la porte, sa voix parvenait étouffée, inquiète.

« Tout va bien. C'est moi, c'est Sarah. »

Elle entrebâilla la porte pour me laisser entrer. Elle tenait une bougie qui vacillait sous son menton. Ses yeux paraissaient presque lumineux.

« Je suis désolée de te déranger, mais il faut qu'on parle. »

De l'autre côté de la pièce, Sky s'était assise dans son lit, les cheveux dressés comme un grand éventail noir. Je posai la lanterne et lui fis un signe de tête. Peu de temps après mon arrivée, je l'avais vue dans le jardin d'agrément, à genoux, en train de creuser avec un déplantoir. Le jardin avait été transformé en un véritable pays des merveilles, un terrain clos de fleurs multicolores, de baies bien taillées et de sentiers sinueux, et j'y étais allée comme on va se promener. Sky n'avait pas attendu que je m'approche, elle s'était relevée et s'était dirigée vers moi, sentant la terre fraîchement remuée et les plantes vertes. Elle ne ressemblait pas du tout à Handful ni d'ailleurs à Charlotte. Elle était costaud. Elle me paraissait aussi sauvage que rusée. Elle dit : « C'est vous, Sarah ? » J'acquiesçai et elle sourit. « Handful a dit que vous êtes la meilleure des Grimké.

— Je ne suis pas sûre que cela soit un grand compliment, répondis-je en souriant.

— Peut-être pas », rétorqua-t-elle et, aussitôt, elle me plut.

J'examinai la chambre en sous-sol, un peu plus encombrée maintenant avec les deux lits. Elles les avaient poussés côte à côte sous la fenêtre.

« Qu'y a-t-il ? demanda Handful mais, avant que je ne lui réponde, je vis qu'elle avait compris. Ta mère refuse de nous vendre, c'est ça ?

— Oui, je suis désolée. Elle a refusé. Mais...

— Mais quoi ?

— Elle a accepté de vous libérer toutes les deux après sa mort. Elle a dit qu'elle allait rédiger le document et l'ajouter à son testament. »

Handful se leva et me regarda fixement, la lumière tombant en flaque autour d'elle. Ce n'était pas ce que nous voulions, aucune de nous, mais c'était mieux que rien.

« Elle a soixante-quatorze ans, ajoutai-je.

— Elle survivrait au dernier cafard, répliqua Handful. On partira d'ici après-demain », reprit-elle en regardant Sky.

Je fus à la fois soulagée et terrifiée. J'observai cette attitude de défi, compacte, qui faisait tellement partie de sa personnalité.

« Dis-moi si je peux vous aider d'une quelconque façon. »

Handful

La nuit qui a précédé notre départ, Sky et moi, on s'est affairées dans le noir pour tout préparer. On a traversé la cour à la lumière des étoiles et on s'est faufilées dans l'écurie pour récupérer le quilt de mauma au milieu des couvertures de cheval. On est montées dans la chambre de Sarah, du sous-sol jusqu'au deuxième étage, trois voyages, en portant les quilts, les robes noires, les chapeaux, les voiles, les gants et les mouchoirs. Monter, descendre, et moi avec mon pied infirme, à passer juste devant les portes de Missus et de Little Missus. On marchait sans chaussures, tout doucement comme si le plancher risquait de céder sous notre poids.

Après notre dernier voyage, Sarah a fermé la porte à clé derrière nous et m'est revenu le souvenir fané d'elle en train de regarder par le trou de la serrure à l'époque où elle m'apprenait à lire et comment nous chuchotions dans la lumière de la lampe, exactement comme nous étions en train de faire. J'ai suspendu nos robes dans son armoire. Elles nous allaient comme si c'était du sur-mesure. Les voiles étaient impeccablement repassés et j'avais aspergé le velours et le crêpe avec l'eau de lavande de Missus pour qu'on répande une odeur de dame blanche. J'avais cousu des poches sur l'envers des robes pour cacher notre argent, ainsi que la brochure de Sarah, le foulard rouge de mauma et l'adresse à Philadelphie où nous espérions arriver.

Sky a dit que le lapin était plus rusé que le renard.

Sarah a ouvert sa malle et j'ai posé le quilt-histoire de mauma au fond, sur la doublure satinée. J'avais apporté le quilt avec les carrés rouges et les triangles noirs, espérant l'emporter lui aussi – les premières ailes de merle que j'avais jamais cousues –, mais je me rendais compte maintenant à quel point la malle était petite et je me suis sentie mal à l'aise à l'idée d'occuper tout ce précieux espace. J'ai dit : « Je peux laisser ça ici. »

Sarah me l'a pris des mains et l'a rangé dans la malle. « Je préférerais laisser mes robes – elles ne valent pas grand-chose. »

Je connaissais aussi bien qu'elle les risques qu'elle prenait en agissant ainsi. Je lisais les journaux. Vingt ans de prison pour faire circuler des publications de nature séditieuse. Vingt ans pour aider un esclave à s'échapper.

Je l'ai observée pendant qu'elle pliait ses maigres possessions par-dessus les quilts et je me suis dit : Ce n'est plus la même Sarah que celle qui est partie d'ici. Elle avait le regard assuré et sa voix avait perdu ce côté hésitant d'autrefois. Elle était devenue un sacré bouillon bien concentré.

Ses cheveux n'étaient pas attachés et pendaient le long de son cou en tiges soyeuses, comme les fils rouges que j'enroulais autrefois autour de l'arbre des âmes, et je la vis distinctement, cette chose étrange qui nous liait. Pas de l'amour, hein ? Qu'est-ce que c'est ? C'était toujours présent, un coussinet dans ma poitrine, une pelote à épingles. Ça piquait et ça tenait bon. Ces gamines sur le toit, avec le thé qui avait refroidi dans les tasses.

Elle a rabattu le couvercle de la malle.

J'ai dit à Sky, redescends au sous-sol, repose-toi, je te rejoins dans un moment – il me restait encore une tâche à accomplir, seule. J'ai descendu l'escalier, je suis sortie par la porte de derrière et, appuyée sur ma canne, j'ai foncé vers l'arbre des âmes.

Sous les branches, le clair de lune m'éclaboussait entre les feuilles. J'ai senti les chouettes cligner des yeux et le vent a pris son souffle. Quand j'ai regardé la maison, j'ai vu mauma à la fenêtre de l'étage, elle attendait pour m'envoyer un caramel. Elle ressortait des ornières, la jambe remontée derrière elle et la sangle autour du cou. Elle était assise tranquillement contre le tronc de l'arbre, son ouvrage sur les genoux.

Je me suis penchée et j'ai ramassé une poignée de rogatons tombés de l'arbre – glands, brindilles, une feuille fatiguée, écornée – et je les ai fourrés dans la pochette que je portais autour du cou. Et puis, j'ai pris mon âme.

Le lendemain matin, nous avons tout fait comme d'habitude. Sky est allée au potager avec son panier et elle a ramassé les tomates mûres et les laitues. Missus m'a demandé de frotter ses éventails en ivoire avec du papier de verre pour supprimer le jaunissement. J'ai obéi et j'ai travaillé dans le renfoncement en surveillant le bateau à vapeur. Dans le port, l'eau se soulevait comme les volants d'une robe.

Sarah était en bas dans le salon, avec Missus, et elle lui faisait ses derniers adieux. Elle ne reverrait plus jamais sa mauma. Elle le savait, et Missus aussi le savait. Dans la maison, l'air résonnait comme une longue note jouée sur un clavecin. Dans le vestibule, la malle de Sarah était fermée et prête à partir, tout était dedans – l'histoire de mauma, la volée de merles.

L'horloge a carillonné et j'ai compté les notes, neuf, et Sarah est sortie du salon avec les yeux rougis, brillants. J'ai posé les éventails en ivoire et je l'ai suivie dans sa chambre, laissant ma canne-lapin derrière moi, contre la fenêtre.

Sarah était vêtue d'une robe gris pâle avec un gros bouton d'argent au col, le bouton qui datait de l'époque où elle était gamine, celui auquel elle avait accroché tous ses espoirs. Sortant par la porte dérobée sur la terrasse couverte, elle s'est penchée par-dessus la balustrade pour regarder Sky dans le jardin d'agrément; elle lui a fait signe. Ce qui signifiait : Laisse tes plantations et tes fleurs et rentre. Passe devant le logis des esclaves. Si Little Missus t'arrête, dis, Sarah m'a appelée.

Quand Sky a tapé à la porte, j'avais déjà mis ma robe et je m'étais tamponné le visage avec une pâte de farine blanche. Elle a souri. Elle a dit : « Tu ressembles à un spectre.

— Il y avait du monde en bas ? a demandé Sarah.

— Personne excepté Hector. Il a dit de vous dire que Goodis va pas tarder à amener la voiture. »

J'ai aidé Sky à fermer sa robe et à se mettre du blanc sur le visage ; personne ne disait rien. Sarah, les sourcils froncés, ne desserrait pas les dents. Elle marchait de long en large dans la chambre, en balançant une aumônière à cordon.

Nous avons enfilé nos gants. Nous avons noué nos chapeaux. Nous avons descendu nos voiles jusqu'à la taille. Les petits flacons de jus de laurier, nous les avons glissés dans nos manches – Sarah n'avait pas besoin d'être au courant.

Vue de derrière le voile, la chambre paraissait floue comme la brume avant le point du jour.

J'ai entendu le cheval longer la maison, il était sorti de la cour et mon ventre s'est noué. J'avais essayé de ne pas placer mes espoirs trop haut, de ne pas penser à ces femmes noires libres là-haut dans le Nord qui voulaient bien nous prendre chez elles, au grenier de leur maison avec la cheminée qui passait au milieu, mais je n'en pouvais plus d'attendre. Nous pourrions les aider pour faire marcher leur école et créer leurs chapeaux. Je pourrais fabriquer des quilts et les vendre. Sky pourrait planter un jardin.

Sarah m'a tendu la canne à pommeau d'or de sa mauma. Puis elle nous a regardées de bas en haut et elle a dit : « Je ne vous reconnaîtrais pas dans la rue. »

Nous avons descendu l'escalier vite fait. Si on devait croiser Little Missus, eh bien, on la croiserait. L'important, c'était d'avancer. De se laisser arrêter par personne. En atteignant la dernière marche, j'ai vu l'espace vide là où il y avait eu la malle et puis Hector à côté de la porte qui nous transperçait littéralement du regard.

Sarah s'est adressée à lui. « Mère m'a demandé de bien vouloir raccompagner ses visiteuses chez elles. Tu peux disposer. Goodis va s'en charger. »

Hector a libéré le passage. La façon dont il nous a regardées – était-il au courant ? Little Missus n'était nulle part en vue.

Nous avons franchi la porte et le monde s'est précipité à notre rencontre. En jetant un œil vers Sky, j'ai vu du blanc derrière son voile.

Quand Goodis a arrêté la voiture devant l'enseigne de la compagnie des bateaux à vapeur, il faisait sacrément chaud sous nos voiles. La sueur ruisselait le long de nos cous. Sky a soulevé les plis de sa jupe pour faire un peu d'air, libérant ainsi une odeur de lavande mêlée aux relents corporels.

En m'aidant à descendre de voiture, Goodis a murmuré : « Seigneur, Handful, mais qu'est-ce tu fabriques ? »

Nous n'avions pas réussi à le duper et pour ce que j'en savais Hector avait sans doute tout compris, lui aussi. Je me suis retournée pour vérifier qu'il n'arrivait pas dans East Bay au grand galop du sulky avec Little Missus.

J'ai dit : « Goodis, je suis désolée, mais on s'en va. Ne nous dénonce pas. »

Il a serré les lèvres et j'ai senti tous les endroits de mon corps qu'elles avaient caressés. Je n'avais jamais rencontré de meilleur homme. Sans que je l'aie voulu, mon cœur s'était retrouvé emmêlé au sien.

Il m'a serré la main et son visage était sombre derrière mon voile noir. Il a dit : « Fais bien attention à toi, ma petite. »

Il a fallu attendre les billets, attendre pour monter à bord, attendre que quelqu'un dise : « Qui êtes-vous ? »

Quand nous nous sommes engagées sur la passerelle, le vent s'est levé et le bateau a tangué. J'ai pensé à Missus et à ses dévotions. Avec cette femme, nous avions parcouru toute la Bible et retour. Maintenant, nous étions Jésus en train de marcher sur l'eau.

Passant devant les malles, les tonneaux, les ballots et les caisses, devant la chaudière, nous sommes montées sur le pont supérieur et nous nous sommes assises sur un banc dans le salon pour attendre le passage de la Garde. La salle était peinte en blanc avec des tables sous les fenêtres, des tables clouées au sol. Les gens se tenaient par groupes de deux ou trois, tout endimanchés, dans des nuages de fumée de pipe et, de temps en temps, ils nous jetaient un œil, leur curiosité piquée par ce deuil si opaque que nous affichions. Sarah s'est installée un peu plus loin, tête basse, cachée derrière son chapeau.

Quand les deux gardes sont entrés d'un pas pesant, j'ai entendu Sky reprendre son souffle. Un garde s'est chargé du côté gauche, l'autre du côté droit. Ils faisaient des signes à certains voyageurs, ils échangeaient un mot ici ou là. J'ai baissé les yeux et j'ai vu la pointe des godillots de Sky sortir de sous sa jolie robe. Des godillots marron, tout éraflés, avec la tristesse qu'ils dégageaient.

Il s'est arrêté devant nous. Il a dit : « Et où vous rendez-vous ? » C'était à moi qu'il s'adressait.

Ma langue d'esclave serait comme le bout des chaussures de Sky, elle allait nous trahir. J'ai relevé la tête et je l'ai regardé. Il portait son képi incliné sur le côté. Il avait les yeux verts et des favoris blonds tout neufs. Derrière lui, à travers la vitre sale, je voyais l'eau étinceler.

« Ma'am ? » il a insisté.

Sarah s'est agitée sur le banc. Je me suis inquiétée à l'idée qu'elle intervienne, que Sky se mette à chantonner, que la peur tassée comme un ressort à l'intérieur de moi se libère sans prévenir. Et puis je me suis souvenue que j'étais vêtue d'une robe de veuve. Mes lèvres ont laissé échapper un petit bruit comme si je m'efforçais de lui répondre mais que les mots m'étranglaient, parce que j'étais anéantie de chagrin, et, en définitive je n'ai pas eu à me forcer tellement. J'avais de la peine pour ma vie, pour ce que j'avais vécu, ce que j'avais vu, ce que j'avais su, pour tout ce qui était perdu pour moi, et les larmes ont jailli.

Un gémissement discret m'a échappé et il a reculé d'un pas. Il a dit : « Je suis navré de la perte que vous avez subie, ma'am. »

Au moment où il partait, une goutte blanche est tombée de mon menton, la farine s'est étalée sur ma jupe.

Le moteur a rugi et tout le banc a tremblé. Puis il y a eu une odeur d'huile et un jet de fumée. Les passagers ont quitté le salon pour aller sur le pont, ils ont agité leurs mouchoirs en signe d'adieu et on y est allées, nous aussi, regarder les esclaves du port balancer les lourds cordages. Au loin, les cloches ont sonné à l'église St. Michael.

Debout à la proue, toutes les trois, cramponnées au bastingage, on a attendu. Les mouettes volaient autour de nous, le bateau a fait une embardée puis il s'est lancé en avant. Quand la roue à aubes a commencé à tourner, Sarah a posé la main sur mon bras et elle l'a laissée là jusqu'à ce que la ville disparaisse. C'était le dernier carré du quilt.

J'ai pensé à mauma et à ses os qui resteraient toujours ici. Les gens disent ne regarde pas derrière toi, le passé est le passé, mais moi, je regarderai toujours derrière moi.

J'ai vu Charleston s'éloigner dans la lumière du matin.

Quand on a franchi l'embouchure du port, le vent s'est levé, nos voiles se sont soulevés et moi, j'ai entendu les ailes des merles. On fendait les flots étincelants, on partait pour très loin.

Note de l'auteur

En 2007, je suis allée à New York voir l'œuvre de Judy Chicago, *The Dinner Party*, au Brooklyn Museum. J'étais en train d'écrire une autobiographie, *Traveling with Pomegranates*, avec ma fille, Ann Kidd Taylor, et je ne pensais pas à mon prochain roman. Je n'avais aucune idée de ce dont il parlerait, seulement la très vague notion que j'avais envie d'écrire sur deux sœurs. Qui étaient ces sœurs, où et quand elles vivaient, et de quoi leur histoire pouvait être faite, je n'y avais pas encore songé.

The Dinner Party est une œuvre d'art monumentale, à la gloire de la réussite des femmes dans la civilisation occidentale. La table de banquet de Chicago avec ses succulents couverts honorant trente-neuf invitées sélectionnées repose sur un sol carrelé où sont inscrits les noms de neuf cent quatre-vingt-dix-neuf autres femmes ayant grandement contribué à écrire l'histoire. C'est en lisant ces neuf cent quatre-vingt-dix-neuf noms sur les *Heritage Panels* de la Biographic Gallery que je suis tombée sur ceux de Sarah et Angelina Grimké, deux sœurs originaires de Charleston, en Caroline du Sud, la ville dans laquelle je vivais à l'époque. Comment se faisait-il que je n'avais jamais entendu parler d'elles ?

En quittant le musée ce jour-là, je me suis demandé si je n'avais pas trouvé les sœurs sur lesquelles j'avais envie d'écrire. Une fois de retour à Charleston, dès que j'ai commencé à explorer leurs vies, j'en ai été certaine, passionnément.

Il s'est avéré que depuis plus de dix ans je passais régulièrement en voiture devant la maison des sœurs Grimké, que rien ne signalait, sans savoir que ces deux femmes avaient été les premières propagandistes de la cause abolitionniste et parmi les premières penseuses majeures du féminisme américain. Sarah fut la première femme aux États-Unis à rédiger un manifeste féministe complet et Angelina la première à s'exprimer devant une assemblée législative. À la fin des années 1830, elles étaient sans conteste les femmes les plus célèbres et les plus honnies d'Amérique, et pourtant elles n'étaient guère passées à la postérité, même dans leur ville natale. Que j'ignore leur existence relevait de mon insuffisance personnelle et venait confirmer le point de vue de Chicago selon lequel, au cours de l'histoire, on avait gommé en permanence les exploits des femmes.

Sarah et Angelina sont nées au sein de la puissante et riche aristocratie de Charleston, une classe sociale équivalente à la catégorie anglaise de l'aristocratie terrienne. C'était des dames pieuses et raffinées qui évoluaient dans les cercles restreints de la bonne société et pourtant peu de femmes du xixe siècle se sont aussi «mal conduites». Elles ont subi une longue et douloureuse métamorphose, rompant avec leur famille, leur religion, leur terre natale et leurs traditions, devenant des exilées et même des parias à Charleston. Cinquante ans avant que Harriet Beecher Stowe n'écrive *La Case de l'oncle Tom,* œuvre totalement inspirée par *American Slavery As It Is,* un pamphlet rédigé par Sarah, Angelina et le mari d'Angelina, Theodore Weld, et publié en 1839, les sœurs Grimké s'étaient lancées dans une croisade non seulement pour l'émancipation immédiate des esclaves, mais également pour l'égalité raciale, une idée absolument radicale même chez les abolitionnistes. Et dix ans avant la Convention de Seneca Falls, impulsée par Lucretia Mott et Elizabeth Cady Stanton, les Grimké ont mené un combat dangereux pour les droits des femmes, essuyant les premiers et violents retours de bâton.

Plus je lisais de choses sur les deux sœurs, plus j'étais attirée par Sarah et la vie qu'elle avait eue. Avant de devenir un personnage public, elle avait eu désespérément envie d'accomplir sa vocation, elle avait vu ses espoirs anéantis, elle avait connu la trahison, un amour non réciproque, la solitude, le doute, l'ostracisme et le silence étouffant. J'avais l'impression qu'elle avait inventé ses ailes non pas tant en dépit de tous ces obstacles mais à cause d'eux. Ce qui s'imposait à moi, plus que sa vie de réformatrice, c'était sa vie de femme. Comment était-elle devenue ce qu'elle était?

Mon objectif n'était pas d'écrire un récit à peine enjolivé de la vie de Sarah Grimké, mais une histoire profondément imaginaire inspirée par sa vie. Au cours de mes recherches, à force de plonger dans les journaux intimes, la correspondance, les discours et les articles de presse, sans parler des écrits de Sarah ainsi que d'une montagne de matériel biographique, je me suis formé ma propre opinion sur ses aspirations, ses combats et ses motivations. La voix et la vie intérieure que j'ai données à Sarah relèvent exclusivement de mon interprétation.

J'ai tenté de rester fidèle aux grands contours historiques de la vie de Sarah. Dans ces pages sont inclus la plupart des événements importants et des expériences formatrices, ainsi que de nombreux détails factuels. Parfois, j'ai utilisé les mots mêmes de Sarah, puisés dans son œuvre. Cependant, les lettres qui apparaissent dans le roman sont de mon invention.

Là où j'ai pris le plus la tangente – et le plus longuement – par rapport à la vie de Sarah, c'est dans la relation imaginaire qu'elle entretient avec le personnage de Hetty Handful. Dès le moment où j'ai décidé d'écrire sur Sarah Grimké, je me suis sentie obligée de créer également l'histoire d'une esclave, en lui donnant une vie et une voix qui pourraient se mêler à celles de Sarah. Je savais que, sinon, il me serait impossible d'écrire ce roman, je me devais de représenter leurs deux univers. Et puis je suis tombée sur un détail accrocheur. Quand elle est enfant, Sarah reçoit en cadeau une jeune esclave, qui s'appelle Hetty, et qui doit devenir sa servante. D'après Sarah, ces deux-là se rapprochent. Défiant les lois de Caroline du Sud et son propre père, un juriste qui a lui-même participé à la rédaction de ces lois, Sarah apprend à lire à Hetty; ce pour quoi elles sont toutes les deux sévèrement punies. Là, cependant, s'arrête le court récit concernant Hetty. On ne sait rien de plus à son propos, si ce n'est qu'elle est morte d'une maladie non précisée peu de temps après. J'ai compris d'emblée que je tenais là l'autre moitié de l'histoire. J'allais tenter de rendre la vie à Hetty. J'allais imaginer ce qui aurait pu se passer.

En outre, j'ai créé, par extrapolation, de nombreux autres événements de la vie de Sarah, greffant la fiction sur la réalité afin de servir le récit. Il est clairement établi, par exemple, que Sarah était une piètre oratrice et qu'elle luttait pour s'exprimer en public, mais rien n'indique qu'elle ait jamais souffert d'un grave défaut d'élocution, comme je l'ai raconté. Sarah est effectivement retournée à Charleston dans les mois qui ont précédé le complot de Denmark Vesey, comme je l'ai écrit, probablement pour tenter d'échapper aux sentiments que lui inspirait Israel Morris et, pendant ce séjour, elle a rendu publiques ses opinions anti-esclavagistes, poussant à la confrontation, mais sa brève rencontre dans la rue avec un soldat des milices de Caroline du Sud est entièrement de mon cru. Et si Sarah a bien connu Lucretia Mott, puisqu'elles appartenaient à la même Maison d'Arch Street et que la vie de Mott, ministre quaker, fut pour elle une source d'inspiration, elle n'a jamais vécu chez eux. Il en va de même avec Sarah Mapps Douglass, qui fréquentait également la Maison d'Arch Street. Les deux Sarah sont devenues de grandes amies mais Sarah et Angelina ne se sont jamais réfugiées dans le grenier de Sarah Mapps après la publication de la lettre incendiaire d'Angelina dans *The Liberator*. Alors qu'elles n'étaient plus les bienvenues chez Catherine Morris, où d'ailleurs elles ne se sentaient pas à l'aise, elles ont trouvé à se loger chez des amis à Rhode Island et ailleurs. J'ai inventé ce grenier d'abord afin de créer une destination future pour Handful et Sky. Voilà simplement quelques exemples de la façon dont j'ai mélangé réalité et fiction.

Ici et là, j'ai pris des petites libertés avec le temps. La trépigneuse dans la *Work House* à cause de laquelle Handful se retrouve estropiée n'est que trop réelle, mais j'ai antidaté son installation de sept ans. La « rafle » dans l'Église africaine de Charleston, qui a provoqué la radicalisation de Denmark Vesey, a eu lieu en juin 1818, un an plus tôt que ce que j'ai raconté. J'ai également antidaté l'alphabet chanté, quand j'ai décrit Sarah en train de faire chanter les enfants de l'école du dimanche, où elle a réellement enseigné. Et si la lettre qu'Angelina a envoyée au journal abolitionniste a été effectivement le déclencheur qui a jeté les sœurs dans l'arène publique, Sarah n'est pas tombée d'emblée d'accord avec les prises de position de sa sœur, contrairement à ce que j'ai suggéré. Sarah évoluait souvent plus lentement que ne pourrait le souhaiter un romancier. Il lui a fallu une année entière avant de céder et de se lancer dans le travail révolutionnaire au cours duquel elle allait enfin s'épanouir. Je me sens également obligée de dire que Sarah et Angelina n'ont pas été immédiatement chassées de cette branche conservatrice des quakers, mais la lettre d'Angelina a bel et bien provoqué condamnation, blâmes et menaces d'exclusion dans le comité de surveillance. Les sœurs ont été réellement exclues environ trois ans plus tard – Angelina pour avoir épousé un non-quaker et Sarah pour avoir assisté à la cérémonie.

L'étrange et attachante symbiose qui a commencé lorsque Sarah est devenue la marraine de sa sœur à l'âge de douze ans me laisse penser qu'elles ne devraient pas trop m'en vouloir si, de temps à autre, j'ai emprunté des actes ou des paroles d'Angelina pour les donner à Sarah. Un des exemples les plus frappants est lié aux pamphlets anti-esclavagistes qu'elles ont rédigés à l'attention des femmes et du clergé du Sud. C'est Angelina qui a eu cette idée la première, et non pas Sarah, et elle a écrit sa brochure un an avant sa sœur aînée. Néanmoins, une fois que Sarah s'est lancée dans la rédaction de ses propres essais, elle est devenue une théoricienne et un auteur plus accomplie, tandis qu'Angelina devenait une des oratrices les plus brillantes et les plus convaincantes de son temps. L'audace des débats en faveur du féminisme qu'on trouve dans *Letters on the Equality of the Sexes*, publié en 1837, allait inspirer et marquer des femmes telles que Lucy Stone, Abby Kelley, Elizabeth Cady Stanton et Lucretia Mott.

Plus tard, ce sont les pamphlets d'Angelina qui ont été publiquement brûlés par l'employé des postes de Charleston, ce qui a constitué pour Mrs. Grimké un avertissement : sa fille ne devait pas revenir à Charleston sous peine d'être arrêtée. Disons-le franchement, Sarah non plus n'était pas la bienvenue en ville.

J'ai abrégé et concentré les événements qui se sont déroulés durant la croisade publique des sœurs entre décembre 1836 et mai 1838, n'offrant qu'une vision télescopée des attaques, censure, manifestations d'hostilité et violences auxquelles elles ont été confrontées pour s'être exprimées comme elles l'ont fait. Elles ont secoué, tordu et finalement brisé la barrière des sexes qui privait les femmes américaines d'une voix et d'une scène dans les sphères politiques et sociales. En plein scandale, Angelina a lancé : « Nous, les femmes abolitionnistes, nous mettons le monde à l'envers. » Les railleries de Sarah, que j'ai incluses dans le roman, étaient plus directes : « Tout ce que je demande à nos frères, c'est de bien vouloir retirer leurs bottes de notre cou. »

Quant à ce qu'il est advenu des sœurs après la fin du roman, elles se sont retirées des rigueurs de la vie publique après le mariage d'Angelina, en partie à cause de la santé fragile de celle-ci. Ensemble, elles ont élevé les trois enfants de Theodore et d'Angelina et elles sont demeurées actives dans les organisations anti-esclavagistes et pour le vote des femmes, initiant inlassablement des pétitions, venant au secours de nombreux esclaves de la famille Grimké, qu'elles aidèrent à devenir libres. Leur puissante brochure, *American Slavery As It Is*, s'est mieux vendue que n'importe quel autre pamphlet anti-esclavagiste jamais écrit et ce jusqu'à la parution de *La Case de l'oncle Tom*. Sarah a continué à écrire et j'ai trouvé émouvant qu'elle finisse par publier une traduction de la biographie de Jeanne d'Arc par Lamartine, cette figure féminine du courage qu'elle avait tant admirée. Les sœurs ont créé plus d'un pensionnat et ont veillé sur l'éducation des enfants de bien des abolitionnistes. Alors qu'elles enseignaient dans l'école de Raritan Bay Union, une coopérative communautaire utopique dans le New Jersey, elles ont eu des contacts avec des intellectuels et des réformateurs comme Ralph Waldo Emerson, Bronson Alcott et Henry David Thoreau. Cela m'a amusée de lire que Thoreau, croisant une Sarah grisonnante en train de se balader dans une tenue féministe – un pantalon bouffant –, avait considéré que c'était là un étrange spectacle.

Un des événements que je préfère dans la vie de Sarah a eu lieu en 1870, quelques années avant qu'elle ne meure à Hyde Park, dans le Massachusetts. Angelina et elle ont entraîné quarante-deux femmes à venir voter en cortège lors d'une élection municipale. Marchant sous une tempête de neige, elles ont glissé leurs bulletins illégaux dans une urne symbolique. Cela a été la dernière provocation publique des deux sœurs. Sarah a vécu jusqu'à quatre-vingt-un ans. Angelina, soixante-quatorze ans. En dépit des conflits qui ont surgi de temps en temps, le lien particulier qui les unissait ne s'est jamais rompu et elles sont toujours restées ensemble.

En plus de Sarah et Angelina, j'ai mis dans ce livre d'autres personnages historiques, les brossant à travers ma propre interprétation de leurs vies : Theodore Weld, le célèbre abolitionniste, qu'Angelina a épousé ; Lucretia Mott, une autre abolitionniste célèbre, pionnière dans le domaine des droits des femmes ; Sarah Mapps Douglass, une abolitionniste noire libre et une éducatrice ; Israel Morris, un riche homme d'affaires quaker, veuf, qui proposa deux fois à Sarah de l'épouser. (Le journal intime de Sarah laisse entendre qu'elle l'aimait profondément, même si elle a refusé sa proposition. Elle affirmait qu'elle était déterminée à accomplir sa vocation de ministre quaker, croyant peut-être qu'elle ne pourrait avoir à la fois le mariage et l'indépendance.) Il y a aussi Catherine Morris, sœur d'Israel et quaker conservatrice, chez qui Sarah et Angelina ont pris pension ; William Lloyd Garrison, rédacteur en chef du journal abolitionniste radical, *The Liberator* ; Elizur Wright, secrétaire de l'American Anti-Slavery Society ; et le poète John Greenleaf Whittier, l'ami de Theodore Weld, qui de pair avec lui avait fait le serment de ne pas se marier tant que l'esclavage n'aurait pas été aboli, serment que Theodore rompit. Je pourrais ajouter que les deux hommes soutenaient la lutte pour les droits des femmes et pourtant, dans les lettres qu'ils adressaient à Sarah et Angelina, ils faisaient lourdement pression pour qu'elles lâchent la cause des femmes par crainte de provoquer une scission dans le mouvement abolitionniste. Les réponses les plus marquantes d'Angelina à Theodore se retrouvent dans le roman, dans la scène où les hommes arrivent chez Mrs. Whittier pour ordonner aux sœurs de cesser leur combat féministe. Sarah et Angelina résistent et de fait, comme l'a remarqué l'historienne Gerda Lerner, ce seront ces hommes-là qui lieront la cause des femmes à celle de l'abolition, créant ce que certains ont considéré comme une scission dangereuse et d'autres comme une alliance intelligente. Quoi qu'il en soit, la résistance de Sarah et Angelina a eu un impact dynamique sur l'avancée de la cause des femmes dans la vie américaine.

J'ai tenté de représenter les membres de la famille Grimké avec le plus d'exactitude possible. La mère de Sarah, Mary Grimké, était à tout point de vue une femme orgueilleuse et irascible. D'après Catherine Birney, la première biographe de Sarah, Mrs. Grimké était une dévote étroite d'esprit qui se montrait peu affectueuse avec ses enfants et souvent cruelle envers ses esclaves, auxquels elle infligeait régulièrement des châtiments sévères. De ce que je sais, elle n'a jamais fait subir à ses esclaves la punition sur une seule jambe mais ce châtiment existait bel et bien et Sarah elle-même l'a décrit en détail comme étant utilisé par « une des premières familles de Charleston ». Ma représentation du père de Sarah, le juge John Grimké, et des événements de sa vie, est raisonnablement proche de ce qui est relaté, tout comme ce qui caractérise le frère préféré de Sarah, Thomas. Je sais pertinemment que j'ai largement inventé avec la sœur aînée de Sarah, Mary («Little Missus»), dont on ne sait pratiquement rien. Même si j'ai découvert une source qui parlait d'elle comme étant restée célibataire et une autre qui signalait que son mari était inconnu, je lui ai fait épouser un propriétaire de plantation et je l'ai fait revenir à la maison, une fois veuve. Cependant, elle est toujours restée partisan de l'esclavage, elle n'en a jamais conçu le moindre remords jusqu'à sa mort en 1865, un détail autour duquel j'ai brodé.

Visiter la maison des Grimké, dans East Bay Street, a été pour moi un moment très fort. Même s'il est difficile de dater la maison d'avant 1789, John Grimké a très bien pu l'acquérir au moment de son mariage, en 1784. Elle est restée dans la famille jusqu'à la mort de Mrs. Grimké en 1839. Aujourd'hui, elle est bien entretenue et occupée par un cabinet juridique. La disposition originelle et l'intérieur ont été plus ou moins conservés, y compris les cheminées, les lambris en cyprès, les carreaux de Delft, les parquets en pin et les moulures. En me promenant dans la maison, j'ai imaginé Handful dans le renfoncement à l'étage, en train de contempler le port, et Sarah descendant jusqu'à la bibliothèque de son père alors que les esclaves dorment par terre devant les portes des chambres. J'ai même eu accès au grenier, où j'ai remarqué la présence d'une échelle menant à une trappe dans le toit. J'ignore si cette trappe a toujours existé mais j'imagine très bien Sarah et Handful enfants en train de passer par là, une idée qui a amené la scène du toit, avec le thé partagé et les confidences échangées.

L'Historic Charleston Foundation m'a beaucoup aidée en mettant à ma disposition un document contenant un inventaire commenté de tous les «biens et cheptels» de la maison de John Grimké à Charleston, peu de temps après sa mort en 1819. En étudiant de près cette longue liste, j'ai été sidérée de tomber sur le nom, l'âge, le rôle et la valeur estimée de dix-sept esclaves. Ils étaient enregistrés entre le tapis de Bruxelles et onze yards de coton ciré. Cette découverte m'a littéralement hantée et, finalement, elle a pris sa place dans le roman, avec Handful qui met la main sur cet inventaire dans la bibliothèque et qui trouve dedans son nom et celui de Charlotte avec l'estimation de leurs prix.

Tous les esclaves qui apparaissent dans ce roman sont sortis de mon imagination, à l'exception des lieutenants de Denmark

Vesey, qui ont réellement existé : Gullah Jack, Monday Gell, Peter Poyas et Rolla et Ned Bennett. Tous sauf Gell, ont été pendus pour avoir joué un rôle dans la révolte. Vesey lui-même était un menuisier affranchi dont j'ai tenté de raconter, de la façon la plus conforme aux récits historiques, la vie, la lutte, l'arrestation, le procès et l'exécution. Ce bizarre détail sur Vesey gagnant à la loterie avec le billet numéro 1884 puis utilisant la somme gagnée pour acheter sa liberté ainsi qu'une maison sur Bull Street n'est pas de mon invention. Sincèrement, je me demande si j'aurais eu le courage d'inventer pareille histoire. Dans les rapports, il est dit que Vesey a été pendu à Blake's Lands en même temps que cinq des conspirateurs mais j'ai choisi de me conformer plutôt à la tradition orale qui se transmet dans la population noire de Charleston depuis 1820 et qui affirme que Vesey a été pendu tout seul à un chêne afin que son exécution s'ensevelisse dans l'anonymat. Vesey avait la réputation d'avoir un certain nombre « d'épouses » dans la ville et d'avoir engendré ainsi un certain nombre d'enfants ; j'ai donc pris la liberté de faire de la mère de Handful une de ses « épouses » et de Sky sa fille.

Certains historiens ont des doutes sur l'existence et l'importance de cette insurrection telle que prévue par Vesey, mais j'ai considéré que non seulement Vesey était plus que capable de fomenter pareil complot, mais qu'il l'avait ourdi. Je tenais à ce que cet ouvrage rende justice aux innombrables esclaves et affranchis qui se sont battus, qui se sont révoltés, qui ont résisté et qui sont morts au nom de la liberté. En me documentant sur les évasions et les rébellions des femmes esclaves, j'ai pu modeler les personnages et les récits de Charlotte et Handful.

Le quilt-histoire du roman m'a été inspiré par les somptueux quilts de Harriet Powers, une esclave de Georgie qui, grâce à la technique africaine de l'application, a raconté des histoires tirées de la Bible et des légendes. Les deux quilts encore existants sont conservés au National Museum of American History à Washington, D.C., et au Museum of Fine Arts de Boston. Après avoir fait un pèlerinage à Washington pour voir le quilt de Powers, il m'a paru plausible que des esclaves, qui n'avaient le droit ni de lire ni d'écrire, aient inventé un moyen subversif pour s'exprimer quand même, pour garder vivants leurs souvenirs et conserver l'héritage de leurs traditions africaines. Pour moi, Charlotte utilisait le tissu et l'aiguille comme d'autres utilisent le papier et l'encre, créant une autobiographie visuelle, s'efforçant de résumer les événements de sa vie sur un seul et unique quilt. Un des moments les plus fascinants de mes recherches, ce furent les heures passées à m'informer sur les quilts des esclaves, les symboles et les images dans les textiles africains, où j'ai appris que les triangles noirs étaient une représentation des ailes de merle.

Si vous avez envie d'aller plus loin dans les références historiques du roman ou dans l'étude des quilts d'Harriet Powers, n'hésitez pas à vous plonger dans la lecture de ces livres très accessibles :

The Grimké Sisters from South Carolina : Pioneers for Women's Rights and Abolition, de Gerda Lerner.
The Feminist Thought of Sarah Grimké, de Gerda Lerner.
Lift Up Thy Voice : The Grimké Family's Journey from Slaveholders to Civil Rights Leaders, de Mark Perry.
The Politics of Taste in Antebellum Charleston, de Maurie D. McInnis.
Denmark Vesey : The Buried Story of America's Largest Slave Rebellion and the Man Who Led It, de David Robertson.
Africans in America : America's Journey Through Slavery, de Charles Johnson, Patricia Smith, et la WGBH Series Research Team.
To Be a Slave, de Julius Lester, illustrations de Tom Feelings (Newberry Honor Book).
Stitching Stars : The Story Quilts of Harriet Powers, de Mary Lyons (ALA Notable Book for Children).
Signs & Symbols : African Images in African American Quilts, de Maude Southwell Wahlman.

Pour écrire *L'Invention des ailes*, j'ai été inspirée par les mots du professeur Julius Lester, que je garde toujours sur mon bureau : « L'histoire, ce n'est pas que faits et événements. L'histoire, c'est aussi une douleur au cœur et nous répétons l'histoire jusqu'à être capables de faire nôtre une autre douleur au cœur. »

Remerciements

Mes remerciements les plus sincères à...

Ann Kidd Taylor, écrivaine exceptionnellement douée, qui a lu et relu ce manuscrit à mesure qu'il s'écrivait et qui m'a offert des commentaires inestimables assortis d'une confiance sans limite.

Jennifer Rudolph Walsh, mon étonnante agente et mon amie si chère.

Mon sublime éditeur, Paul Slovak, ainsi que Clare Ferraro, et l'équipe extraordinaire de Viking pour leur soutien sans faille.

Valerie Perry, conservatrice du Aiken-Rhett House Museum à la Historic Charleston Foundation, qui a donné de son temps avec beaucoup de générosité et sans qui je n'aurais pu mener à bien mes recherches.

Carter Hudgens, directeur de la préservation des lieux et de l'éducation au Drayton Hall de Charleston, pour m'avoir consacré du temps et fait découvrir l'histoire des esclaves et la vie qu'ils menaient.

Les institutions suivantes qui, en plus de l'Historic Charleston Foundation et de Drayton Hall, ont été mes sources documentaires : le musée de Charleston, The Charleston Library Society, The College of Charleston's Addlestone Library and the Avery Research Center, la bibliothèque publique du comté de Charleston, the South Caroliniana Library, the Aiken-Rhett House Museum, the Nathaniel Russell House Museum, the Charles Pinckney House, the Old Slave Mart, Magnolia Plantation and Gardens, Lowcountry Africana, Middleton Place et The Boone Hall Plantation.

Pierce, Herns, Sloan & Wilson, SARL de Charleston, qui m'a autorisée à explorer à mon gré la demeure historique qui avait appartenu autrefois à la famille Grimké (qu'on appelle la Blake House, du nom de son premier propriétaire).

Jacqueline Coleburn, exceptionnelle spécialiste du catalogage à la bibliothèque du Congrès à Washington, D.C., pour son aide impressionnante : elle a mis à ma disposition un trésor de lettres, de journaux, de procès-verbaux de l'Anti-Slavery Convention et d'autres documents liés à Sarah et Angelina Grimké et à l'histoire du début du xixe siècle.

Doris Bowman, conservatrice adjointe et spécialiste des collections textiles au National Museum of American History à Washington, D.C., pour m'avoir ouvert les Smithsonian archives où j'ai vu le *Bible Quilt* de Harriet Powers et pour avoir été une mine d'informations.

The New York Historical Society pour avoir mis à ma disposition des documents liés aux sœurs Grimké et à Denmark Vesey, y compris les rapports officiels sur l'insurrection et le procès de Vesey.

The National Underground Railroad Freedom Center à Cincinnati, qui a su si bien m'ouvrir les yeux avec ses expositions et ses expériences interactives sur l'esclavage et l'abolition.

Marilee Birchfield, bibliothécaire à l'université de Caroline du Sud, pour m'avoir aidée à résoudre des problèmes de recherche.

Robert Kidd et Kellie Bayuzick Kidd pour avoir été des assistants compétents et pleins de bonne volonté.

Scott Taylor pour m'avoir aidée patiemment sur les problèmes techniques, surtout la semaine où mon ordinateur m'a lâchée.

Le socle de ma documentation repose sur beaucoup de sources essentielles, des livres, des essais et des articles sur les Grimké, Denmark Vesey, l'esclavage, l'abolition, les quilts et le textile en Afrique, l'histoire du début du xixe siècle, mais je tiens à souligner particulièrement ma dette envers le docteur Gerda Lerner, dont l'érudition et les écrits concernant les sœurs Grimké ont eu une grande influence sur moi, en particulier sa biographie, *The Grimké Sisters from South Carolina : Pioneers for Women's Rights and Abolition*. Je dois également beaucoup à Marc Perry pour son livre *Lift Up Thy Voice : The Grimké's Journey from Slaveholders to Civil Rights Leaders* ; à H. Catherine Birney dans *The Grimké Sisters* ; David Robertson dans *Den-*

mark Vesey : *The Buried Story of America's Largest Slave Rebellion and the Man Who Led It* ; et à Maurie D. McInnis dans *The Politics of Taste in Antebellum Charleston*. Je tiens à mentionner un conte des Noirs américains, dont je me suis inspirée, où, en Afrique, des gens capables de voler perdent leurs ailes quand ils se retrouvent captifs et transformés en esclaves. Cette histoire est magnifiquement racontée par Virigina Hamilton avec de splendides illustrations de Leo et Diane Dillon dans le catalogue ALA Notable Children's Book *The People Could Fly : American Black Folktales*.

Je suis profondément reconnaissante au merveilleux groupe d'amis qui m'a écoutée raconter à quel point j'étais attirée, puis mes défis et mes joies au cours de l'écriture de ce roman et qui n'a jamais cessé de m'encourager : Terry Helwig, Trisha Sinnott, Curly Clark, Carolyn Rivers, Susan Hull Walker et Molly Lehman. Je suis également reconnaissante à Jim et Mandy Helwig qui, comme Terry, font depuis longtemps partie de ma famille élargie.

L'amour et la détermination de ma famille m'ont soutenue sans faille, jour après jour : mes parents Leah et Ridley Monk ; mon fils Bob Kidd et sa femme Kellie ; ma fille Anne Kidd Taylor et son mari Scott ; mes petits-enfants Roxie, Ben et Max ; et mon mari, Sandy, aux côtés de qui je voyage depuis l'université et dont la vaillance au cours de l'année écoulée a été à la fois source d'inspiration et d'approfondissement. Aucun mot ne saurait exprimer la reconnaissance que je dois à chacun d'eux.

CET OUVRAGE A ÉTÉ COMPOSÉ
PAR DATAMATICS
ET ACHEVÉ D'IMPRIMER
PAR L'IMPRIMERIE CAYFOSA, BARCELONE
POUR LE COMPTE DES ÉDITIONS J.-C. LATTÈS
17, RUE JACOB – 75006 PARIS
EN DECEMBRE 2014

JC Lattès s'engage pour
l'environnement en réduisant
l'empreinte carbone de ses livres.
Celle de cet exemplaire est de :
1430 g éq. CO_2
Rendez-vous sur
www.jclattes-durable.fr

PAPIER À BASE DE
FIBRES CERTIFIÉES

N° d'édition : 01
Dépôt légal : janvier 2015
Imprimé en Espagne